КОМАНДА ПРОЕКТА

ПЕРЕВОДЧИК — Евгений Кручина («Отель «Гранд Будапешт». Иллюстрированная история создания меланхоличной комедии о потерянном мире», «Мартин Скорсезе. Главный «гангстер» Голливуда и его работы: от первой короткометражки до «Волка с Уолл-стрит», «Стивен Кинг. Король ужасов. Все экранизации книг мастера: от «Кэрри» до «Доктор Сон»)

Неотъемлемая часть американской киноиндустрии — регулярная публикация биографий голливудских звезд. Обычно такие книги до последней запятой согласованы с самими звездами или их наследниками и потому часто грешат восхвалением действительных и мнимых достоинств их героев. Известный писатель, критик и публицист Марк Элиот и сам отдал дань такому жанру. Но его книга о Клинте Иствуде в этом смысле стоит особняком. Собрав и обработав огромный объем информации о жизни и творчестве главного голливудского ковбоя, полученной из открытых и частных источников, Элиот не стал обращаться к своему герою за разрешением на публикацию. Он попытался своими силами создать объемную биографию Клинта, в которой отражены не только вехи его творчества, но и светлые, темные, а то и отвратительные поступки и черты характера этого человека. Наверное, не всем поклонникам Иствуда это понравится. Но что поделать — такие люди в Голливуде. И не только там.

ЛИТЕРАТУРНЫЙ РЕДАКТОР — Наталия Тормосина («Друзья. Больше, чем просто сериал. История создания самого популярного ситкома в истории», «Моя удивительная жизнь. Автобиография Чарли Чаплина»)

КОРРЕКТОР — Ольга Шупта («Секс в большом городе. Культовый сериал, который опередил время. Как четыре девушки изменили наши взгляды на отношения и жизнь», «Отель «Гранд Будапешт». Иллюстрированная история создания меланхоличной комедии о потерянном мире»)

КОРРЕКТОР — Елена Сербина («Волшебные миры Хаяо Миядзаки», «Секреты, которые мы храним. Три женщины, изменившие судьбу «Доктора Живаго», «Отель «Гранд Будапешт». Иллюстрированная история создания меланхоличной комедии о потерянном мире»)

МАРК ЭЛИОТ

БИОГРАФИЯ

КЛИНТ ИСТВУД

ПОСЛЕДНИЙ КОВБОЙ

БОМБОРА™

Москва 2021

УДК 791.071
ББК 85.374
Э46

Marc Eliot
American Rebel: The Life of Clint Eastwood
Copyright © 2009 by Rebel Road, Inc.
This translation published by arrangement with Crown Archetype,
an imprint of Random House, a division of Penguin Random House LLC and with Synopsis Literary Agency.
Фото на обложке: © Bettmann / GettyImages.ru
Во внутреннем оформлении использованы иллюстрации:
MANSILIYA YURY, Infernal kiss Designs / Shutterstock.com
Используется по лицензии от Shutterstock.com

Элиот М.

Э46 Клинт Иствуд. Последний ковбой. Биография / Элиот М.. – Москва : Эксмо, 2021. – 368 с. – (Легенда! Актеры, изменившие кинематограф).

ISBN 978-5-04-113933-9

Клинт Иствуд – один из самых уважаемых и легендарных актеров в Голливуде, который внес неоценимый вклад в развитие кинематографа. Он всегда отказывается давать какие-то определения своим фильмам, кроме как «развлекательные». Еще реже он рассказывает о своей личной жизни – помимо того, что дает определенный набор нарочитых ответов прессе при продвижении своего нового фильма. Однако если выйти за рамки пиара и попытаться понять, кто он и чем занимается, легко обнаружить тесные, симбиотические отношения между содержанием фильмов, которые он снимает, и жизнью, которую он ведет. Иствуд – человек, зарабатывающий на жизнь созданием фильмов, которые, в свою очередь, формируют его как человека. Он – американский художник, и каждая его картина – это одновременно и большое развлечение, и предостережение. Как и все великие фильмы, ленты Клинта Иствуда – это и окна, и зеркала. Они – отблески его личных откровений, даже если отражают универсальные истины, известные всем зрителям.

Перед вами исследование Клинта Иствуда как человека и как художника, увиденного через окно его реальной жизни и отраженного в некоторых самых необычных, тревожных, провокационных и занимательных фильмах, когда-либо снятых в Америке. Автор поговорил со множеством людей из окружения режиссера, а также с самим актером – и в результате получилась самая полная и честная биография Клинта Иствуда. Обязательна к прочтению для всех любителей кинематографа!

УДК 791.071
ББК 85.374

ISBN 978-5-04-113933-9

Издание для досуга

ЛЕГЕНДА! АКТЕРЫ, ИЗМЕНИВШИЕ КИНЕМАТОГРАФ

ЭЛИОТ М.

КЛИНТ ИСТВУД. ПОСЛЕДНИЙ КОВБОЙ. БИОГРАФИЯ

Главный редактор *Р. Фасхутдинов*
Руководитель направления *Т. Коробкина*
Ответственный редактор *З. Сабанова*
Младший редактор *В. Шабанова*
Литературный редактор *Н. Тормосина*
Корректоры О. Шупта, *Е. Сербина*

Страна происхождения: Российская Федерация
Шығарылған елі: Ресей Федерациясы

ООО «Издательство «Эксмо»
123308, Москва, ул. Зорге, д. 1. Тел. 8 (495) 411-68-86,8 (495) 956-39-21.
Өндіруші: «Эксмо» АҚБ Баспасы, 123308, Мәскеу, Ресей, Зорге көшесі, 1 үй. Тел. 8 (495) 411-68-86, 8 (495) 956-39-21
Тауар белгісі: «Эксмо»
Қазақстан Республикасында дистрибьютор және өнім бойынша арыз-талаптарды қабылдаушының өкілі «РДЦ-Алматы» ЖШС, Алматы қ., Домбровский көш., 3«а», литер Б, офис 1. Тел.: 8(727) 251-59-89,90,91,92, факс: 8 (727) 251-58-12, вн.107;
Өнімнің жарамдылық мерзімі шектелмеген.
Сертификация туралы ақпарат сайтта: Өндіруші: «Эксмо»
Өндірген мемлекет: Ресей
Сертификация қарастырылмаған
Сведения о подтверждении соответствия издания согласно законодательству РФ о техническом регулировании можно получить по адресу: На сайте Издательства "Эксмо" .

Подписано в печать 19.10.2020. Формат 70x100/16.
Печать офсетная. Усл. печ. л. 31,11
Тираж 2000 экз. Заказ 9291
Отпечатано с готовых файлов заказчика
в АО «Первая Образцовая типография»,
филиал «УЛЬЯНОВСКИЙ ДОМ ПЕЧАТИ»
432980, Россия, г. Ульяновск, ул. Гончарова, 14

ISBN 978-5-04-113933-9

ВВЕДЕНИЕ

Я вырос на просмотре фильмов в эпоху, когда не было даже телевидения и ничего, что можно было бы слушать. Меня сформировали такие парни, как Джон Форд, Говард Хоукс, Престон Стёрджес, плюс множество других людей, которые снимали фильмы категории B и имен которых мы не знаем.*

Клинт Иствуд

Клинт Иствуд выделяется на фоне даже самых популярных звезд Голливуда. В киноиндустрии он уже более пятидесяти лет. Начал свой творческий путь Иствуд как актер, работавший по договорам с Universal Studios и исполнявший крохотные, второстепенные и легко забываемые роли, и продолжает свою многогранную актерскую деятельность до сих пор. Он также выступает в качестве режиссера многочисленных блокбастеров, которые регулярно получают премии «Оскар» и рано или поздно займут свое место среди самых любимых американских фильмов.

В начале своей карьеры Клинт провел семь с половиной лет на телевидении, снимаясь в сериале «Сыромятная плеть»**, а его герой Роуди Йейтс стал в конце 1950-х и начале 1960-х годов одним из самых популярных телевизионных ковбоев. К тому времени, когда сериал «Сыромятная плеть» после восьми сезонов завершился, Клинт превратился в кинозвезду международного масштаба, поскольку сыграл роли в трех очень популярных фильмах жанра «спагетти-ве-

---

* Малобюджетные коммерческие кинокартины *(прим. ред.)*.

** Шоу демонстрировалось восемь сезонов. В дебютном году двадцать два эпизода начали выходить на экране с середины сезона как замена другого шоу. В заключительном сезоне сериал состоял из тринадцати эпизодов. Сезоны со второго по седьмой занимали весь год.

стерн»*, которые были сняты и показаны в Европе. Когда эти фильмы наконец выпустили и в Америке, Иствуд стал звездой большого экрана и в Соединенных Штатах. За следующую четверть века Клинт снялся в десятках развлекательных фильмов, что сделало его имя нарицательным в любой точке мира, где показывали кино. Иствуд, несомненно, нравился публике, но в то же время голливудская элита считала его фильмы жанрово непригодными для того, чтобы претендовать на «Оскар».

В 1992 году Клинт спродюсировал и поставил фильм «Непрощенный», где также снялся в главной роли. Покончив в буквальном смысле слова со всеми своими вестернами, он основал собственную продюсерскую компанию Malpaso — мини-студию, которая должна была служить исключительно своей звезде. Фильм «Непрощенный» получил четыре премии «Оскар»; две из них были предназначены для Клинта (одна — за лучшую режиссуру, другая — за лучший фильм). Неожиданно для всех Иствуд стал жить в стиле царя Мидаса — превращать все, к чему прикоснулся, в золото (в данном случае — в «Оскар»). Почти все, что он делал в течение следующих пятнадцати лет, было признано Академией достойным наград или, по крайней мере, номинаций, в том числе фильмы «Малышка на миллион», «Таинственная река», «Флаги наших отцов», «Письма с Иводзимы», «Подмена». В постстудийную эпоху в Голливуде первым правилом кинопроизводства считалось правило «молодежь равняется на кассу»: молодые люди ходят в кино, пожилые зрители сидят дома и смотрят фильмы по кабельному телевидению или на DVD. Поэтому еще более примечательно, что Иствуд снял все свои главные фильмы после шестидесяти.

Эти три персонажа во всех своих воплощениях внутренне связаны с реальным Клинтом. Все трое — типичные одиночки, и этим отличаются от других канонических образов американского кинематографа.

Возможно, больше, чем у любой другой голливудской звезды, в двойной спирали ДНК Клинта творчество и реальность оказались переплетены настолько тесно, что человека вне экрана практически невозможно отделить от персонажа на экране. Эти двое постоянно

* Поджанр фильмов-вестернов, родившийся в Италии и особенно популярный в 1960-х и 1970-х гг.

подпитывают друг друга, так что зачастую бывает очень трудно сказать, где заканчивается жизнь героев его фильмов, а где начинается жизнь человека, который их играет.

В тех фильмах, в которых до сих пор Клинт Иствуд выступал в качестве продюсера, режиссера и актера (а также в разных вариантах комбинировал эти роли), постоянно появляются три основных персонажа. Первый – это таинственный человек без прошлого, непоколебимый в своем одиночестве. Это прежде всего Человек без имени, появившийся в трех вестернах Серджо Леоне («За пригоршню долларов», «На несколько долларов больше», «Хороший, плохой, злой»), а затем, в слегка измененном виде, в лентах «Вздерни их повыше» и «Джоси Уэйлс – человек вне закона». В дальнейшем этот образ имел несколько других обликов и вариаций, вплоть до героя фильма «Непрощенный». Второй персонаж – Грязный Гарри Каллахан, чья, по сути, одинокая личность нигилиста постоянно «всплывает» в лентах мастера вплоть до фильма «Гран Торино». И наконец, третий – это добродушный неотесанный простак, который применяет свои кулаки во всех случаях, в то время как вдумчивый человек использует слова. Впервые он появляется как Фило Беддо в фильме «Как ни крути – проиграешь», а затем возвращается снова и снова, вплоть до ленты «Розовый кадиллак».

Эти три персонажа во всех своих воплощениях внутренне связаны с реальным Клинтом. Все трое – типичные одиночки, и этим отличаются от других канонических образов американского кинематографа. Прочие кинематографические «одинокие мужчины», которые сразу же приходят на ум, на самом деле вовсе не одиночки. Они – одиночки в голливудском стиле, на них нанесены идеализированные образы актеров, которые их сыграли. Вероятно, величайшим «одиночкой» мейнстримных фильмов является Гэри Купер в роли шерифа в фильме Фреда Циннемана «Ровно в полдень» (1952). Да, Уилл Кейн один героически противостоит своим врагам, но на самом деле он вовсе не одинок, так как, в конце концов, полагается на любовь своей жены и на ее владение оружием (без видимой охоты), которое спасает ему жизнь. Когда все сражения заканчиваются, они вместе уходят «в закат». Другой, кто приходит на ум из «одиночек», – это Рик Блейн в исполнении Хамфри Богарта, ни во что не вмешивающийся американец, занесенный ветрами Второй мировой войны в Касабланку (фильм Майкла Кёртиса «Касабланка», 1942). Он гордо хвастается тем, что «ни перед кем не склоняет головы», а затем поступает именно так ради любимой женщины, роль которой исполняет Ингрид Бергман. В этом поступке столько бескорыстия и благородства, что сама идея о том, что он когда-то был одиноким, кажется абсурдной и смехотворной. Вот Джеймс Бонд — это, кажется, полный и окончательный одиночка. Но теперь-то мы знаем, что он рано потерял свою единственную настоящую любовь, кипит от жажды мщения и ищет женщину, но не какую-то одну, а, видимо, всех. На более высоком уровне подобный образ создает Чарлтон Хестон в фильме Сесила Б. Демилля «Десять заповедей» (1956). Здесь герой изолирован от своей семьи, своего народа, своей земли и своего наследия. Тем не менее ему необходим кто-то, на кого можно опереться. В данном случае в этой роли выступает сам Всемогущий, который обеспечивает ему любовь, руководство и моральную поддержку. Это дает нам достаточно веские основания утверждать, что даже Моисей не был одиноким.

В реальной жизни Клинта часто описывают как одиночку — такое отношение превалировало, даже когда он снимался в ранних и ничем не примечательных фильмах или в те периоды, когда он был женат и играл роль счастливого голливудского мужа.

Персонажи же фильмов Клинта не нуждаются ни в ком и ни в чем, кроме самих себя. Окружены ли они злобными убийцами или хищными женщинами (часто это одни и те же люди), безликими противниками (как Человек без имени), маньяками, которых преследует и в конечном счете побеждает некто еще более грязный и, следовательно, более сильный, чем они, или даже приятелями-орангутанами, Человек без имени, Грязный Гарри и Фило Беддо одиноки в начале фильма и остаются такими же в конце. Они редко завоевывают сердца женщин — если вообще когда-нибудь завоевывают. Причина проста — они почти никогда не гоняются за женщинами. В тех немногих случаях, когда персонаж Клинта неохотно обнаруживает свой интерес к женщинам, их отношения остаются невнятными, циничными, неромантичными и по большей части не близкими. Так называемая история любви — всегда наименее интересная часть любого фильма Клинта Иствуда. Его одиночки неспособны, не хотят и поэтому не могут исполнить желания тех мужчин или женщин, которые стремятся быть с ними, однако зрители все же мечтают быть похожими на его героев. Создавая таких персонажей, Клинт, несомненно, внес в американское кино нечто оригинальное и провокационное.

В реальной жизни Клинта также часто описывают как одиночку — такое отношение превалировало, даже когда он снимался в ранних и ничем не примечательных фильмах или в те периоды, когда он был женат и играл роль счастливого голливудского мужа. Во время первого брака Клинта (а он продлился 31 год)* у него за спиной громко шептались, что он вовсе не тот семьянин, каким казался, а настоящий бабник и «одинокий волк». Конечно, такую роль определенно нельзя назвать уникальной в городе, где победы над женщинами считаются чем-то гламурным и даже героическим, а усиленное пивом бахвальство историями, происходящими в гримерках, поднимает их до уровня плохой поэзии. Возможно, подобные ярлыки прилипали к нему сильнее, чем к другим голливудским деятелям, поскольку несколько экранных романов Клинта пересекались с его многочисленными реальными романами. Вне экрана жизнь Клинта всегда была заполнена женщинами. Многими? Некоторые могли бы сказать, что их было слишком много, другие — что их вообще не было. Женившись на Мэгги Джонсон, он сразу же «отметился» внебрачным ребенком, первым из четырех**, и многочисленными любовницами. Некоторые из его женщин тоже были голливудскими звездами, и в таких случаях романы с ними часто начинались и заканчивались вместе со съемками фильма. Относительно поздно, в возрасте шестидесяти шести лет, он наконец женился во второй раз. Случилось это через двенадцать лет после того, как завершился его развод с Мэгги. Брак с женщиной, которая была на тридцать пять лет моложе, сделал жизнь Клинта немного спокойнее и счастливее.

В дни своей юности он околачивался в захудалых барах Сан-Франциско и его окрестностей, пил, играл джаз на раздолбанных пианино, говорил — как и другие в то время и в тех местах, надирал задницы в драках, которые вспыхивали в кабаках. Все эти

---

* Клинт и Мэгги Джонсон, его первая жена, заключили брак в 1953 году, разошлись в 1978 году и развелись в 1984 году.

** Одного ребенка родила Роксанна Танис, еще одного — актриса Фрэнсис Фишер, и двоих — Джейслин Ривз. Всего у Иствуда семеро детей: Кимбер Иствуд (родилась 17 июня 1964 г.), Кайл Иствуд (родился 19 мая 1968 г.), Элисон Иствуд (родилась 22 мая 1972 г.), Скотт Иствуд (родился 21 марта 1986 г.), Кэтрин Иствуд (родилась 2 февраля 1988 г.), Франческа Фишер-Иствуд (родилась 7 августа 1993 г.) и Морган Иствуд (родилась 12 декабря 1996 г.).

обстоятельства и события впоследствии нашли свое повторение во многих его фильмах. Крутой парень в реальной жизни, Клинт легко и реалистично играл крутого парня в кино – того, кто обычно решает споры с помощью нокдауна, всеобщей потасовки или, как в лентах «За пригоршню долларов», «Грязный Гарри» и многих других, с помощью решающей финальной перестрелки, которая в кино является классической метафорой кулачного боя.

Одинокий и в реальной жизни, Клинт изо всех сил пытался найти выход из собственной эмоциональной пустыни. И похоже, в этом он преуспел даже больше, чем в исполнении любой из своих ролей (но, наверное, именно это и делает их такими убедительными). Клинтон Иствуд был ребенком Великой депрессии, чьи родители переезжали из города в город, пытаясь найти работу, чтобы свести концы с концами. Вскоре после того, как он окончил среднюю школу, его призвали в армию, где он познакомился с другими крепкими парнями, которые были начинающими актерами. Все они выросли в Южной Калифорнии или в ее окрестностях и быстро сообразили, что у них есть то, что нужно для успеха в кино, – привлекательная брутальная внешность. Киностудии переживали трудное время упадка, и это давало парням возможность устроиться работать по контракту в кино – и легче, чем качая нефть, добывать деньги на пропитание.

После увольнения с военной службы Клинт последовал примеру своих товарищей, но его растущий талант быстро отделил его как от двух близких друзей – Мартина Милнера и Дэвида Дженссена, так и от остальной «стаи». Ничем не примечательная карьера Милнера в кино привела его к еще менее выдающейся, хотя и устойчивой карьере на телевидении, где он участвовал в сериалах «Шоссе 66» (1960–1964) и «Адам-12» (1968–1975). В середине 1960-х (1963–1967) Дженссен вышел на золотую жилу, сыграв на ТВ роль доктора Ричарда Кимбла, но после этого его карьера превратилась в цепочку все более посредственных работ. Клинт же использовал время, которое он провел на телевидении, как своего рода киношколу. Среди усталых и скучающих мужчин, которые возили тележки с декорациями на задний двор компании Universal и обратно, он постоянно изучал всех и вся. И научился не просто снимать фильмы (его сериал состоял из вестернов продолжительностью один час, которые выходили еженедельно, тридцать девять раз в году), но и делать это быстро и дешево, рассказывая короткую и ясную историю, причем часто одну и ту же, с небольшими вариациями. Эти истории имели логичное начало, наполненную действием середину и нравственно возвышенный, идеально выверенный конец.

Только много лет спустя, когда Клинт наконец получил статус дорогостоящей звезды большого экрана, ему выпал шанс стать режиссером. С самого начала он чувствовал, что именно в этой сфере делают настоящее кино и что в конечном итоге лучше играть роль Бога, чем роли отдельных людей. На пути к достижению цели — стать режиссером — он познакомился с Доном Сигелом, который снял его в пяти фильмах: «Блеф Кугана» (1968), «Два мула для сестры Сары» (1970), «Обманутый» (1971), «Грязный Гарри» (1971) и «Побег из Алькатраса» (1979). Эти фильмы сильно повлияли на ранний режиссерский стиль Клинта, особенно в том, что касается веры в человеческое благородство как высшую искупительную силу. Впрочем, в конечном счете Клинт стал игнорировать темы благородства и искупления — его собственный стиль продолжал развиваться, и он понял, что эти темы были не просто производными, но и наименее интересными с точки зрения того, что он хотел вложить в свои фильмы. Его произведения стали меньше зависеть от сюжетов и превратились в сложные развернутые исследования характеров персонажей, которых он играл. Это были мужчины, отстраненные от женщин и широких социальных отношений. В конце концов Клинт пришел к изображению Уолта Ковальски в «Гран Торино» — мрачном и пугающем фильме, в котором прощение и облегчение приходят к герою как самопожертвование в подавляющей (и шокирующей) попытке повлиять на судьбу другого человека. В качестве демонстрации своего режиссерского стиля и актерской зрелости (когда Клинт снимал «Гран Торино», ему было 78 лет) он создал фильм, в котором нет романтических отношений с женщинами, комических моментов и практически до самого конца отсутствует идея искупления вины главного героя. Фильм идеально завершает траекторию развития уникального актерского и режиссерского стиля Клинта, подчеркивая, что его главный герой всегда, особенно в старости, остается совершенно одиноким. Тем самым Клинт еще раз продемонстрировал, насколько он не похож на любого другого современного актера или режиссера.

Клинт всегда отказывается давать какие-то определения своим фильмам, кроме как «развлекательные». Еще реже он рассказывает о своей личной жизни — помимо того, что дает определенный набор нарочитых ответов прессе при продвижении своего нового фильма. Однако если выйти за рамки пиара, пытаясь понять, кто он и чем занимается, легко обнаружить тесные, симбиотические отношения между содержанием фильмов, которые он снимает, и жизнью, которую он ведет. Он — человек, зарабатывающий на жизнь созданием фильмов, которые, в свою очередь, формируют его как человека. Он — американский художник, и каждая его картина — это одновременно и большое развлечение, и предостережение. Как и все великие фильмы, ленты Клинта Иствуда — это и окна, и зеркала. Они — отблески его личных откровений, даже если отражают универсальные истины, известные всем зрителям.

Перед вами — исследование Клинта Иствуда как человека и как художника, увиденного через окно его реальной жизни и отраженного в некоторых самых необычных, тревожных, провокационных и занимательных фильмах, когда-либо снятых в Америке.

ЧАСТЬ I

От бродяги до актера

* * *

ГЛАВА 1

* * *

Мой отец всегда говорил мне, что человек ничего не получает даром. И хотя я всегда ему перечил, но против этого не возражал никогда.

Клинт Иствуд

У мальчика, который в будущем прославится исполнением роли Человека без имени, не было четкого представления о себе или яркого образца для подражания. Детские годы, когда формировался характер этого мальчика, пришлись на период Великой депрессии. Его отец все время находился в поисках постоянной работы и приобрел обманчивый калифорнийский загар. Обманчивый — потому что этот загар был признаком человека, который трудится под палящим солнцем, а не богача, проводящего часы досуга в роскоши.

Два симпатичных калифорнийских подростка — Клинтон и Франческа Рут (иногда пишут — Маргарет Рут, но сама она называла себя только Рут) — познакомились в средней школе Пьемонта, пригорода Окленда. Они поженились совсем молодыми, до того, как рухнувшая экономика погребла под собой их романтическую мечту о хорошей жизни. Семья Рут имела голландские, ирландские и местные мормонские корни. В роду было много простых трудяг — лесорубов, рабочих лесопилок и т. п., среди которых случайно затесался один местный политик. Рут окончила школу Анны Хед в Беркли, куда ее перевели из Пьемонта незадолго до выпускного, — возможно, этот шаг был вызван беспокойством ее родителей в связи с тем, что она начала активно встречаться со своим школьным товарищем, которого звали Клинтон Иствуд. Клинтон был симпатичным парнем с крепкими американскими корнями — его предки были фермерами-пресвитерианцами, которые обосновались в Америке еще до Войны за независимость. Были среди них и торговцы, которые собирали заказы клиентов и переезжали из города в город вместе с тележками, груженными такими товарами, как женское нижнее белье и мыло. Во времена, когда еще не существовали почтовые каталоги, вне крупных американских городов именно так продавалось большинство товаров.

Несмотря на попытки родителей Рут установить некоторую дистанцию между ней и экономически несостоятельным Клинтоном, сразу после окончания средней школы молодые люди поженились.

Несмотря на попытки родителей Рут установить некоторую дистанцию между ней и экономически несостоятельным Клинтоном, сразу после окончания средней школы молодые люди поженились. Свадебная церемония состоялась в межконфессиональной церкви Пьемонта 5 июня 1927 года. Молодые люди оказались достаточно удачливы и сумели найти работу, которая поддерживала их в первые годы совместной жизни. Рут в конечном итоге получила должность бухгалтера в страховой компании, а Клинтон — место кассира. Они продолжали цепко держаться за свои рабочие места и после того, как в октябре 1929 года рухнул фондовый рынок...

Спустя почти три года после их свадьбы, 31 мая 1930 года, родился Клинтон-младший. Мальчик весил целых одиннадцать фунтов и шесть унций (5,2 кг), и все медсестры в больнице Святого Франциска в Сан-Франциско называли его Самсоном.

Примерно в это же время Клинтон-старший сумел устроиться на работу, связанную с продажей акций и облигаций. Тогда эти ценные бумаги были практически бесполезны, но Клинт последовал семейной традиции и стал бродячим торговцем, переезжавшим из города в город в поисках тех немногих неуловимых клиентов, у которых было достаточно денег, чтобы инвестировать в свое будущее и, следовательно, в будущее Клинтона Иствуда. Как он вообще ухитрялся что-то продавать? Возможно, это было связано с его природным очарованием и красивой внешностью.

Но вскоре и этот источник доходов иссяк, и Клинтон перешел на продажу холодильной техники компании East Bay. В долгосрочной перспективе эта должность смотрелась несколько лучше, чем позиция продавца акций и облигаций, но действительность оказалась иной: сначала у людей должны были появиться средства на еду, и лишь потом они могли вкладываться в технику, которая позволяет эту еду дольше хранить. В результате в 1934 году, после рождения второго ребенка — девочки, которую назвали Джинн, семья Иствудов перешла к странствующей жизни: они переезжали на машине туда, где Клинтон мог найти временную работу. В своих самых ранних воспоминаниях Клинт писал о тех временах так:

> «Ну, это были тридцатые годы, и тогда было трудно найти работу. Чтобы ее получить, мои родители, сестра и я должны были переезжать с места на место. Я помню, что мы переехали из Сакраменто в Пасифик-Палисейдс только для того, чтобы мой отец смог работать на бензозаправочной станции. Это была единственная вакансия. Все мы жили в какой-то глухомани в трейлере с одним передним колесом и в машине.
>
> Мой отец с большим уважением относился к женщинам. И однажды, когда я нагло повел себя с матерью в его присутствии, задал мне трепку...»

На самом деле отец Клинта получил тогда работу на автозаправочной станции компании Standard Oil, которая находилась на пересечении бульвара Сансет и Тихоокеанского шоссе, рядом с пляжем Малибу. Эта местность быстро превращалась в место обитания нуворишей голливудской киноиндустрии — одного из немногих бизнесов, которые реально получили выгоду от Великой депрессии. Дешевые надуманные фильмы стали в конечном счете спасательным кругом для тех, кто не мог сам воплотить американскую мечту, но любил смотреть, как на экране для него это делают другие. Обитатели этой части города водили большие машины, которые съедали много топлива, поэтому у Клинта было полно работы. Словом, в то время заправщик мог обеспечить себе если не роскошную, то весьма сносную жизнь. На заработанные деньги Клинтон смог арендовать небольшой дом в престижном холмистом Пасифик-Палисейдс.

В выходные дни Клинт и Рут водили своих детей на один из общественных пляжей Малибу — искупаться и позагорать. Однажды Клинтон, который был превосходным пловцом, поднырнул под волну вместе с сыном, который сидел у него на плечах. Когда волна прошла, Клинтон вынырнул на поверхность, а маленький Клинт — нет. Через несколько мгновений Рут увидела над водой ножку своего мальчика и страшно закричала. Вместе с пришедшими на помощь другими пловцами Клинтон сумел быстро вытащить сына из воды. Некоторое время после этого Рут сидела со своим маленьким Клинтом на мелководье и, играясь, брызгала на него, чтобы он перестал бояться прибоя.

От отца он унаследовал сильные руки, широкие плечи, грубоватую красоту и соблазнительные полузакрытые глаза. У него были тонкий, аристократично вздернутый нос и густая шевелюра каштановых волос, которые вьющимися прядями спадали на лоб.

Год спустя, в 1935 году, Иствуд потерял работу на заправке, и семья снова пришла в движение. Они отказались от дома в Пасифик-Палисейдс и сняли маленький за меньшую плату в Голливуде, в нескольких милях от старого места. А вскоре после этого переехали обратно на север, в Реддинг, затем в Сакраменто, оттуда — в Гленвью, на восточное побережье залива Сан-Франциско. Наконец Иствуды обосновались в районе Окленд-Пьемонт, где Клинтон выполнил ряд временных работ. Из-за постоянных переездов Клинт сменил множество школ. «Даже не могу сказать, во сколько школ я ходил, — говорил он впоследствии. — Помню, что мы переезжали очень часто, поэтому у меня было мало друзей». В 1939 году, когда тяжелые времена для Калифорнии закончились, семья достаточно долго жила на одном месте, и юный Клинт, которому тогда было девять лет, пошел в среднюю школу в Пьемонте.

После нападения Японии на Перл-Харбор 7 декабря 1941 года и вступления США во Вторую мировую войну в оборонном секторе стали создавать новые рабочие места. Так Клинтону удалось найти постоянную работу на верфях компании Bethlehem Steel, а Рут — в ближайшем центре IBM.

От бродяги до актера

В юности Клинт с ростом 183 см был самым высоким в своем классе, а к тому времени, когда он окончил среднюю школу, его рост достиг 194 см. По общему мнению, он был одним из самых красивых парней в школе. От отца он унаследовал сильные руки, широкие плечи, грубоватую красоту и соблазнительные полузакрытые глаза. У него были тонкий, аристократично вздернутый нос и густая шевелюра каштановых волос, которые вьющимися прядями спадали на лоб. Взгляд у юноши был жестким, но сам он был довольно стеснительным — вероятно, в результате постоянных переездов его семьи в годы депрессии. Клинт был левшой, что также заставляло его чувствовать себя не таким, как все; в школе учителя принуждали его писать правой рукой.

В старших классах он любил заниматься спортом, тем более что его рост позволял преуспевать в баскетболе, но это мало сказывалось на его социальных навыках. Учителя предупреждали родителей, что для того чтобы юноша занял достойное место в жизни, его нужно вытащить из своей «скорлупы». Одна из них, Гертруда Фалк, преподавательница английского, поставила с классом одноактную пьесу и предложила застенчивому юноше главную роль. Его это не особенно впечатлило.

> «Я очень хорошо помню Гертруду Фалк. В пьесе была роль какого-то заторможенного юнца... Я полагаю, она думала, что я — идеальный претендент на эту роль... Но потом она решила, что я должен играть главную роль, и это стало катастрофой. Я хотел заниматься спортом, а постановку пьес не считал чем-то таким, что нужно делать на этом этапе жизни. И уж совсем мне не нравилось играть в пьесе перед всей школой — а именно это она и заставила нас сделать. Мы путались, пропускали много реплик. Тогда я поклялся, что это выступление ознаменует собой конец моей актерской карьеры».

Клинт не сильно преуспевал в учебе, так что одноклассники и учителя считали его кем-то вроде школьного дурачка. Помимо спорта его интересовала только музыка, но не биг-бэнды, которые были тогда популярны у подростков, а джаз. Ему нравилось играть на пианино, и это, как он считал, увеличивало его шансы у девушек. Он даже разучил многие тогдашние поп-хиты, которые самому не нравились, но зато собирали вокруг него публику.

«Когда на вечеринке я садился за пианино, вокруг меня собирались девушки. Я разучил несколько популярных в то время вещей, просто прослушивая пластинки. Чтобы довести их до ума, я тренировался дома... Я солгал о своем возрасте, прибавив пару лет, и это дало мне возможность ходить в джаз-клуб Hambone Kelly. Там я стоял у задней стенки и слушал, как Лу Уоттерс и Турк Мерфи играют новоорлеанский джаз... Я вырос, слушая Эллу Фицджеральд и Нэта Кинга Коула, Лестера Янга, Чарли Паркера, Диззи Гиллеспи, Майлза Дэвиса, Клиффорда Брауна, Фэтса Наварро, Телониуса Монка, Эрролла Гарнера».

А еще он любил автомобили. Чтобы помочь Клинту сохранить работу разносчика газет, отец купил ему за 25 долларов побитый «Шевроле» 1932 года выпуска. Клинт называл его «ванной» – у машины не было верха. Лучшими аксессуарами этого авто были, конечно же, девушки. «Шевроле» прослужил недолго, став первым из длинной череды подержанных автомобилей. Чтобы содержать их – оплачивать бензин и ремонт, Клинт устраивался на подработки: после школы не только развозил газеты, но и подносил клюшки на поле для гольфа, работал в местном продуктовом магазине, сушил сено на ферме около городка Ирека, рубил лес в поселке Парадайз, работал сезонным лесным пожарным. Все это был чисто физический труд, о котором можно забыть сразу после увольнения. Нагрузки были тяжелыми и утомительными даже для молодого и сильного подростка. Подработки оставляли все меньше времени для учебы в Пьемонте, а когда родители и педагоги поняли, что Клинт не собирается оканчивать школу и получать аттестат, то перевели его в техникум в Окленде, где можно было стать специалистом по обслуживанию самолетов. Это давало ему отличный шанс после окончания техникума поступить в Калифорнийский университет, который имел партнерскую программу с учреждениями среднего образования, или устроиться на хорошо оплачиваемую работу.

После учебы Клинт стал часто зависать с группой крутых длинноволосых подростков, носящих кожаные куртки и футболки. Все они были сильными, высокими и стройными ребятами, которые имели привычку закладывать сигареты за уши, а когда направлялись на местные вечеринки с самыми эффектными девушками, то непременно держали в руках бутылки с пивом. И все они обожали джаз. Чаще всего парни собирались в центре Окленда в заведении под названием «Омар», где брали пиццу и пиво. Здесь Клинт любил играть джаз на старом разбитом пианино, которое стояло в углу. И всякий раз, когда мог, он приходил послушать Диззи Гиллеспи, Коулмена Хокинса, Флипа Филлипса, Лестера Янга или Чарли Паркера. Иногда они играли поодиночке в маленьких темных клубах, рассеянных по улицам Окленда; иногда выступали вместе в зале Shrine Auditorium, где регулярно собирались толпы людей, которые хотели их увидеть и услышать.

Именно Паркер, больше чем все остальные, открыл Клинту глаза на эмоциональную силу новой музыки. Позже Клинт рассказывал Ричарду Шикелю: «Я никогда не видел музыканта, играющего с такой уверенностью. В те дни не было никакого шоу-бизнеса, и этот парень просто стоял и играл, а я думал: "Боже, какая же это удивительная и выразительная вещь"». Холодный, отчужденный звук паркеровского саксофона очень привлекал Клинта.

В 1950 году вспыхнули военные действия на границе между двумя Кореями, и Соединенные Штаты начали массовое наращивание своих сил в Сеуле. Наличие у Клинта воинского статуса А1 («годен к военной службе») сделало его главной целью военкоматов.

Весной 1949 года, когда Клинту было девятнадцать лет, он окончил Оклендский техникум. К тому времени он очень устал от учебы и часто пропускал занятия ради встреч со знакомыми ребятами, среди которых был единственным, кто еще учился.

Между тем окончание войны способствовало экономическому развитию, которое было особенно заметно на Тихоокеанском побережье. Здесь было много рабочих мест, здесь щедро платили и росла мобильность работников. К этому времени Клинтон-старший нашел себе работу в California Container Corporation, стал быстро, почти автоматически продвигаться по службе и вскоре получил руководящую должность на главном предприятии компании, в Сиэтле. Клинтон, Рут и четырнадцатилетняя Джинн собрали вещи и погрузили их в машину, чтобы отправиться в Сиэтл.

Клинт в Сиэтл ехать не хотел — и не поехал, отговорившись тем, что ему нужно закончить учебу. На некоторое время его согласились приютить родители Гарри Пендлтона. Гарри и Клинт были друзьями с младших классов средней школы и некоторое время были в одной компании подростков. Итак, семья Клинта оказалась в Сиэтле, свое образование он завершил, а ясного плана на будущее у него так и не было. Клинт, по его собственным словам, «просто плыл по течению». Он нашел работу в ночную смену на Bethlehem Steel, у доменных печей, затем перешел на авиастроительное предприятие Boeing Aircraft, где трудился днем. В течение следующих двух лет эта тяжелая и малопривлекательная работа держала его в треугольнике «машины – девушки – музыка». Молодой двадцатилетний парень бесцельно и беззаботно брел по жизни, став идеальным бунтарем Западного побережья, который не имел ни печалей, ни забот.

В 1950 году вспыхнули военные действия на границе между двумя Кореями, и Соединенные Штаты начали массовое наращивание своих сил в Сеуле. Наличие у Клинта воинского статуса А1 («годен к военной службе») сделало его главной целью военкоматов. Как студент он мог получить освобождение от службы, но для этого должен был поступить в колледж, что казалось маловероятным. Тем не менее он переехал в Сиэтл к своим родителям и поступил в местный университет. Он полагал, что сможет там заниматься музыкой, поскольку ничто иное его не привлекало. Но его оценки оказались не очень хорошими, и ему сказали, что он может посещать занятия в качестве вольнослушателя неполный день, а этого оказалось недостаточно, чтобы получить отсрочку от армии. После этого он вернулся в Окленд и подал заявление в местный военкомат, пытаясь убедить его сотрудников, что намерен посещать в колледже полный курс.

В результате через месяц его забрали в армию.

Свои последние ночи «на воле» весной 1951 года он провел, напиваясь и слушая музыку в местных заведениях. После этого его отправили в учебку – центр базовой военной подготовки, расположенный в городе Форт-Орд неподалеку от полуострова Монтерей.

Сам он полагал, что не нуждается ни в каком обучении. Чему могла научить его армия из того, что в двадцать лет он еще не знал?

Как оказалось – многому, хотя совсем не тому, чего он мог бы ожидать.

ГЛАВА 2

* * *

В юности я был бродягой, перекати-полем. Однако мне повезло, потому что для бродяги я завершаю свою жизнь финансово обеспеченным. Но это на самом деле ничего не меняет... Все равно тебя, как и остальных, ждет яма в земле...

Клинт Иствуд

Армия быстро изменила ритм жизни Клинта с джазового синкопирования с его беспорядочной сменой дней и ночей на ритм военного марша. В течение шести недель начальной подготовки он находился в Форт-Орд недалеко от полуострова Монтерей. Ко всеобщему удивлению (а больше всего к его собственному), природные физические данные Клинта породили среди сержантов-инструкторов разговоры о том, что его следует отправить в учебный центр для подготовки офицеров. Иствуд с ходу отверг это предложение. Он был призван на два года обязательной службы и не хотел проводить в военной форме ни секундой больше. «Нет проблем, — ответили ему. — Но тогда будь готов к дополнительным тренировкам и повышению квалификации перед отправкой в Корею».

От этой мрачной перспективы его спасло одно слово, которое он написал в своих вступительных документах. Когда его попросили назвать свои особые навыки, он написал: «Плавание». Руководство военного лагеря приняло это к сведению, и, когда он окончил базовый курс, его назначили на постоянную должность инструктора по плаванию и спасателя там же, в Форт-Орд. Таким образом, мальчику, который когда-то едва не утонул в Тихом океане и плохо учился в школе, теперь было поручено обучать плаванию армию. Такая ирония судьбы положила начало тому, что в будущем станет известно как «ухмылка Иствуда», — двусмысленной полуулыбке с прищуренным взглядом, которая одновременно не говорит ничего и говорит все.

На этом «счастливчик Клинт», как всегда называли его друзья, не остановился. Постоянное присутствие в плавательном бассейне вылилось для Иствуда в частые контакты с людьми из так называемой Специальной службы (Special Services) — армейского подразделения, созданного во время Второй мировой войны, чтобы организовывать досуг солдат. В частности, Специальная служба старалась использовать популярность голливудских знаменитостей, привлеченных к военной службе. Понимая, что если, не дай бог, с кинозвездой случится какое-то несчастье, то это будет не самым лучшим экономическим и пиар-ходом, в армии звезд отделили от остальных солдат, свели в особое подразделение Специальной службы и большую часть времени ограждали от службы настоящей. Иными словами, звезды появлялись только там и тогда, когда с их помощью можно было расширить возможности для вербовки новых солдат. Таким образом, у этих ребят было много свободного времени, большую часть которого они проводили, занимаясь плаванием. Настоящая работа Клинта заключалась в том, чтобы следить, как бы они не утонули.

В ходе своих дежурств Клинт познакомился с несколькими молодыми людьми, которые работали в Голливуде по контрактам. Среди собиравшихся у бассейна были Мартин Милнер, Джон Сэксон, Дэвид Дженссен, а также десятки других знаменитых в будущем кинематографистов и телевизионщиков. Таким образом, плавательный бассейн стал популярным местом, где можно было выпить и поболтать. Для полноты картины не хватало только девушек. На базе повсюду работали девушки из Женской вспомогательной службы сухопутных войск, но им не разрешалось общаться с мужчинами у бассейна даже в нерабочее время.

Еще одна работа, порученная Клинту (в целом он был не слишком перегружен), состояла в том, что он стал главным киномехаником, который показывал учебные фильмы в казармах подразделения.

Клинт подружился с красавчиком Дэвидом Дженссеном. Дженссен раньше играл в Голливуде в американский футбол за команду средней школы Фэрфакса, но затем серьезная травма колена лишила его шансов на занятия спортом в колледже и привела вместо этого в кино. Клинт и Дженссен сочетали спортивную браваду с неуемным сексуальным аппетитом, что скоро сделало их своего рода легендами военной базы. Молодые люди в полной мере получали удовольствия от знакомств с молодыми одинокими женщинами в близлежащих ночных клубах, которым нравилось встречаться с военными, и они были милы, готовы к отношениям и весьма доступны. Клинт подружился и с еще одним сержантом, которого звали Ирвинг Ласпер. Именно Ласпер сказал Клинту, что такие лица, как у него, очень подходят для кино —

или, точнее, нравятся тем, кто кино снимает. Клинт тогда отмахнулся от этого предложения, не проявив никакого интереса к кинокарьере.

Клинт также был близок ко многим музыкантам, направленным в часть, включая саксофониста Ленни Нихауса, который работал со Стэном Кентоном*, а теперь играл четыре дня в неделю в сержантской столовой. Клинт сумел найти подход к бармену в зале и после целого дня бездельничанья у бассейна мог расслабиться, получив бесплатную выпивку и послушав, как Нихаус играет на альт-саксофоне. Клинт настолько сблизился с сотрудниками Специальной службы, что стал неофициальным членом их сообщества — это означало, что ответственные за порядок офицеры либо не знали, либо не обращали внимания на то, что он спал после утреннего подъема. Он почти ничего не делал, кроме того что сидел у бассейна, работал по ночам в клубе и приходил и уходил с базы по собственному желанию.

Клинт часто брал увольнительные и устраивал себе однодневные экскурсии, чтобы полюбоваться великолепными прибрежными пейзажами, которые любил с детства. В сонном городке Кармел и на берегу одноименного изумрудного залива, расположенного в 120 милях к югу от Сан-Франциско, он с удовольствием слушал джаз в местных клубах. Этот городок был также известен тем, что привлекал к себе самых красивых женщин, какие только обитали к северу от Лос-Анджелеса. Здесь они всегда занимались серфингом, надевая при этом как можно меньше одежды, чтобы вволю понежиться на знаменитом калифорнийском солнце. Таким образом, Клинт находил в Кармеле удовольствия и днем (женщины), и ночью (джаз).

Еще одна работа, порученная Клинту (в целом он был не слишком перегружен), состояла в том, что он стал главным киномехаником, который показывал учебные фильмы в казармах подразделения. «Помимо того что я работал инструктором по плаванию, одной из дополнительных моих обязанностей был показ учебных фильмов для военнослужащих. Я часто включал им одну из самых моих любимых картин — ленту [Джона Хьюстона, 1945 г.] "Битва под Сан-Пьетро". Сам я за два года службы видел ее, наверное, раз пятьдесят». Снова и снова просматривая картину, Клинт не мог не обратить вни-

---

* Американский джаз-пианист, композитор, дирижер, руководитель джазового оркестра *(прим. ред.)*.

мание на «механику» фильма, на то, как он был скомпонован, на ритм кадров, ракурсы камеры, закадровый голос Хьюстона.

Новое увлечение — кино — вылилось в новую дружбу: Клинт познакомился с молодым актером Норманом Бартольдом, сыгравшим небольшую роль в одной из новых картин, которую предстояло показывать Клинту-киномеханику. Это была лента Х. Брюса Хамберстоуна «Она учится в колледже» (1952), бенефис Рональда Рейгана, в котором Вирджиния Майо сыграла одну из своих «биографических» ролей — длинноногую Бетти Грейбл. Клинт любил общаться с Бартольдом, который рассказывал о том, как снимался фильм и каково это было — работать рядом с обольстительной Майо.

Несколько раз Клинт самовольно уходил с базы прямо в форме, чтобы бесплатно слетать куда-нибудь на военном самолете — такая идея возникала всякий раз, когда он хотел навестить своих родителей в Сиэтле и девушку, с которой он познакомился вне базы — по случайному совпадению, она тоже жила в этом городе. Однажды осенью 1951 года он пробрался на двухмоторный самолет Beechcraft, но в последнюю минуту изменил план и вместо него сел на ударный бомбардировщик Douglas. Обратно этот самолет вылетал немного позже, что давало Клинту возможность провести чуть больше времени в Сиэтле. Однако при возвращении на базу у бомбардировщика сначала возникли проблемы с двигателем, потом кончилось топливо, и машина упала в океан у мыса **Пойнт Рейес**, недалеко от побережья округа Марин. Вот когда пригодились навыки пловца: Клинт сумел вырваться из затопленного фюзеляжа и подняться на поверхность. Невдалеке он увидел пилота самолета, барахтающегося в воде. Вместе они поплыли к берегу, который находился от них на расстоянии четырех, семи или более миль — расстояние зависело от источников, в которых были опубликованы сильно различавшиеся версии этого инцидента.

Таким образом, засидевшись в Сиэтле (а проводил он это время не с родителями, а с девушкой), Клинт не только ушел в самоволку, но и чуть не утонул. В более поздние годы он недооценивал этот инцидент — вероятно, из-за его явно негероической предыстории. Точнее, время от времени он рассказывал об этом своем юношеском приключении, но всегда не очень серьезно. Однако позже, когда он станет звездой боевиков, эта короткая драматическая история будет использована в рекламных целях.

Авария принесла ему немного кратковременной славы. Хотя он не чувствовал себя каким-то особенным героем и считал, что ему просто повезло остаться в живых, местная пресса превозносила его за то, что он выжил в аварии и помог спастись пилоту — лейтенанту Ф. К. Андерсону (фактически тот спасся своими силами). Клинта много раз фотографировали в студии в образе героя — в мокрой рубашке с обнаженной грудью, требуя, чтобы он взирал на мир, как герой. Вместе с тем этот эпизод дал ему реальное представление о смерти. Возможно, то, что он был на грани, имело на него мощное и продолжительное влияние.

Сам Клинт, находясь на службе, никогда не покидал Штаты, но некоторые новобранцы, проходившие начальную подготовку вместе с ним, были отправлены за границу и участвовали в военных действиях. Одним из них был Дон Кинкейд, с которым он был знаком со средней школы. Сразу же после демобилизации, в январе 1953 года, Кинкейд поступил в Калифорнийский университет в Беркли в соответствии с законом, который предоставлял льготы бывшим военнослужащим. Весной того же года Клинт отправился в Беркли, чтобы навестить своего друга.

Кинкейд, встречавшийся к тому времени с девушкой из университетского женского клуба, предложил назначить Клинту «свидание вслепую» с ее лучшей подругой. Он заверил Клинта, что тот не будет разочарован: Мэгги Джонсон была красавицей — высокой, с миловидным лицом и потрясающей фигурой. Кроме того, добавил Кинкейд, она уже встречается с каким-то парнем, так что эта встреча гарантированно будет «одноразовой».

Как выяснилось позже, Клинт и Мэгги сразу понравились друг другу, и, когда выходные закончились, они договорились встретиться вновь осенью, когда Клинт отслужит, а Мэгги окончит учебу и вернется к своим родителям в Альгамбру, пригород Лос-Анджелеса.

А от «какого-то парня» она быстро избавилась.

По мере того как служба близилась к концу, Клинт стал постепенно возвращаться к легкой, «синкопической» жизни своих предармейских дней. После двух лет вольготной «воинской повинности» у него осталось немного армейских привычек, от которых следовало бы избавиться. Он давным-давно отрастил волосы, редко носил форму и почти постоянно приходил в часть и уходил из нее, когда ему заблагорассудится. Ко времени своего увольнения летом 1953 года он планировал вернуться в Сиэтл, где его ждала несложная гражданская работа в качестве спасателя. Только он не собирался выходить на эту работу — по крайней мере, надолго. Пробыв в Сиэтле несколько дней* и повидавшись с родителями, он рванул в Лос-Анджелес, чтобы увидеться с Мэгги Джонсон.

В Лос-Анджелесе Клинт сменил ряд временных работ, пока не нашел постоянную — коменданта дома на Окхёрст-драйв в нескольких милях к югу от Беверли-Хиллз, которую он дополнил работой на автозаправке Signal Oil. Посчитав, что учеба в колледже поможет ему получить место получше, он начал посещать занятия по деловому администрированию в Городском колледже в центре Лос-Анджелеса (здесь тоже помог закон о бывших военнослужащих). Учеба Клинта по-прежнему не очень привлекала, и ради разнообразия он несколько раз сходил на семинары по актерскому мастерству Чака Хилла, одного из многих деятелей шоу-бизнеса, с которыми он познакомился в учебке в Форт-Орд.

Хилл, который хотел сделать себе закулисную карьеру в шоу-бизнесе, заметил Клинта, был поражен его внешностью и велел ему разыскать себя после увольнения в запас, что Клинт и сделал в период работы на бензоколонке.

Хилл был геем, сумевшим проскочить через процесс проверки, который действовал в войсках в военное время. В 1950-х годах концепция «не спрашивай, не говори» фактически уже действовала, хотя и не носила официального характера. Но даже в том случае, когда гомосексуалисты служили в армии, военные не хотели иметь с ними ничего общего — отчасти из-за их «странного» мышления, отчасти потому, что верили, что они не смогут сражаться как настоящие мужчины или контролировать себя в общественном душе. Хилл, который хотел сделать себе закулисную карьеру в шоу-бизнесе, заметил Клинта, был поражен его внешностью и велел ему разыскать себя после увольнения в запас, что Клинт и сделал в период работы на бензоколонке.

---

* Время от времени в прессе всплывает история о том, что Клинт остался в Сиэтле чуть подольше, поскольку от него забеременела местная девушка, и ему пришлось занять денег у родителей, чтобы заплатить за аборт. Якобы именно это обстоятельство ускорило его решение уехать из города. Впрочем, явных и подробных доказательств того, что события развивались именно таким образом, никому найти не удалось.

Дело происходило в Лос-Анджелесе — городе, по сути, с одной индустрией, где в каждом колледже и университете были факультеты актерского искусства, причем по уровню они были выше, чем в любом учебном заведении за пределами Лос-Анджелеса. Так, в Общественном колледже Лос-Анджелеса (Los Angeles Community College, LACC) преподавал Джордж Шданофф, который не только использовал на практике методику Михаила Чехова — сторонника системы Станиславского в обучении актерскому мастерству, но и разработал собственный метод работы с актером. В класс Шданоффа и попали Клинт и Хилл. К сожалению, большая часть того, что предлагал Шданофф, прошла мимо Клинта, который в то время не понимал, что такое «погружение в себя» — аспект, исключительно важный для системы Станиславского. Поэтому большую часть времени Клинт просто сидел среди более серьезных актеров, пытавшихся усвоить ежедневные теоретические знания.

Между тем Клинт воссоединился с Мэгги Джонсон, которая переехала в Альтадену — местность с потрясающими пейзажами, расположенную примерно в десяти милях от Лос-Анджелеса, в горах Сан-Бернардино. Там она нашла работу в качестве представителя компании Industria Americana. Они стали постоянно встречаться, и вскоре в их отношениях возникла тема брака. В начале 1950-х годов в Америке «милые» девушки встречались только с «приличными» мужчинами, что подразумевало обещание рано или поздно надеть на палец обручальное кольцо. Для Мэгги, которая была из семьи, принадлежавшей к верхушке среднего класса, выбор Клинта в качестве человека, который будет исполнять ее мечты, был несколько странным, тем более что по всем признакам она представляла собой типаж женщины-«агрессора». Мэгги была миловидной, из хорошей семьи и не имела ничего общего с женщинами легкого поведения, с которыми Клинт встречался во время службы в армии. И для него брак с «правильной» девушкой был поступком, который он должен совершить. Так он и поступил.

19 декабря 1953 года Клинтон Иствуд-младший взял себе в жены Мэгги Джонсон. Произошло это в Южной Пасадене перед лицом приходского священника – преподобного Генри Дэвида Грея.

19 декабря 1953 года Клинтон Иствуд-младший взял себе в жены Мэгги Джонсон. Произошло это в Южной Пасадене перед лицом

приходского священника — преподобного Генри Дэвида Грея. После непродолжительного медового месяца в Кармеле Клинт возобновил учебу и подработки на заправочной станции, а Мэгги вернулась к своей работе. Единственное изменение в ее жизни заключалось в том, что теперь она могла законно проживать в домике Клинта, расположенном в Южном Окхёрсте.

Вскоре, однако, новая и вполне обычная жизнь Клинта сделала неожиданный драматический поворот. Эти события имели очень мало общего с семейной жизнью, но были тесно связаны с созданием кинофильмов.

ГЛАВА 3

★ ★ ★

У меня было предчувствие, что актерская игра может оказаться для меня интересной. Я выступал в школе и в маленьких театрах Окленда, но в то время не воспринимал это всерьез. А серьезным я стал после того, как мне рассказал о моих шансах один режиссер.

Клинт Иствуд

1945 год стал для американского кино ключевым. Без сомнения, большое влияние на нравы американских юношей оказал своей игрой взрывной Марлон Брандо в роли Терри Маллоя (фильм Элии Казана «В порту»). Великолепная игра Брандо была удостоена «Оскара» за лучшую мужскую роль. Более того, его неподражаемое исполнение навсегда изменило представление о том, как может выглядеть исполнитель главной роли — говорить, вести себя и вообще существовать на экране. Возможно, эта роль в том виде, в каком она была прописана в сценарии, не являлась чем-то ошеломляющим, поскольку в нее были встроены классические голливудские сюжетные приемы: молодой человек пытается изменить мир и завоевать сердце самой красивой девушки в округе. Но то, как Брандо воплотил все это в жизнь на экране, несомненно, потрясало.

После исполнения Брандо роли Маллоя в кастинге главных голливудских студий произошли фундаментальные изменения. Теперь все хотели, чтобы исполнители ведущих мужских ролей были красивыми американскими юношами бунтарского типа. Сначала казалось, что эта политика работает против Клинта, потому что он был скорее холодным и спокойным, нежели горячим и мятежным. Но тем не менее именно молодость и задумчивость Брандо заложили основу для уникального бренда героя Клинта, который пока что был простым молодым симпатичным парнем, работавшим на заправке, не проявлявшим особого интереса к актерскому мастерству и совсем не собиравшимся сниматься в кино. И люди, которые делали кино, пока еще его не обнаружили.

Детали, связанные с подписанием Клинтом контракта с Universal Pictures, всегда были покрыты мраком. Существует много рассказов о событиях того времени, которые часто повторяются, но слегка различаются между собой.

Детали, связанные с подписанием Клинтом контракта с Universal Pictures, всегда были покрыты мраком. Существует много рассказов о событиях того времени, которые часто повторяются, но слегка различаются между собой. Сам Клинт никогда не вносил ясности в отношении деталей того, что привлекло его в кинобизнес. Возможно, одной из причин такого поведения является его естественное нежелание говорить о своей личной жизни, но не исключено, что таким образом он хочет отвлечь внимание от чрезмерно нетерпеливых женщин, геев и диковинных «костюмов», которые помогли ему начать карьеру.

Что можно сказать совершенно определенно, так это то, что карьера Клинта началась в 1954 году, когда он работал на заправочной станции и посещал занятия в LACC, а Мэгги все так же была занята на полную ставку и подрабатывала моделью. А в это время Артур Любин, невысокий, коренастый, суетливый режиссер, работавший по контракту со студией Universal (более всего он был известен по безумно популярным в свое время фильмам с участием Эбботта и Костелло, а также по сериалу «Фрэнсис, Говорящий Мул»), искал кого-то, кто помог бы ему укрепить свое положение на студии. Иными словами, режиссеру нужен был проект или звезда, которые помогли бы ему подняться на следующую ступень лестницы престижа и прибыли. По воспоминаниям Любина, «кто-то повез меня к Клинту, который в это время работал на автозаправке». Очень вероятно, что этим «кем-то» был Чак Хилл, также рассчитывавший укрепить свои позиции в Universal и решивший, что Любин заинтересуется Клинтом и потом отплатит ему сторицей.

Благодаря политике проницательного Лью Вассермана студия Universal перешла на производство телевизионных фильмов раньше, чем большинство других крупных студий. Последние все еще пытались бороться с телевидением, видя в нем набирающего силу конкурента, а не выгодного партнера. В начале 1950-х годов Вассерман создал в структуре студии автономный телевизионный блок под названием Revue, который производил передачи исключительно для маленького экрана. Чтобы найти, обучить и развить новые молодые таланты для телевидения (большинство признанных кинозвезд все еще сотрудничали с ним неохотно), Вассерман одобрил создание Школы талантов студии Universal (UTS), в которой занятия по актерскому мастерству вела Софи Розенштейн. Задача школы заключалась в том, чтобы открывать новые таланты, выводить молодых актеров на траекторию профессионального роста и по мере готовности поставлять их студии для работы по относительно дешевым и долгосрочным контрактам в кино (в этом и была «приманка»), а лучше — на телевидении.

Слишком симпатичный, чтобы стать характерным актером, но недостаточно красивый для традиционного образа главного героя... В соответствии с общепринятой студийной максимой у такого человека шансы попасть на экран были минимальными.

В UTS было не так просто попасть. Прием подразумевал сложный процесс многочисленных прослушиваний. При этом ежедневно к прослушиванию допускались только два претендента, и только лучшие из них «награждались» экзаменом. Для обучения в школе была отобрана небольшая группа «счастливчиков», преодолевших конкурс около 60 человек на место. Выпускникам фактически предоставлялся контракт на работу в Universal из расчета до 150 долларов в неделю, причем каждый из них должен был участвовать в том шоу, куда его «распределили».

Любин настоял, чтобы Клинта прослушали в школе вне очереди, хотя он, с очевидностью, не был тем новым Брандо, которого искала студия, — молодым человеком, обладавшим, несмотря на мрачный вид, душевным теплом. Клинт не имел такого таланта. Но при этом он и не был заурядным красавцем романтического типа. Подобных юношей студия во множестве использовала для заполнения пространства на экране, но среди них было мало тех, кто обладал настоящими талантами — как у Рока Хадсона или Тони Кёртиса.

Более того, Клинт не имел реального опыта актерской работы. Он не знал, как киноактер двигается, как реагирует, как разговаривает, как «думает» перед камерой или как улыбается на крупном плане. С улыбкой была особая проблема: зубы у Клинта были желтыми, слишком маленькими и неровными, что заставляло его улыбаться со сжатыми губами — а это на пленке смотрелось отвратительно. Слишком симпатичный, чтобы стать характерным актером, но недостаточно красивый для традиционного образа главного героя... В соответствии с общепринятой студийной максимой у такого человека шансы попасть на экран были минимальными.

Тем не менее каким-то загадочным образом Любин совершил невозможное. Когда Клинт увидел запись с результатами своего прослушивания, он сразу понял, как плохо смотрится. «Мне показалось, что я выглядел как полный тюфяк. Сама картинка была довольно хорошей, снимали меня неплохо, но я подумал: "Если дело обстоит именно так, у меня большие проблемы"». Тем не менее спустя семнадцать дней компания Universal подписала с Клинтом предварительный контракт на обучение и стажировку в течение семи лет со стартовым гонораром 75 долларов в неделю.

Клинт бросил работу на заправке и начал посещать занятия в школе UTS. К его удивлению, эти уроки (по сути дела, обучение тому, как хорошо выглядеть перед камерой, как не запутаться в собственных ногах и не спотыкаться об электрические кабели) оказались для него бесконечно более ценными, чем обучение внутренним переживаниям по методу Михаила Чехова. Последние его ничему не научили.

Помимо посещения занятий Клинт тренировался в спортзале студии, где любовался великолепными молодыми старлетками — они порхали здесь повсюду. Клинт быстро выяснил, что все юные слушательницы UTS были одинокими, знойными и доступными. По словам одной из них, актрисы фильмов категории B — «страстной кошечки» Мэми Ван Доррен, похожей на Мэрилин Монро, среди учеников школы «свирепствовал секс». Они с Клинтом провели не один день в ее гримерке, множа счет своих побед друг над другом. В полной мере карьера у Мэми так и не сложилась, а с Клинтом она сыграла вместе только в одном фильме. Это была лента Чарльза Хааса «Звезда в пыли» (1956), в которой она исполнила одну из главных ролей, а он был простым статистом.

Клинт, по-прежнему отказывавшийся исправить зубы и покрасить свои каштановые волосы (у Хадсона и Кёртиса они были иссиня-черными), без проблем привлекал к себе женщин и успел переспать не только с Ван Доррен, но и со множеством других старлеток. Для него не существовало никаких причин, чтобы уклоняться от этих связей, и меньше всего его волновало то, что он был женат. Теперь, в этом новом мире изобилия, брак стал казаться ему чем-то вроде соблюдения диеты в самой большой кондитерской в мире. Спустя годы Клинт рассказывал одному писателю, что для него «первый год брака был ужасным»: «Если бы мне пришлось пройти через это снова, то, думаю, я бы остался холостяком до конца своих дней. Мне нравилось делать то, что я хотел. Я не терпел никакого вмешательства в свою жизнь… Мэг (Мэгги) пришлось сразу узнать обо мне следующее: я всегда буду делать то, что хочу. И она должна была это принять, потому что если бы она этого не сделала, мы бы никогда не поженились».

Для Клинта понятие супружеской верности никогда не имело особого смысла. Для Мэгги же было важным то обстоятельство, что он возвращался домой, а он всегда, рано или поздно, домой возвращался.

В одном из редких интервью 1971 года Мэгги, похоже, подтвердила, что Клинт всегда сохранял свою независимость. «Он такой ковбой, настоящий ковбой XX века, — говорила она о муже. — Мы не сторонники теории полного единения. Мне нравятся сильные женские характеры. Я восхищаюсь индивидуальностью и не придерживаюсь той теории, что "я буду личностью, а ты сиди дома"». По своему выбору или по необходимости, но она нашла способ рационально объяснить то, что оба они инстинктивно понимали: для Клинта понятие супружеской верности никогда не имело особого смысла. Для Мэгги же было важным то обстоятельство, что он возвращался домой, а он всегда, рано или поздно, домой возвращался. Тем не менее между супругами всегда существовали недосказанность и заметные трения. Мэгги, воспитанная так, чтобы стать традиционной женой, по понятным причинам с трудом мирилась с поведением своего мужа, который дни и ночи проводил среди молодых, красивых и (как она подозревала) легкомысленных девушек, в гламурном мире сексуальных фильмов и притворства, и при этом утверждал, что ему нечего рассказать о своей работе — по крайней мере, ничего такого, что она хотела бы услышать.

В те дни, когда он не был занят с той или иной старлеткой, Клинт бродил по павильонам студии, где часто сталкивался с другими людьми, работавшими по контракту. Среди них были, в частности, и его приятели по базе в Форт-Орд: Джон Сэксон, Мартин Милнер и Дэвид Дженссен. Четверо потенциальных актеров любили днем шататься по студии, а вечерами просиживать штаны в местных барах. Иногда по выходным Клинт подрабатывал на бензоколонке, где часто оставался на пару дней, ибо постоянно нуждался в деньгах.

На занятиях к постоянному педагогу Клинта Кэтерин Уоррен присоединился Джек Косслин, который устроил для слушателей целый парад знаменитых актеров, в том числе пригласил великого Брандо. Брандо, взволновавший школу уже самим своим присутствием, обратился к ученикам с призывом не пытаться «играть», а просто выйти на площадку и позволить «этому» случиться (каким бы «оно» ни было). И, наконец, кто-то из гостей или что-то из их высказываний произвели впечатление на Клинта, и он сосредоточился на своей игре с такими серьезностью и интенсивностью, которых раньше не проявлял.

К маю 1954 года он был признан достаточно успешным учащимся, чтобы попробовать себя в настоящем фильме с увеличенной зарплатой — 100 долларов в неделю. В это же время он подписал контракт с менеджером-агентом. Это был все тот же Артур Любин, который по-прежнему стремился вытащить Клинта из классных комнат и занять в каких-то фильмах. Первой картиной, для которой Любин хотел порекомендовать Клинта, была лента «Пересечь шесть мостов». Этот фильм стал дебютным для Сэла Минео — задумчивого, совершенно очаровательного новичка с Восточного побережья. Впрочем, несмотря на энтузиазм Любина, режиссер «Мостов» 44-летний Джозеф Певни не был впечатлен Клинтом и вообще не посчитал его актером. Несмотря на давление Любина, Певни отказался использовать Клинта даже в массовых сценах. По правде говоря, Певни, как и большинство режиссеров Universal, полагал, что создание школы талантов — это бездумное возвращение к тем временам, когда студии и обучение что-то значили. Режиссеры-подмастерья типа Певни вообще не хотели, чтобы студия снабжала их студентами или стажерами: они предпочитали настоящих актеров.

Любин тем не менее пытался получить для Клинта роль в любом фильме — в это время он участвовал в работе и над другими картинами студии. В частности, когда Любин занимался производством очередной ленты из франшизы о говорящем муле — «Френсис на флоте», он использовал голос Клинта для озвучки, а его самого «встроил» в некоторые массовые сцены вместе с Милнером и Дженссеном. При этом, несмотря на микроскопичность роли, Любин упомянул Клинта в картине — его фамилия появилась на экране в финальных титрах.

Клинт появился на экране как настоящий актер — в реальной роли (правда, без упоминания в титрах) — только в мае 1954 года. Он дебютировал в фильме актера и режиссера Джека Арнольда «Месть Твари» (1955)*, сиквеле его неожиданно успешного хита «Тварь из Черной лагуны», вышедшего за год до этого. Без сомнения, успех фильма подогрело то, что он был снят для широкого экрана — своего рода 3D-формата того времени. В своей единственной сцене Клинт предстал в роли лаборанта и партнера главной звезды картины Джона Агара — мастера вестернов, военных лент и фильмов ужасов, а также бывшего мужа Ширли Темпл**. Безымянный персонаж Клинта обнаруживает пропавшую крысу, которая удобно устроилась в его лабораторном халате.

Эта сцена, снятая за один день (30 июля 1954 г.), стала первой в ряду бессловесных ролей, на которые Клинта назначала студия. Среди них была роль саксонца в фильме Артура Любина «Леди Годива из Ковентри»***, незатейливо эксплуатировавшего тему секса (в главных ролях здесь снимались Морин О'Хара и Рекс Ризон). В фильме Джека Арнольда «Тарантул» (1955) Клинт сыграл роль пилота военно-воздушных сил, который должен был уничтожить ги-

---

* Имеется в виду год выпуска. Если не указано иное, все даты, связанные с фильмами, относятся не ко времени производства, а ко времени выхода картин на экраны.

** Одна из самых высокооплачиваемых актрис США во время Великой депрессии. После завершения карьеры занялась политикой, став видным американским дипломатом и послом *(прим. ред.)*.

*** Другое название — «Леди Годива XXI века».

гантское насекомое, появившееся в ходе опытов с радиацией. В драме о безумно ревнивом докторе «Никогда не прощайся» (режиссер Джерри Хоппер, 1956) Клинт получил полминуты экранного времени на роль лаборанта, партнера Рока Хадсона, а Дженссен сыграл заметную роль второго плана*. Хоппер предложил Клинту надеть очки, которые могли помочь ему создать характер персонажа, добавив, что в кино не бывает мелких деталей, а есть только мелкие актеры. Это замечание, а также внимание, которое режиссер уделил Клинту с его маленькой ролью, привели Хадсона в ярость. Всегда неуверенный в себе, он стал настаивать на том, что очки должен носить его персонаж — ведь он доктор, в конце концов!

23 октября 1955 года компания Universal неожиданно и бесцеремонно уволила актера — просто потому, что, по словам руководителей, у него был «неправильный» вид.

Затем Клинт сыграл еще две роли формата «моргни — и ты его больше не увидишь». Одна из них — в фильме Певни «Очистить территорию», созданном в 1956 году для раскрутки Джеффа Чандлера — «человека с лицом, высеченным из гранита». Певни был взбешен тем, что на этот раз студия заставила его занять Клинта, и в фильме того едва можно заметить в одной из проходных сцен, когда он вызывает врача. Вторая крохотная роль нашлась для Клинта в фильме Чарльза Хааса «Звезда в пыли» (1956) — главную роль в этом вестерне играл Джон Агар. «Тогда снимали много всяких дешевок, то есть фильмов категории B, — позже вспоминал Клинт. — Я всегда играл в них какого-нибудь молодого лейтенанта или лаборанта, который приходил и говорил: "Он пошел вон туда", или "Случилось то-то и то-то", или "Доктор, вот рентгеновские снимки", а в ответ слышал что-то вроде: "Парень, вали отсюда!" Я уходил, и на этом все заканчивалось».

Как бы то ни было, в течение восемнадцати месяцев Клинт получал хорошие отзывы о своей игре, что привело к увеличению его зарплаты до 125 долларов в неделю. Однако 23 октября 1955 года компания Universal неожиданно и бесцеремонно уволила актера — просто потому, что, по словам руководителей, у него был «неправильный» вид. Особенно раздражали боссов его зубы и сильно

* Это был ремейк фильма «Эта любовь — наша» (1945) режиссера Уильяма Дитерле. Роль, которую играл Хадсон, в первом фильме исполнял Клод Рейнс.

выдающийся кадык. Дженссена тоже уволили — из-за залысин и неправильных черт лица (позднее они хорошо послужили ему в роли Ричарда Кимбла в классическом сериале 1960-х годов «Беглец»). Студия также отказалась от молодого двойника Брандо, который, как там с сожалением констатировали, оказался никудышным актером, в частности не мог эффектно выплескивать свой гнев на экране. Звали его Бёрт Рейнольдс.

В день своего увольнения Рейнольдс и Клинт вместе вышли на парковку и обнаружили, что имя Бёрта на зарезервированном для него месте стоянки уже закрасили и на него через трафарет нанесли фамилию популярного актера Клу Гулагера, игравшего в сериалах-вестернах. Имя Клинта пока было на месте. «Не волнуйся, — сказал тогда Бёрт Клинту. — Я, может быть, еще научусь играть, но ты-то никогда от кадыка не избавишься...»

Нуждавшийся в деньгах Клинт вернулся к временной работе — в основном копал котлованы под бассейны и делал другую подобную работу, и все это — вчерную, чтобы сохранить пособие по безработице.

Клинт оказался не готов к такому неожиданному повороту событий. Он был уверен, что у него есть будущее в Universal, и именно поэтому вместе с Мэгги переехал в более приличный квартал. Здание комплекса «Вилла Сандс» находилось по адресу: Арч-Драйв, 4040, недалеко от бульвара Вентура, то есть достаточно близко к студии, чтобы Клинт мог не спеша ходить на работу пешком. Апартаменты с одной спальней и общим бассейном обходились жильцам в 125 долларов в месяц — весьма дорого для Калифорнии 1950-х годов. Клинт узнал об этом жилье от проживавших здесь одногруппниц по UTS, молодых восходящих звездочек Джиа Скала и Лили Карделл.

Вскоре после новоселья Клинта в удобный комплекс зданий переехал из Сиэтла Билл Томпкинс, а затем к ним присоединился Боб Дэйли, который добирался до Лос-Анджелеса кружным путем — через Чикаго, Техас и Калифорнию — и теперь работал в финансовом управлении компании Universal, занимаясь сметами и графиками производства фильмов. Дэйли и Клинт встречались и раньше — в школе, но теперь, став соседями, подружились и присоединились к компании молодежи из Universal, которая обитала в «Вилла Сандс». Никому в этой компании не было больше двадцати восьми, все они были симпатичными, свободными и целыми днями слушали джаз благодаря проигрывателю, который кто-то предусмотрительно оставил у бассейна.

Нуждавшийся в деньгах Клинт вернулся к временной работе — в основном копал котлованы под бассейны и делал другую подобную работу, и все это — вчерную, чтобы сохранить пособие по безработице. Несколько раз он ходил на прослушивание в другие студии, где показывал сцену из фильма Сидни Кингсли «Детективная история», которую разучил в UTS. В этой сцене он выступал в той роли, которую в фильме играл Кирк Дуглас.

Для Клинта, который не был романтиком и не достиг в тот момент высокого уровня мастерства, знакомство с миром кино могло на этом и закончиться. Могло бы — если бы не непрекращающаяся активность Артура Любина, который был твердо уверен в том, что сделает для Клинта Иствуда то, что режиссер Дуглас Сирк сделал для Рока Хадсона. Восемь из главных фильмов Сирка 1950-х годов* были связаны с этим актером. Первый из них — «Кто-нибудь видел мою девчонку?» (1952) — был снят еще в то время, когда безвестный исполнитель работал со студиями по разовым контрактам (партнершей Хадсона в роли романтического героя была Пайпер Лори). К тому времени, когда Сирк и Хадсон сняли свой последний совместный фильм «Запятнанные ангелы» (1958), Хадсон уже был главной голливудской звездой.

Любин, который не имел ни успехов, ни таланта Сирка, восхищался скорее не его фильмами, а его отношениями с Хадсоном (какими бы они ни были). Любин полагал, что он тоже сможет стать крупным режиссером, работающим с «правильным» актером, и что этим актером является Клинт. Скорее всего, тяга Любина к Клинту была связана и с тем, что режиссер был геем, и с его мнением о способностях Клинта. Гомосексуализм не был в Голливуде чем-то необычным. (И Хадсон, и Сирк были геями, хотя нет никаких доказательств того, что их когда-либо связывали отношения.) Проще говоря, Лю-

* Вот эти восемь фильмов: «Кто-нибудь видел мою девчонку?», «Таза, сын Кочизы» (1954), «Великолепная одержимость» (1954), «Капитан Лайтфут» (1955), «Все, что дозволено небесами» (1955), «Никогда не прощайся» (1956; Сирка не было в титрах, официально в качестве режиссера был указан Хоппер), «Боевой гимн» (1957) и «Запятнанные ангелы». После фильма «Имитация жизни» (1959) Сирк ушел на покой на условиях, которые до сих пор остаются неясными, и навсегда переехал в Швейцарию.

бин хотел продолжить свои профессиональные отношения с Клинтом (в поведении которого не было никаких признаков чего-либо, кроме яростной гетеросексуальности), считая, что это позволит ему добиться успехов в профессии и сделает их обоих звездами.

Тем временем Мэгги перенесла опасное для жизни заболевание — переболела гепатитом. Поскольку ни у нее, ни у Клинта не было медицинской страховки, это явилось для них тяжелым финансовым и эмоциональным ударом. Клинт продолжал рыть котлованы для бассейнов, но благодаря безошибочным действиям Любина сумел сняться в нескольких небольших сценках на телевидении (слишком маленьких для того, чтобы их можно было назвать эпизодами) и таким образом как-то сводил концы с концами. Навыки мотоциклиста позволили ему сняться в сериале «Дорожный патруль», задуманном как средство продвижения на телевидении возрастного актера Бродерика Кроуфорда, получившего премию «Оскар». Алкоголик Кроуфорд имел обыкновение урезать свои реплики до одного-двух предложений, чтобы считывать их со специальных карточек и не заморачиваться запоминанием роли. У Клинта с Кроуфордом была только одна короткая сцена, но этого оказалось достаточно, чтобы он осознал, насколько затянутыми кажутся в кино большинство диалогов (хотя в данном случае — по причинам негативного характера). И хотя его роль была совсем крошечной, Клинта заметили, и он начал получать первые письма от поклонников.

В конце 1956 года Клинт расторг свой первый контракт с Любиным по причине, которую не мог оспорить даже сам Любин: в карьере актера ничего не происходило.

Вскоре Клинт попал в другой сериал — TV Reader's Digest — о популярном журнале, но на этом телекарьера застопорилась. После выздоровления Мэгги денег в семье было так мало, что ей пришлось быстро вернуться к своей прежней работе, а кроме того, подрабатывать, демонстрируя на выставках модели купальных костюмов. Из-за долгих сеансов и демонстраций у нее начали болеть ноги. Иногда она попадала на телевидение в качестве элемента «живых обоев», то есть участвовала в массовке популярных передач, в частности знаменитого воскресного эстрадного шоу Джимми Дуранте.

Между тем когда Мэгги приходилось работать допоздна, Любин, остававшийся единственной ниточкой, связывавшей Клинта с шоу-бизнесом, нередко приглашал его поужинать, пытаясь ввести молодого человека в свое окружение, состоявшее в основном из геев.

В конце 1956 года Клинт расторг свой первый контракт с Любиным по причине, которую не мог оспорить даже сам Любин: в карьере актера ничего не происходило. Клинт заменил Любина на Ирвинга Леонарда, с которым познакомился во время работы в Universal. Уйдя со студии, Леонард стал бизнес-менеджером, специализирующимся на актерах, которым была нужна помощь в управлении своими финансами. Для клиентов, у которых не было своих агентов, Леонард часто находил роли — помогал он и благодарному Клинту. Поскольку в Голливуде человек сегодня может быть бедным, а завтра — богатым, Леонард поддерживал неизвестных актеров и в то же время делал на них деньги. Он заметил Клинта еще в Universal, и когда молодой актер обратился к нему, взял его под свое крыло. Вскоре после этого Леонард получил должность в компании Gang, Tyre & Brown (позднее — Gang, Tyre, Ramer & Brown) — юридической фирме, которая специализировалась на работе с людьми, занятыми в кинобизнесе, и привел с собой туда Клинта. Как только Леонард освоился на новом месте, он познакомил Клинта с Рут и Полом Маршами, управлявшими небольшой пиар-фирмой, ориентированной на актеров и актрис, среди которых было немало подражателей.

Тем временем Любин, разочарованный и, может быть, даже немного разбитый горем, по-прежнему был полон решимости найти способ вернуть Клинта или, по крайней мере, заставить его быть рядом. Летом 1956 года Любин получил свое следующее назначение: он стал режиссером фильма «Первая женщина-коммивояжер», снимавшегося в кинокомпании RKO, и сразу же предложил Клинту в этой картине небольшую роль. Много денег это не принесло*, но дало шанс вернуться в кино.

Фильм «Первая женщина-коммивояжер» представлял собой комедийный вестерн с участием Джинджер Роджерс, Кэрол Чэннинг, Бэрри Нельсона и начинающего актера Джеймса Арнесса. (Арнесс получил свою роль благодаря дружбе с Джоном Уэйном**, который

---

* Клинт получил за этот фильм 750 долларов.

** Американский актер, которого называли «королем вестерна» *(прим. ред.)*.

от исполнения этой роли отказался.) Со временем фильм превратился в самый продолжительный телесериал «Дымок из ствола». Роль Клинта в фильме стала в тот период самой большой его ролью в кино благодаря паре комедийных сцен и тому обстоятельству, что его герой был показан как предмет любовного интереса героини Роджерс. Клинту не понравился сценарий, он не видел смысла в комедии и не особенно любил играть подобные роли, но когда Любин сообщил, что компания RKO оценила игру молодого актера и собирается предложить ему контракт, Клинт воспринял эту новость с воодушевлением.

Контракт этот, впрочем, так и не был заключен, но Любин выбил для Клинта еще одну роль — четвертую за время их знакомства. Это была роль в его следующем фильме для RKO — ленте «Японская авантюра». По сути, это был незатейливый приключенческий фильм, предназначенный для детей. На этот раз Клинт сыграл солдата по имени Дамбо, который вместе с двумя мальчишками пускается в путешествие по Японии. Фильм оказался почти незамеченным, потому что прямо перед его выходом на экраны студия разорилась и была продана за долги. По иронии судьбы «Авантюра» в конечном итоге добралась до кинотеатров благодаря соглашению о распространении фильма, заключенному с компанией Universal. Впрочем, как оказалось, какая именно студия выпустила фильм, теперь не имело никакого значения. Фильм ждал полный кассовый провал.

Потерявший всякие перспективы и отчаянно нуждавшийся в деньгах, Клинт на этот раз устроился уборщиком на фабрику мебели Mode в южной части Лос-Анджелеса, а по выходным рыл котлованы под плавательные бассейны. Зимой 1958–1959 годов он попытался пройти кастинг для фильма «Дух Сент-Луиса», который рассказывал о героическом трансатлантическом полете Чарльза Линдберга в 1927 году. Отправляясь на кастинг, Клинт оптимистично оценивал свои шансы, полагая, что он физически похож на настоящего Линдберга. Каково же было его разочарование, когда на студии он увидел сотни «Линдбергов». В итоге роль досталась Джимми Стюарту, который был вдвое старше Линдберга. При этом Стюарт всеми командовал, потому что был звездой. Так перед Клинтом раскрылся целый мир под названием «Голливуд» — мир, построенный на власти звезд, где самому Клинту места не было.

После этого Иствуд получил второстепенную роль в фильме Уильяма Уэллмана «Эскадрилья “Лафайет”»*, задуманном как «лебединая песня», отражающая жизнь самого Уэллмана в армии и в кино. Уэллман, получивший за свои героические полеты во время Первой мировой войны прозвище Дикий Билл, был режиссером-ветераном. Его карьера началась еще в эпоху немого кино. Именно под его руководством был снят фильм «Крылья» (1927) — обладатель первого «Оскара» за лучший фильм, которым его удостоила недавно созданная Академия кинематографических искусств и наук. Новый фильм обещал стать одной из самых больших удач 1958 года, особенно из-за слухов о том, что популярный молодой актер Пол Ньюман подписал контракт на роль Тэда Уокера — героя, очень похожего на Уэллмана. Ньюман, однако, в последнюю минуту решил отдать предпочтение роли Брика в фильме Ричарда Брукса по пьесе Теннесси Уильямса «Кошка на раскаленной крыше». Уэллману было не по силам заменить Ньюмана, и в конце концов студия Warner Brothers, на которой снимался фильм, предложила контракт на исполнение этой роли Табу Хантеру. Клинта же первоначально на открытых прослушиваниях Уэллман выбрал на роль погонщика скота (только благодаря таким ролям он в те дни и мог попасть на киностудию). Произошло это главным образом потому, что Уэллман почувствовал, что Клинт будет хорошо поддерживать Ньюмана. Однако на фоне физически более слабого Хантера Клинт выглядел слишком внушительным. В результате его роль досталась более низкорослому и мрачному актеру — Дэвиду Дженссену. Клинт остался без диалогов и фактически ушел в массовку. Таким образом, и этот фильм для Клинта канул в Лету, никак не продвинув вперед его карьеру.

Клинт вернулся к рытью котлованов. Все чаще он с друзьями проводил вечера в местном баре.

Клинт вернулся к рытью котлованов. Все чаще он с друзьями проводил вечера в местном баре. Один раз (точнее, минимум один раз), выражая свое недовольство, он попал в весьма основательную потасовку, но сумел постоять за себя; его оппоненту, судя по всему, пришлось гораздо хуже.

* Другие названия: «Это война», «Одержимый славой», «Ты у меня на руках».

Вскоре после этого Клинт через Леонарда узнал о недорогом «независимом» кино, которое снимается на площадке 20th Century – Fox (студия снимала фильм, но не занималась его прокатом). Действие картины «Засада на перевале Симаррон», над которой работал начинающий режиссер Джоди Коуплан, происходило после Гражданской войны в США. Клинт претендовал на роль одного из злодеев – бывшего солдата, который остался верен южанам, – и получил эту роль. За нее ему заплатили 750 долларов. Характерно, что популярный исполнитель отрицательных ролей Скотт Брэйди, который играл основного злодея, получил за свою работу 25 тыс. долларов. Коуплан по какой-то непонятной причине предпочитал снимать именно Брэйди – и это несмотря на то, что высокий гонорар актера выливался в удорожание производства и вел к дополнительным расходам по заполнению пустоватого экрана. Особенно странно выглядело в этом «вестерне» отсутствие в кадре лошадей. (Для объяснения этого явления была разработана отдельная сюжетная линия, которая состояла в том, что лошадей украли конокрады; ее разработка вполне могла бы дать начало отдельному, и весьма интересному, фильму.) После выхода картины на экраны Клинт получил положительную рецензию в журнале Variety – правда, состояла она из одной строки и выглядела так: «...Прекрасно сыграли свои роли также Марджиа Дин, Фрэнк Герстл и Клинт Иствуд». Как бы то ни было, картина имела определенный успех, однако сам Клинт позднее называл «Засаду на перевале Симаррон» «самым отвратительным вестерном в истории».

По большому счету, в кинокарьере Клинта по-прежнему ничего не происходило, и он стал всерьез задумываться о том, чтобы вернуться к постоянным занятиям в колледже, получить диплом какого-нибудь специалиста, а потом найти постоянную работу с достойной зарплатой. Тем не менее он не смог заставить себя полностью отказаться от попыток стать киноактером и записался на дополнительные уроки актерского мастерства. (И тогда, и сейчас подобные курсы – самый процветающий бизнес в Голливуде.) В основном такие курсы действовали как «оздоровительные клубы» для актеров, где можно было работать над той или иной сценой или шлифовать монологи, чтобы держать себя в форме. Здесь один из сокурсников Клинта – Флойд Симмонс (они были шапочно знакомы еще по работе на студии) – предложил ему найти для себя агента получше и отправил к собственному агенту – Биллу Шиффрину. Вскоре Шиффрин подписал с Иствудом контракт.

Агент Шиффрин специализировался на поисках «бифштексов», т. е. мускулистых симпатичных молодых людей, которые могли бы играть романтические роли в фильмах категории B и не выглядели бы при этом слишком нелепо. Именно Шиффрин – парень с крючковатым носом, гордившийся своей способностью находить выход из любой сложной ситуации (эта гордость передавалась актерам, которых он поставлял киностудиям), нашел Винса Эдвардса и Боба Матиаса. Эдвардс, темноволосый и злой на вид актер, в конце концов получил известность на телевидении как исполнитель роли мрачного доктора Бена Кейси. Матиас был известен тем, что дважды выигрывал олимпийское золото в десятиборье – в Лондоне в 1948 году и в Хельсинки в 1952 году. (В то время он был единственным человеком в мире, совершившим такой подвиг.) В 1954 году он снялся в фильме Френсиса Д. Лиона «История Боба Матиаса», в котором сыграл самого себя, и, прежде чем сам осознал, стал если не звездой, то киноактером, успешно начавшим свою карьеру. Несколько лет он играл в фильмах категории B, доказывая всем, что у него нет и никогда не было актерских способностей, а затем обратился к политике и провел четыре срока в Конгрессе в качестве члена Республиканской партии, представлявшего калифорнийский округ Сан-Хоакин.

Спаркс и Уоррен не были новичками в деле создания телесериалов. Уоррен, автор оригинальной идеи сериала «Дымок из ствола», был в определенной степени учеником великого американского писателя Френсиса Скотта Фицджеральда.

Через сеть киноагентов Шиффрин узнал, что на канале CBS готовится новый сериал из часовых фильмов-вестернов. Это был ответ на огромный успех и колоссальный рейтинг сериала «Дымок из ствола». «Дымок» начался в 1952 году как радиопостановка усилиями продюсера, писателя и разработчика Чарльза Маркиза «Билла» Уоррена, режиссера Нормана МакДоннелла и сценариста Джона Местона. Запущенный в эфир главой CBS Уильямом Пейли, сериал быстро стал сенсацией и породил десятки похожих на него «взрослых» вестернов в трех главных телесетях. Теперь CBS хотела запустить другой сериал, столь же хороший и столь же прибыльный.

Продюсер нового сериала Роберт Спаркс, исполнительный директор CBS, отвечавший за выпуск фильмов, и главный автор канала Уоррен начали поиск актера, который мог бы сделать сериал «своим» для зрителей. Из-за того что сериал имел другую природу, нежели отдельная картина, кастинг для него имел куда большее значение. Как показал опыт Арнесса, даже «правильная» звезда может направить сериал по неверному пути. А «неправильная» звезда просто его убьет.

Новый сериал задумывался как рассказ о том, что группа погонщиков перегоняет стадо скота на север. В каждом эпизоде зрители знакомились с историями их приключений во время этого путешествия. Такой формат уже с успехом использовался в сериале NBC «Караван повозок», только там погонщики перемещались с Восточного побережья на Запад. Таким образом, Пейли хотел объединить драму фильма «Дымок из ствола» с просторами, показанными в «Караване повозок».

Спаркс и Уоррен не были новичками в деле создания телесериалов. Уоррен, автор оригинальной идеи сериала «Дымок из ствола», был в определенной степени учеником великого американского писателя Френсиса Скотта Фицджеральда (он познакомился с ним, когда учился в колледже в Мэриленде). Там он получил известность как талантливый игрок в американский футбол, и, конечно, эта известность не могла пройти мимо Фицджеральда, который жил в этом районе. Попав под обаяние личности Фицджеральда, Уоррен стал горьким пьяницей и драчливым завсегдатаем баров, что, конечно, не способствовало его успехам в учебе. После окончания курса в 1934 году Уоррен по следам Фицджеральда отправился в Голливуд, решив прорваться в киноиндустрию и сделать себе имя — иными словами, добиться успеха там, где Фицджеральд потерпел неудачу. После службы в Вооруженных силах и участия в качестве офицера флота во Второй мировой войне он стал известен как автор непритязательных рассказов в стиле вестерн, которые печатались в газете The Saturday Evening Post. Многие из его историй были адаптированы и превращены в романы, а некоторые — в фильмы. Вечно нуждавшийся в деньгах (и выпивке) Уоррен перешел на телевидение, где стал «фаворитом» Билла Пейли, председателя и основателя CBS. Естественно, после завершения сериала «Дымок из ствола» Уоррен считался старым конем, который борозды не испортит, и по определению рассматривался как первый кандидат на работу в новом многосерийном телефильме.

Первоначально он назвал свой новый пилотный сценарий «Верховой», но Пейли отказался от такого названия, справедливо предположив, что кроме самих верховых в стране никто не понимает смысла этого слова (среди ковбоев это слово обозначало всадника, который ехал вне стада и направлял его движение). Вместо этого Пейли предложил название «Сыромятная плеть». Так назывался успешный вестерн, который снял в 1951 году Генри Хэтэуэй и в котором играл Тайрон Пауэр. Пейли понравилось это выражение, потому что в нем сразу чувствовалось что-то «вестерновое». Кроме того, многие компоненты телеверсии «Каравана повозок» представляли собой вольные заимствования из первой «Сыромятной плети».

Руководитель этого проекта Роберт Спаркс специализировался на вестернах. В особенности ему удался яркий и очень увлекательный сериал 1957 года под названием «Есть оружие — будут путешествия» — вечернее субботнее получасовое шоу. В этом сериале снялся ветеран кино Ричард Бун — он сыграл роль умного и высококультурного профессионального убийцы. И Пейли поручил опытному Спарксу поработать над новым сериалом вместе с Уорреном.

Уоррен, со своей стороны, только что закончил художественный фильм под названием «Империя скотоводов» (1958), сценарий которого написал его партнер и соавтор — эмигрант из Венгрии Эндре Богем. Уоррен в титрах не значился. Речь в сериале шла о житейских проблемах, связанных с перегонами скота, а в главной роли выступил Джоэл МакКри, один из самых известных и любимых «ковбоев» Голливуда. Кроме того, фильм был во многом обязан своим успехом великой ленте Говарда Хоукса «Красная река» (1948), в которой снялись Джон Уэйн и Уолтер Бреннан и которая сделала звездой Монтгомери Клифта.

Уоррен был большим поклонником стиля игры Клифта, который изображал человека спокойного, обаятельного, жесткого, но не пугающего и тонко, в привлекательной манере реагирующего на обстоятельства. Зная, что Клифт стал теперь одним из самых ярких (и самых трудных в общении) актеров в Голливуде, Уоррен понимал, что он не будет сниматься в телефильме, и потому хотел найти актера с таким же стилем игры, как у Клифта в «Красной реке», который бы уравновесил характер жесткого и бескомпромиссного лидера Гила Фэйвора — его должен был играть 34-летний, но уже седой Эрик Флеминг. Внешне он напоминал молодого Бена Газзара — с лицом, распухшим после драки. Флеминг был на пару дюймов выше, чем Клинт, а его манеру игры в Голливуде называли не методом, а манией. Так, утвержденный на роль Флеминг сразу поверил в то, что он и есть Гил Фэйвор.

Поскольку Спаркс и Уоррен продолжали поиски актера, который мог бы поддержать Флеминга, Шиффрин решил, что в «Сыромятной плети» можно отыскать что-то интересное и для его нового клиента Клинта Иствуда. Клинт уже вышел на людей из будущего шоу. Произошло это благодаря молодой женщине, с которой он познакомился в дни работы на компанию Universal. Соня Чернус была тогда рецензентом у Артура Любина, а теперь выполняла ту же самую работу для него в CBS. Она была одной из немногих женщин, с которыми Клинт общался в тот период и которые стали его друзьями, а не любовницами. Соня даже познакомилась и подружилась с Мэгги.

Клинт упомянул несколько проектов, в том числе «Засаду на перевале Симаррон». И почувствовал облегчение, когда Спаркс сказал, что не видел этого фильма, но заволновался, когда тот добавил, что обязательно посмотрит его и сделает это как можно скорее.

Возможно, Клинт узнал о «Сыромятной плети» от Любина; возможно, Чернус услышала об этом сериале и подумала об Иствуде; возможно, Клинт узнал о новой должности Любина, а тот дал ему понять, что надеется на то, что Клинт найдет себе здесь новую актерскую работу. Какими бы ни были фактические детали (кажется, никто, включая Клинта, этого не запомнил), Чернус сумела убедить Спаркса хотя бы несколько минут поговорить с Клинтом — тем более что Спаркс был расстроен, поскольку просмотрел сотни актеров, но так и не нашел второго главного героя для «Сыромятной плети».

Их встреча, короткая и случайная, произошла в коридоре CBS в присутствии Чернус, которая во время разговора стояла между ними. Спаркс спросил Клинта, что конкретно он сыграл. Клинт упомянул несколько проектов, в том числе «Засаду на перевале Симаррон». И почувствовал облегчение, когда Спаркс сказал, что не видел этого фильма, но заволновался, когда тот добавил, что обязательно посмотрит его и сделает это как можно скорее.

Спаркс спросил Клинта, какой у него рост. Клинт ответил: «Шесть футов четыре дюйма»*. Затем Спаркс пригласил его в свой каби-

* 193 см (*прим. пер.*).

нет – Чернус осталась снаружи. Спаркс представил Клинта Чарльзу Уоррену. Некоторое время они рассказывали о фильме «Сыромятная плеть» и о том, как его видят – с двумя героями: один помоложе, другой постарше. В конце беседы Спаркс и Уоррен пообещали посмотреть «Засаду на перевале Симаррон» (что, конечно, не обрадовало Клинта) и «на неделе» связаться с его агентом Шиффрином. Чернус, которая ждала в коридоре, проводила Клинта к его машине и посоветовала расслабиться: как только она что-то узнает, обязательно даст ему знать.

Позже в тот же день Клинту позвонил Шиффрин и сообщил, что разговаривал со Спарксом и Уорреном. Они не стали смотреть фильм, но хотели как можно скорее провести кастинг на роль младшего из героев – Роуди Йейтса. На следующий день Клинт снова оказался в CBS. Его отправили в гардероб, переодели в костюм, типичный для вестерна, познакомили с Флемингом и дали текст сцены.

После ухода Клинта Спаркс и Уоррен пересмотрели заснятую сцену десятки раз. Уоррену понравилось сходство, которое он увидел между Клинтом на прослушивании и Клифтом в «Красной реке». Спаркс, однако, был менее впечатлен игрой Клинта и склонялся к выбору другого актера – Бинга Рассела*. Специально для участия в принятии решений по кастингу для «Сыромятной плети» Пейли направил из Нью-Йорка Хаббелла Робинсона, ответственного за все программы CBS. Последнее слово было за Робинсоном – и он встал на сторону Уоррена, заявив, что Клинт подходит для исполнения роли Роуди Йейтса.

Через неделю Клинту позвонили и сообщили хорошие новости. Именно так Клинт получил главную роль в крупном телесериале. Первый эпизод «Сыромятной плети» – «Случай с арестантским фургоном» – вышел в эфир в восемь часов вечера в пятницу 9 января 1959 года. В программе он стоял между двумя крупнейшими достижениями CBS – чрезвычайно популярным «Хит-парадом» и «Шоу Фила Силверса»**.

---

* Нейл «Бинг» Рассел, отец актера Курта Рассела, позже был утвержден на роль Клема Фостера, заместителя шерифа в сериале «Бонанца», и играл эту роль с 1961 года в течение десяти лет, пока продолжались съемки сериала.

** В свой первый полный сезон шоу было перенесено на 19:30, в 1963 году оно шло по четвергам в 20:00, в 1964 году вернулось на 19:30 в пятницу, а в 1965 году его передвинули на 19:30 во вторник.

Уже первый сезон «Сыромятной плети» оказался чрезвычайно успешным, а в течение следующих семи лет «Плеть» стала главным хитом среди всех еженедельных программ американского телевидения. Попутно сериал сделал звездами двух «ковбоев» — главных исполнителей мужских ролей.

ГЛАВА 4

★★★

Однажды я был назначен режиссером одной из серий «Сыромятной плети», но так им и не стал. Мне кажется, что какой-то другой актер попытался освоить бюджет, и мне не дали попробовать себя в режиссуре.

Клинт Иствуд

Когда Клинт впервые увидел расписание телепередач на осень 1958 года, то покрылся красными пятнами — «Сыромятной плети» в программе не было! Съемки первых эпизодов шли медленно и с большими трудностями: все участники только начинали знакомиться друг с другом, а характеры персонажей и перипетии сценария все еще находились в процессе доработки. Хуже того, даже когда группа приступила к производству фильмов, на студии никак не могли решить, будет шоу занимать в эфире час или полчаса. Уоррен запрашивал полтора часа, и Пейли мог бы пойти на это, если бы не имело такого успеха «Шоу Фила Силверса», а оно стояло в сетке вещания в золотое время — пятничным вечером в девять часов.

Еще одна проблема состояла в том, что в 1958 году, который должен был стать годом показа первого сезона «Сыромятной плети», вестерны составляли едва ли не треть всех телевизионных шоу, шедших в прайм-тайм (30 из 108). Рекламодатели уже почувствовали, что этот рынок перенасыщен, и предпочитали финансировать передачи нового жанра шоу, которые вот-вот должны были потеснить крупные программы о полицейских и криминале. Группа «Плети» сняла девять часовых эпизодов сериала (продюсеры придерживались золотой середины, справедливо полагая, что часовой фильм легко можно было сократить до получаса или расширить до девяноста минут). Телесеть потратила целое состояние на съемки в Аризоне; Уоррен за отдельное вознаграждение пригласил на пару эпизодов сериала своего старого друга Эндрю В. МакЛаглена (сына ветерана кино актера Виктора МакЛаглена); в сериале появились в качестве приглашенных несколько крупнейших голливудских кинозвезд, чья карьера шла к закату: Дэн Дюрьи, Трой Донахью, Брайан Донлеви и Маргарет О'Брайэн. Но окончательного решения о судьбе сериала руководство компании все никак не принимало...

Недели запаздывания перешли в месяцы. Особенно сильно терзался Клинт: разрыв в его карьере делался все больше и больше, и иногда это просто приводило его в ярость. Однажды в ресторане посреди разговора он смахнул рукой со стола на пол всю посуду. В другой раз ночью у него случился такой сильный приступ паники, что к нему домой на Вентура-бульвар приехало несколько машин скорой помощи. Медики дали ему кислородную подушку, с помощью которой он продышался и восстановил душевное равновесие.

Клинт с нетерпением ждал этой поездки, надеясь уйти от забот и насладиться тишиной и покоем. Однако в поезде его настигла телеграмма, в которой говорилось, что сериал «Сыромятная плеть» включен в измененное расписание показа.

Все это время Клинту предлагали небольшие роли в других программах (в большинстве случае старался Любин)*, была даже возможность сыграть по крайней мере одну главную роль в кино. Однако по контракту с CBS Клинт не мог принимать никакие другие предложения на телевидении или в кино без одобрения компании, а в CBS не хотели расставаться с формирующейся звездой. Когда бродвейская команда, которую возглавляли Ховард Линдсэй и Рассел Круз, предложила ему главную роль в полнометражной экранизации романа «Большая история», телеканал вынудил Клинта отказаться от этого предложения, и роль досталась Тони Перкинсу.

---

* Клинт получил разрешение сыграть лейтенанта флота в эпизоде популярного сериала телевизионного вестерна «Мэверик», который назывался «Бортовой журнал» (1958). Один из эпизодов этого сериала — «Дуэль на закате» — был снят Любином, именно он подергал за какие-то свои ниточки на CBS, чтобы эту роль дали Клинту.

На Рождество 1958 года Клинт и Мэгги решили поехать на поезде в Пидмонт, чтобы навестить друзей и семью Иствудов, которая переехала туда из Сиэтла. Клинт с нетерпением ждал этой поездки, надеясь уйти от забот и насладиться тишиной и покоем. Однако в поезде его настигла телеграмма, в которой говорилось, что сериал «Сыромятная плеть» включен в измененное расписание показа на январь и что он в первый день нового года должен вернуться в расположение студии для продолжения съемок. Как оказалось, Пейли выступил против всех остальных и настоял на том, что шоу в его часовой версии нужно ввести в расписание прямо в середине сезона. Прочитав эту новость, Клинт вскрикнул от радости, а затем заказал бутылку шампанского для себя и Мэгги. Празднование длилось весь остаток пути в Пидмонт.

1 января Клинт присоединился к съемочной группе в Аризоне, где были сооружены постоянные натурные декорации для съемок сериала. Помимо Роуди Йейтса и Гила Фэйвора другими постоянными персонажами сериала были индейский разведчик, повар, его помощник и несколько «седых» коров (так их называли в режиссерском сценарии). Разведчика играл Шеб Вули – актер и исполнитель песен в стиле кантри, который произвел неизгладимое впечатление на публику в роли одного из убийц банды Фрэнка Миллера в культовом вестерне Фреда Циннемана «Ровно в полдень» (1952). Вули раньше работал у Уоррена, и они стали друзьями. Уоррен настоял, чтобы Вули обязательно сыграл в новом сериале. Роль повара Уишбоуна, задуманную как комический противовес главным героям, Уоррен отдал Полу Бринегару, а в качестве Муши, помощника повара, снял Джеймса Мердока. Стив Рейнес и Рокки Шахан стали, соответственно, скотниками Джимом Куинсом и Джо Скарлеттом.

Как только руководители CBS, особенно Уильям Пейли, увидели первое шоу, они поняли, что нашли что-то особенное в новом персонаже – и не во Флеминге, а в Клинте.

Но, пожалуй, самый большой вклад в создание этого шоу внес композитор Дмитрий Тёмкин со своим хитом «Сыромятная плеть». В 1950-х и 1960-х годах каждое телешоу обязано было иметь свою запоминающуюся музыкальную тему, которая открывала фильм и шла вместе с завершающими титрами. Многие из этих заказных тем позднее стали классикой поп-культуры. К ним можно отнести мелодичную латиноамериканскую тему из сериала «Я люблю Люси», свист в начале «Шоу Энди Гриффита», звучание медных духовых инструментов в «Шоу Дика Ван Дайка», громоподобную тему в сериале «Бонанца», напряженное начало «Беглеца» и пульсирующую композицию Лало Шифрина в цикле «Миссия невыполнима». Тема и песня Тёмкина для сериала «Ровно в полдень» принесла ему и его партнеру Неду Вашингтону «Оскар» за лучшую песню, а сам он получил сольный «Оскар» за лучшую музыку к фильму. Теперь он снова объединился с Вашингтоном, чтобы создать музыку и песню для фильма «Сыромятная плеть» с незабываемым рефреном "Roll 'em, roll 'em, roll 'em, keep those dogies rollin'... Rawhiiide..." («Погоняй их, погоняй, погоняй, все время погоняй это стадо... Хлещи их!»). Эта вещь, исполненная Фрэнки Лэйном, звучала так, будто певца во время ее исполнения тянули к электрическому стулу. Надо ли говорить, что энергичная песня быстро стала хитом и помогла сделать персонажей сериала «Сыромятная плеть» желанными гостями, которые каждую пятницу приходили в дома американцев по всей стране.

Вначале сериал «Сыромятная плеть», несомненно, представлял собой бенефис Флеминга, тем более что именно он был звездой, бригадиром скотоводов, рассказчиком и главным героем сюжетных линий многих ранних эпизодов. Тем временем Клинт играл его молчаливого (особенно поначалу) приятеля — грубого, крепкого, симпатичного и стройного, быстрого на стрельбу и драки. Но как только руководители CBS, особенно Уильям Пейли, увидели первое шоу, они поняли, что нашли что-то особенное в новом персонаже — и не во Флеминге, а в Клинте. Клинт привнес в «Сыромятную плеть» что-то такое, чего не мог дать сериалу Флеминг, — привлекательность юности, новую культуру, возникшую с появлением Брандо, Джеймса Дина и Элвиса Пресли. Молодые парни и девушки быстро стали главной аудиторией шоу, и причиной этого был Клинт, а не Флеминг. К концу первого года шоу его зарплата, изначально составлявшая 600 долларов в неделю, удвоилась, а к концу показа он получал в год шестизначные суммы.

После второго сезона «Сыромятной плети» Клинт почувствовал себя под крылом CBS достаточно уверенно на долгосрочную перспективу и купил дом в районе Шерман-Окс, недалеко от Беверли-Глен-бульвар. Это приобретение ознаменовало собой переезд в более престижный район и заметное улучшение жилищных условий (в доме был собственный бассейн). Мэгги уволилась с работы и посвятила себя превращению нового жилища в настоящий дом. Здесь было много картин, фотографий и мебели, но ей не хватало одного очень существенного компонента новой жизни. Мэгги уже семь лет была замужем, но по настоянию мужа оставалась бездетной.

Почему он на этом настаивал? По крайней мере, одна из таких причин могла быть чисто психологической. Своему биографу Ричарду Шикелу Клинт рассказывал, что в нем сохранялась незащищенность ребенка, рожденного в годы Депрессии. Он не мог не видеть, как родители борются за то, чтобы одеть и накормить его. Переживаемые тогда чувства затронули все существо Иствуда. Эти слова звучат искренне, но правда и то, что его звезда всходила все выше, а деньги, слава и стабильность, как правило, позволяют побеждать детские опасения и страхи. Впрочем, возможно, страхи Клинта укоренились настолько глубоко, что физическая безопасность никогда не смогла адекватно восполнить то, чего ему не хватало в детстве (которое по тем временам было не таким уж и плохим). А скорее всего, у Клинта что-то не ладилось в браке.

Несмотря на обретенные славу, деньги и дом, сексуальные аппетиты Клинта оставались неконтролируемыми и не поддающимися классификации. Единственной мерой морали, которую он понимал и хотел (или, возможно, мог) уважать, было его право принимать решение. В феврале 1974 года в своем интервью журналу Playboy Клинт косвенно намекал на то, что у него и у Мэгги (или Мэг, как он иногда ее называл) было понимание особой открытости их брака. Интервьюер – кинокритик Артур Найт – спросил Клинта о его «довольно открытых отношениях с Мэг», на что тот ответил: «Конечно. О да, у нас всегда это было (я не хочу сказать, что я пионер в деле свободы для женщин или что-то в этом роде), но мы всегда соглашались в том, что она может делать все, что захочет. У нас никогда не было такого, что мы, мол, должны сидеть дома и заботиться о доме. В наших отношениях всегда есть определенное уважение к человеку; мы с ней не один человек. Она – личность, я – личность, и мы друзья... Я не даю ей приказы о том, где она должна быть каждые пять минут, и не ожидаю, что она будет стрелять такими приказами в меня». На вопрос, предпочитает ли он блондинок – таких, как Мэгги, – Клинт ответил: «Для брака – нет. Конечно, для маленькой интрижки, для того, чтобы пошалить, подурачиться – ну, вы знаете эту старую фразочку: "Вы часто здесь бываете?.." Я думаю, что здесь важна дружба. Все говорят о любви в браке, но столь же важно быть друзьями».

Если эти слова звучат немного неискренне, то это потому, что Клинт был совершенно уверен: Мэгги никогда не будет публично говорить о таких вещах. Вместо этого она пользовалась для выживания комбинацией из отрицания и обоснования. По крайней мере, часть проблемы заключалась в том, что новые успехи позволили Клинту строить отношения в духе зарождавшейся сексуальности 1960-х годов, в то время как Мэгги оставалась в рамках более сдержанной культуры 1950-х. Тем не менее каждый из них удовлетворял некоторую потребность в другом человеке, что позволяло им, несмотря на неосмотрительность Клинта, продолжать существовать как пара, как родители без детей, как друзья или, точнее, как родители друг другу.

По мере того как продолжала свое восхождение звезда Клинта, он все меньше интересовался и все меньше поддерживал отношения с Шиффриным. Как только Клинт получил от Шиффрина, как прежде от Любина, все, что ему было нужно, он — скажем аккуратно — двинулся дальше. В конце концов, Шиффрин оказался в немалом выигрыше от того, что Клинт получил роль Роуди Йейтса... Так или иначе, Клинт вскоре заменил Шиффрина на Лестера Сэлкоу. У этого агента были тесные отношения с компанией Universal, а Клинт надеялся в конечном счете вернуться к исполнению ролей в художественных кинофильмах.

Несмотря на обретенные славу, деньги и дом, сексуальные аппетиты Клинта оставались неконтролируемыми и не поддающимися классификации.

Однако Сэлкоу оказался скорее дутым авторитетом, чем сильным агентом. Вскоре Клинт обнаружил, кому именно принадлежала власть в наступавшей постстудийной эре Голливуда. Она оказалась у адвокатов, работавших в сфере развлечений, — именно они все чаще играли для своих клиентов роли менеджеров и агентов... Вскоре Клинт ввел в расширявшуюся команду своих представителей еще одного человека — Фрэнка Уэллса. Молодые и хваткие голливудские адвокаты, оказавшись в команде Клинта, быстро оттеснили Сэлкоу и взяли на себя практически все аспекты карьеры артиста. Они провели финансовую реструктуризацию его доходов, чтобы он на законных основаниях мог оставлять себе значительно больше денег и платить меньше налогов. Они организовали отсрочку платежей и приобрели для Клинта обширные и пока еще относительно дешевые земельные участки в Северной Калифорнии, в основном в округе Монтерей, в том числе в Кармеле, все еще малонаселенном районе, который особенно нравился Клинту.

Слава Клинта росла. Его портрет несколько раз появлялся на обложке журнала TV Guide – это был верный признак того, что Иствуд вошел в пантеон телевизионной аристократии.

Роли адвокатов разделились: Леонард в основном занимался финансами, а Уэллс принимал решения о карьере Клинта. Так, Леонард договорился, что все доходы Клинта будут направляться непосредственно ему, а он потом сам будет распределять средства – в основном они шли Мэгги, которая взяла на себя постоянное управление домом Иствудов. Она приостановила свою «карьеру» и с облегчением встретила постоянные отлучки Клинта. У нее также появился сильный интерес к теннису. Говорят, что для того чтобы приспособиться к образу жизни Клинта, Леонард завел два комплекта бухгалтерских книг. Один из них предназначался для налоговой службы, а другой – для Мэгги, которая не должна была знать, сколько денег Клинт потратил на других женщин.

Тем временем слава Клинта росла. Его портрет несколько раз появлялся на обложке журнала TV Guide – это был верный признак того, что Иствуд вошел в пантеон телевизионной аристократии. При этом иногда Клинт красовался на обложке журнала один, а иногда – в компании Эрика Флеминга. Справедливости ради следует сказать, что Клинт был рад, когда ему не приходилось делить обложку с Флемингом – с ним он, по общему мнению, не особо ладил. Они никогда не были близки, никогда не были друзьями, не вращались в одних и тех же социальных кругах и не имели одинаковых интересов вне экрана. Кроме того, с помощью успеха «Сыромятной плети» Флеминг пытался бороться с нисходящим уклоном своей карьеры, а Клинт был на пути наверх, что, естественно, не очень нравилось Флемингу.

Свою лепту в их напряженные отношения вносило и еще одно обстоятельство. Тогда, как, впрочем, и сейчас, съемка телесериалов представляла собой нудную, однообразную работу, а не легкую разминку, как на бейсбольной площадке. Вне зависимости от того, сколько денег он зарабатывал и сколько свободы они ему давали, Клинт все еще был привязан к длинной рабочей неделе. Производство очередного сезона сериала начиналось в конце июля и тянулось до апреля, сопровождаясь частыми выездами на места съемок. И в этих условиях приходилось неделя за неделей, сезон за сезоном, год за годом играть одного и того же персонажа... Конечно, такая работа неизбежно изматывала актера.

В ходе съемок длинного сериала и зрители, и исполнители, как правило, оказывались в ловушке синдрома ожиданий, из которой было очень трудно выбраться. Клинт инстинктивно это понимал и постоянно пытался раздвинуть относительно жесткие рамки характера Роуди Йейтса. Одновременно Фрэнк Уэллс прилагал большие усилия для того, чтобы убедить кинокомпанию Universal снимать Клинта в своих фильмах в межсезонье телешоу. Однако телекомпания постоянно отклоняла все подобные предложения, не желая, чтобы зрители видели Клинта Иствуда в какой-нибудь другой роли, кроме Роуди Йейтса.

CBS не хотела менять формулу успеха шоу и потому крепко держала в узде как своих «фирменных» персонажей, так и актеров, которые их играли. Компания также позаботилась о том, чтобы ни один режиссер не стал для сериала слишком ценным (читай — слишком дорогим). Ради этого продюсеры регулярно выбирали из своей неформальной команды теле- и кинодеятелей режиссеров-подмастерьев и организовывали их постоянную ротацию. Они полагали, что применение такой системы дополнительно снижает вероятность расцвета какого-то одного стиля и, следовательно, последующего отхода от него. Каждому новому режиссеру выдавался сценарий съемки с подробными указаниями и инструкциями: когда обрезать кадр, когда панорамировать, когда наезжать камерой, когда выходить из кадра и т. п. Иными словами, вместо того чтобы становиться творцами, режиссеры, в сущности, превращались в специалистов по применению готовой формулы и должны были строго следовать заранее определенной структуре и формату сериала.

CBS не хотела менять формулу успеха шоу и потому крепко держала в узде как своих «фирменных» персонажей, так и актеров, которые их играли. Компания также позаботилась о том, чтобы ни один режиссер не стал для сериала слишком ценным.

Сценарии тоже создавались формально. В них обычно мало что рассказывалось о предыстории главных героев. Так, лишь ближе к концу сериала выяснилось, что Роуди сражался в армии конфедератов, сидел в тюрьме у северян и потом начал новую жизнь погонщика. Однако авторы никогда не давали много личной информации о персонажах, потому что, по мнению продюсеров, это не имело отношения к самодостаточным сюжетным линиям сериала.

Зрители раскупали альбом в довольно больших количествах — правда, это свидетельствовало скорее о популярности Клинта, чем о его мастерстве певца. Большая часть полученных от продажи средств ушла в компании Universal и Cameo.

Итак, телекомпания стояла насмерть и не позволяла Клинту сниматься в кино (и даже запрещала ему появляться в современной одежде в качестве гостя на любых других шоу CBS, например в программе «Шоу Джека Бенни»). Однако однажды компания Universal все же сумела пригласить его на живое шоу типа родео. Вместе с ним в шоу участвовали Пол Бринегар и Шеб Вули. Последний заменил Флеминга, который в шоу участвовать отказался. В свое время Вули (еще до того, как стать актером) имел опыт участия в родео, так что вместе они организовали небольшое пародийное представление с пением и танцами. И Вули, и Клинт достаточно хорошо пели, чтобы справиться с этим заданием, и сумели быстро освоить искусство танца, которое в данном случае сводилось к искусству владения бутафорским лассо. Собравшиеся зрители, в основном дети, с удовольствием разглядывали настоящего Роуди Йейтса (а не какого-то там Клинта Иствуда). Клинт и Вули получили за шоу по 1500 долларов*.

Клинту разрешили сделать и еще одну вещь — выпустить пластинку-«сорокапятку» с синглом. В 1950-е и 1960-е годы на пластинки записывались многие звезды шоу. Пожалуй, наибольшего успеха в этой области достиг Эдд «Куки» Бернс — звезда сериала

* Существуют разные сведения о выплаченной сумме. Ричард Шикел, который, как говорят, узнал эту информацию непосредственно от Клинта, сообщил, что артист получил 1500 долларов. Патрик МакГиллиган же говорил, что каждый из участников получил по пятнадцать тысяч. Учитывая, что обычно на родео-шоу исполнителям платили скромно, правильной является, скорее всего, сумма Шикела.

«Сансет-Стрип, 77». Выпущенный им мегахит «Куки, Куки (Дай твою расческу)» («Kookie, Kookie (Lend Me Your Comb)» ознаменовал собой и высшую точку недолгой славы Бернса, и начало заката его карьеры. Клинт в 1961 году тоже записал песню «Незнакомка» («Unknown Girl») на фоне кавер-версии популярной мелодии 1950-х годов «Для всех, кого мы знаем» («For All We Know»). Запись прошла достаточно удачно для того, чтобы с Клинтом был подписан контракт на выпуск пластинки, которая называлась «"Сыромятная плеть". Клинт Иствуд поет лучшие ковбойские песни»*. Записанный на лейбле Cameo Records, альбом сопровождался фото Клинта в ковбойском наряде (виды спереди и сзади), при этом его нигде не называли Роуди Йейтсом. В тексте на обороте конверта, в частности, с большим пиететом сообщалось:

> «Ковбойские песни из вестернов действительно представляют собой отдельную ветвь американской культуры. Они стали популярными еще в те времена, когда мужественные американцы действительно пересекали прерии. И нет лучшего образца "ковбоя", чем Клинт Иствуд, коренной уроженец Запада США и исполнитель этих песен.
>
> Этот альбом представляет собой сборник песен, тесно связанных с духом Америки. Исполнение Клинта Иствуда, талантливого вокалиста из компании Cameo-Parkway, и самые популярные в Америке ковбойские песни — эта непревзойденная комбинация позволит вам хорошо провести время».

Зрители раскупали альбом в довольно больших количествах — правда, это свидетельствовало скорее о популярности Клинта, чем о его мастерстве певца. Большая часть полученных от продажи средств ушла в компании Universal и Cameo, но Клинт в данном случае заботился не о собственной прибыли, а о своей карьере в кино. Он не был вокалистом в стиле поп-кантри и не хотел им становиться — его музыкальные интересы прочно укоренились в джазе. Когда Cameo при восторженном одобрении Universal захотела продолжить эту деятельность

* Треки: «Букет роз», «Сьерра-Невада», «Не держи меня», «Доволен ли ты?», «Тропа Санта-Фе», «В последний раз», «Роза Мехикали», «Перекати-поле», «Сумерки на тропе», «В поисках чего-то», «Я люблю тебя еще сильнее» и «Роза Сан-Антонио».

и выпустить пластинку в духе Эдда Бернса, Клинт категорически отверг эту идею. Чтобы не стать следующим «Куки», он почти полностью отказался от своей возможной карьеры кумира подростков.

В феврале 1962 года популярность шоу (теперь уже всемирная) вылилась в организацию первого персонального пиар-тура по Японии с участием Флеминга и Клинта в парадных костюмах ковбоев. Где бы они ни появлялись, их всегда окружали толпы поклонников. Мэгги не сопровождала Клинта в этом туре, и многие подозревали, что он просто не захотел взять жену в поездку, предпочитая беспрепятственно наслаждаться плодами собственной славы.

Таким образом, Мэгги осталась дома, продолжая игнорировать донжуанство Клинта и играть в теннис со своими новыми друзьями из высшего общества, среди которых была дочь Уильяма Уэллмана — Сисси Уэллман (с которой она познакомилась и подружилась еще в то время, когда Клинт снимался в «Эскадрилье "Лафайет"»), а также с Бобом Дэйли и другими соседями и знакомыми.

Клинту поступали все новые предложения сыграть главные роли в фильмах, которые снимались в Англии и Италии. Предложения были интересными, но Клинт был вынужден от них отказываться. В апреле 1963 года, на четвертом году шоу, в CBS почувствовали, что нужно немного «ослабить вожжи», и позволили Клинту появиться в другом сериале компании. Возможно, одной из причин этого шага стало то обстоятельство, что «Сыромятная плеть» впервые уступила в гонке рейтингов новым и грозным конкурентам. Так, программе International Showtime (канал NBC) удалось выбить «Сыромятную плеть» из двадцатки лучших. Полагая, что шоу нужна свежая реклама, компания попросила Клинта стать приглашенной звездой в эпизоде популярного ситкома Артура Любина «Мистер Эд»*, основанного на рассказе Уолтера Брукса «Эд дает зарок воздержания».

Несмотря на то что это был не тот тип рекламы, на который рассчитывал Клинт, он согласился участвовать в шоу при выполнении одного из двух условий: 1) он не должен будет появляться в образе Роуди Йейтса или 2) вообще не должен наряжаться ковбоем. Канал с готовностью согласился.

---

* Главными героями комедийного сериала были говорящая пегая лошадь и ее хозяин мистер Эд *(прим. ред.)*.

Одним из авторов этого шоу была подруга Клинта Соня Чернус, которая в свое время помогла организовать встречу с Уорреном, благодаря которой Клинт и попал в сериал «Сыромятная плеть». В новом сериале она написала сценарий эпизода «Клинт Иствуд встречается с мистером Эдом». Сюжет эпизода был таким же идиотским, как и у всех серий ситкома с говорящей лошадью: мистер Эд ревнует к лошади Клинта из «Сыромятной плети», потому что у нее «были дела» с другими лошадьми, пасущимися по соседству. Надо сказать, Клинт остался выше всего этого, без возражений сыграл в эпизоде (он был одет в свитер и брюки в соответствии с популярным в Южной Калифорнии стилем), дружелюбно улыбнулся, забрал гонорар и продолжил свой путь. При всем при этом он официально получил статус «большой телевизионной звезды», играя самого себя. Такая судьба была характерна только для знаменитостей из высшего эшелона — регулярно появляться в программах, играя самих себя, могли лишь такие величины, как Боб Хоуп, Джимми Стюарт, Джон Уэйн и Фрэнк Синатра. Скорее всего, Клинт был не особенно готов к тому, чтобы наслаждаться полученным опытом, ибо он, по сути дела, играл полного дебила. Однако рейтинги «Мистера Эда» на той неделе зашкаливали, да и рейтинг «Сыромятной плети» чуть повысился, но недостаточно для того, чтобы вернуть сериал в двадцатку лучших, — такого успеха он уже не достигнет никогда.

Роксанна публично проявляла свои чувства к Клинту даже на съемочной площадке, как будто хотела, чтобы об их связи знал весь мир. Она постоянно заботилась о нем, в открытую массировала ему шею, прислушивалась к его проблемам и совершенно не оказывала на него давления.

Треснувший брак Клинта стал грозить катастрофическими последствиями, когда у актера возникла связь с 29-летней статной брюнеткой по имени Роксанна Танис. Каскадерша и танцовщица, исполнявшая случайно подвернувшиеся роли в кино, Роксанна Танис впервые появилась на экране в 1961 году в фильме Роберта Уайза и Джерома Роббинса «Вестсайдская история», а затем в 1963 году в фильме ужасов Альфреда Хичкока «Птицы». После этого она довольно регулярно появлялась в сериале «Сыромятная плеть». И на этих съемках познакомилась с Клинтом. Находившаяся вдали от мужа Роксанна и «одинокий» Клинт начали интенсивный и очень сексуальный роман. Роксанна публично проявляла свои чувства к Клинту даже на съемочной площадке, как будто хотела, чтобы об их связи знал весь мир. Она постоянно заботилась о нем, в открытую массировала ему шею, прислушивалась к его проблемам и совершенно не оказывала на него давления, не претендуя ни на что большее, кроме того, что уже имела.

Часто по вечерам, когда заканчивались съемки, он на некоторое время заходил к Танис, а затем возвращался к себе домой. При этом как бы поздно он ни приезжал, Мэгги не говорила ни слова и никогда ни на что не жаловалась. Она не пыталась почувствовать аромат другой женщины, хотя знала — в «Сыромятной плети» было очень мало романтических сцен, а в роли Роуди Йейтса они практически отсутствовали. О романе знали все причастные к съемкам сериала, но Клинта это не волновало — для него это не имело никакого значения. Ну, знали и знали...

Вскоре наступил момент, когда Танис исчезла со съемочной площадки. Никто не знал, почему это произошло. Догадки не шли дальше предположений о том, что Клинт посчитал, будто она его слишком сильно отвлекает. Но это был не тот случай. Танис была беременна ребенком Клинта, и они оба решили, что лучше будет, если она на время беременности останется вне поля зрения публики.

Куда более серьезной проблемой стали для Клинта участившиеся отлучки Флеминга. Флеминг волновался из-за того, что застыл в своей роли и после окончания сериала из-за своего возраста будет иметь все меньше и меньше шансов для получения других ролей. Он не сумел договориться с компанией о других предложениях и начал требовать солидного повышения зарплаты. В 1964 году, как и почти в каждом сезоне до этого, Флеминг ушел из шоу*. На этот раз его уход компенсировал Чарльз Грей — ветеран шоу, который снимался в нем с 1961 года. Он удачно восполнил отсутствие Флеминга и был повышен до главной роли. Вообще, в сюжетных линиях шоу становились все более заметными приглашенные звезды. А такие события приводили всегда вспыльчивого Флеминга в ярость.

---

* Первый уход Флеминга случился во втором сезоне — актер был недоволен тем, что Уоррена заменил Эндре Бохем. Именно во втором сезоне в сериале впервые появились эпизоды вообще без Флеминга. Это было в первый, но не в последний раз...

В конце 1964 года Флемингу предложили главную роль в мексиканском вестерне, который должен был сниматься в Италии под названием «El magnifico stragnero» («Великолепный незнакомец»)*. Ранее от этой роли отказались Генри Фонда, Рори Кэлхун, Чарльз Бронсон, Джеймс Кобурн, Генри Сильва, Стив Ривз и Ричард Харрисон. Все дело было в низком гонораре: режиссер Серджо Леоне предлагал за эту роль всего 15000 долларов. Флеминг некоторое время раздумывал, но в конце концов тоже сказал нет.

Клинта теперь в бизнесе представляло почтенное и влиятельное агентство William Morris, но на некоторые сделки, включая все связанное с «Сыромятной плетью», сохранял влияние и Ирвинг Леонард. Естественно, Леонард также имел влияние и управлял финансами в тех сделках, которые заключал самостоятельно. Вообще, Леонард стал одним из самых доверенных помощников Клинта (на языке фильма «Крестный отец» такая позиция называлась бы «его консультант»). У одного из агентов — Клаудии Сартори, работавшей в римском офисе, — возникла идея предложить Клинту роль в фильме Серджо Леоне. Она показала один из эпизодов «Сыромятной плети»** Леоне и его продюсерам из компании Jolly Films, которая финансировала фильм. Испуганный отказом Флеминга и все более отчаянно пытавшийся найти американского актера, Леоне был приятно удивлен способностью Клинта отвлекать внимание от Флеминга практически в каждой сцене, где они были заняты. К концу показа Леоне заинтересовался Клинтом.

Я знал, что я не ковбой, — говорил позже Клинт. — Но если вы изображаете ковбоя, а люди думают, что вы ковбой, то это нормально…

Затем Сартори повезла сценарий «Великолепного незнакомца» в Америку, чтобы через Ирвинга Леонарда передать его Клинту и удостовериться, что в отношении прав собственности все пре-

* В прокат фильм вышел под названием «За пригоршню долларов» *(прим. ред.)*.

** Они смотрели 91-й эпизод «Случай с черными овцами», который в первый раз показывали зрителям 10 ноября 1961 года. (Вплоть до шестого сезона шоу, когда к постановке привлекли новых продюсеров, во всех эпизодах «Сыромятной плети» в названии фигурировало слово «случай».) В нем скотоводы «урегулировали» спорные вопросы путем драки на ножах между Роуди и его противником Тодом Стоуном (Ричард Бейсхарт). Стоун «падает» на нож Роуди, и на этом дискуссия заканчивается.

тензии удовлетворены. Леонард поручил своему молодому протеже по имени Сэнди Бресслер лично доставить сценарий Клинту и осторожно убедить его принять этот сценарий. Это была нелегкая задача, ибо Клинт, как Флеминг и все остальные американские актеры, был категорически против того, чтобы появляться на экране в фильме такого абсурдного жанра, как европейский вестерн.

«Я знал, что я не ковбой, – говорил позже Клинт. – Но если вы изображаете ковбоя, а люди думают, что вы ковбой, то это нормально... Когда я начинал работать в сериале "Сыромятная плеть", меня спросили, не боюсь ли я того, что мое имя попадет в титры... Но на самом деле рано или поздно любого из нас куда-нибудь записывают».

Клинт не сопротивлялся аргументам Бресслера, ибо обнаружил, что сценарий был не так уж и плох. Фактически это действо напоминало великие самурайские фильмы Куросавы и других классиков японского кино (картины которых в свою очередь были вдохновлены американскими вестернами 1930-х и 1940-х годов). Клинт был знаком с фильмами Куросавы, потому что часто показывал их во время своей работы в Форт-Орде. Кроме того, он раньше никогда не был в Италии и мог легко заработать 15 000 долларов за несколько недель перерыва в работе над сериалом «Сыромятная плеть» (плюс компенсация всех расходов на съемку в течение 11 недель, включая билет первого класса в оба конца на одного человека). Он сказал Леонарду, что согласится на сделку, если на нее даст добро CBS. Леонард попросил его не беспокоиться – при наличии согласия Леоне он легко убедит компанию.

Как говорил Клинт, «к тому времени Серджо Леоне снял только пару картин, но мне сказали, что у него хорошее чувство юмора. [Кроме того] я должен был вернуться к работе над сериалом, как только съемки закончатся. Поэтому я подумал: "А почему бы и нет?" Я никогда не был в Европе. Уже одно это было достаточно веской причиной, чтобы туда съездить».

По крайней мере, так он говорил на публике. В частном порядке у него, возможно, была еще одна, куда более веская причина сняться в этом фильме. Он собирался впервые стать отцом. Во время его пребывания в Испании Танис должна была родить. И это было тем значительным событием, от которого он хотел держаться как можно дальше.

ГЛАВА 5

★ ★ ★

Что больше всего меня поразило в Клинте, так это его неспешная манера двигаться. Мне показалось, что Клинт очень похож на кота.

Серджо Леоне

Клинт улетел в Рим в первую неделю мая 1964 года, на следующий день после того, как в съемках сериала «Сыромятная плеть» был объявлен перерыв. Улетел без Мэгги, но со своим другом и бывшим соседом Биллом Томпкинсом. Клинт помог Томпкинсу получить в «Плети» небольшую роль Беззубого, и теперь тот надеялся на какую-нибудь работу в съемочной группе фильма Леоне: каскадера, дублера, наконец, двойника Клинта, в роли которого он также выступал в шоу.

В аэропорту Леонардо да Винчи их встретила небольшая группа, которая состояла из рекламного агента Женевьев Эрсен, ассистента режиссера Марио Кавано и постановщика диалогов Тонино Валери, который принес извинения Клинту от имени Леоне за то, что сам режиссер не приехал в аэропорт, заявив, что его, к сожалению, задержали дела, связанные с подготовкой к съемкам. На самом деле причина состояла в том, что Леоне не знал ни слова по-английски и не хотел, чтобы это стало известно публике, тем более что в аэропорту, несомненно, горстка прикормленных папарацци будет снимать прибытие знаменитого американского телевизионного ковбоя.

Режиссер был взволнован тем, что Клинт согласился принять участие в его фильме. Леоне любил голливудские фильмы и голливудских актеров. В свои мятежные молодые годы он работал ассистентом у нескольких американских режиссеров, которые иногда снимали за границей и нуждались в помощи со стороны местного населения. Среди тех, на кого работал Леоне, были Рауль Уолш, Уильям Уайлер, Роберт Олдрич и Фред Циннеман. В основном они снимали для своих компаний «фильмы о тогах и сандалиях» — к их числу относится, например, фильм Уайлера 1959 года «Бен-Гур»*. Уайлер, как

* Известен также под названием «Бен-Гур: история Христа».

и другие режиссеры, пользовался услугами Леоне, чтобы организовать и поставить на открытом воздухе батальные сцены — такие как знаменитая гонка на колесницах.

Наконец, он получил возможность снять свой собственный фильм — это была лента «Colosso di Rodi» (1961), которая в Соединенных Штатах вышла под одноименным названием «Колосс Родосский». Главную роль в картине исполнил американский актер Рори Кэлхун. Фильм на удивление хорошо зарекомендовал себя как на международном уровне, так и в Италии, на короткое время возродил голливудскую карьеру Кэлхуна и позволил Леоне сделать свой следующий проект.

Идея этого фильма родилась у него еще в 1959 году, когда он был сценаристом фильма Марио Боннара «Последние дни Помпеи». Фильм снимался в Помпеях и Неаполе, главную роль в нем играл Стив Ривз, известный по картине «Подвиги Геракла». На съемках этого фильма он серьезно вывихнул плечо, и эта травма в конечном итоге вынудила его преждевременно завершить актерскую карьеру. В данном же случае в первый день съемок заболел Боннар, и, когда оказалось, что заменить его некем, в работу включился Леоне и «закончил» съемки (на самом деле он снял все, кроме первого дня). Работая в тесном контакте с Дуччо Тессари, коллегой по написанию сценария, Леоне сумел создать вполне солидный фильм, который принес немалые деньги. И теперь он был полон решимости снимать свои собственные фильмы.

В перерывах между работой над фильмами других режиссеров он и Тессари старались просмотреть как можно больше картин. Однажды в 1961 году они увидели фильм «Йоджимбо» («Телохранитель»), и Леоне был поражен как режиссерским стилем Куросавы, так и сюжетом картины. (Куросава написал сценарий «Телохранителя» в соавторстве с Хидэо Огуни и Рюдзо Кикусима.) Леоне связался с Куросавой и попросил у него разрешения адаптировать «Телохранителя» — превратить в итальянский вестерн в американском стиле. У него уже было готово название картины, которое являлось данью уважения другому его любимому фильму (если не прямым воровством). Речь шла о названии «Великолепный незнакомец», которое было перепевом названия «Великолепная семерка» — вестерна Джона Стёрджеса 1960 года, снятого по мотивам классического фильма «Семь самураев» («Shichinin no samurai»), выпущенного Куросавой в 1954 году.

Куросава, видимо, устал от того, что его фильмы постоянно «заимствовали» другие режиссеры, и запросил авансовый гонорар в 10 000 долларов. Леоне был уверен, что сможет получить такие деньги от продюсерской компании Jolly Films, согласившейся поддержать первый приемлемый сценарий, который он принесет. Однако, к удивлению и ужасу Леоне, в Jolly ему отказали, хотя весь предлагаемый бюджет фильма, включая гонорар Куросаве, составлял всего 200 000 долларов. Когда выяснилось, что контракт заключить не удастся, продюсерам Jolly Films Гарри Коломбо и Джорджу Папи удалось заключить с Куросавой предварительный договор, в котором они обошли вопрос об авансовых платежах в 10 000 долларов, обещав отдать Куросаве 100 процентов валовой прибыли от показа фильма в Японии. Коломбо и Папи полагали, что для Куросавы это будет хорошая сделка, потому что «Сыромятная плеть» пользовалась большим успехом на японском телевидении, а Клинт Иствуд считался главной звездой. Но в конце концов Куросава сказал нет, и это решение позже будет постоянно преследовать Леоне.

В целом история была достаточно знакомой: некий человек приезжает в город и видит, как плохие парни издеваются над хорошими людьми. Он не хочет становиться ни на одну из сторон, но в конце концов втягивается в противостояние.

Тем не менее в начале июня съемки начались — сначала они шли в Испании, а затем переместились в Рим, в павильоны знаменитой, но недостаточно используемой и относительно недорогой итальянской студии Cinecittà.

Через несколько дней работы на съемочной площадке Клинт понял, что Леоне снимает фильм, который сильно отходит от более привычного сценария, который актер читал в Штатах. В целом история была достаточно знакомой: некий человек приезжает в город и видит, как плохие парни издеваются над хорошими людьми. Он не хочет становиться ни на одну из сторон, но в конце концов втягивается в противостояние, что едва не стоит ему жизни, а затем возвращается в городок, мстит своим врагам и вопреки всему выходит победителем. Каждое десятилетие Голливуд снимал вестерны с элементами подобного сценария — достаточно вспомнить фильм Джона Форда «Моя дорогая Клементина» (1946) и его же картину «Человек, который застрелил Либерти Вэланса» (1962), ленты Говарда Хоукса «Рио Браво» (1959), Рауля Уолша «Жертва судьбы» (1953), «Ровно в полдень» Фреда Циннемана (1952), наконец, «Шейн» Джорджа Стивенса (1953). На последнюю ленту фильм Леоне был особенно похож не только сюжетом, но и картинкой, а также стилистическими штрихами; образ Человека без имени в пончо и жилете из овчины совершенно явственно перекликался с образом загадочного незнакомца, сыгранного Аланом Лэддом, эффектно носящего куртку из оленьей кожи.

Впрочем, фильм «За пригоршню долларов»* многим обязан не только «Телохранителю» и «Шейну», но и произведениям многих писателей разных жанров, работавших в первой половине XX века. Британский критик и историк кино Кристофер Фрайлинг проследил общую сюжетную линию и образы персонажей всех этих фильмов вплоть до романа Дэшилла Хэмметта «Кровавая жатва» (1929) (в этом произведении Человек без имени – сотрудник агентства Continental) и еще дальше – до пьесы драматурга XVIII века Карло Гольдони «Слуга двух господ». Сам Леоне часто говорил, что основным источником для его сценария был роман «Кровавая жатва»**.

Что поразило Клинта и впервые убедило его в том, что Европа может не только «заниматься грабежом» американских жанров, так это пышная стилистика, в которой Леоне снимал свой фильм. Клинт увлекся режиссурой задолго до своего появления в Италии. Особенно его интересовали стили режиссеров, благодаря которым их фильмы становились авторскими. Как-то он рассказал о том, что произошло во время одного из эпизодов «Сыромятной плети»:

> «Мы снимали несколько масштабных сцен прогона скота. Стадо было огромным – около двух тысяч голов. Съемки получились захватывающими, особенно когда животных охватывало волнение. Я ехал в глубине стада, там поднимались клубы пыли, и все это действительно смотрелось как дикая давка. Но камеры работали снаружи стада, они только слегка заглядывали внутрь, и зритель многого не видел. И мне показалось, что будет лучше, если мы влезем прямо

---

* Известен также под названием «Получите пригоршню долларов».

** Куросава настаивал на том, что единственным источником сценария Леоне всегда был «Телохранитель», и только он.

в эту дикую давку. Я сказал режиссеру и продюсеру: "Давайте я возьму хотя бы «Аррифлекс»*, сяду на лошадь и проберусь в центр этой чертовой давки. Могу спешиться, да что угодно могу сделать, но нужно иди туда, внутрь, чтобы снять хорошие кадры, которых нам так не хватает". Ну, они стали меня отговаривать, убеждая: "Ты не должен туда лезть — это запрещает профсоюз, это против правил". И я понял, что они просто не хотят выступать против принятого стандартного метода киносъемки».

Еще до начала работы над фильмом «За пригоршню долларов» Клинт много думал о том, что знакомые ему настройки, ракурсы съемки и методы построения сцены (в начале сцены — общий план, потом съемки через плечо в ходе диалога, потом завершение сцены общим планом и переход к следующему общему плану) порождают единообразие в методах работы телережиссеров и приводят к тому, что все они (и режиссеры, и их шоу) с точки зрения стиля выглядят совершенно одинаковыми. Можно сказать, что в тот день, когда Клинт захотел снимать перегон скота чуть иначе, в его душе были посеяны семена будущей профессии режиссера.

«В конце концов я прямо спросил Эрика Флеминга: "А вы не хотите попробовать меня в режиссуре?" Он ответил: "Ну что ж, я не против". Потом я пошел к продюсеру, и тот тоже сказал: "Отлично!" Очевидно, за моей спиной он говорил что-то другое, но мне тогда сказал: "Отлично". И добавил: "Я вам вот что скажу. А почему бы вам не попробовать сделать несколько трейлеров для будущих серий из следующего сезона?" Я ответил: "Потрясающе. Я сделаю это бесплатно, а потом сниму эпизод". И я сделал эти трейлеры. Но они отказались от эпизода, потому что в то время некоторые из знаменитых актеров на других телевизионных шоу снимали эпизоды — и не слишком успешно.

Так что примерно в то же время, когда я собирался это сделать, в CBS сказали, что больше актеры сериалов не смогут снимать свои собственные шоу... И тогда я пошел работать к Серджо Леоне».

* Ручная хроникальная кинокамера *(прим. ред.)*.

Работа в фильме оказалась для Клинта непростой — прежде всего потому, что Леоне настоял на съемках на трех языках одновременно. Клинт должен был говорить по-английски, в то время как другие актеры говорили по-итальянски или по-испански. Результатом стало уменьшение числа диалогов, да и те Леоне в основном использовал, чтобы помочь создать вокруг Человека без имени мистическую атмосферу почти полного безмолвия. Вместо произнесения долгих монологов персонаж Клинта стал по настоянию Леоне курить сигариллы и в нужные моменты доставать свой большой пистолет, который мог сказать куда больше, чем он сам. (Клинт с энтузиазмом поддержал это решение и с одобрения Леоне убрал из текста роли большую часть диалогов со своим участием.) Все это дало возможность Клинту больше использовать мимику и выражение глаз, а не слова, как это делал Роуди Йейтс и любой другой персонаж сериала «Сыромятная плеть». Дело было еще и в том, что на телевидении снять описание действий словами всегда оказывается намного дешевле, чем на самом деле показывать эти действия. («Вы знаете тех поджигателей, которых мы забрали вчера?» — «Да, знаю». — «Ну так вот, двое из них вчера вечером устроили драку в своей камере, и нам пришлось их разнимать». — «Жаль, что я этого не видел». — «Один из них ударил другого по голове бутылкой… и теперь им занимается доктор. Давайте посмотрим, как у него дела. Может, удастся добиться от этого бездельника хоть каких-то показаний…»)

Клинт нашел широкополую шляпу, которая ему очень понравилась, и носил ее низко надвинув, почти закрывая глаза, что придавало ему еще более угрожающий вид.

Таким образом, исподволь, постепенно предыстория Человека без имени обрела форму. Он стал своего рода странствующим рыцарем в сияющих доспехах, а полностью раскрылся в одной лишь фразе. После того как он помогает молодой паре вырваться из лап злого Рохо, он произносит: «Однажды я знал людей, похожих на вас… Но там не было никого, чтобы им помочь». Это было все, что он сказал, но этого было достаточно…

Клинт нашел широкополую шляпу, которая ему очень понравилась, и носил ее низко надвинув, почти закрывая глаза, что придавало ему еще более угрожающий вид. При этом он сохранял определенное хладнокровие — а такой баланс было обеспечить совсем непросто. И еще он носил пончо*, которое появилось во второй половине фильма, чтобы скрывать от своих противников изуродованную руку. Это пончо стало чем-то вроде накидки Бэтмена. Наконец, металлический щит, который был на герое во время кульминационной перестрелки, сделал его неземным созданием, непобедимым пришельцем из другого мира. Клинт прекрасно объединил все эти атрибуты персонажа и эффектно воспользовался пончо в финальной перестрелке фильма, которую Леоне идеально сочетал с великолепной музыкой Эннио Морриконе — лучшей музыкой к вестерну со времен появления темы для фильма («Ровно в полдень»), за которую Тёмкин получил награду Киноакадемии.

Помимо стилизованной музыки к кинофильму и низких ракурсов, с которых Леоне снимал Человека без имени, он также давал крупные планы глаз персонажей с помощью резких и ритмичных движений камеры. По мере того как действие фильма становилось все более напряженным, крупные планы становились все крупнее. Наконец, для заключительной, кульминационной перестрелки Леоне придумал один из самых незабываемых эпизодов: после ряда крупных планов глаз из окна появляется двустволка, и ее дула воспринимаются как совершенно холодные, бесчувственные, немигающие стальные глаза воплощенного зла. Этот момент не мог не вызывать у зрителей испуганных возгласов и озноба, и это были правильные эмоции. Это был тот эффект, которого не могла достичь ни одна другая форма искусства — ни театр, ни телевидение, ни роман, и этот чисто кинематографический момент стал триумфом режиссуры и монтажа — он не отвлекает от истории, но добавляет ей драматичности.

Чувство кино, свойственное Леоне, не осталось незамеченным Клинтом:

> «Американец бы побоялся приближаться к вестерну с таким стилем, как в фильме "За пригоршню долларов". В нем, в частности, есть кадры, в которых показаны стрельба и смерть человека. Другими словами, в американском кино вы никогда не совмещаете между собой изображения стреляю-

* Клинт, как и большинство актеров, очень суеверен. Согласно Internet Movie Database он играл в этом пончо во всех трех фильмах Леоне и настоял на том, чтобы его никогда не стирали и не отдавали в чистку.

щего и другого человека, падающего замертво. Это правило взято из Кодекса Хейса*, который с давних времен действует в американском кино. Фактически Кодекс Хейса — это соглашение о цензуре. Вы даете на одном кадре стреляющего парня, а на другом — падающего. Все прекрасно, происходит то же самое, но самого момента убийства публика не видит. И вы никогда не сможете показать момент убийства явно. Мы же сняли такую сцену просто потому, что Серджо всего этого не знал. Его это не беспокоило. Меня тоже. Я знал об этом, но мне было все равно. Фильм для того и создавался с европейским режиссером, чтобы придать ему новые краски».

После завершения съемок Клинт быстро упаковал свои вещи и сел на самолет, отправлявшийся в Америку. Он должен был сделать короткую остановку в Лондоне, а затем продолжить свой путь в Лос-Анджелес, так как намеревался участвовать в съемках седьмого сезона сериала «Сыромятная плеть». Мэгги лично встретила мужа в аэропорту. Роксанна Танис позвонила Клинту на следующий день и с радостью сообщила, что теперь он может гордиться тем, что он — отец маленькой Кимбер Танис, родившейся 17 июня 1964 года в голливудской больнице Cedars Sinai. И хотя в свидетельстве о рождении в качестве отца был указан Клинт Иствуд-младший, Танис публично дала ребенку свою фамилию, тем самым оберегая Клинта. Он пообещал поддерживать ребенка эмоционально и материально, но попросил Танис по возможности держать все в секрете.

Теперь Клинт должен был позаботиться о создании тонкой границы, которая разделяла бы его миры (и его женщин). Его давний друг Томпкинс соглашался с Танис в том, что Клинт должен рассказать Мэгги о своем ребенке. Но Клинт этого не сделал и, более того,

* Кодекс производства (известный также как Кодекс Хейса) представлял собой набор отраслевых цензурных руководящих принципов, регулировавших производство американских кинофильмов. Ассоциация производителей и прокатчиков кинофильмов (MPPDA), которая впоследствии стала называться Американской ассоциацией кинокомпаний (MPAA), приняла этот кодекс в 1930 году, начала эффективно применять в 1934 году и отказалась от него в 1968 году в пользу новой системы — системы рейтингов MPAA. В Кодексе производства было прописано, что является морально приемлемым и неприемлемым содержанием для кинофильмов, созданных для широкого просмотра в Соединенных Штатах Америки.

порвал с Томпкинсом*. Вскоре тот был уволен из съемочной группы сериала «Сыромятная плеть» и навсегда исчез из жизни Клинта.

Что касается Мэгги, то трудно сказать наверняка, знала она о ребенке или нет, хотя не знать этого было почти невозможно. Все, кто работал на съемочной площадке, были в курсе, знали и многие из друзей Мэгги и Клинта... В конце концов такой секрет вообще трудно сохранить, когда мать с внебрачным ребенком живут в одном городке с его отцом, особенно если этот городок называется Голливуд.

Возможно, именно это обстоятельство послужило одной из причин, по которым Клинт внезапно решил, что он и Мэгги должны двинуться на север и переехать на полуостров Монтерей. Он нашел небольшой дом в Пеббл-Бич и второе место для отдыха в Кармеле и поручил Мэгги уже хорошо знакомую ей работу по превращению двух этих мест обитания в полноценные жилые дома. Его не останавливало даже то, что большую часть времени он собирался проводить вдали от нее, работая на шоу.

Между тем у сериала «Сыромятная плеть» продолжали возникать проблемы не только с рейтингами, но и с зарплатами. В конце съемочного сезона истекали стандартные семилетние контракты, которые подписали со студией Флеминг и Клинт (именно такой максимальный срок контракта допускала Американская федерация артистов радио и телевидения). При этом ни компания, ни сами звезды не были особенно заинтересованы в их продлении. Администрация канала понимала, что новые контракты для Флеминга и Клинта будут дорогостоящими, причем для Клинта даже в большей степени, чем для Флеминга — количество писем его поклонников, приходящих на канал, заметно уменьшалось, в то время как у Клинта оно неуклонно росло.

Более того, выяснилось, что канал CBS вообще решил избавиться от производства этого сериала. На горизонте появились Брюс Геллер и Бернард Ковальски — два агрессивных молодых независимых продюсера, которые создали компанию под названием Unit

---

* Позже Томпкинс пытался помириться с Клинтом, и тот в конечном итоге устроил его на несколько дней поработать в качестве координатора каскадеров в фильме «За пригоршню долларов». Однако, несмотря на это назначение и на последующий успех фильма, Томпкинс так и не смог вернуть себе в Голливуде прежние профессиональные позиции. Он умер в 1971 году от травм, полученных в автомобильной катастрофе.

Productions и выиграли тендер от канала, дающий право на производство «Сыромятной плети». В качестве исполнительного продюсера шоу (шоураннера) был привлечен Дель Рейсман, что сделало из продюсеров очень высокооплачиваемых посредников. Первое, что сделал Рейсман, — просмотрел эпизоды всех шести предыдущих сезонов. Он сразу увидел, что 34-летний Клинт Иствуд больше не подходит для роли Роуди Йейтса, а 40-летний Флеминг уже не может играть Гила Фэйвора.

Рейсман попытался было уволить Флеминга и сосредоточиться на Клинте, надеясь, что более зрелый персонаж Йейтс будет лучше смотреться соло. Однако, прежде чем Рейсман смог это сделать, Флеминг почувствовал, что он мешает новому руководству, пошел прямо к Уильяму Пейли и пожаловался, что новая команда продюсеров собирается погубить шоу. Большой поклонник сериала, Пейли выслушал Флеминга и решил, что CBS не стоит разбрасываться своими шоу. Он отстранил от работы Unit Productions (а это означало, что и Рейсман тоже ушел) и убедил вернуться в шоу Эндре Бохема, одного из давних продюсеров сериала, которого освободили от проекта, когда в дело вступила компания Unit.

К концу сезона шоу опустилось в рейтингах на сорок четвертое место. Эпизоды сериала «Сыромятная плеть» явно превратились в утомительные повторы когда-то хорошего произведения, а за время его существования шедший по экрану скот мог бы уже дойти до берегов Китая.

Но это не помогло. К концу сезона шоу опустилось в рейтингах на сорок четвертое место. Эпизоды сериала «Сыромятная плеть» явно превратились в утомительные повторы когда-то хорошего произведения, а за время его существования шедший по экрану скот мог бы уже дойти до берегов Китая. «Каждый раз, когда они хотели изменить формат, — вспоминал позже Клинт, — они привлекали какого-то другого [продюсера]... Они испробовали множество разных подходов, но всякий раз на них набегал Пейли, который начинал трубить: "Что вы сделали с шоу?!", и они возвращались к первоначальному варианту».

Весной 1965 года, после еще одного сезона исполнения роли Роуди, Клинт воспользовался возможностью вернуться в Италию, чтобы сыграть главную роль в запланированном продолжении фильма Леоне «За пригоршню долларов», которое называлось «Per qualche dollaro in più» («На несколько долларов больше»).

К этому времени в Америке возникла настоящая волна мистики вокруг фильма «За пригоршню долларов» (напомним, что дело происходит за много лет до появления видео, кабельного телевидения и тем более интернета). В США фильма никто не видел, кроме тех американцев, которые путешествовали по Европе. Тем не менее об этой картине постоянно писали в журналах, говорили по радио, на телевидении и в университетских городках по всей стране. Рассказы о каком-то невероятном боевике передавались из уст в уста, и даже журнал Variety, библия шоу-бизнеса, печатал рассказ за рассказом о феноменальном кассовом успехе фильма за рубежом.

И это была правда — в Европе фильм стал хитом с самого момента выхода на экраны. В выпуске Daily Variety от 18 ноября 1964 года римский репортер газеты дал начало тому всплеску некритического энтузиазма, который следовал за фильмом всюду, где бы его ни показывали: «Превосходный вестерн, сделанный в Италии и Испании группой итальянцев, международный актерский состав, энергичный и насмешливый подход в духе Джеймса Бонда привлекает как искушенных ценителей, так и обычных любителей кино. Первые данные о прокате в Италии указывают на то, что этот фильм — главный кандидат на самую приятную неожиданность года. Стоит отметить, что продажи растут именно из-за того, что слава о фильме передается из уст в уста, а не является результатом насильственной рекламной кампании. Думается, фильм будет популярным и за границами страны». Клинт, который теперь стал широко известен по всей Европе под прозвищем Il Cigarillo, справедливо полагал, что рано или поздно фильм станет популярен и в Америке — вне зависимости от того, будет в ней действовать Кодекс Хейса или нет. Не удивительно, что, когда ему пришло предложение сделать сиквел фильма, он быстро согласился.

Однако прежде чем Леоне смог начать производство, ему пришлось уладить все еще нерешенный спор между Jolly Films и Куросавой по поводу раздела прибыли от проката первого фильма. Когда дело дошло до официального судебного разбирательства, Леоне просто объявил себя свободным от всех будущих обязательств перед Jolly и подписал новый договор с компанией Produzioni Europee Associates во главе с Альберто Гримальди, одним из наиболее известных итальянских продюсеров, который работал со многими из величайших итальянских режиссеров. Леоне определил для себя гонорар в размере 350 000 долларов, плюс 60 процентов прибыли от показа предполагавшегося продолжения фильма «За пригоршню долларов», если (и это было очень большое «если») он сумеет заполучить в него звезду — Клинта Иствуда. Впрочем, Леоне сказал Гримальди, чтобы тот не беспокоился, и быстро нашел нового сценариста — Лучиано Винченцони, который за девять дней, работая вместе с режиссером, создал законченный сценарий фильма.

Персонаж по имени Рамон Рохо, которого играл итальянский актер Джан Мария Волонте, был убит еще в первом фильме, но авторам это ничуть не помешало: они вернули этого актера в виде другого (но, по сути, того же самого) персонажа. Ли Марвин играл роль охотника за головами для Человека без имени, который также охотится на Волонте. Марвин был готов играть, но запросил большой гонорар. Леоне его уволил и заменил на Ли Ван Клифа — голливудского актера, у которого когда-то было светлое будущее, но который теперь переживал трудные времена. Ван Клиф дебютировал в фильме «Ровно в полдень» в роли одного из членов банды Фрэнка Миллера, собирающегося расправиться с Уиллом Кейном. Первоначально Ван Клиф планировался на более крупную роль подручного Кейна, но когда он отказался «поправить» свой большой и крючковатый нос, эта роль досталась Ллойду Бриджесу, и она сделала его звездой. Ли Ван Клифу, перемещенному на роль одного из членов банды Миллера, не было дано ни строчки диалогов. Тем не менее его дебют оказался столь мощным, что ему удалось получить стабильную работу в ролях «плохого парня» на все 1950-е годы, после чего его карьера прекратилась, и он занялся живописью. Он жил в Европе, голодал, пытаясь продать свои картины маслом, и буквально подпрыгнул от счастья, когда Леоне предложил ему 50 000 долларов за ту роль, от которой отказался Марвин.

Пресс-агент Клинта максимально обыграл присутствие на съемках актера с женой, но, как только Мэгги покинула Италию, Клинта тут же стали замечать в Риме в компании самых красивых итальянских актрис.

Клинту также предложили 50 000 долларов США плюс билет первого класса на самолет в оба конца и размещение по высшему разряду. Приняв условия, Il Cigarillo сел на самолет сразу после того, как в производстве сериала «Сыромятная плеть» возник очередной перерыв. Съемки нового фильма начинались прямо в Риме, на студии Cinecittà.

На этот раз Клинта сопровождала Мэгги. Она прилетела с ним на первые десять дней, затем вернулась домой и снова прибыла на последние десять дней съемок, которые проходили в Испании. Пресс-агент Клинта максимально обыграл присутствие на съемках актера с женой, но, как только Мэгги покинула Италию, Клинта тут же стали замечать в Риме в компании самых красивых итальянских актрис. Более того, снятая для него вилла была заполнена ими днем и ночью, даже когда туда приходили десятки его друзей и коллег. Иными словами, Клинт развлекался, как подросток, который нашел ключи от домашнего бара, пока его родители были в отъезде. Он стал в Европе кинозвездой такой величины, что уже не мог ходить по улице без толп поклонников. В основном за ним бегали женщины, так что картины прогулок напоминали кадры битломании из сатирического фильма Ричарда Лестера «Вечер трудного дня».

Борьба трех стрелков, показанная в фильме, вывела его на новый уровень драматической напряженности, которого не было в первой картине. Великолепна была игра Ван Клифа, который в своей роли достиг уровня исполнения, продемонстрированного в фильме «Ровно в полдень». Словом, когда сиквел вышел на экран, то оказался еще большей сенсацией, чем первый фильм. К тому же на этот раз Куросава не предъявлял никаких претензий, а в Америке цензура кино рухнула вместе со всей студийной системой, так что Леоне и Гримальди намеревались заключить договор на показ фильма в Северной Америке, где, как они знали, водились реальные деньги. Они обратились к Артуру Криму и Арнольду Пикеру — новым руководителям обновленной United Artists (UA), стремившимся восстановить первоначальное представление о студии как о дистрибьюторе лучших работ сторонних продюсеров и режиссеров. Пока продюсеры ездили по Европе в поисках новых фильмов, к ним обратился Винченцони.

Гримальди повел в Риме Крима и Пикера не на закрытый показ, а в обычный кинотеатр, чтобы они могли воочию убедиться в том, как тепло принимают фильм зрители. После этого в гостиничном номере Гримальди запросил с американцев миллион долларов. Крим и Пикер предложили 900 000 долларов — но это все равно была феноменальная сумма для созданного за границей вестерна в американском стиле. Гримальди согласился.

При подписании документов Пикер спросил Леоне, каким будет его следующий фильм, добавив, что United Artists может быть заинтересована в его раскрутке в обмен на эксклюзивные права на распространение. Леоне тут же экспромтом рассказал про историю о трех бродягах, которые после Гражданской войны в США рыскают по стране в поисках денег. Это было все, что он сумел придумать. Название фильма тоже родилось здесь же: «Il buono, il brutto, il cattivo» («Хороший, плохой, злой»)*. Оно вызвало смех у Винченцони и широкие улыбки у Крима и Пикера (когда им его перевели). Основываясь только на этой информации, американцы согласились выделить от 1,2 до 1,6 млн долларов США для финансирования проекта при сохранении за собой прав на ленту в Северной Америке**.

Тем временем в Штатах Клинт снова вернулся к исполнению роли Роуди Йейтса в «Сыромятной плети». К тому времени шоу уже казалось каким-то культурным артефактом из далекого прошлого, пережитком времен показа фильма «Я люблю Люси». Последним гвоздем, вбитым в гроб сериала, оказался упрямый отказ компании позволить съемочной группе переключиться на цвет. Джеймс Обри, тогдашний руководитель отдела программ, отказался от этой идеи главным образом из финансовых соображений: переход на съемку в цвете означал, что для того, чтобы отбить затраты, придется снимать больше эпизодов, а между тем съемок скотоводов в цвете было очень мало. (Вместо того чтобы организовывать собственные, очень дорогие, съемки, шоу давно переключилось на покупку старых роликов из других фильмов схожей тематики.)

Шоу спасало от смерти только одно обстоятельство: оно по-прежнему очень нравилось Пейли. Когда Обри завел разговор о том, что

---

* Сначала Леоне хотел назвать фильм «Великолепные разбойники» или «Двое великолепных бродяг», но в ходе разговора ему пришло в голову новое название.

** Гримальди продал UA мировые права за дополнительную гарантию в миллион долларов и 50 процентов прибыли от проката (за исключением Италии, Франции, Германии и Испании). Вскоре после этого была урегулирована проблема с Куросавой, и Крим с Пикером приобрели права на фильм «За пригоршню долларов». Криму и Пикеру были предоставлены права в Северной Америке и доля в мировых правах на трилогию, а также права определять даты выпуска всех трех фильмов в США. Между тем компания Jolly Films, которая продюсировала ленту «За пригоршню долларов» (1964), вскоре после решения UA выпустила фильм «Великолепный незнакомец», который фактически представлял собой два совмещенных эпизода из «Сыромятной плети» (1959). Иствуд подал в суд на Jolly Films, и «Великолепный незнакомец» быстро исчез с экранов.

пора удалить его из программы, Пейли поручил исполнительному вице-президенту CBS Майку Данну держать его в эфире вне зависимости от того, что будет говорить Обри. В попытках вдохнуть в шоу новые силы к съемкам был привлечен новый продюсер Бен Брейди, чьи прошлые хиты включали сериалы «Перри Мейсон» и «Есть оружие – будут путешествия». Новый продюсер объявил, что в новом сезоне героев Джеймса Мердока (Муши) и Шеба Вули (Пита) следует исключить из шоу. Их планировалось заменить на Дэвида Уотсона в роли английского погонщика, афроамериканца Рэймонда Сент-Жака в роли Саймона Блейка и Джона Ирланда, одной из звезд ленты «Красная река» и других суровых вестернов, в роли Джеда Колби. Планировалось и еще одно изменение: Эрика Флеминга в группе больше не было, а Роуди Йейтса повысили до главной роли (Клинт узнал об этом в Риме во время съемок ленты «На несколько долларов больше» из вырезки, которую прислала ему Мэгги).

217-й (и последний) эпизод, названный «Crossing at White Feather», вышел в эфир 7 декабря 1965 года. После этого сериал выходил в эфир только в виде повторов.

Первая реакция Клинта состояла в том, что лучше было бы убрать Роуди и сохранить Фэйвора. Вскоре после того, как об этих изменениях было объявлено официально, газета Los Angeles Times отправила к Клинту корреспондента Хэла Хамфри, чтобы узнать реакцию актера. Хамфри начал с того, что спросил Клинта, счастлив ли он стать главной звездой своего шоу. «А почему я должен радоваться? – спросил Клинт, еще не привыкший к тому, что каждое сказанное им слово становится известно всем. – Я тащил на себе половину шоу. Теперь я буду тащить его целиком. И за те же деньги».

Клинт был зол и имел на это право. Зарплата Флеминга была намного выше его жалованья (220 000 долларов за сезон против 100 000 долларов за сезон у Клинта). И теперь он будет вынужден тащить этот воз в одиночку без повышения зарплаты (при модернизации шоу CBS как-то упустила этот вопрос из виду).

Если сезон начался в суматохе, то он быстро и закончится. Всего после двух эпизодов компания объявила, что возвращает в сериал Шеба Вули. Потом – что нет, не возвращает. Как выяснилось, оба этих решения были приняты Пейли без консультаций с Брейди, в результате чего Брейди внезапно подал в отставку. Затем компания CBS вернула Бохема, который тут же заявил, что хочет перенести действие шоу на Гавайи. Потом он быстро отказался от этой идеи и тоже подал в отставку. Наконец, в последней попытке спасти шоу компания CBS необъяснимым образом переместила показ «Сыромятной плети» с обычного времени (вечер пятницы) на вторник, столкнув шоу с популярным сериалом канала ABC «Битва», в котором речь шла о Второй мировой войне, а в главной роли снимался Вик Морроу. Сериал этот набирал популярность по мере того, как в сердца и умы американских зрителей начала проникать война во Вьетнаме. Наконец, после выхода еще тринадцати эпизодов канал CBS вообще прекратил показ «Сыромятной плети». 217-й (и последний) эпизод, названный «Crossing at White Feather», вышел в эфир 7 декабря 1965 года. После этого сериал выходил в эфир только в виде повторов.

Клинт не мог себе представить большего счастья. Через несколько дней после съемок последней сцены он вылетел в Нью-Йорк, чтобы встретиться с продюсером Дино Де Лаурентисом. Тот сказал, что у него есть предложение для Клинта — сыграть главную роль в новом высокобюджетном фильме, который будет сниматься в Европе и предназначен в основном для европейской аудитории. Разочарованный, но смирившийся, Клинт взялся за этот проект, полагая, что голливудский пантеон звезд большого экрана остается для него недосягаемым.

ГЛАВА 6

★★★

Я уже вернулся домой и сделал очень малобюджетную картину под названием «Вздерни их повыше», но в кинобизнесе меня все еще считали итальянским киноактером.

Клинт Иствуд

Цель поездки Де Лаурентиса состояла в том, чтобы заключить контракт с Клинтом. Он полагал, что, как только вестерны Леоне будут выпущены в Штатах, имя режиссера станет синонимом золотой кассы в любой точке мира, где есть киноэкран. Де Лаурентис думал, что Клинт может стать Гэри Купером своего поколения, и не стеснялся говорить об этом самому актеру. Как любой настоящий бизнесмен, он очень хорошо знал, чем можно соблазнить человека, чтобы получить то, чего ты хочешь.

Де Лаурентис работал в кинобизнесе в успешном партнерстве с Карло Понти, который в середине 1950-х годов решил превратить свою жену Софи Лорен в лучшую итальянскую киноактрису благодаря тому, что она мастерски играла итальянских женщин из рабочего класса, а в реальной жизни выглядела гламурной красоткой. Она часто снималась в главных ролях вместе с Марчелло Мастроянни, который также мог без усилий переключаться между гламуром и рабочим классом, комедией и драмой. Под руководством Понти Мастроянни и Лорен стали всемирно известными и (вместе с Понти) чрезвычайно богатыми.

Де Лаурентис задумал сделать то же самое для себя и своей новой жены Сильваны Мангано. Мангано — еще одна икона послевоенного итальянского кино — приобрела международную известность благодаря своей работе в фильме «Горький рис» (1949) по сценарию и в постановке Джузеппе Де Сантиса (продюсер — Дино Де Лаурентис). В то время в Европе были в моде фильмы-антологии, поэтому он решил собрать пять лучших режиссеров, чтобы каждый из них снял короткометражный фильм-эпизод с Сильваной Мангано. По его задумке, каждый из этих режиссеров должен был повернуть этот великолепно ограненный алмаз к зрителям новой стороной, показать различные грани ее способностей.

Чтобы соблазнить Клинта своим предложением, Де Лаурентис подготовил к его приезду в Нью-Йорк «красную ковровую дорожку»: поселил Клинта в пятизвездочной гостинице и долго возил его по всему городу в открытом черном лимузине.

При этом ему очень не хотелось, чтобы его жена делила славу с какой-нибудь суперзвездой наподобие Марчелло Мастроянни. Произведя поиск среди подходящих, по его мнению, актеров, Де Лаурентис решил, что ему может подойти Иствуд. Он знал, что Клинт далеко не самый лучший актер (для Де Лаурентиса это был только плюс), но зато он был одним из самых узнаваемых людей в Европе. Де Лаурентис была уверен, что популярность Иствуда поможет увеличить кассовые сборы, но его игра никогда не сможет затмить талант Мангано.

Чтобы соблазнить Клинта своим предложением, Де Лаурентис подготовил к его приезду в Нью-Йорк «красную ковровую дорожку»: поселил Клинта в пятизвездочной гостинице и долго возил его по всему городу в открытом черном лимузине, расхваливая «великолепный» сценарий, который он заполучил. И только затем подошел к делу. Де Лаурентис хорошо выполнил свою «домашнюю работу»: он разузнал, что Клинт любит автомобили, и поэтому предложил ему выбор из двух вещей: 25 000 долларов за месяц работы или 20 000 долларов и совершенно новый Ferrari последней марки. Клинт заключил сделку с получением Ferrari (зная, что ему не придется платить агентское вознаграждение, если машина будет оформлена в качестве подарка).

Во время премьеры фильма в Париже (по непонятным причинам он был дублирован на английский) Клинт познакомился с Катрин Денёв и завел с ней короткий, но бурный роман, который оба ухитрились скрыть от посторонних глаз.

В феврале 1966 года Клинт вылетел в Рим — город, который к тому времени он достаточно хорошо знал. Клинт должен был появиться в одной из новелл киноэпоса из пяти частей, которому Де Лаурентис дал название «Ведьмы». Эпизод с его участием должен был ставить режиссер Витторио Де Сика*, который сделал себе имя, сняв один из определяющих фильмов послевоенного неореализма — ленту «Похитители велосипедов» (1948).

Новелла «Самый обычный вечер» (другое название «Вечер как вечер») идет 19 минут. Клинт одет в современный костюм и рубашку, застегнут на все пуговицы, его волосы зачесаны назад. Он играет человека, запертого в безрадостный брак без любви с героиней Сильваны Мангано. Только во снах он «оживает» и становится секс-звездой фантазий своей жены. Кульминацией эпизода становится представленное им самоубийство на фоне эротического «танца» его жены для десятков мужчин, пришедших в стриптиз-клуб. Описание этой оргии составляет основную часть киноновеллы.

United Artists Крима и Пикера приобрела права на показ фильма в США в основном из-за того, что там появлялся Клинт. Продюсеры надеялись, что выпустят фильм вместе с трилогией Серджо Леоне

* Остальные четыре киноновеллы и их режиссеры: «Ведьма, сожженная заживо» Лукино Висконти; «Чувство гражданского долга» (она же «Дух коллективизма») Мауро Болоньини; «Земля, увиденная с Луны» Пьера Паоло Пазолини; «Девушка с Сицилии» (она же «Сицилианка») Франко Росси.

и заработают на нем. Из этого ничего не получилось: официально трилогия вышла в Соединенных Штатах только в 1969 году*.

По словам Клинта, «истории, рассказанные в пяти эпизодах фильма, не составляли единое целое. Это был некий набор виньеток, собранных воедино. Мне они понравились, меня забавляло участие в этом фильме. Это был своеобразный эскапизм».

Впрочем, провал был не полным. Во время премьеры фильма в Париже (по непонятным причинам он был дублирован на английский) Клинт познакомился с Катрин Денёв и завел с ней короткий, но бурный роман, который оба ухитрились скрыть от посторонних глаз. А еще у Клинта появился новый Ferrari, который он отправил домой, в Кармел, а сам остался в Риме, где начиналось производство фильма «Хороший, плохой, злой». Съемки стартовали на студии Cinecittà в мае 1966 года, после короткой задержки, связанной с тем, что Клинт отказывался являться на работу, потому что Леоне не соглашался на его требование выплатить 250 000 долларов и предоставить еще один новый Ferrari. Вскоре Клинт получил все, что хотел, после чего с сигарой во рту и бутафорскими ружьями снова сел в свое европейское кинематографическое седло.

Уже в начале производства третьего спагетти-вестерна Леоне Клинт начал испытывать то же смутное недовольство, которое он испытывал на съемках сериала «Сыромятная плеть». Фильм казался ему скорее раздутым, чем пространным, а его герои слишком много говорили (впрочем, так ему казалось при съемках практически каждого своего фильма). Единственным полностью «телесным» персонажем оказался Злой (Илай Уоллак), в то время как Хороший (сам Клинт) и Плохой (Ли Ван Клиф) были скорее карикатурами, а не персонажами — чтобы «оживить» их, требовалось больше сатирического начала. Леоне все еще не говорил (или, возможно, предпочитал не говорить) ни слова по-английски, несмотря на то что данный фильм в гораздо большей степени, нежели первые две картины, зависел от произнесенных слов, чем от визуальных образов.

---

* В конце концов в UA решили оказать любезность Де Лаурентису и в марте 1969 года устроили пробные показы на нескольких местных кинорынках. Результат: фильму удалось получить несколько (по праву ужасных) отзывов. UA быстро сняла его с демонстрации, и с тех пор в коммерческих целях больше в США его никогда не показывали. Таким образом, лента стала одним из немногих фильмов в наследии Иствуда, который американские зрители почти не видели. Сегодня новеллу с Клинтом можно в полном формате увидеть на YouTube.

Инстинктивные ощущения Клинта относительно уменьшения роли его персонажа были по существу правильными. В первом фильме он был одиноким человеком, практически без прошлого и без предсказуемого будущего. Его исключительная роль предполагала изоляцию, цинизм, заключенный в героической решимости, и силу, которая делала его — даже при всех очаровательных недостатках — неотразимым для аудитории. Во втором фильме Человек без имени вынужден был иметь дело и делить пространство экрана с полковником Мортимером в исполнении Ли Ван Клифа. Успешно сыгранная роль в фильме «На несколько долларов больше» не только воскресила его карьеру в кино, но и гарантировала его появление в последнем фильме трилогии. Теперь же Ван Клиф играл роль бандита по имени Сентенца в партнерстве с ветераном кино Илаем Уоллаком, известным мастером искусства в каждой сцене тянуть одеяло на себя. «Если так пойдет дальше, — ворчал Клинт, обращаясь к Леоне, — то в следующем фильме я буду сниматься со всей американской кавалерией».

30 сентября 1966 года Клинта потрясло известие о том, что в Перу на съемках телефильма компании MGM о жизни в джунглях погиб Эрик Флеминг. Примерно на середине съемок каноэ с Флемингом перевернулось на реке Уальяга.

Между дублями Клинт отрабатывал свинги — удары при игре в гольф. Это был сигнал Леоне и всем остальным, что теперь Клинт настолько отстранился от съемок, что его больше не заботит ни его персонаж, ни другие герои, ни режиссер, ни даже сам фильм. Позже, когда Леоне обратился к нему с идеей снять четвертый фильм с его участием, Клинт категорически отклонил это предложение.

Во время съемок Клинт и Илай Уоллак стали хорошими друзьями, и Клинт, с давних пор испытывавший отвращение к полетам на небольших самолетах, убедил Уоллака съездить с ним на машине из Мадрида в Альмерию. Когда съемки затянулись, Клинт помогал Уоллаку разобраться в сценарии, подчеркивая примат действия над диалогами. Фактически он стал личным режиссером артиста. Примерно за неделю до окончания съемок Клинт и Уоллак вместе ужинали. В ходе беседы Клинт сказал Уоллаку: «Это будут мои последние спагетти-вестерны. Я возвращаюсь в Калифорнию, создам там свою собственную компанию, буду сниматься и снимать свои собственные фильмы». «Да конечно, сейчас, разбежался!» — подумал тогда Уоллак.

Тем временем у Леоне возникла идея создать вторую, более обширную «американскую» трилогию. Он вспоминал:

> «После фильма "Хороший, плохой, злой" я больше не хотел делать вестерны. Я полностью отработал эту историю. Теперь я хотел сделать картину "Однажды в Америке". Но поскольку люди не желают радоваться успехам и прощать неудачи, когда я отправился в Штаты, первое, что мне сказали, — надо сделать еще один вестерн, и мы позволим вам снять "Однажды в Америке". Мне нужно было сделать еще один фильм, который бы полностью отличался от первых трех, и я подумал о том, что надо снимать новую трилогию, которая начиналась бы с фильма "Однажды на Диком Западе", развивалась лентой "За пригоршню динамита" и заканчивалась картиной "Однажды в Америке"»*.

Клинт знал, что это будет его последний фильм с Леоне, но ни в коем случае не его последний вестерн. Он поглотил слишком много спагетти, но мало гамбургеров; теперь он был полон решимости взять основные элементы образа Человека без имени, который был так добр к нему в Европе, и вывезти их в Голливуд, чтобы переработать и переопределить.

Вернувшись к июлю в Кармел, Клинт развил бурную деятельность. Он часто связывался со своими старыми друзьями, включая Дэвида Дженссена, который закончил съемки в роли доктора Ричарда Кимбла в своем четвертом (и последнем) сезоне популярного телешоу «Беглец». Сериал, который прекрасно передавал «дух времени» 1960-х годов, сделал из Кимбла культурного героя, а из Дженссена — настоящую звезду (правда, на весьма короткое время).

В эти месяцы Клинт и Дженссен часто встречались и подолгу беседовали. Расспрашивая обо всем своего друга, ныне крупную

---

* Первый из этих фильмов был снят в 1968 году. В картине «C'era una volta il West» («Однажды на Диком Западе») в главных ролях снимались Генри Фонда, Джейсон Робардс и Клаудиа Кардинале. Роль Гармоники, которую Леоне первоначально предлагал Клинту, сыграл Чарльз Бронсон. Леоне часто говорил, что он дал Клинту роль в «Пригоршне долларов», потому что тот выглядел как Генри Фонда, а затем дал роль Фонда, потому что он был похож на Клинта Иствуда. Фильм «За пригоршню динамита» с Родом Стайгером и Джеймсом Кобурном в главных ролях была снят в 1971 году. «Однажды в Америке» (в главных ролях — Роберт Де Ниро и Джеймс Вудс) был завершен в 1984 году.

телезвезду, Клинт пытался понять, как ему нужно строить свою собственную карьеру. (Клинту предложили роль Двуликого в малопристойном сериале «Бэтмен», и он принял это предложение, но прежде чем смог сыграть эту роль, ее отменили.) Тем временем Дженссен только что принял предложение от Джона Уэйна сняться в готовящемся к выпуску фильме «Зеленые береты» в роли скептически настроенного либерального репортера, попадающего в подразделение «зеленых беретов».

А потом... 30 сентября 1966 года Клинта потрясло известие о том, что в Перу на съемках телефильма компании MGM о жизни в джунглях погиб Эрик Флеминг. Примерно на середине съемок каноэ с Флемингом перевернулось на реке Уальяга. В лодке был еще один актер, Ник Минардос, но ему удалось благополучно доплыть до берега. Тело Флеминга было найдено через два дня*. Клинт узнал об этой истории из газет.

18 января 1967 года в Лос-Анджелесе наконец-то вышел в прокат фильм «За пригоршню долларов», а через месяц состоялся национальный релиз. Стилизованное насилие, показанное в фильме (сегодня оно уже не кажется ни насилием, ни стилизованным), на три года задержало показ фильма в Америке. В 1966 году в США был реализован новаторский проект Майка Николса «Кто боится Вирджинии Вулф?», в котором вульгарная лексика имела решающее значение для сюжета фильма, благодаря чему наконец-то рухнули устаревшие ограничения, накладываемые Кодексом производства**. После этого Крим и Пикер решили, что настало время попробовать снять американскую версию фильма Леоне.

Критики не стали терять время — и моментально набросились на «Пригоршню долларов». Во главе парада негативных отзывов оказался Босли Краузер, острый на язык кинокритик из New York Times, который назвал фильм «ковбойской дешевкой». Джудит Крист, основной кино-

---

* Точнее, именно так о гибели артиста сообщалось в прессе. Обстоятельства смерти Флеминга и судьба его останков до сих пор остаются неясными. Имеются неподтвержденные сообщения о том, что он был съеден крокодилом. Флеминг не дожил два дня до своей свадьбы.

** Сразу после кассового успеха фильма «Кто боится Вирджинии Вулф?» Кодекс производства был заменен системой рейтингов Джека Валенти. Потом компания United Artists согласилась показывать в США картину «За пригоршню долларов» в Америке. Кроме того, наконец-то была решена проблема с Куросавой и авторскими правами.

рецензент World Journal Tribune, охарактеризовала его как «совершенно ужасный... эрзац-вестерн, в котором мужчин и женщин протыкают, сжигают, избивают, затаптывают, кромсают насмерть». Филипп Шойер написал в Los Angeles Times: «Всех этих злодеев снимали в Испании... Жаль, что их там не похоронили». Newsweek назвал фильм «убийственно глупым». Почти в каждом обзоре Клинт упоминался вскользь, а Леоне почти не упоминался.

Тем не менее, ко всеобщему удивлению, фильм «За пригоршню долларов» с первого дня выхода на экраны начал приносить деньги. Критики не смогли его понять, но это сделали зрители. Они оценили мощь характера героя Клинта, привлекательность его силы и убежденности, а также оригинальную точку зрения фильма на жестокость. Более того, в те времена во всех университетских кампусах Америки были кинотеатры повторного фильма, в которых регулярно крутили «Телохранителя», поэтому студенты колледжей, составлявшие большую часть фанатов японской версии фильма, были хорошо знакомы со структурой сценария. Не случайно все атрибуты Человека без имени — тонкая сигарка, пончо, широкополая шляпа — стали элементами студенческой моды 1960-х.

Клинт продолжал испытывать проблемы с получением работы, или, по крайней мере, интересной для него работы. А хотел он снимать американские вестерны с «приглушенной» версией своего безымянного героя.

Между тем Клинт продолжал испытывать проблемы с получением работы, или, по крайней мере, интересной для него работы. А хотел он снимать американские вестерны с «приглушенной» версией своего безымянного героя. В мае того же года компания United Artists, воодушевленная кассовыми сборами от фильма «За пригоршню долларов», выпустила на экраны картину «На несколько долларов больше» в качестве одного из «больших летних фильмов». Между тем в прокате все еще держалось «первым экраном» значительное число копий фильма «За пригоршню долларов». Фильм уже собрал внушительную сумму в 3,5 миллиона долларов, что было превосходно для студийного фильма 1960-х годов и необычно для любого «независимого» иностранного фильма, выпущенного на экраны в Америке.

В промежутках между рекламными интервью и долгой работой по дублированию всех трех фильмов (дубляж делался за счет UA вместо использования более традиционных и менее дорогих субтитров) Клинт снова и снова встречался с продюсерами и режиссерами – и продолжал получать отказы на все свои предложения. В лучшем случае они считали его нынешний успех в кино счастливой случайностью и следствием новизны, а в худшем – все еще воспринимали актером телевидения, то есть обитателем «гетто», выбраться из которого удалось крайне малому числу счастливчиков.

Прошло несколько месяцев, и Клинт наконец сформулировал идею, которая вызревала в нем со времен «Сыромятной плети», когда он предложил по-другому снять кадры о перегоне скота. Теперь Клинт мечтал сделать проект по своему выбору, снять фильм так, как он хотел. Если бы американские студии наперебой стремились заполучить себе кинозвезду Клинта Иствуда, то тогда бы он снял фильм, который не только стоял бы вровень, но и превосходил достижения Леоне в жанре вестерна.

Его проект представлял собой сценарий под названием «Вздерни их повыше». Это был американизированный и переплавленный вариант трилогии Леоне. Его первоисточником послужил сценарий пилотной серии для еще одного телесериала в стиле вестерн, написанный Мэлом Голдбергом в 1966 году. Клинт посчитал, что такой сценарий может стать «правильным» проектом для начала его кинокарьеры в Голливуде, и обратился к продюсеру Леонарду Фриману, который первоначально и заказал его в качестве пилотного. Клинт попросил Фримана по возможности превратить его в художественный фильм. Но Фриман, который к этому времени уже спродюсировал сериал «Мистер Новак», был занят разработкой идеи нового сериала «Гавайи 5-0». В результате Фриман и Голдберг положили сценарий «Вздерни их повыше» на полку.

Этот сценарий впервые попал к Клинту через Ирвинга Леонарда, который оказался дружен с агентом Фримана Джорджем Литто. Однажды за ужином Литто рассказал Леонарду о сценарии под названием «Вздерни их повыше», Леонард подумал, что он может заинтересовать Клинта, и спросил, не может ли он прислать ему копию. Литто отправил копию на следующий день. Вместо того чтобы возвращаться к Леоне, Клинт решил делать этот фильм сам. «Когда [Леоне] разговаривал со мной о том, чтобы снять "Однажды на Диком Западе"* и тот материал, который позже превратился в фильм

* Фильм «За пригоршню динамита» (1971) носил и другие названия: «С динамитом в кулаке» и «Однажды во время революции». Роль Джона Мэллори, которую Леоне изначально хотел отдать Иствуду, сыграл Джеймс Коберн.

"За пригоршню динамита"*, он не скрывал, что это были бы просто повторы того, что делалось раньше», — вспоминал Клинт.

> «Я больше не хотел играть этого персонажа, поэтому по возвращении сделал очень малобюджетную картину под названием "Вздерни их повыше". Она была немного более характерной. Наверное, пришло мое время сняться и в некоторых американских фильмах, потому что, хотя мои прежние фильмы были очень успешными, кинобизнес по какой-то причине все еще считал меня итальянским киноактером. Я помню, как ребята из Paramount рассказывали, что когда они пытались занять меня в киносъемках, то все им говорили: "Так это же обычный телевизионный актер". Меня не замечали, не считали "своим". А многие другие актеры, которые были замечены, уже преуспевали куда больше, чем я».

Первое, что сделал Клинт, — передал сценарий более влиятельному агенту из компании William Morris. Его звали Леонард Хиршан. Хиршан, как и любой достойный представитель кинобизнеса, очень не любил иметь дело с проектами, которые поступали к его клиентам из внешних источников. И это был вопрос не столько эго, сколько компоновки проекта. Дело в том, что, объединяя писателей и актеров, работавших с агентством, это агентство получало право голоса практически во всех аспектах кинопроизводства. В силу этого первое, о чем подумал Хиршан: не передать ли этот проект на сторону, а Клинта занять в фильме «Золото Маккенны»? Это был боевик с отличным ансамблем актеров, главные роли в котором играли Грегори Пек и Омар Шариф. Клинт прочитал сценарий «Золота Маккенны», но он его не впечатлил*. Актер посчитал, что участие в этой картине станет для него шагом назад, возвращением к ансамблевому стилю

---

* Сценарий фильма по роману Хека Аллена написал Карл Форман. Форман был номинирован на премию Киноакадемии за сценарий фильма «Ровно в полдень» (1952), но затем, в 1950-х годах, был занесен в черный список Голливуда. Одной из картин, ознаменовавших возвращение Формана, стала лента «Пушки острова Наварон» (1961, режиссер Джей Ли Томпсон). В связи с этим фильм «Золото Маккенны» считался очень важным, и Хиршан долго оказывал давление на Клинта, пытаясь заставить его сыграть эту роль, но попытки Хиршана успехом не увенчались, и фильм режиссера Джея Ли Томпсона был выпущен в 1969 году без участия Клинта.

фильма «Хороший, плохой, злой» или, что еще хуже, сериала «Сыромятная плеть».

Клинт продолжал настаивать на том, что нужно продолжить работу над фильмом «Вздерни их повыше». Он полагал, что финансовые успехи лент «За пригоршню долларов» и «На несколько долларов больше» (последний получил еще менее благоприятные рецензии, чем «Пригоршня», но продолжал идти во множестве кинотеатров первым показом и собрал 4,3 миллиона долларов, почти на миллион долларов больше, чем «Пригоршня») позволяют надеяться на то, что новый фильм может рассчитывать на финансирование Артура Крима и Арнольда Пикера из UA. И Клинт оказался прав. Как только был заключен контракт, он сразу обратился к Теду Посту, одному из своих любимых режиссеров в сериале «Сыромятная плеть», чтобы тот начал работу над новым фильмом.

29 декабря 1967 года началось производство ленты «Вздерни их повыше», а Пикер и Крим выпустили в прокат «Хороший, плохой, злой»; таким образом, все три фильма трилогии вышли на экраны в течение одного года. Это событие подняло целое цунами дебатов среди высоколобых критиков, которые либо полюбили фильм, либо его возненавидели. Чего им не удалось — так это игнорировать картину. Критики с умеренными взглядами, например Чарльз Чамплин, жаловались в Los Angeles Times, что «существует непреодолимый соблазн переименовать фильм "Хороший, плохой, злой", который крутят сейчас по всему городу, и назвать его "Плохой, скучный и нескончаемый". Почему? Только потому, что это так и есть». Полин Кейл, верховная жрица кинокритики, с высоты своего положения в журнале The New Yorker, воспарив над миром простых смертных, объявила фильм «глупым» и «ужасным» и удивлялась, почему он вообще именуется вестерном. Журнал Time стал воротить нос от картины, после того нехотя признал стилистику Леоне, одновременно дав режиссеру хороший шлепок за то, что он осмелился покушаться на самое святое из всего чисто американского — на вестерн.

Основной кинокритик New York Times Рената Адлер писала в выпуске газеты от 25 января:

> «"Пережженный, исковерканный и потрескавшийся" (упоминать его настоящее название здесь представляется просто неуместным) — это, вероятно, самый дорогой, постный

и отталкивающий фильм за всю историю этого жанра. Если, фигурально говоря, на 42-й улице стоят маленькие тележки, с которых торгуют садизмом, то этот фильм, который вчера начали показывать в кинотеатрах Trans-Lux 85th Street Theatre и в DeMille, представляет собой целый супермаркет с такими товарами... Он длится два с половиной тягучих часа... и все это время тянется бессмысленная последовательность сцен, происходящих вокруг моста... Как можно превзойти такие шедевры, как "Мост короля Людовика Святого" или "Мост через реку Квай"? Иногда все это начинает казаться забавным...»

Оценка фильма не сильно изменилась к лучшему и в последующие годы, когда Адлер ушла из Times, а ряд чрезвычайно высоколобых кинокритиков стали все чаще поворачивать свои носы в сторону Клинта. Так продолжалось до первых годов нового века, т. е. до появления Манолы Даргис. Даргис была первой из кинокритиков, которая не стала отметать Клинта по определению, автоматически, как человека, чье творчество не соответствует эпохе, жанру и так называемому духу времени. Впрочем, The New York Times продолжала гнуть свою более-менее стандартную «линию партии». Всякий раз, когда на экранах появлялся фильм «Хороший, плохой, злой», газета в своем телевизионном разделе из года в год печатала одну и ту же однострочную рецензию, которая хотя и была жестокой и снисходительной, но на самом деле не так уж далеко отстояла от того, что чувствовал по отношению к фильму сам Клинт. Текст ее гласил: «Рык, ворчание и немного слов. Клинт ступает по воде, аки посуху».

Изо всех критиков только Эндрю Саррис в Village Voice оказался готов признать, что в стилистике Леоне и его трилогии что-то есть. Саррис, предшественник «авторского» движения в американской кинокритике, унаследовал от критиков французской «Новой волны» весьма противоречивую оценку американских фильмов. Стоит напомнить, что тогда его считали бунтарем, а сегодня по иронии судьбы справедливо почитают как ретроград. Его авторская теория прославляла жанровые фильмы и режиссеров, делавших их более кинематографичными и личными, а не корпоративный, безличный и, следовательно, заурядный продукт, который выдавала старая система индустриальных студий. Саррис, посмотревший трилогию еще до ее выхода в прокат, написал обзор из двух частей, который появился на страницах Village Voice 19 и 26 сентября 1968 года под названием «Спагетти-вестерны». В обзоре кассовый успех фильмов Леоне объяснялся притягательностью их авторского начала (тем, к чему другие критики оказались совершенно слепы). Таким образом, Саррис ввел трилогию и ее режиссера в мир моды, хитов и хиппи, к которому принадлежал и сам. Если до публикаций Сарриса было не принято хвалить эти фильмы на коктейльных вечеринках, проходивших на Пятой авеню, то после они стали главными темами обсуждений в кафе и на кухнях. Саррис писал:

> «[Нью-йоркская культурная сцена] в основном остается враждебной по отношению к вестернам даже в их чистом виде. Но вестерн, подобно воде, приобретает вкус за счет примесей, и с 1945 года вестерны многократно увеличили свои возможности, а также навязчивые идеи и неврозы... То, что привнесли в них Куросава и Леоне, — это сентиментальный нигилизм, который ставит выживание выше чести, а месть — выше морали... Как ни странно, в фильмах, следующих за лентой "За пригоршню долларов", Леоне еще больше углубился в американскую историю и политику. Я говорю "странно", потому что от итальянского режиссера можно было ожидать стилизаций в духе чего-то иностранного с неопределенными пространственно-временными координатами, например создания универсальной "Мексики", которую можно было снимать в любом месте на Средиземном море и относить к любому столетию — от шестнадцатого до двадцатого... Спагетти-вестерн — это в конечном счете произведение не для обитателей башен из слоновой кости, и в этом виде оно функционирует как эпическое творение о насилии и мести»*.

---

* Клинт был хорошо осведомлен о мнениях критиков. В своем интервью журналу Playboy в феврале 1974 год он говорил: «Ко мне относились хорошо – даже лестно – лучшие, более опытные критики, например Эндрю Саррис, Джей Кокс, Винсент Кэнби и Босли Краузер. Но вот Джудит Крист по какой-то причине бесило все, что я делал – или, точнее, все, за что бы я ни брался. Мне кажется, ей нравился [порнофильм] "Дьявол внутри мисс Джонс", и потому она думала, что фильм "Роковое искушение" представляет собой нечто неприличное... Ну да у каждого есть право на свое собственное мнение».

«Хороший, плохой, злой» за свой первый показ на внутреннем рынке принес в кассы кинотеатров 6,3 миллиона долларов. Слава Клинта взвилась вверх, как ракета, и он наконец смог найти финансирование для фильма «Вздерни их повыше». Чтобы фильм действительно получился таким, как задумывался, Клинт создал собственную продюсерскую компанию Malpaso. По-испански это значит «трудный переход», «неправильный шаг», но в действительности свое имя компания получила по названию ручья на участке в округе Монтерей, который купил Клинт. Malpaso стала зонтичной структурой для всего производства фильмов Клинта. В интервью журналу Playboy Клинт рассказывал:

> «У меня есть в собственности участок в округе Биг-Сур, по которому течет ручей Мальпасо. Я знал, что это слово означает труднопреодолимый проход в горах... Моя теория состояла в том, что я могу испортить свою карьеру так же, как кто-то другой мог бы испортить ее мне. Так почему бы не попробовать? И у меня было огромное желание показать киноиндустрии, что ее нужно упростить, чтобы она могла снимать больше фильмов с меньшими группами... Какой смысл тратить на производство фильма столько денег, что вы даже можете на нем разориться? В общем, у нас в Malpaso [не будет] 26 человек персонала и модного офиса. Упаковка из шести банок пива, несколько листов бумаги и пара карандашей — вот и все, что мне нужно для бизнеса»*.

Персонал компании состоял из самого Клинта, Роберта Дэйли в качестве постоянного продюсера, Сони Чернус в качестве редактора сюжетов и одного секретаря. Клинт наконец-то почувствовал себя готовым снять фильм, который он хотел, сделать это

* По словам Артура Найта, который в феврале 1974 года брал интервью у Клинта для журнала Playboy, стены офиса Malpaso были «украшены постерами; в одном углу стоял вырезанный из картона Иствуд в натуральную величину, который, как и его наиболее известные экранные герои, казался неприятно одномерным и странно зловещим. Однако самый причудливый объект в его личном кабинете представлял собой шарообразную, шокирующе-розовую копилку в виде кролика высотой в три фута».

так, как он хотел, и, возможно, даже заработать на этом реальные деньги. И первой картиной компании Malpaso стала «Вздерни их повыше»*.

ГЛАВА 7

«Вздерни их повыше»

★ ★ ★

Я думаю, что от Дона Сигела я узнал о режиссуре больше, чем от кого-либо еще... Он снимает аккуратно, но так, как хочет. Он знает, что у него есть мастерство, поэтому ему не нужно снимать свою задницу под дюжиной разных углов.

Клинт Иствуд

Осознание Клинтом Malpaso как собственной продюсерской компании, которую он как владелец может поставить на службу своей карьере, заняло у актера немного больше времени, чем он ожидал. Хотя его успех в Голливуде благодаря трилогии Леоне был впечатляющим, у Клинта все еще не хватало влияния, чтобы иметь возможность самостоятельно снимать свои фильмы. Еще меньше он разбирался в том, как управлять компанией. Пока что ему все равно приходилось полностью полагаться на финансирование от студий и, следовательно, оставаться на службе у других. Клинт пригласил Ирвинга Леонарда стать президентом Malpaso, вести финансы и выступать его личным бизнес-менеджером.

---

* «Три фильма [Леоне] имели успех за границей, — говорил Клинт в интервью Playboy 1974 года, — но мне оказалось нелегко взломать голливудскую сцену. Мало того что здесь было предубеждение против того, чтобы в кино играли TV-актеры. Здесь царило такое чувство, что американский актер, который снимается в итальянском кино, уже только поэтому делает своего рода шаг назад. Но на кинобиржах люди из Франции, Италии, Германии, Испании спрашивали у голливудских продюсеров, когда же они снимут фильм с Клинтом Иствудом в главной роли. Поэтому, когда наконец мне предложили снять очень скромный фильм для United Artists под названием "Вздерни их повыше", я создал свою собственную компанию Malpaso, и мы начали работу».

Иствуд использовал деловую смекалку Леонарда, чтобы «накачать мышцы» новорожденной компании. Точнее говоря, окончательные решения принимал в основном сам Клинт, но оформлял, уточнял и реализовывал их Леонард. Первоначально в UA хотели, чтобы именно они назвали режиссера ленты «Вздерни их повыше». Это бы надежно защитило инвестиции, обеспечило коммерческую привлекательность проекта и не дало бюджету картины выйти за отведенные рамки. Пикер и Крим считали, что эту работу могут выполнить Роберт Олдрич или Джон Стёрджес. Лучшим кандидатом представлялся Олдрич, снявший «Грязную дюжину» (1967) — фильм о войне, перегруженный тестостероном. Не сильно отставал от него и Стёрджес со своей «Великолепной семеркой» (1960).

Но Клинт выбрал Теда Поста — режиссера всего двух лент*, которые вызвали лишь легкую рябь интереса (и дохода). Но кроме этого он снял двадцать четыре эпизода сериала «Сыромятная плеть» и десятки других телевизионных эпизодов. По мнению Клинта, особенно хорошо у Поста получались диалоги, а на ТВ они как раз встречались редко. В 1960-е годы основное различие между кино и телевидением состояло в том, что в кино публика смотрела фильм, а на телевидении — слушала его. В трилогии Леоне или в сериале «Сыромятная плеть» у Клинта никогда не было длинных диалогов. И теперь ему нужен был человек, который помог бы справиться с многословием в сценарии картины «Вздерни их повыше». Эта работа и досталась Теду Посту.

После того как Клинт выбрал режиссера, съемочная группа сформировалась относительно быстро. Пост пригласил в картину ветерана, характерного актера Пэта Хингла, а также дерзкого «плохого парня» Брюса Дерна (с ним Клинт подружился еще в те годы, когда они оба бродили по Голливуду, пытаясь найти работу). Были также приглашены Эд Бегли, всегда надежно игравший роли опасных старых психов, и Чарльз МакГроу. Выбор не был случайным — все эти актеры снимались в тех эпизодах «Сыромятной плети», которые ставил Тед Пост.

На главную женскую роль Клинт решил пригласить Ингер Стивенс. В трилогии Леоне женщины не играли заметной роли — разве что выступали как символические Мадонны в показной религиозной атмосфере фильмов. В ленте «Вздерни их повыше» тема Мадонны раскрывается через образ местной коммерсантки Рэйчел (Стивенс),

* Это были фильмы «Миротворец» (1956) и «Легенда о Томе Дули» (1959).

которая ухаживает за Джедом Купером* (Клинт), после того как в первых кадрах его чуть не повесили. По жесткому рисунку эта роль чем-то напоминает образы женщин в фильмах Леоне. Завершает любовный треугольник проститутка в исполнении Арлин Голонки. Клинт делал все возможное, чтобы восстановить стилистический охват и жестокие образы спагетти-вестернов, которые сделали его постмодернистским культовым героем (или антигероем) вестернов на большом экране. Таким образом он надеялся вбить еще один гвоздь в воображаемый гроб Роуди Йейтса. К концу работы над картиной Стивенс выразила удовлетворение профессиональной манерой Клинта и попросила привлекать ее к любым будущим проектам.

Фильм был снят относительно быстро и строго в рамках бюджета – впоследствии это станет одним из фирменных знаков деятельности Malpaso в кинематографической отрасли.

Фильм был снят относительно быстро и строго в рамках бюджета — впоследствии это станет одним из фирменных знаков деятельности Malpaso в кинематографической отрасли. Снимали в основном на натуре (и это тоже станет фирменным знаком Malpaso) — на территории Лас-Крусес в штате Нью-Мексико. Интерьерные съемки проходили в павильонах компании MGM в Калвер-Сити, Калифорния. Сюжет следовал плану Леоне — на протяжении большей части фильма Клинт преследует людей, которые пытались убить его, и вместо этого убивает их в захватывающих перестрелках. Кроме того, по иронии судьбы в фильме совершает самоубийство через повешение капитан Уилсон (Эд Бегли) — человек, который пытался линчевать Купера.

Фильм «Вздерни их повыше» вышел на экраны летом 1968 года, вскоре после убийств Мартина Лютера Кинга-младшего и Роберта Кеннеди и в ходе работы саморазрушительного Национального съезда Демократической партии в Чикаго. Звездный состав и большие дозы тестостерона, разгоняющего кровь, стали для зрителей желанным средством ухода от действительности. В результате зрители вымели билеты из касс, оставив там около 7 миллионов долларов только на первом американском показе в ки-

* Фамилия Купер напоминает о высоких и молчаливых героях вестернов в исполнении Гэри Купера, прежде всего об Уилле Кейне из фильма «Ровно в полдень».

нотеатрах – почти на полмиллиона больше, чем принес фильм «Хороший, плохой, злой». В отличие от некоторых картин, которым нужно время, чтобы найти своего зрителя, лента «Вздерни их повыше», сделанная примерно за 1,5 миллиона долларов, начала приносить прибыль с первого дня показа. Лента, отвечавшая духу времени, стала самым кассовым фильмом в истории UA и вывела на голливудскую орбиту новую звезду боевиков – Клинта Иствуда. То обстоятельство, что фильм почти сразу же начал приносить прибыль, показывало, что Клинт и Malpaso стали влиятельными игроками на независимой кинематографической сцене Голливуда 1970-х годов.

Некоторые критики оплакивали тот факт, что ради более широкой популярности Человек без имени принял настоящую идентичность, «американизировался» и стал более мягким. Однако большинство из них посчитало, что все-таки вестерны являются самыми лучшими (то есть самыми популярными) лишь в том случае, если они сняты в Голливуде на английском языке, с красивыми женщинами и героями-злодеями, которых зритель знает в лицо. Так, Арчер Уинстон, один из самых популярных кинокритиков Нью-Йорка, назвал фильм «вестерном высокого качества, полным смелости, опасности и азарта, который с ходу встал в ряд классических вестернов, хотя создан с использованием новейших технологий». Отметилось даже издание New York Times – на этот раз рецензией Говарда Томпсона (он сменил Босли Краузера, вынужденного уйти после крайне негативного отзыва на фильм Артура Пенна «Бонни и Клайд», 1967). В рецензии New York Times – газеты, которая раньше не видела никакой пользы в фильмах Леоне и Иствуда, – неохотно признавалось, что в ленте «Вздерни их повыше» есть «свои положительные моменты». Но та же New York Times по-прежнему на дух не переносила самого Клинта: «Самым неудачным из всех выглядит мистер Иствуд. В его мрачной искренности не очень много от мастерства актера».

New York Times по-прежнему на дух не переносила Клинта: «Самым неудачным из всех выглядит мистер Иствуд. В его мрачной искренности не очень много от мастерства актера».

Но Клинту в данном случае оказалось достаточно информации о том, что его фильм заработал реальные деньги. Цифры в строке «Итого» оказались основным аргументом и для Дженнингса Лэнга — главы компании Universal. После завершения съемок фильма «Вздерни их повыше» Лэнг предложил Клинту круглую сумму в 1 миллион долларов. На эти деньги Клинт должен был снять свой первый «большой» (то есть полностью финансируемый крупной студией) американский фильм «Блеф Кугана». (Режиссером картины должен был стать Алекс Сигал. Фильм рассказывал о погонщике из Аризоны, которому поручено найти убийцу в Нью-Йорке.)

Писатель Герман Миллер изначально создал этот сценарий для двухчасового пилотного эпизода сериала, который должен был сниматься на Universal, но Лэнг приказал «переложить» его на большой экран и поручил эту задачу Джеку Лэйрду. При этом выяснилось, что и Миллер, и Лэйрд в свое время прошли через работу над сериалом «Сыромятная плеть».

Лэнг убедил Хиршана, что «Блеф Кугана» идеально подходит для следующего фильма Клинта, но, когда в ожидании одобрения сценария Клинт подписал контракт, Лэнг снял с проекта Миллера и Лэйрда — по слухам, Клинту не понравилась их версия*. Они были заменены авторами, призванными адаптировать сценарий к требованиям Клинта. Но после того как сценарий получил одобрение Клинта, была сделана еще одна замена: по настоянию Клинта режиссера Алекса Сигала заменил Дон Сигел. Как это произошло — должен рассказывать только Клинт:

> «Я подписал контракт с Universal Pictures на создание фильма под названием "Блеф Кугана". Это должен был быть мой второй американский фильм после возвращения с равнин Испании. Студия порекомендовала режиссера Алекса Сигала, выходца с востока США, который имел в своем активе несколько пьес, телевизионных шоу и фильмов. Но у Сигала возникли какие-то личные проблемы, которые не позволили ему снять этот фильм, и он вышел из игры. Затем студия сказала: "А как насчет Дона Сигела?" Зная, что в ки-

* Концепция фильма трансформировалась потом в телесериал «МакКлауд», в котором снимался Деннис Уивер («Дымок из ствола»). Первоначально его создание приписывалось Миллеру, но затем сценарий претерпел по крайней мере семь глубоких трансформаций, и в финальных титрах фигурировали имена Германа Миллера, Дина Райснера и Говарда Родмана; текст сценария остался за Германом Миллером.

нобизнесе процветает протекция, я тогда подумал: "Стойте! А какие отношения между этими двумя людьми и сколько еще Сигелов мы должны сменить, чтобы снять эту картину?"».

Настроенный более чем скептически, Клинт согласился посмотреть пару фильмов Сигела, прежде чем приступить к поиску «настоящего» режиссера. Но уже просмотр ленты «Вторжение похитителей тел» (1956) заставил его сесть и задуматься. Как он позже вспоминал, это оказался «один из двух-трех лучших фильмов категории B, когда-либо снятых на свете, и я понял, что этот человек сможет сделать очень много с очень небольшими средствами. "Блеф Кугана" был картиной с [относительно] скромным бюджетом, но, похоже, с Сигелом мы смогли бы на доллар вложений получить на экране гораздо больше, вывести фильм на более высокий уровень "смотрибельности". Поэтому я сказал: "Ладно, мы пойдем дальше с Доном Сигелом"»*.

Дон Сигел слыл в Голливуде человеком странным и подозрительным. Он начинал работать в Warner Brothers еще в 1930-х годах, снимал короткометражки, исполнил множество разных ролей в десятках популярных фильмов. Перелетая со студии на студию, он ненадолго «приземлился» в Allied Artists, где снял «Вторжение похитителей тел» — одну из самых впечатляющих и захватывающих картин 1950-х годов, классический научно-фантастический фильм ужасов. В картине хорошо передана атмосфера политической паранойи, которая создает тот же эффект, что и попытка принять душ в фильме Хичкока Psycho (1960). Картина, снятая по роману Джека Финни, прекрасно

---

* Дону Сигелу эта история запомнилась в несколько ином виде: «В Universal царила неразбериха. Клинт Иствуд, с которым тогда я не только не был знаком, но и никогда не встречался и не смотрел его фильмы, рассматривал кандидатуры двух режиссеров для своей первой крупной картины на Universal. Их звали Алекс Сигал и Дон Тейлор... В подвале Черной башни [штаб-квартиры корпорации Universal Studios] недавно поставили совершенно новый компьютер, которым все очень гордились. В него ввели два имени — Алекс Сигал и Дон Тейлор, на что машина ответила: "Вы имеете в виду Дона Сигела?" "Черт возьми, а кто такой этот Дон Сигел?" — спросил Клинт у исполнительного продюсера Дика Лиона. Когда ему рассказали обо мне, он просмотрел три мои картины и захотел узнать, заинтересован ли я в постановке "Блефа Кугана". Я ответил, что хотел бы увидеть три картины Серджо Леоне». Цит. по: Don Siegel, A Siegel Film: An Autobiography (London: Faber and Faber, 1993), p. 294.

изображает страх и отвращение Америки, которая поверила в то, что коммунизм является для личности тем же, чем для людей являются гигантские стручки: он навсегда крадет человеческую индивидуальность. (Стильный показ лестниц и подъемов, а также картины постоянного и стремительного преследования героев по улицам и холмам перекликаются с фильмом «Грязный Гарри».) Следующей работой Сигела в Universal стало режиссирование фильма о гангстере Малыше. Фильм получил потрясающие рецензии, но ушел в пустоту. За ним последовал ряд вялых и банальных работ, например «Испанский роман» (1957) и «Линейка» (1958; адаптация популярного телесериала). Последняя картина, резкое полудокументальное повествование о работе полиции Сан-Франциско и преследовании маньяка-убийцы Илая Уоллака, по своей драматургии, темпу и настроению стала предвестником таких лент, как «Грязный Гарри», «Контрабандисты оружия» (1958), «Гончая» (1959), «Край вечности» (1959), «Пламенеющая звезда» (1960), «Ад для героев» (1962), «Незнакомец в бегах» (1967 — ТВ) и «Мадиган» (1968). «Блеф Кугана» оказался тридцать восьмым фильмом Сигела из пятидесяти, которые он в итоге снял за всю свою жизнь. «Блеф», призванный вернуть режиссеру известность, стал первым из серии фильмов, над которыми Клинт и Сигел работали вместе.

Клинт, современная звезда, действовал по принципу «не говори, что мне надо делать, если не знаешь, что делать тебе». Авторитарный по характеру Дон Сигел действовал по принципу «делай, что тебе говорят».

Это были очень разные люди. Клинт, современная звезда, действовал по принципу «не говори, что мне надо делать, если не знаешь, что делать тебе». Авторитарный по характеру Дон Сигел действовал по принципу «делай, что тебе говорят». Каждый стоял на своем, и ни один из них не позволил бы другому нарушить баланс сил, необходимый для создания фильма.

Многие на съемочной площадке были удивлены тем, как быстро они поладили — правда, после пары незначительных стычек в начале работы. Ключом к примирению послужило взаимное уважение: Клинт искал человека, говорящего по-английски, который показал бы ему, как снимается фильм, и Сигел был более чем счастлив показать Клинту, как делать те или иные трюки.

О начале съемок Клинт, в частности, говорил:

«Я многому научился у [Сигела] как у человека, который может небольшими силами сделать очень многое, — наши подходы во многом схожи... Это очень экономный в средствах режиссер... Первая картина, которую мы сделали вместе, называлась "Блеф Кугана". Это был забавный фильм в том смысле, что его начинал другой режиссер, а мы с Доном даже не были знакомы. Правда, вначале мы немного пободались, но потом у нас сложились отличные рабочие отношения».

Сигел согласился с этим мнением: «Мне помнится, что у нас все прошло хорошо».

Одним из аспектов фильма, по которому безошибочно можно угадать руку Сигела, является его очевидная, порой тяжелая насыщенность метафорами. В неспокойные 1960-е годы, когда Америку разделила на части непопулярная и в конечном счете не принесшая победы война во Вьетнаме, в популярных фильмах трудно было найти несложных, одномерных героев. «Блеф Кугана» действует на зрителя именно потому, что он изображает Нью-Йорк как городские джунгли беззакония, которыми управяет жесткий, но неэффективный полицейский. Детектива лейтенанта МакЭлроя сыграл (как всегда, мощно и убедительно) Ли Джей Кобб — актер, который на экране разительно отличался от Клинта. Толстый, грубый, насмешливый уличный герой Кобба был полной противоположностью высокому, худощавому деревенскому парню, которого играл Клинт. Психика американца отчаянно нуждалась в том, чтобы появился герой, который покончил бы с кошмаром войны во Вьетнаме, — и она нашла своего спасителя в кино. В этом фильме Кобб создает образ генерала Уэстморленда*, а Клинт — героического бунтаря, который внезапно появляется — и изменяет положение к лучшему, устраняя «плохого парня». Куган стал типичным американским героем, который в одиночку захватывает злодея, ведя партизанскую войну на «чужой» почве.

Таким образом, в рулевой рубке Сигела пересеклись два потока: скрытый символизм Вьетнамской войны наложился на формулу «хороший парень задает жару плохому парню» — столь же старую,

* Уильям Чайлдз Уэстморленд был главнокомандующим американскими войсками во Вьетнаме *(прим. ред.)*.

как и все искусство кино. Приезжий шериф, сражавшийся с плохим парнем, представлял собой своего рода инверсию персонажа ленты «Вторжение похитителей тел». Он и стал тем необходимым кинематографическим клеем, который скрепил в нужных местах основу фильма.

Выход картины «Блеф Кугана» выводил Клинта за пределы образа Человека без имени, и потому его очень ждали как зрители, так и критики. Но отзывы о фильме оказались в лучшем случае смешанными; в частности, критики либо возносили фильм до небес, либо ненавидели его. Так, Джудит Крист из New York Magazine назвала этот фильм «худшим событием года». Но Винсент Кэнби, новый и более проницательный кинокритик из New York Times, в своей (несомненно, лучшей) рецензии на фильм, соединившей обзор и размышления, с энтузиазмом сравнил Клинта с иконой экрана Джеймсом Дином. Арчер Уинстон, автор из New York Post, отметил вклад режиссера Дона Сигела, но, по существу, проигнорировал Клинта; так же поступил и автор рецензии в еженедельном издании Variety.

Еще в конце 1960-х годов, делая свои первые шаги на телевидении, Клинт познакомился с агентом Китти Джонс, которая с тех пор вошла в тесный круг его друзей. В своей квартире на бульваре Кагуэна она регулярно устраивала шумные вечеринки, которые часто посещал Клинт вместе с парой своих друзей из прежних студийных времен. Вот что вспоминала об этих вечеринках и роли в них Клинта Джилл Баннер, тогда юная голливудская старлетка:

> «Клинт и его приятели были похожи на стаю дико юморных студентов, которые всегда чудачатся, шутят, разыгрывают друг друга, грубовато поддевают и дразнят девушек... Его приятели были из тех, кого он знал с незапамятных времен, одного звали Билл, другого — Джордж, он с ними работал в сериале «Сыромятная плеть». Еще там бывал Чилл Уиллс — это его голосом вещает Фрэнсис, Говорящий Мул из первых двух фильмов Клинта.
>
> Клинт ни слова не говорил о голливудской толпе или о традиционных «иконах стиля». Он водил старый пикап [несмотря на то что у него было два Ferrari], и я никогда не видела, чтобы он носил что-то, кроме джинсов Levi's, футболки, ветровки и теннисных туфель. Он был крепким парнем. Не ку-

рил, но мог влить в себя много пива, утверждая, что оно полезно для здоровья.

Подруги Китти были без ума от него не потому, что он был так молод и хорош собой или был звездой, а потому, что он был добрым, умным и веселым парнем».

Мэгги, прочно обосновавшаяся в Кармеле, ни разу не была ни на одной из этих вечеринок.

Через два дня после завершения съемок фильма «Блеф Кугана» Клинт уехал в Европу, где на натуре в Англии и Австрии Брайан Хаттон начинал для компании MGM съемки фильма «Там, где гнездятся орлы». В этой драме действие происходит во время Второй мировой войны. Британский офицер получает сверхсекретное задание десантироваться в тылу врага, где-то в Баварских Альпах, чтобы спасти захваченного американского генерала, который может быть подвергнут пыткам с целью выведать у него подробности готовящейся операции по высадке в Нормандии. Офицера сопровождают пять коммандос, один из них – американский лейтенант, которого играет Клинт Иствуд.

Фильм «Там, где гнездятся орлы» представлял собой высокобюджетный боевик с участием Ричарда Бёртона – одного из самых известных актеров, который в это время находился на пике своей славы, а также на грани финансового краха. Бёртон был вынужден согласиться на участие в съемках ленты «Там, где гнездятся орлы» не потому, что она соответствовала его потребностям и желаниям как актера, а потому, что она приносила ему миллионы. Ненасытным же репортерам, которые следовали за ним повсюду, Бёртон рассказывал, что согласился сниматься в фильме «Там, где гнездятся орлы», потому что хотел иметь в своем арсенале фильм, который мог бы посмотреть со своими двумя дочерями*. Его самые последние фильмы, как он утверждал, не особенно хорошо для этого подходили. За кулисами событий, однако, было широко распространено мнение, что он принял это предложение исключительно из-за денег.

Участие в фильме вместе с такой звездой, как Бёртон, должно было создать Клинту известность в иной области, нежели спагетти-вестерны.

---

* Дочери Кейт и Джессика были у него от первого брака с актрисой Сибил Уильямс.

Да и европейские зрители снова получали возможность увидеть его — уже не в роли ковбоя. Наконец, съемки в фильме «Там, где гнездятся орлы» должны были определенно подтолкнуть постоянно растущие гонорары Клинта к желанной цели — миллион долларов за фильм.

Чтобы написать сценарий, Бёртон обратился к своему другу и коллеге Эллиотту Кастнеру, который, в свою очередь, пригласил на работу известного автора приключенческих романов Алистера МакЛина. МакЛин добился достаточной степени доверия в кинематографической среде благодаря адаптации своего романа о Второй мировой войне «Пушки острова Наварон» (1961, Карл Форман и Джей Ли Томпсон). Бёртону очень понравился этот фильм, и ему захотелось получить такой же качественный сценарий для ленты «Там, где гнездятся орлы». Сам МакЛин никогда не писал сценарии, но поскольку по всем его романам уже были подготовлены адаптации или поставлены фильмы, он решил попробовать свои силы на материале романа «Там, где гнездятся орлы», и после шести недель ударной работы представил готовый сценарий.

Его стиль заметно отличался от стиля Бёртона: тот прилетел в Зальцбург на частном самолете, во фраке и в сопровождении своей супруги Элизабет Тейлор.

Пока МакЛин вносил последние поправки в сценарий, Клинт продолжал твердо держаться условий своего участия в фильме: аванс в 800 000 долларов, процент от прибыли и такое же, как у Бёртона, упоминание в титрах — одинаковым шрифтом и до названия фильма (фактически это было эквивалентно еще одному гонорару). В результате он получил почти все, о чем просил: 800 000 долларов, процент и равный размер шрифта, но все-таки его фамилия шла после названия фильма, а не до, как у Бёртона.

Проведя несколько дней в Лондоне, Клинт вылетел в Зальцбург, чтобы начать съемку. Выглядел он по-прежнему: в потертых джинсах и с одной порванной холщовой сумкой. Можно сказать, что его стиль заметно отличался от стиля Бёртона: тот прилетел в Зальцбург на частном самолете, во фраке и в сопровождении своей супруги Элизабет Тейлор. Пару встречало в аэропорту море вспышек фотоаппаратов папарацци со всей Европы. Как только Клинт поселился в отеле (том же, где остановились Бёртон и Тейлор), знаменитый актер позвонил с предложением присоединиться к нему в гостиной и выпить.

Остаток этого дня и почти всю ночь оба пили — точнее, Бёртон пил, а Клинт наблюдал за этим процессом. То, что он увидел, оказалось зрелищем не из приятных. Бёртон — наверное, самая большая кинозвезда в мире — напился в стельку. Он постоянно жалел себя и бесконечно оправдывался, не переставая косить одним глазом на бокал с виски, а другим — на официантку, которая продолжала подносить спиртное. Он сколотил состояние на кино, но все еще нуждался в деньгах — в этом для Клинта было что-то совершенно непонятное. И хотя Бёртон по-прежнему считался ведущим мировым актером — с тех пор как пятью годами ранее заработал международную славу и скандальную известность благодаря фильму «Клеопатра» — выглядел он как минимум на дюжину лет старше. Более того, он опух, потерял форму и курил до шестидесяти сигарет в день, несмотря на то что ему нужно было сниматься в фильме, который требовал затрат всех физических сил.

По словам Ингрид Питт, сыгравшей в фильме второстепенную роль Хайди, «хрупкое» состояние Бёртона было очевидно для всех присутствовавших на съемочной площадке: «Клинт и Ричард Бёртон были такими разными. Клинт с нетерпением ждал продолжения своей карьеры. Он внимательно следил за всем происходящим... Ричард Бёртон просто пил и фонтанировал Шекспиром. Он был несчастен. Он был пьян... Он просто устал жить». Эта история стала настоятельным предостережением для всегда осмотрительного Клинта...

По-иному вела себя Элизабет Тейлор — Лиз, как ее называли все знакомые. Она некоторое время провела в Зальцбурге, уехав лишь незадолго до съемок самых сложных сцен, требовавших большой физической нагрузки. Причина была проста: она не могла их видеть, потому что все еще не отошла от переживаний, связанных с преждевременной смертью ее третьего мужа, продюсера Майка Тодда (он погиб в авиакатастрофе)*. Находясь в Зальцбурге, она завела легкие, неформальные, приятельские отношения с Клинтом.

Часто, когда Бёртон уезжал на съемки, Лиз и Клинт сидели и просто разговаривали — о карьерае, о жизни, о любви, своих мечтах. Тейлор сказала, что хотела бы поработать с Клинтом. Каждый день она получала десятки сценариев от продюсеров и студий, которые на-

* Бёртон был пятым и шестым мужем Тейлор (она дважды выходила за него замуж). До этого у нее был короткий брак с певцом Эдди Фишером.

деялись на сотрудничество с ней, и недавно наткнулась на один, который ей понравился. Речь в нем шла о монахине, которая во время войны за независимость Мексики попадает под перекрестный огонь, и об американском наемнике, который спасает ее от изнасилования и убийства и выносит в безопасное место. В сюжете было несколько хитрых поворотов: поначалу наемник не знает, что женщина — монахиня, в какой-то момент она спасает его и т. п. Какими бы ни были ее мотивы — дружеские отношения, взаимное влечение, соперничество (с обеих сторон) с Бёртоном, — Тейлор посчитала, что этот сценарий идеально подходит ей и Клинту. Естественно, эту роль сыграл бы и Бёртон — если бы был в лучшей форме и заинтересовался этим фильмом. Но он не хотел играть с ней. Или особенно с ней.

Вероятно, это было неизбежно. К тому времени Бёртон начал негативно относиться к тому, чтобы делить сцену со всеохватывающей персоной своей жены. Проблема заключалась в том, что, насколько он понимал, она была актрисой с гораздо более ограниченными способностями, и потому фильмы, в которых они снимались, оказывались наименее достойными, но по иронии судьбы наиболее успешными для его карьеры. Клинт, которому не хватало классической подготовки или претензий на величие, не испытывал подобных опасений.

Впрочем, их разговоры о совместной работе ни к чему не привели. Позже Клинт объяснил: «Элизабет Тейлор передала мне этот сценарий, когда я снимал "Орлов" с ее мужем в главной роли. Мы хотели сделать этот фильм вместе, и студия одобрила комбинацию [звезд], но [как оказалось] Тейлор заключила контракт, согласно которому она не могла работать [в одиночку], место ее работы должно было совпадать с местом работы Ричарда. В результате мы настроились на то, чтобы проводить съемки в Мексике, пока Ричард работал там над чем-то другим*. Но тогда возникли и другие проблемы». Впрочем, какими бы ни были эти проблемы, намечавшееся сотрудничество Тейлор с Иствудом так никогда не случилось.

Еще до того, как были сняты первые сцены «Орлов», Клинт решил изменить свои диалоги. При этом он часто пренебрегал мнением Хаттона — режиссера, которого нанял Кастнер, несмотря на отсутствие у него достаточного уровня. До фильма «Там, где гнездятся орлы» Хат-

---

* Вероятно, над «Убийством Троцкого» (1972), фильмом режиссера Джозефа Лоузи.

тон снял только три картины: «Дикое семя» (1965), «Блокнот и как им пользоваться» (1966) и детектив «Sol Madrid» (1968), также известный под названием «Банда на героине». До этого он иногда работал актером, в основном в телесериалах. Кастнер, который со своим партнером Джерри Гершвином продюсировал «Sol Madrid», был впечатлен способностями Хаттона. Финансовый успех фильма также помог Кастнеру принять решение снимать с Хаттоном «Орлов», хотя сделать эту картину было значительно сложнее и дороже. Поскольку гонорар Бёртона составлял львиную долю бюджета фильма, а Клинт жестко отстаивал свои позиции, Кастнеру приходилось снижать остальную часть производственных затрат при сохранении приемлемого уровня качества. Хаттон был талантлив, но его лучшей чертой для съемок этого фильма оказался не талант, а умение сэкономить.

Вероятно, это было неизбежно. К тому времени Бёртон начал негативно относиться к тому, чтобы делить сцену со всеохватывающей персоной своей жены.

Бёртон не тратил много времени на изучение своей роли в сценарии МакЛина. Для него все эти фильмы были одинаковыми; он получал работу и хотел выполнить ее максимально быстро и безболезненно. Клинт же проходил сценарий постранично. Он был очень смущен несогласованностями в диалогах своего персонажа и тем, что слова иногда имели мало смысла. Как и в фильме «За пригоршню долларов» (и во всех будущих фильмах), он проходил сценарий слово за словом и вырезал все ненужные строки из собственных диалогов, оставляя относительно мало слов и, соответственно, больше экранного времени на впечатляющие физические подвиги персонажа. Получалось так, что это время практически удваивалось. После выхода фильма он шутя говорил друзьям, что его следовало бы назвать «Когда рискуют дублеры»*.

Съемки фильма столкнулись с бесчисленными проблемами: метели, метровой высоты сугробы и лавины; вспышки горной болезни и обморожения; постановка потасовки на движущейся канатной дороге (Бёртон); поездка на мотоцикле на высокой скорости в сильную метель по извилистой горной дороге (Клинт). Но когда фильм был наконец за-

* В трюковых сценах вместо Клинта снимался опытный каскадер и режиссер второго плана Якима Канутт, более всего известный постановкой сцен гонок на колесницах в фильме Уильяма Уайлера «Бен-Гур» (1959).

кончен и вышел на экраны, он получил на удивление хорошие отзывы. Рецензент из Variety заметил, что снятое «настолько хорошо для своего жанра, что для поисков достойного сравнения приходится обращаться к фильму Джона Стёрджеса «Большой побег» (1963)». Кинокритик Рекс Рид из журнала Women's Wear Daily рассказывал своим читателям: «Если зритель перестанет считать себя слишком серьезным и искушенным, то сможет прекрасно провести время за просмотром фильма "Там, где гнездятся орлы"». Эндрю Саррису картина тоже понравилась. «Ричард Бёртон и Клинт Иствуд, — писал он, — уравновешивают дикие и сардонические элементы фильма, делая из него непоследовательное, но в целом захватывающее зрелище».

Независимо от того, пришли зрители посмотреть на Бёртона, Клинта или на них обоих, фильм за время своего первого показа в американских кинотеатрах заработал более 15 миллионов долларов.

В общем, независимо от того, пришли зрители посмотреть на Бёртона, Клинта или на них обоих, фильм за время своего первого показа в американских кинотеатрах заработал более 15 миллионов долларов. Этого оказалось достаточно, чтобы в 1969 году он стал самым прибыльным фильмом компании MGM. Еще миллион долларов создатели фильма заработали в мировом прокате.

Дома у Клинта также наметились перемены. В мае 1968 года, после пятнадцати лет брака, Мэгги родила мальчика, которого она и Клинт назвали Кайл Клинтон Иствуд. Рождение ребенка вызывало разные чувства. Для Мэгги Кайл стал неоспоримым подтверждением самого существования ее необычного брака. В совместном интервью (что случалось достаточно редко), которое супруги дали вскоре после этого события, Мэгги объясняла, что секрет их долгого и успешного (именно так она его назвала) брака заключался в том, что «мы не верим в единение!». Клинт повторил это выражение, хотя и добавил немного другой ракурс: «[К тому времени, когда у нас родился ребенок], я знал, что мы сможем прожить достаточно долго... что мы останемся вместе».

На фоне всех перемен и похвал Клинт сразу же отправился снимать еще один фильм, которому, как оказалось, была уготована судьба одной из самых худших его лент. Картина «Золото Калифорнии» представляла собой широкоформатную версию относительно малоизвестного бродвейского мюзикла 1951 года, в котором была только одна полухитовая песня «Они называют ветер Марией» («They Call the Wind Maria»). Этот проект был совместной работой Алана Дж. Лернера и Фредерека Лоу, которые вместе сделали также несколько других мюзиклов, в частности «Бригадун» (1947), «Моя прекрасная леди» (1956) и «Камелот» (1960). Все эти бродвейские шоу были превращены в популярные фильмы. Такая же судьба ждала и «Золото Калифорнии».

В конце 1960-х киномюзиклы стали очень популярными, потому что эра песен и танцев Фреда Астера и Джина Келли давно прошла. Только «Моя прекрасная леди» (1964) режиссера Джорджа Кьюкора получила восемь «Оскаров», включая статуэтку за лучший фильм, и была номинирована еще на четыре премии; звезда этого фильма Рекс Харрисон стал лучшим актером. Правда, спустя всего три года Харрисон ухитрился почти в одиночку уничтожить этот жанр и свою собственную карьеру (прихватив с ними заодно студию 20th Century-Fox, которая еще пошатывалась после катастрофы с «Клеопатрой», в которой он тоже участвовал). Дело было в том, что Харрисон снялся в непродуманном, плохо снятом и проигнорированном публикой фильме «Доктор Дулиттл», который необъяснимым образом получил номинацию на «Оскар» за лучший фильм. Отвратительное впечатление от фильма, казалось, раз и навсегда положило конец высокобюджетным мюзиклам, но тут компания Paramount решила попытаться превратить мюзикл «Золото Калифорнии» в кинематографическую феерию стоимостью 14 миллионов долларов...

После окончания в Голливуде студийной эры в отрасли появилась новая логика. Фильм «Золото Калифорнии» представлял собой (по крайней мере, на первый взгляд) вестерн, т. е. еще один жанр, считавшийся проблемным, — главным образом благодаря распространению вестернов на телевидении. Студия понадеялась, что последняя большая голливудская звезда — «ковбой» Клинт Иствуд — поможет ей оживить оба жанра — и вестерн, и мюзикл. Чтобы заполучить Клинта, студия создала в фильме роль Парднера, которой не было в оригинальной бродвейской версии. Парднер представлял собой любопытную смесь «хорошего» Роуди из сериала «Сыромятная плеть» и «плохого» Человека без имени из спагетти-вестернов. С другой стороны, продюсеры свели Клинта с Ли Марвином, сыгравшим «седого» в оскароносном шедевре Эллиота Сильверштейна «Кэт Баллу» (1965). На голливудском языке это называлось «не пропустить кастинг». К этому миксу был также добавлен режиссер —

лауреат Пулитцеровской премии Джошуа Логан*. Его опыт создания нескольких других бродвейских мюзиклов, в том числе прибыльного «Камелота» (1967), казалось бы, должен был обеспечить торт нового фильма обильной сахарной посыпкой финансового успеха.

Клинт очень хотел участвовать в этом проекте. Ему всегда нравились фильмы Джошуа Логана, он считал его «актерским» режиссером и чувствовал, что ему нужно поработать с таким человеком после «механического» режиссера Брайана Хаттона в фильме «Там, где гнездятся орлы». Он также с нетерпением ждал совместной работы со сценаристом Пэдди Чайефски, который пообещал радикально переосмыслить оригинальную бродвейскую историю и сделать ее бесконечно более удобной для экрана. И наконец, Клинту понравился спокойный музыкальный стиль Андре Превина. Превин был нанят, чтобы написать несколько новых песен специально для Клинта, и пообещал приблизить их к тихому джазовому стилю актера, чтобы ему было их легко петь.

Ирвингу Леонарду удалось получить для Клинта аванс в 500 000 долларов. Эта цифра все еще была значительно ниже его постоянно требуемого миллиона, но Леонард настолько хитро сконструировал контракт, что большая часть гонорара Клинта приходилась на налоговые льготы, а сам он, как предполагалось, будет иметь солидное участие в ожидаемой прибыли. Леонард также сумел получить одобрение Клинта относительно выбора актеров, благодаря чему актриса Джин Сиберг смогла получить роль мормонской жены, которую Парднер решает купить и которая впоследствии входит в сложные трехсторонние отношения героев. Лернер создал этого персонажа, чтобы немного заинтересовать молодежную часть зрительской аудитории, а Клинт настоял, чтобы эту роль сыграла Сиберг.

Многие считали Сиберг француженкой — видимо, из-за ее ролей в фильме Отто Преминджера «Святая Жанна» (1957), французской картине «Здравствуй, грусть» («Bonjour Tristesse», по-английски «Hello, Sadness», 1958) и особенно в революционной французской ленте Жана-Люка Годара «На последнем дыхании» («Bout de Souffle», 1960). Последняя картина стала одной из жемчужин французской «Новой волны», вызвала международную сенсацию и после появле-

* Логан получил Пулитцеровскую премию за то, что помог вывести на бродвейскую сцену в 1949 году произведение Роджерса и Хаммерстайна «Юг Тихого океана».

ния ленты «Бонни и Клайд» вдохновила на подвиги целое поколение независимых американских кинематографистов. На самом деле Сиберг родилась в штате Айова, переехала в Париж на время съемок в картинах «Святая Жанна» и «Здравствуй, грусть» и некоторое время продолжала жить во Франции после съемок ленты «На последнем дыхании». К тому времени, когда она согласилась появиться в «Золоте Калифорнии», ее карьера находилась в упадке — главным образом, из-за ее активного участия в различных левых радикальных организациях и откровенной поддержки широко известной американской Партии черных пантер. Эта поддержка привлекла внимание Дж. Эдгара Гувера, который, как многие полагали, использовал ФБР, чтобы преследовать ее до тех пор, пока она в 1979 году не совершила самоубийство — в возрасте сорока одного года Сиберг умерла от передозировки снотворного.

Но в тридцать один год она еще была восхитительной красавицей с большими глазами, высокими скулами и утонченной европейской аурой. Клинта, который впервые увидел Сиберг во время кастинга, она едва не довела до безумия. По его настоянию она была немедленно принята на работу, и они сразу же начали роман, который ни от кого не скрывали. Роман продолжался даже после того, как сам фильм вышел из-под контроля режиссера Логана, чья маниакальная депрессия оказалась безудержной. Эта депрессия вылилась в распухший бюджет — на производство фильма, в котором было столько же жизни, сколько в забальзамированном теле, ушло 30 миллионов долларов.

По его настоянию она была немедленно принята на работу, и они сразу же начали роман, который ни от кого не скрывали. Роман продолжался даже после того, как сам фильм вышел из-под контроля режиссера Логана.

Сиберг и Клинт прекратили отношения, когда на съемочной площадке в Орегоне появилась Мэгги с младенцем «на буксире». Но как только она уехала, весь актерский состав и съемочная группа облегченно вздохнули, и роман возобновился. Так продолжалось до тех пор, пока из-за разногласий между Логаном, Чайефски и Клинтом у группы не закончились деньги на натурные съемки и актерам для завершения фильма не пришлось вернуться в павильоны Голливуда. В этот момент — возможно, чувствуя, что он находится слишком близко к дому, а съемки подходят к концу — Клинт бросил Сиберг. Сердце Джин было разбито, и она не нашла себе покоя даже в бурном браке с Роменом Гари.

После пяти изнурительных месяцев работы стало ясно, что Логан понятия не имеет, что делать с растущим финансовым монстром, в который превратился фильм «Золото Калифорнии». Картину неофициально закончил помощник режиссера Том Шоу. К тому времени студия Paramount, финансировавшая фильм, хотела только того, чтобы съемки как-то закончились. Руководство студии и все вовлеченные в это дело люди уже свыклись с мыслью, что фильм станет одной из самых дорогих «рождественских индеек», представленных почтенной публике. Несмотря на то что за первый год проката только в США фильм собрал солидную сумму в 14,5 миллиона долларов (чему способствовали отдельные благоприятные рецензии и бесспорная «кассовость» образа Клинта), он так и не достиг точки безубыточности, которая из-за всех перерасходов была расположена где-то у отметки в 60 миллионов долларов. В последующие годы критические отклики на фильм лучше не стали. (Times не устает напоминать об этом каждый раз, когда фильм появляется в телевизионной программе: «Мюзикл о золотой лихорадке в Калифорнии. Утонченный, но приземленный. А Клинт поет как лось»*.)

Никто не собирался его нанимать на должность режиссера, несмотря на его звездный статус. Никто не доверит снимать фильм с бюджетом в несколько миллионов долларов человеку, у которого нет режиссерских титулов.

Несмотря на то что фильм «Золото Калифорнии» нельзя было назвать полной катастрофой, он, несомненно, ознаменовал собой нисходящий поворот в прежде неуклонно восходящей карьере Клинта. Теперь, когда 1960-е годы сменились 1970-ми, а доминировавшие прежде в Голливуде студии начали уступать место независимым фильмам, Клинт решил сделать гигантский скачок вперед. По его мнению, студийная работа, подобная созданию «Золота Калифорнии», теперь стала динозавром индустрии. Такой подход полностью утратил свою актуальность и стал неприменим к созданию новых независимых фильмов. Клинт был уверен, что он может сделать эту работу лучше.

* На многих зарубежных рынках фильм шел вообще без песен — была надежда, что таким образом он привлечет больше лояльных фанатов Клинта Иствуда и вестернов. Позднее Клинт попытался защитить это решение: «В Италии они сделали так при первом показе. Это обычная практика. Все мюзиклы были отмечены в Европе ужасными провалами, за исключением "Вестсайдской истории". В большинстве случаев там игнорируют всю музыку». Цит. по: Dick Lochte in Los Angeles Free Press, April 20, 1973.

Проще говоря, он хотел стать режиссером.

Но для этого ему прежде всего пришлось стать продюсером. Никто не собирался его нанимать на должность режиссера, несмотря на его звездный статус. Никто не доверит снимать фильм с бюджетом в несколько миллионов долларов человеку, у которого нет режиссерских титулов. Ему пришлось самому искать деньги и использовать их для глубокой модернизации компании Malpaso. Тем временем он продолжал смотреть, слушать, продюсировать, а также сниматься в фильмах других режиссеров, у которых, по его мнению, он должен был чему-то научиться.

Иными словами, решив выйти из голливудского мейнстрима, он посчитал, что самым быстрым и наиболее целесообразным способом получить желаемое будет еще более глубокое погружение в этот мейнстрим.

ГЛАВА 8

★★★

Я считаю, что Дон Сигел — чрезвычайно талантливый парень, лишенный известности, которую он, вероятно, должен был получить намного раньше. Голливуд переживал этап, когда награды доставались большим картинам и ребятам, которые знали, как потратить много денег. В результате те парни, которые снимали много, с большими усилиями и небольшим количеством денег, прославлены не были. Поэтому Дону много лет пришлось ждать того момента, когда он начнет снимать фильмы с довольно хорошим бюджетом. Он режиссер, каких мало. Если все идет не так, как планировалось, он не садится, не плачет и не считает, что все потеряно, как делают некоторые другие режиссеры.

Клинт Иствуд

Стремясь извлечь выгоду из своей возрастающей популярности и постоянно растущих кассовых сборов, Клинт хотел делать фильмы, которые бы демонстрировали его лучшие качества, но не превращали в вечно множащуюся версию Человека без имени. В то время как другие в положении Клинта, возможно, с радостью бы принимали череду простых, популярных, грубоватых вестернов и наслаждались одним персонажем (как это делал Арнольд Шварценеггер до тех пор, пока новизна не приелась — тут-то его карьера в кино и закончилась), Клинту было нужно что-то другое — хотя пока еще он не знал точно, что именно. Одно несомненно: достигнув уровня признанной голливудской звезды, он хотел на этом уровне остаться — возвращение к работе на бензоколонке его почему-то совершенно не привлекало.

Как актер Клинт понимал, что Человек без имени вызывал интерес у зрителей не из-за штампов (разбитое сердце, разлука и отчаяние), а из-за набора своих уникальных «нет»: у него нет семьи, нет женщины, нет прошлого и нет будущего. Он понимал, что именно увлечение зрителей этим уникальным персонажем зажгло его восходящую звезду.

Но как режиссер Клинт не был заинтересован в том, чтобы увековечить этого персонажа, превратив его в карикатуру. Вместо этого он хотел оказаться «позади» и «внутри» изображения, которое он проецировал на экран. Для этого ему нужно было создать работу, которая не только соответствовала бы этой цели, но и была бы в пределах его возможностей.

Несмотря на неожиданный успех со спагетти-вестернами, путь кинематографического самопознания Клинта до сих пор не был ни быстрым, ни легким, ни гладким. Более того, злополучное «Золото Калифорнии» разрушило почти все, чего он ранее достиг. Художественный провал этого фильма даже больше, чем финансовый, убедил его раз и навсегда, что никто в Голливуде ничего не знал (а если и знал, то не больше, чем он сам, а может, и намного меньше) о том, как сделать хороший фильм, который мог бы принести приличную прибыль.

Тем не менее Клинту еще предстояло очень многое узнать о том, как выложить на экран имевшиеся в его голове идеи. У него было пять лет, чтобы понять, как это делается. Неэксклюзивный контракт Клинта с Universal от 1968 года (Лэнг заставил его подписать документ, удвоив гонорар за «Блеф Кугана» до 1 миллиона долларов) истекал самое раннее в 1975 году — в зависимости от того, сколько фильмов он сделает для студии за обозначенный период. Он давно разочаровался в этом контракте, так как проекты, которые он приносил в студию, практически не встречали поддержки. Что еще хуже — в декабре 1969 года от сердечного приступа в возрасте 53 лет внезапно скончался Ирвинг Леонард — давний коммерческий директор Клинта, президент и сооснователь Malpaso и его настоящий друг. Обычно внешние события мало сказывались на хладнокровном Клинте, но потеря Леонарда, несомненно, его потрясла.

Леонард был незаменим из-за того, что уникально сочетал роли отца, наставника и... всепроникающего путеводного света. В попытке найти ему замену Клинт остановился на кандидатуре давнего руководителя студии, а теперь его постоянного продюсера Боба Дэйли, которого он знал со времен съемок сериала «Сыромятная плеть», когда Дэйли вырос от аналитика по затратам студии до руководителя подразделения. Его работа состояла в том, чтобы контролировать поток денег, поступавших на студию, в том числе на производство «Сыромятной плети». Клинт всегда любил деловой стиль и проницательность Дэйли, поддерживал его стремление минимизировать затраты и сокращать расходы, которые обычно идут на пестование эго звезд — например, на предоставление лимузинов и получение льгот. Сейчас работа Дэйли в Malpaso заключалась в том, чтобы продолжать помогать Клинту находить замечательные проекты, в которых он мог бы сниматься или которые мог продюсировать, помогать ему управлять своими ежедневными затратами, а также выступать в качестве посредника в отношениях между Malpaso и аудиторской компанией Kaufman and Bernstein*.

Первый фильм, который Клинт решил снять после смерти Леонарда, был по сценарию, предложенному ему Элизабет Тейлор, — «Два мула для сестры Сары». Он начал работать над ним под руководством Леонарда, который одобрил эту идею незадолго до смерти. Клинт хотел снять этот фильм, поскольку чувствовал, что главный герой был более гуманистичной, более углубленной версией Человека без имени. Продюсером фильма стал Мартин Рэкин — человек, который в 1950-х годах добился значительных успехов как сценарист, а потом полностью занялся продюсированием. Он выбрал вариант оригинального сценария, написанный режиссером-ветераном Баддом Боттичером. Первый вариант фильма должны были снимать с Клинтом и Тейлор в Мексике.

Затем Тейлор сообщила Рэкину, что хочет, чтобы производство было перенесено из Мексики в Испанию, но Рэкин настаивал на том,

* Леонард свел Роя Кауфмана и Ховарда Бернштейна и предложил им организовать аудиторскую компанию. Клинт Иствуд стал их первым клиентом.

что нужно сохранить локацию в Мексике, быть верными сценарию и таким образом снизить производственные затраты. Тейлор, кроме того, испытывала некоторые «проблемы со здоровьем», которые мучили ее на протяжении всей карьеры. И как только страховка для Тейлор превысила бюджет фильма, Рэкин и Universal решили освободить ее от исполнения роли*. Клинт согласился остаться, при условии что будет определять режиссера картины. Рэкин не возражал против того, чтобы в качестве первого кандидата рассмотреть выбранного Клинтом Дона Сигела.

На замену Тейлор Universal выбрала Ширли МакЛейн — бродвейскую танцовщицу, ставшую блестящей кинозвездой после участия в фильме Альфреда Хичкока «Неприятности с Гарри» (1955). Она только что закончила съемки в фильме «Милая Чарити» (Universal и Боб Фосс), и студия, полагая, что картину ждет огромный успех, рекомендовала ее для исполнения главной роли в новом фильме. Клинт, Рэкин и Сигел ответили согласием, и МакЛейн оказалась в съемочной группе.

Сигел позже вспоминал:

> «Не было никаких сомнений в том, что Ширли является прекрасной актрисой с большим чувством юмора. Но у нее была светлая кожа, а лицо напоминало карту Ирландии. В роли мексиканской монахини она выглядела бы по меньшей мере смешно. Но Ширли была назначена на картину, и, естественно, сценарий нужно было переписать так, чтобы он соответствовал ее внешности… В результате работы над сценарием вместе с Мартином и Клинтом я сделал потрясающее открытие. Оказывается, Бадд Боттичер не только создал рассказ, он также написал сценарий. Он был известным режиссером и моим хорошим другом… Я спросил его, почему он не считается режиссером, и он заявил, что Марти никогда не давал ему прямого ответа на этот вопрос. Оказывается, ему очень нужны были деньги, поэтому он продал свою историю и свой сценарий Марти, который передал их в собственность

* Вероятно, Universal отказалась от этой идеи после того, как предыдущий фильм Тейлор — «Бум!» Джозефа Лоузи с Ричардом Бёртоном — провалился в прокате, а она отказалась снижать свой семизначный гонорар за появление в «Двух мулах».

Universal, получил все ему причитающееся и... нанял Альберта Мальца, чтобы написать другой сценарий. Мне стало смешно от того, что я его режиссер. Бадд засмеялся и сказал мне, что все было улажено с Марти задолго до того, как на сцене появился я. Мы остались хорошими друзьями».

Снятый Сигелом фильм напоминал не что иное, как повествование о Человеке без имени в симбиозе с историей о моральном возвышении Кугана. Сигел углубил характер персонажа Клинта, постоянно жующего сигару (здесь его зовут Хоган), осмыслил и «американизировал» его чувства по отношению к женщинам, расширив потребность этого человека в искуплении своих грехов путем спасения этих женщин. То, что в фильмах Леоне проходило пунктиром, в фильме «Два мула для сестры Сары» стало основным сюжетом. Это не могло не понравиться Клинту.

Действие фильма происходит в Мексике в середине XIX века, во время войны за независимость, т. е. в период восстания против оккупировавшей страну армии Наполеона. Повстанцы планируют атаковать пост французской армии в Чиуауа. Хоган (Клинт) — американский наемник (как и Человек без имени), который сталкивается с группой преступников, собирающихся изнасиловать женщину (МакЛейн). В быстрой, но ожесточенной перестрелке (как в начале «Пригоршни долларов») небритый Хоган, затягивающийся окурком сигары и одетый, как и Человек без имени, в знаковое пончо, расстреливает насильников и соглашается помочь женщине перебраться в безопасное место, после того как узнает, что она — монахиня, пытающаяся убежать от французов, которые хотят убить ее за помощь восставшим. По пути он обнаруживает, что она не обычная монахиня. Она ругается, пьет спиртное, считает себя очень женственной и использует все свое обаяние, чтобы заставить его помочь ей пустить под откос французский обоз. Во время атаки Хоган получает ранение, и Сара возвращает его к жизни. Затем он обнаруживает, что на самом деле Сара — проститутка, маскирующаяся под монахиню. Между ними вспыхивает искра любви, и когда их миссия завершается, эта любопытная и загадочная пара вместе уходит вдаль, растворяясь в прекрасном мексиканском пейзаже.

Фильм сопровождала музыка Эннио Морриконе, который написал незабываемые партитуры для трилогии Леоне. Таким образом возникла дополнительная связь Хогана с Человеком без имени, а фильм стал неформальным американизированным сиквелом трилогии. Клинт вспоминал:

> «Мне кажется, [фильмы Леоне] изменили сам стиль, сам подход к вестернам [в Голливуде]. Они их “оперировали”, если позволительно употребить такое слово. Насилия и стрельбы в них оказалось немного больше, чем в жизни, но зато в них была отличная музыка и новые типы партитур. Я не сильно разбираюсь в музыке, но мы взяли того же композитора – Эннио Морриконе – и для “Сестры Сары”... Это были истории, которые не использовались в других вестернах. К тому же по внешнему виду и стилю они немного отличались от того, что снимали в то время. Не думаю, что какая-то из них смогла бы стать классическим вестерном, как это произошло с “Искателями” Джона Форда 1956 года. Они были более фрагментированными, более эпизодическими, главный герой проходил через различные маленькие эпизоды... Серджо Леоне чувствовал, что звук для кино очень важен. У каждого фильма должен быть свой собственный звук, как и своя собственная картинка».

Намерение Клинта состояло в том, чтобы развить связь Сигел – Иствуд как продолжение линии Леоне – Иствуд, американизировать спагетти-вестерны и по возможности повторить их феноменальный коммерческий успех. Была еще одна цель – восстановить главную роль Иствуда как образ тихого, очаровательного убийцы, спасающего свою душу. Позже Клинт утверждал, что в фильме он сделал все возможное, особенно в сцене, когда Сара вынимает стрелу из его плеча. Эпизод снят средне-крупным планом, Клинт пьет спиртное, которое дала ему Сара, чтобы унять боль. Во время этой операции он тихо запевает песню – неожиданный выбор, который одновременно делает характер персонажа более мягким и углубляет его. Здесь фильм выглядит уже чем-то иным, совсем не гладким ретро-сиквелом, и показывает, чем он на самом деле является – историей любви. Для Клинта это был важный шаг вперед в его развитии как романтического актера. Такая трансформация призвана была вывести его (и кассу) за пределы толпы поклонников боевиков и дурманящих мюзиклов и охватить более широкую аудиторию.

А именно – женщин.

После завершения съемок фильма «Два мула для сестры Сары» Клинт вернулся в Кармел к Мэгги – но только для того, чтобы упаковать свои вещи и снова улететь, на этот раз в Лондон и Югославию. В течение следующих восьми месяцев он будет играть роль в фильме MGM «Воины» (неэксклюзивный контракт с Universal позволял это делать). Позже название фильма было изменено на «Герои Келли». Это была сатирическая лента, выражавшая протест против войны во Вьетнаме. Как известно, первой картиной-протестом против вьетнамской войны стал «Военно-полевой госпиталь» (1970) Роберта Олтмена (для облегчения болезненных ассоциаций его снимали в Корее). Действие фильма «Герои Келли» было отодвинуто еще дальше, на времена Второй мировой войны, что сделало его сатиру еще более яркой (и более безопасной), настроенной против самой священной в американской истории военной кампании, которая была не подвержена критике.

Клинт согласился участвовать в этом фильме по ряду причин. Сам он был сторонником Никсона и голосовал за него во взрывоопасном 1968 году. Но Клинт отвергал постоянные попытки президента бомбить Вьетнам как ненужные и в политическом, и в моральном плане. Клинта никоим образом нельзя было назвать либералом, но он никогда не был и истовым республиканцем. Лучше всего для описания его взглядов на политику подходит термин «прагматическая независимость». К 1970 году, после семи лет бурной войны, которая вела в никуда, ему, как и многим американцам по обе стороны политического фронта, эта война просто надоела. Сценарий фильма «Герои Келли», в котором он играет главную роль, как раз и выразил отношение к сложившейся ситуации с нужным количеством цинизма.

Вместе с ним на экране появилось много выдающихся актеров. Прежде всего это был Телли Савалас, который несколько лет назад имел большой успех в роли Фето Гомеса, одного из заключенных в биографической тюремной драме с Бертом Ланкастером в главной роли («Любитель птиц из Алькатраса», режиссер Джон Франкенхаймер, 1962). Затем «комик с золотым сердцем» Дон Риклз, появлявшийся в лентах Роберта Уайза «Идти тихо, идти глубоко» (1958, с участием Кларка Гейбла), «Мышиной возне» Роберта Маллигана (1960) и во множестве мало запоминавшихся телевизионных передач, пока не оказался в прямом эфире «Вечернего шоу Джонни Карсона» в роли злобного, но привлекательного стэндап-комика, и эта роль наконец сделала его звездой. Дональд Сазерленд – исполнитель роли Ястреба в сериале «Чертова служба в госпитале МЭШ». Актер Кэррол О'Коннор, который позже в том же году получил свою лучшую роль фанатичного, но в то же время привлекательного Арчи Банкера в сериале «Все в семье». Все эти актеры второго плана, помогавшие зрителю сосредоточить внимание на Клинте, посеяли в этой картине семена своих будущих постоянных персонажей (для Риклза это была роль гангстера-«умника», которую в фильме он в полной мере не осознал).

Клинт очень хотел, чтобы режиссером фильма стал Дон Сигел, – хотел настолько сильно, что подписал контракт, потому что Сигел согласился стать режиссером. Однако в последнюю минуту Сигел был вынужден уйти из проекта из-за проблем, связанных с монтажом и выпуском фильма «Два мула для сестры Сары». Конкретно проблемы заключались в том, что за монтажным столом он столкнулся с Рэкином. В результате новая картина была предложена Брайану Хаттону, с которым Клинт в последний раз работал над фильмом «Там, где гнездятся орлы». С эстетической точки зрения Клинта не сильно устраивал этот вариант, но с практической – он понимал, что фильмы Хаттона приносили деньги, и Клинт одобрил его назначение на эту картину.

Однако замена Сигела на Хаттона нарушила в фильме баланс между сатирой и «умными» приключениями. Проще говоря, фильм Хаттона в большей мере сосредоточился на горах золотых слитков, нежели на бомбах и бюрократии.

В конце концов, лента «Герои Келли» стала выглядеть скорее раздутой, чем объемной, и скорее громоздкой, чем внушительной. Клинту казалось, что сложные натурные съемки тянутся бесконечно долго, хотя по всем параметрам состав группы, действовавшей на съемочной площадке, был великолепен. По словам Риклза, общаться с Клинтом было легко и весело:

> «Я работал с Клинтом Иствудом над фильмом "Герои Келли". Мне сказали, что съемка займет три недели. Она заняла шесть месяцев. У меня были проблемы с едой. Там у них все плавало в масле. В результате некоторые из нас превратились в звезд спринта и научились на пути к туалету преодолевать звуковой

барьер. Но в конце концов все актеры стали приятелями. "Клинт, ты был бы великолепен, — сказал я однажды Иствуду, — если бы когда-нибудь научился нормально говорить и перестал шептать". Клинт в ответ посмотрел на меня своим иствудским взглядом и прошептал что-то неразборчивое...»

После почти восьми месяцев съемок и монтажа в Лондоне Клинт был вынужден сделать дополнительную рекламу для фильма «Золото Калифорнии» и доснять некоторые куски для еще не выпущенного (и все еще незаконченного) фильма «Два мула для сестры Сары». Когда же он увидел финальную версию «Героев Келли», то остался особенно недоволен вставленной в конце фильма пародией на кульминацию ленты «Хороший, плохой, злой» с Клинтом, Саваласом и Сазерлендом. Для Клинта это было подтверждением, что фильм далеко ушел от первоначальной задумки. Сам он объяснял происшедшее уходом Сигела с поста режиссера.

Позже Клинт вспоминал:

«Изначально это был очень хороший антимилитаристский сценарий, в котором говорились важные вещи о войне, о склонности человека к самоуничтожению. При монтаже все сцены, в которых происходили дискуссии философского содержания, были вырезаны, а вместо них добавили сцены действия. В результате, когда все было закончено, картина потеряла свою душу. Если бы действие и рефлексия были лучше сбалансированы, то лента охватила бы гораздо более широкую аудиторию. Я не знаю, оказала ли студия давление на режиссера или режиссер потерял зрение на этом пути, но я знаю, что картина стала бы намного лучше, если бы не было этой попытки любой ценой удовлетворить поклонников экшена. И картина осталась бы такой же эффектной и привлекательной. Не случайно одни боевики "выстреливают", а другие — нет».

Фактически прокат фильма «Герои Келли» начался 23 июня 1970 года, всего через неделю после выхода картины «Два мула для сестры Сары», которая получила гораздо более благоприятные отзывы. Сильнее других похвалил картину Los Angeles Herald-Examiner, заявивший следующее: «"Два мула для сестры Сары" — это увлекательный фильм, в котором Клинт Иствуд сыграл свою лучшую и самую содержательную роль на сегодняшний день. В этой картине он смотрится намного лучше, чем когда-либо. В режиссере Доне Сигеле Иствуд нашел то, что Джон Уэйн нашел в Джоне Форде, а Гэри Купер — во Фрэнке Капре».

Оба фильма вышли летом почти одновременно, и Клинт был этим недоволен. Он чувствовал, что конкурировал с самим собой — и был прав. «Почему я должен прокатывать фильмы в двух кинотеатрах, расположенных прямо через дорогу?» — пенял он Джиму Обри, главе MGM, с которым конфликтовал еще раньше — в CBS. Впрочем, обе картины продемонстрировали кассовый успех — еще и при том, что в кинотеатрах пока шла картина «Золото Калифорнии», иначе говоря, в прокате одновременно демонстрировались три фильма Клинта Иствуда! По иронии судьбы лента «Золото Калифорнии» оказалась самым кассовым хитом из трех: ее общие сборы при первом показе составили 7 миллионов долларов, что почти вдвое превышало сумму от ленты «Два мула для сестры Сары» (4,7 миллиона долларов) и было больше, чем у картины «Герои Келли» (5,2 миллиона долларов). В итоге, правда, «Два мула» оказались более успешными, чем «Келли», так как соотношение цены к затратам у первой ленты было меньше.

Клинт, вероятно, был очень доволен, что лето прошло под тремя заголовками его хитов, которые демонстрировались в кинотеатрах всего мира. Однако ни один из трех фильмов даже близко не соответствовал тому, что он хотел показать в своих картинах, что мог сделать и что мог заработать. Вместо этого каждый из них приблизил его к мейнстриму и средним по популярности фильмам — и ни один не имел явного преимущества.

Клинт все еще искал фильм, который мог бы дать ему свободу. Теперь он думал, что нашел такой проект — в сценарии, который Дженнингс Лэнг прислал ему во время работы над «Героями Келли». Этот сценарий был основан на романе Томаса Куллинана и адаптирован Альбертом Мальцем (когда-то занесенный в черный список сценарист проделал такую же работу для фильма «Два мула для сестры Сары»). Сценарий назывался «Обманутый». Клинт не мог выбросить его из головы. Он думал, что это сценарий очередного вестерна про героя-одиночку, и надеялся прочитать его за одну ночь, но быстро понял, что это нечто гораздо большее. Озадаченный Клинт попросил прочитать сценарий Дона Сигела и высказать свое мнение. Сигел сказал, что он ему понравился, и тогда Клинт решил делать по нему фильм.

Это история о Джоне МакБёрни (Клинт) — тяжелораненом солдате армии северян, которого обнаружила в лесу десятилетняя девочка по имени Эми (Памелин Фердин), когда собирала грибы в лесу неподалеку от пансиона, в котором жила. Она помогает ему добраться до пансиона, где директриса Марта Фарнсуорт (Джеральдин Пейдж) предлагает ему убежище. В конце концов несколько воспитанниц, в том числе Эми и Эдвина (Элизабет Хартман), понимают, что если они отпустят его, то он непременно будет схвачен и убит армией южан. Чтобы спасти его жизнь, они делают его пленником, не давая покинуть пансион. Сначала МакБёрни не понимает, что происходит, отвлекаясь на кажущуюся легкость в соблазнении многих воспитанниц и их сексуально подавленной директрисы.

Но дело принимает (в буквальном смысле) плохой оборот, когда Эдвина видит, как МакБёрни занимается любовью с одной из девушек, и из мести толкает его вниз по длинному лестничному пролету. Падение ранит его больную ногу, и директриса решает, что ее нужно ампутировать. Когда МакБёрни просыпается и понимает, что потерял ногу, в гневе он обвиняет всех девушек в том, что они сделали его своим пленником. В конце концов, однако, он становится сексуальным хозяином, перебирая девушек, как ему заблагорассудится, используя их и подвергая насилию — до тех пор, пока они не решают убить его с помощью ядовитых грибов.

Но прежде чем они реализуют свой план, МакБёрни умирает от сердечного приступа (хотя поначалу девушкам кажется, что они действительно его убили). После этого они возводят в память о нем часовню, признавая таким образом, что он навсегда изменил их жизнь.

Метафора фильма — о дьявольском (или христианском) несовершенстве. Сломанная нога МакБёрни — многозначный символ, подчеркивающий неспособность (или нежелание) быть свободным, физическое повреждение (распятие) и моральное отступничество (правда, неполное). Фактически в фильме в очень свободной форме пересказывается предание о Христе. Человек ходит среди нас, его убивают, ему поклоняются, затем его увековечивает та же самая группа, которая планировала его убить. Но он также воплощает дьявольские проявления: сексуальную страсть, физическое ограничение (лишение свободы) и моральное господство.

При всем при этом кто-то может понять «Обманутого», необычный и увлекательный фильм, как историю о социальном бунтаре и нераскаявшемся дамском угоднике, который становится одновременно героем и бременем для тех, кто больше всего о нем заботится. В этом смысле фильм «Обманутый» на сегодняшний день остается для Клинта самым автобиографическим.

Еще до того, как Клинт вернулся из Югославии, Universal через Malpaso назначила режиссером этого фильма Джулиана Блаустина. Но Клинт не принял такую «помощь» со стороны студии, и незадолго до начала производства «Обманутого» Блаустина в Malpaso смело уволили. Клинт отправился к Дону Сигелу, надеясь убедить его взяться за режиссуру, и к Мальцу, которого попросили еще поработать над сценарием. Universal не предприняла ничего, чтобы остановить эти действия.

Несмотря на несколько попыток, Мальц так и не смог перенести на бумагу то, что задумывал Клинт. Больше всего на свете он хотел подчеркнуть темную сторону МакБёрни и девушек.

Впрочем, несмотря на несколько попыток, Мальц так и не смог перенести на бумагу то, что задумывал Клинт. Больше всего на свете он хотел подчеркнуть темную сторону МакБёрни и девушек. Его интересовали тени, а не солнечный свет — выбор, который сделал бы еще более сильным контраст между «секс-машиной без имени» и женщинами, которые были очарованы этим человеком и в конечном итоге были вынуждены убить его. Он представлял пансион как метафору темных закоулков человеческой души.

Поскольку Клинт и Сигел не смогли заставить Мальца настолько погрузиться в глубину и темноту, как они хотели, они обратились к услугам Ирен Кэмп, которая помогла создать подвижный, джазовый по духу сценарий для фильма Мартина Ритта «Парижский блюз» (1961), который Клинту очень нравлся. Его привлекало тонкое движение сценария, а также откровенная, зрелая сексуальность четырех главных персонажей.

Кэмп тесно сотрудничала с Клинтом, добавляя в сценарий все новые нюансы к нюансам, чтобы сделать его более взрослым, более сложным и в конечном счете более личным. Однако Клинт, все еще не полностью удовлетворенный, обратился к Клоду Треверсу, одному из давних соратников Сигела. В конце концов Клинт почувствовал, что именно этот человек должен был сделать окончательный вариант проекта. Между тем Мальц стал возражать против того, чтобы кто-то еще работал над его сценарием, поэтому снял с него свое имя — в экранных титрах значилось «Джон Б. Шерри» (Ирен Кэмп фигурирует в титрах как Граймс Грайс).

Съемки «Обманутого» стартовали в начале апреля 1971 года на месте плантации в Батон-Руж, где происходит действие оригинального романа. Среди отобранных Клинтом исполнительниц девушек из пансиона была Джоанн Харрис, с которой у него на съемочной площадке закрутился новый роман. Оба они не скрывали своих отношений, понимая, что страсть могла ярко вспыхнуть в первый день и погаснуть к окончанию съемок. В силу этого работа проходила гладко и без происшествий. Затем Лэнг, который не видел готовый сценарий до начала съемок фильма, стал активно возражать против финала, заявив, что он его ненавидит. Во-первых, получалось, что впервые герой Клинта Иствуда умрет на экране. Во-вторых, финал фильма резко отличался от финала романа. В-третьих, такой финал делал и без того мрачный фильм намного тягостнее. Но по контракту последнее слово было за Клинтом (через Malpaso), и концовка картины осталась такой, как он хотел.

Фильм вышел на экраны поздней весной — и оглушительно провалился, заработав на первом внутреннем показе менее миллиона долларов. Журналист Джеймс Бэйкон жаловался, что рекламная кампания, проведенная Universal, полностью игнорировала смысл фильма, рекламируя его «как еще один спагетти-вестерн». В нескольких интервью, которые Клинт дал для продвижения фильма, он размышлял о причинах смерти своего персонажа, но игра судьбы и вопросы веры большинство зрителей не взволновали.

Размышляя о провале фильма, Дон Сигел говорил:

> «До этого выход фильмов Иствуда почти всегда напоминал стрельбу из пулемета: чем в большее число кинотеатров им удавалось попасть, тем больше денег оттуда стекалось. Отлично. Но нужно признать, что с такой картиной, как "Обманутый", надо было поступить по-другому. После победы на нескольких кинофестивалях и получения хороших откликов нужно было начать его показ в небольшом кинотеатре в Нью-Йорке... Там он шел бы несколько месяцев, может быть,

год... Постепенно его известность росла бы, слухи о нем передавались бы из уст в уста, и мало-помалу он вырос бы во вполне успешный фильм. Показ фильма [так, как это было сделано] был блестящим способом обеспечить его провал».

Намерение Клинта снимать больше «личных» фильмов в надежде на то, что они так или иначе привлекут внимание мейнстримного зрителя, оказалось сложнее воплотить в жизнь, чем он думал. В интервью Стюарту М. Камински Клинт объяснил, почему он хотел сделать именно такой фильм и придать ему именно такую форму:

> «Дон Сигел говорил мне, что фильм всегда можно снять в виде вестерна, в виде приключенческой ленты и т. п. Но чего у вас никогда не будет – так это возможности снять этот фильм снова... Это не был типичный коммерческий фильм, но мы думали, что из него может получиться очень хороший фильм, и это было важно... Я считаю, что это очень хорошо исполненный фильм, лучший фильм, который Дон когда-либо делал, очень захватывающий. Нравится он широким массам или нет, я не знаю... [Студия] пыталась продавать его, как если бы это был очередной вестерн. Результат: люди, которые ожидали увидеть вестерн, были разочарованы, а люди, которые не любят вестерны, но которым "Обманутый" мог бы понравиться, не шли на него из-за рекламы. [Они утверждали, что] единственный способ добиться успеха фильма – привлечь к нему тех людей, которым обычно не нравится Клинт Иствуд, и тех, кому он нравится. Но и последним "Обманутый" не понравился, потому что я умираю».

Ходили разговоры о том, что «Обманутый» нужно отправить в Канны, но против этого возражал Лэнг, и потому фильм тихо исчез, и с тех пор его показывали редко. Если для Клинта он стал ошибкой в карьере, то это была красивая ошибка. И в конце концов, она касалась его одного.

Сейчас Клинт чувствовал себя моложе, чем когда-либо, хотя ему уже исполнился сорок один год. В этом возрасте человек по голливудским стандартам считался если не старым, то, по крайней мере, возрастным. За плечами у Клинта был первый большой провал, была смерть Ирвинга Леонарда. В этот момент он решил, что настало время начать полностью контролировать свою творческую карьеру. Он намеревался сам снять следующий фильм, чтобы все, что появлялось на экране, выглядело именно так, как сложилось в его голове.

ГЛАВА 9

* * *

После семнадцати лет работы, в ходе которой я бился головой об стену, болтался на съемочной площадке, пытаясь повлиять своим мнением на некоторые настройки камеры, наблюдал, как актеры, оставшиеся без помощи, проходят через все круги ада, работал с хорошими режиссерами и с плохими, настал наконец тот момент, когда я оказался готов снимать свои собственные фильмы. Я осознал все ошибки, которые сделал, я собрал все хорошее, чему научился, и теперь я знаю достаточно, чтобы контролировать свои собственные проекты и получать от актеров то, что хочу.

Клинт Иствуд

Последняя сделка, которую Ирвинг Леонард заключил перед своей смертью, была самой важной для Клинта. Леонард запустил картину «Сыграй мне перед смертью», в которой Клинт впервые мог одновременно и сниматься, и снимать* — и все это под эгидой Malpaso. Время имеет свойство подчеркивать изменения — в данном случае изменения, связанные с уходом Дона Сигела, который являлся неофициальным творческим партнером Клинта и — еще более, чем Серджо Леоне, — его наставником в режиссуре. Этот уход чем-то напоминал поступок учителя, освобождающего свое место ученику, или отца, который отходит на второй план, чтобы позволить сыну взять на себя

* Возможно, Клинт хотел только спродюсировать и срежиссировать картину, но по настоянию Лэнга и Лью Вассермана компания Universal потребовала, чтобы он также снялся в этом фильме. Клинт — одна из их самых больших кассовых звезд — был совершенно неизвестен в качестве режиссера, поэтому Лэнг видел в его появлении на экране своего рода страховку, гарантировавшую успех фильму. Чтобы заключить сделку, Клинт через Леонарда согласился отказаться от своего обычного гонорара в обмен на процент от прибыли.

семейный бизнес. «Отцовско-сыновние отношения» в это время испытали очень глубокое потрясение еще и потому, что Клинт потерял не только Леонарда и Сигела, но и своего настоящего отца.

Клинтон Иствуд-старший перешел на работу из Container Corporation в компанию Georgia-Pacific, а затем ушел из целлюлозно-бумажной промышленности и переехал в Пеббл-Бич. Однажды, когда он собирался провести день на поле для гольфа, он упал и умер от сердечного приступа. Было это в июле 1970-го, когда Иствуду-старшему было шестьдесят четыре года.

Клинт, конечно, был потрясен смертью отца, но после короткого периода сильнейшей скорби он возобновил подготовку к производству нового фильма. Обычно сдержанный Клинт смог спокойно говорить о потере отца только спустя многие годы, выражая одновременно сожаление и осторожность: «Мой отец совершенно внезапно умер в шестьдесят три года [sic]*. Просто упал замертво. Потом я долго спрашивал себя, почему я не попросил его больше не играть в гольф? Почему я не проводил с ним больше времени? Но когда вы гонитесь за успехом, то упускаете из виду такие "мелочи". Позже вы жалеете об этом, но уже ничего не можете с этим поделать — приходится двигаться дальше».

Тогда Клинт сказал себе, что если он не хочет повторить судьбу отца, то ему надо начать приводить себя в порядок — бросить курить и отказаться от спиртного. Физические упражнения и здоровая пища уже были частью его ежедневного режима, но вместе с тем неотъемлемой составляющей его ежедневного меню оставались (и сейчас остаются) несколько банок холодного пива.

В это же время Клинт выдвинул Боба Дэйли на пост полноценного продюсера Malpaso. И одним из первых заданий Дэйли в рамках его новых, расширенных обязанностей стало поручение собрать воедино результаты подготовительной работы к съемке картины «Сыграй мне перед смертью».

Оригинальный сценарий был написан Джо Хеймс — еще одной давней подругой Клинта с тех времен, когда он работал по контракту с Universal, а она была одним из многочисленных юридических секретарей студии. Как и у всех в Голливуде, у нее на самом деле было две профессии — обычная и киношная. Все время, остававшееся от повседневной работы, а также ночи она проводила за сочинением

---

* Автор книги не согласен с Иствудом *(прим. ред.)*.

сценариев. Когда у нее наконец получилось то, что она посчитала сильным синопсисом страниц на шестьдесят, она раздала этот текст всем своим знакомым, пытаясь найти кого-нибудь, кто помог бы сделать по нему фильм. Синопсис попал в руки Клинта еще в то время, когда он снимал картину «Обманутый». Клинт пообещал Хеймс, что прочтет его – и он это сделал. Ему понравилась история о диск-жокее, который заводит роман на одну ночь со своей слушательницей и становится запредельно жестоким, когда она отказывается признать, что между ними все кончено.

Клинт передал эти шестьдесят страниц Дину Райснеру и попросил его использовать свою магию, чтобы превратить текст в сценарий фильма, который с помощью Malpaso можно было бы снять быстро и дешево. Как он позже вспоминал, «это был просто идеальный маленький проект, единственный его недостаток заключался в том, что это не был боевик в полном смысле слова... И мне приходилось снова и снова преодолевать барьеры».

В соответствии с условиями сделки, которую Клинт заключил с Universal, производством фильма занималась Malpaso. Это означало, что картину надо было делать где-то поблизости, поэтому Клинт решил снять ее в Кармеле, ближе к дому, чем любой из своих фильмов. Это также означало, что если в фильме будут использованы спецэффекты или съемки на открытом воздухе, то они не будут масштабными и дорогими.

Все это для Клинта не имело особого значения. Единственное, о чем он тогда думал, так это о том, что ему представилась возможность поработать режиссером. Позже Клинт вспоминал:

> «Я начал интересоваться режиссурой еще в те годы, когда работал в сериале "Сыромятная плеть". Я снял несколько трейлеров, и [продюсеры] собирались позволить мне снять эпизод, но в CBS этого не разрешили. Кто-то там выпустил распоряжение, в котором говорилось, что никто из актеров сериала не должен режиссировать, поэтому они и для меня исключили такую возможность. Потом я на некоторое время обо всем этом забыл. Затем я снимался у Леоне в Италии, а Дон Сигел плотно работал над несколькими моими фильмами. Дон меня очень обнадежил. "Почему ты не занимаешься режиссурой, почему не пробуешь?" – говорил он мне.

Приобщение к режиссуре заняло у меня некоторое время, потому что я вошел в нее как своего рода посторонний человек — через три европейских фильма, а потом, спустя пять-шесть лет, я вдруг снова захотел стать режиссером. Я думаю, что в этом деле меня сначала встречал определенный [отраслевой] негатив. Но я больше всего учился у Дона Сигела и Серджо. Они были совершенно разными людьми. Серджо был очень юморной, он работал с небольшими бюджетами, особенно на первых двух фильмах, и у него все время царил такой мини-хаос. Все чувствовали себя очень свободно, если не сказать больше, но зато мы снимали фильм за 200 000 долларов. А Дон Сигел работал очень эффективно и делал только то, что хотел».

Клинт чувствовал, что ключом к созданию фильма является роль Эвелин — маниакально одержимой поклонницы диджея. Актриса должна была сделать свою героиню правдоподобной жертвой ее собственных сексуальных достижений и жестокого обращения с ней — а это была нелегкая задача. Клинт просмотрел множество актрис, прежде чем увидел Джессику Уолтер в фильме, который Сидни Люмет снял в 1966 году по скандальному роману Мэри Мак-Карти «Группа». Несмотря на упорство студии, утверждавшей, что на эту роль нужно брать звезду, Клинт все-таки посчитал, что Уолтер будет идеальной Эвелин, и отдал эту роль ей (как показывает список его коллег по фильмам, Клинт вообще не очень любил брать в свои ленты звезд и делиться с ними экранным временем). Уолтер была привлекательна, не будучи «секс-бомбой», прекрасно смотрелась в сценах с «обнаженкой», но не казалась слишком сладострастной (что могло помешать решению ее задачи). Вместе с тем она оставалась взрывной по темпераменту и была способна продемонстрировать ровно тот тип сумасшествия, который требовался по сценарию.

На роль Тоби, «нормальной» подружки Дэйва (Клинта), была выбрана актриса телесериалов Донна Миллс, кандидатуру которой предложил Бёрт Рейнольдс. Уолтер, по мнению Клинта, должна была быть особенно хороша в начале фильма, прежде чем ее сумасшествие станет и очевидным, и шокирующим. Это был еще один фильм, где женщины — Эвелин и Тоби — охотно «падают на колени» и не заслоняют персонажа Клинта. Более того, у него нет эмоциональной привязанности ни к одной из них — вне зависимости от его намерений и целей. Если Эвелин — случайная связь на одну ночь, то Тоби — ее более разумный эквивалент, но она тоже представляет собой женщину без глубокой связи с его душой (если душа у него вообще существует).

Именно такого главного персонажа и искал Клинт — одиночку. Не романтика-одиночку, как в большинстве фильмов, наградой которому служит любовь хорошей женщины. Одиночка в данном случае — это тот, кто лучше всего работает в одиночестве, без ограничений, накладываемых спутниками. В этом смысле Дэйв был современной версией Человека без имени.

Клинт проработал над сценарием несколько недель и наконец почувствовал, что готов. Позже он вспоминал про ночь накануне съемок: «Я лежал в постели, прокручивая в голове кадры будущего фильма — я их все распланировал. Я выключил свет и вдруг подумал: "Господи! Так где-то здесь должен быть и я!" Я снова включил свет и начал снова и снова проходить все сцены, на этот раз с точки зрения актера. Надо ли говорить, что я не выспался?»

На тот случай, если Клинт вдруг «потеряет управление кораблем» и возникнет необходимость в надежной режиссерской поддержке, на съемочной площадке, не слишком далеко, находился Дон Сигел. Он присутствовал на большинстве съемок и даже попал на экран, сыграв в фильме небольшую роль бармена. Позже Сигел, который подписал режиссерскую карточку Клинта (это означало, что дебют Клинта за камерой состоялся), в шутку называл свое исполнение «талисманом удачи» и «моей лучшей ролью».

Впрочем, даже имея такой «амортизатор», как Сигел, Клинт все равно достаточно рано столкнулся с проблемой Universal: студия хотела убедиться, что фильм не слишком далеко отклонился от своей коммерческой оси. В частности, когда Клинт захотел использовать в фильме в качестве ироничного заглавного трека оригинальную джазовую вокальную композицию Эрролла Гарнера «Misty», компания Universal категорически выступила против этого. Там предпочитали, чтобы заглавная композиция имела большую потенциальную привлекательность, и предложили вместо «Misty» песню «Strangers in the Night» в исполнении Фрэнка Синатры (на которую, как оказалось, компания имела права). Клинт отверг эту идею и вместо этого добавил в фильм вторую песню, которую услышал на местной джазовой станции, когда однажды утром ехал на съемки в Universal. «Я был совершенно ошеломлен этим исполнением», — вспоминал позже Клинт. Он поехал прямо в Голливуд, чтобы найти себе пластинку. Ни в одном из музыкальных магазинов города такого сингла не было, но потом он, наконец, нашел его в альбоме «First Take»*, который продавался в супермаркете — пластинка была уценена до 1 доллара 38 центов. Выяснилось, что это была мрачная, насыщенная версия композиции 1969 года «The First Time Ever I Saw Your Face», написанной Эваном МакКоллом, в исполнении Роберты Флэк. Клинт посчитал, что это будет идеальный вариант для создания романтического настроения в отношениях Дэйва и Тоби. В эпоху, когда в качестве саундтреков к фильмам было принято использовать рок-н-ролл (все началось с замечательной музыки Саймона и Гарфанкела к фильму «Выпускник» и продолжилось гораздо более интенсивным роком Дилана, рок-группы Steppenwolf, Джими Хендрикса), выбор блюзового «First Time» и джазового «Misty» казался возвращением к 1950-м годам.

В определенном смысле весь этот фильм был обращен в прошлое. В нем вспоминалось то время, когда засилие «толкачей» и рост насилия становились предметами забастовок и полуночных показов кинофильмов.

Собственно говоря, в определенном смысле весь этот фильм был обращен в прошлое. В нем вспоминалось то время, когда засилие «толкачей» и рост насилия становились предметами забастовок и полуночных показов кинофильмов. Многие рецензенты поспешили сравнить дебют Клинта с лучшей лентой Хичкока «Психо» (лето 1960), повествующей о 1950-х годах. Художественные достоинства этого фильма тоже поначалу были скрыты за шокирующей историей, которая в нем рассказывалась.

Клинт закончил съемки всего за четыре с половиной недели, в октябре 1970 года, на пять дней раньше срока и с 50 000 долларов экономии при первоначальном бюджете в 1 миллион долларов. На фоне больших фильмов 1971 года «Сыграй мне перед смертью» показалась большинству критиков картиной скорее реакционной, чем революци-

* Этот альбом был выпущен компанией Atlantic Records, и Клинт, как сообщается, заплатил за его использование «весьма скромную сумму». После выхода фильма эта песня снова стала хитом.

онной, особенно по сравнению с пятью сильными лентами, которые были номинированы в том году на «Оскар» за лучший фильм. Жесткая и насыщенная действием драма Уильяма Фридкина о нью-йоркской полиции «Французский связной» получила статуэтки за лучший фильм и лучшую режиссуру. Стэнли Кубрик поразил публику фильмом «Заводной апельсин». Норман Джуисон снял голливудский этнический «соул» «Скрипач на крыше». Неординарный и неожиданный хит о Техасе «Последний киносеанс» представил Питер Богданович. Наконец, нельзя не упомянуть несколько помпезный, но тем не менее снискавший популярность фильм Франклина Шаффнера «Николас и Александра» — повествование о самых знаменитых жертвах русской революции.

В этой компании у ленты «Сыграй мне перед смертью» не было шансов даже на неодобрительную ухмылку со стороны Академии. Фильм не был ни достаточно большим, чтобы заслужить ее благосклонное внимание, ни достаточно маленьким, чтобы показаться откровенным независимым фильмом, как это произошло с лентой Богдановича. Но зато в итоге фильм «Сыграй мне перед смертью» принес прибыль, и в кинотеатрах над этим фильмом не смеялись. Вот это для Клинта действительно имело значение.

Но если Академия не заметила этот фильм, то его заметили зрители. Избранные сцены из ленты «Сыграй мне перед смертью» послужили основным материалом январской мини-ретроспективы фильмов Клинта, состоявшейся в январе 1971 года на кинофестивале в Сан-Франциско*. Впервые картина была отмечена таким образом. В том же месяце Клинт и актриса Эли МакГроу, которая произвела сенсацию исполнением звездной роли в экранизации романа Эрика Сигала «История любви» (Артур Хиллер, 1970), были выбраны Национальной ассоциацией владельцев кинотеатров «Звездами года» за их роль в увеличении кассовых сборов. Даже неистово независимый режиссер Джон Кассаветис, который финансировал свои собствен-

* Центральной частью события стал показ трех спагетти-вестернов — «За пригоршню долларов», «На несколько долларов больше» и «Хороший, плохой, злой». На самом деле они никогда не уходили из коммерческого показа и часто демонстрировались триплетом под рекламным слоганом «А вы бы хотели провести восемь часов с Клинтом Иствудом?». С 1968 года и до этой демонстрации три этих фильма как единое целое уже пережили в США пятнадцать повторных показов.

ные независимые режиссерские усилия, исполняя роли в мейнстриме, посчитал фильм хорошим, хотя и «несколько производным» от «Психо» Хичкока. «С этим фильмом только одна проблема, — отмечал он позже, — на нем нет имени Хичкока».

Фильм принес довольно приличную прибыль, заработав при первом показе в кинотеатрах более пяти миллионов долларов, что в пять раз превышало стоимость его производства. Однако и Клинт, и студия были не совсем довольны, если не сказать — не удовлетворены друг другом. Universal не понравился оригинальный подход Клинта к созданию фильмов, в частности его стиль, в котором «отсутствовали привычные истории любви». Дженнингс Лэнг и Лью Вассерман даже полагали, что фильм слишком далеко отошел от общепринятого стандарта Universal, в то время как сам Клинт считал, что студия недостаточно или неэффективно продвигает фильм, особенно на телевидении — в новой среде для его картин. Каждая из сторон была готова разорвать существовавшие связи, и обе ожидали подходящего случая, который не смутил бы ни студию, ни звезду.

Фильм «Сыграй мне перед смертью» не стал тем блокбастером, которого ожидала от Иствуда студия. Это было совершенно личное произведение, которое Клинт хотел создать, но между прочим оно сделало его миллионером. Вскоре после показа фильма он купил двенадцать акров незастроенной земли на очень желанном для многих участке в Пеббл-Бич. Здесь жили многие самые богатые калифорнийцы и знаменитости, например актриса Ким Новак, карикатурист Джимми Хэтло, кинематографист Мерв Гриффин и писатель Джон Стейнбек. Клинт построил свой дом с тренажерным залом, расположенным над гаражом, и большой парилкой*.

К тому времени Клинт стал заядлым игроком в гольф с гандикапом, равным 16 единицам**, и потому хотел быть как можно ближе к известному полю для гольфа в Пеббл-Бич. Он также был опытным

---

* Сначала ему запретили вести строительство на месте, где когда-то была индейская резервация, но в конце концов он достиг соглашения с Региональной комиссией по сохранению прибрежной зоны о найме профессионального археолога для сбора и классификации любых индейских древностей, которые обнаружатся на его участке. Los Angeles Herald-Examiner, May 24, 1973.

** Гандикап является числовой мерой потенциальной способности гольфиста и влияет на условия игры. Чем выше это число, тем хуже способности игрока. Пороговое значение официального точного гандикапа составляло в то время 36,0 *(прим. ред.)*.

пилотом вертолета и любил летать из Голливуда в Кармел и обратно, преодолевая это расстояние за несколько часов.

«Я путешествовал по всему миру, видел прекрасные места: Италию, Испанию, Францию и т. п., — говорил Клинт вскоре после покупки новой недвижимости. — Но в мире нет другого места, где я бы хотел жить, кроме полуострова Монтерей. Я планирую остаться здесь навсегда».

Однако продвижение на новые места не означало, что покинуты прежние. Клинт оставил за собой дом в округе Ориндж, купленный в те времена, когда расписание работы в Голливуде не позволяло ему каждый раз ездить в Пеббл и обратно. Он также старался сохранить и свой маленький круг друзей, включая Кена Грина, которого он знал со старшей школы, близкого приятеля Пола Липпмана — журналиста, с которым встретился в теннисном клубе Carmel Valley Racquet Club, а также местного профессионального игрока в теннис Дона Гамильтона. (Клинт снял Гамильтона в одной из сцен в баре в ленте «Сыграй мне перед смертью».)

Примерно в это же время Клинт открыл свое первое торговое заведение — это был местный бар в Монтерее, где он и его приятели могли приятно проводить время вдали от жен, работы и публики.

Примерно в это же время Клинт открыл свое первое торговое заведение — это был местный бар в Монтерее, где он и его приятели могли приятно проводить время вдали от жен, работы и публики. Тем временем Мэгги, чья профессия тогда называлась в журналах «бывшая модель и художница», получила от Клинта задание по разработке проекта их нового дома и контролю за строительством — то, чем ей нравилось заниматься. Клинт все это время продолжал встречаться с Роксанной Танис, давал ей маленькие роли в своих фильмах, но она, несмотря на их ребенка, которого он материально поддерживал, все еще не могла официально войти в мир Клинта.

А еще он продолжал спать с таким количеством женщин, с каким хотел. В их число входила и Беверли Уокер — мятежная писательница и актриса, которая также работала над продвижением некоторых фильмов как агент по рекламе (за аренду жилья приходилось платить). Будучи в отношениях со сценаристом Полом Шредером еще с тех времен, когда он был далек от успеха, она замутила с Клинтом то, что журналист Питер Бискинд назвал «беспорядочным романом».

По словам Уокер, причина их связи заключалась в том, что Клинт мог брать женщин так же легко, как собирать созревшие плоды с дерева, для своего удовольствия, и перед ним женщинам было так же трудно устоять, как перед сочным плодом: «В Голливуде мужчины оказывают огромное давление на женщин, принуждая их переспать с ними — хотя бы один раз. Они как кобели, которые поднимают ноги на фонарные столбы. И всегда хотят такого рода связи с вами — возможно, это помогает им расслабиться». Уокер утверждает, что они с Клинтом остались друзьями, хотя ни в одном из своих фильмов он ее так и не снял...

Что касается его одинокого персонажа в ленте «Сыграй мне перед смертью», то Клинт в одном из своих довольно редких интервью объяснил, как он изображает человека такого типа. По его словам, здесь задействован его собственный подход, своя система игры:

> «Мистеров Совершенство — миллионы. Хорошие парни приходят и уходят, но Богартов, Кэгни, Гейблов, Уэйнов или Митчумов среди них крайне мало. Они действительно могли обращаться с женщинами как с грязью. Я думаю, что женщинам нравится видеть, как других женщин унижают, когда они выходят за рамки. Они мечтают о парне, который не даст им спуску... И простой зритель думает: "А вот бы и мне научиться так себя вести — круто и уверенно, зная все ответы". Зритель хочет быть супергероем... Некоторым людям необходимо выяснить о себе глубокие, интимные вещи, обсудить их и проанализировать. Я не чувствую такой необходимости. Может быть, это сила, а может быть, это слабость. Однажды я сходил к психиатру. Я сделал это как одолжение кому-то, у кого были проблемы. После того как мы поговорили, этот парень сказал мне: "Да ты, похоже, держишь все в своих руках". Мне кажется, это так и есть... Для меня любовь к человеку — это уважение к его индивидуальным чувствам, уважение к его частной жизни и спокойное отношение к его ошибкам».

Вот и все: да, он не был совершенен и гордился этим, а если в последнее время заходил к психиатру, то рассматривал этот визит как «услугу кому-то другому». Удивительно откровенные комментарии для человека, чья личность вне экрана всегда изображалась только в розовых тонах: счастливый в браке мужчина, хороший отец, а по выходным — беспечный игрок в гольф, обожающий хорошие загородные поля. Но для его друга и журналиста Эрла Лифа жизнь Клинта была окрашена в немного другие оттенки розового:

> «Клинт живет двойной жизнью — ничего удивительного, ведь он родился под знаком Близнецов. Хотя он никогда не переставал любить Мэгги и заботиться о ней, он не скрывал и своей свободолюбивой сексуальной натуры, своей жизни с другими женщинами, особенно с молоденькими цыпочками со свободными взглядами... Мэгги не задает вопросов и не ворчит на мужа в связи с его "экскурсиями" на голливудскую развлекательную арену. Клинт называет себя "женатым холостяком". Смысл этого выражения понятен тем, кто хорошо его знает».

Если в фильме «Сыграй мне перед смертью» и была какая-то серьезная ошибка, то это было отсутствие у Дэйва тяги к самопознанию. Хотя Эвелин — явно сумасшедшая, и Дэйва поначалу зритель может посчитать невиновным, фильм Клинта сильно отличался (в худшую сторону) от «Психо». В нем отсутствовал какой-либо намек на более глубокую, темную сторону Дэйва — человека, который прячется за приятным голосом, неизбирателен в сексуальных отношениях и применяет насилие как метод решения проблем.

Тем не менее зрители обратили внимание на Клинта и на «что-то новое», что он вывел на экран, — хотя герой его фильма не связывал все точки реальной личности и образа. Впрочем, такой подход должен был полностью измениться в следующем фильме. Это был фильм о детективе, который не только нарушает все установленные правила, но и получает от этого огромное (и крайне сомнительное) удовольствие.

Фильм «Грязный Гарри» позволил Клинту показать теневую сторону своей экранной персоны и дать ей возможность радостно пожать руку светлой. Забегая вперед, нужно сказать, что этот необычайный подвиг взволновал зрителей по всему миру, хотя (или потому что) он донельзя испугал их. В этом смысле фильм «Грязный Гарри» оказался даже более личным, чем «Обманутый», и это действительно замечательное достижение.

А ведь его могло вообще не быть.

Ознакомившись со сценарием «Грязного Гарри», написанным Хэрри Джулианом Финком и его женой Р. М. Финк, Дженнингс Лэнг взял рекламный проспект и отправился с ним к Полу Ньюману, считая, что фильм идеально подходит для него. Но после прочтения сценария Ньюман отказался от участия в фильме, потому что почувствовал, что этот персонаж для него слишком «правый».

Затем Лэнг вспомнил о Синатре, потому что ранее тот снимался в нескольких успешных детективных фильмах. Персонаж, которого он играл, Тони Рим, также был очень жестким, и Синатра потратил достаточно времени, чтобы придать ему очарования. Лэнг надеялся, что он сделает то же самое с Каллаханом. Первоначально Синатра проявил некоторый интерес, но как только понял, насколько несимпатичен Каллахан на самом деле, он отказался от участия в проекте, опасаясь, что зрители ополчатся на него за то, что он играет такого низкопробного героя. Впрочем, при переговорах Синатра утверждал, что отдать должное этой роли ему мешает травма руки*.

Уэллс был одним из немногих людей, которым Клинт доверял и с которыми он разделял свои разочарования. Когда Уэллс узнал о сценарии «Грязного Гарри», который Лэнг не решался дать Клинту, он буквально прыгнул на него.

Клинт все еще был завязан на производстве фильма «Сыграй мне перед смертью», в успехе которого Лэнг не был уверен. В конце концов, Лэнг так и не смог найти звезду, которая сыграет эту роль, поэтому продал права на фильм ABC Television. Канал намеревался превратить ленту в телевизионный фильм, но затем понял, что чрезмерное насилие, показанное в фильме, будет неподходящим для телевизионной аудитории, и в свою очередь продал права на картину Warner Brothers.

Warner Brothers — Seven Arts, как тогда называлась студия, находилась в смятении и под угрозой распада. Дело в том, что в 1969 году ее приобрела Kinney National Company — компания, занимавшаяся прокатом автомобилей, парковками и ритуальными услугами, принадлежавшая Стиву Россу. Росс хотел использовать эти активы, чтобы войти в кинобизнес. Для исправления, казалось бы, безнадеж-

* Клинт никогда не верил в историю Синатры о травме руки. «Скорее всего, это просто чушь собачья», — заметил он Джеффу Доусону (The Guardian, June 6, 2008).

ного финансового состояния студии Росс нанял команду из трех грозных управляющих: Тед Эшли был одним из самых влиятельных агентов в бизнесе; бывший продюсер компании Filmways Джон Кэлли снял много успешных фильмов, в том числе «Топкапи» Жюля Дассена (1964); адвокат Фрэнк Уэллс мастерски вел дела, связанные с бизнесом.

Первая цель Росса заключалась в создании списка талантов, делавших кассу, и первой звездой, которую он хотел привлечь, был Клинт Иствуд, чей неэксклюзивный контракт с Universal не только заканчивался, но и, по словам Фрэнка Уэллса, «уже протух». Уэллс был одним из немногих людей, которым Клинт доверял и с которыми он разделял свои разочарования. Когда Уэллс узнал о сценарии «Грязного Гарри», который Лэнг не решался дать Клинту, он буквально прыгнул на него.

Клинта привлекли те черты характера, которые оттолкнули Ньюмана и испугали Синатру, поскольку давали ему возможность показать элемент, отсутствующий в фильме «Сыграй мне перед смертью», а именно чувство вдохновенной ярости. Грязный Гарри был яростно антиавторитарным, особенно в его отношениях с начальником полиции и мэром Нью-Йорка (в Нью-Йорке изначально планировались съемки).

Кроме того, сценарий содержал изрядное количество насилия, которое позволяло Каллахану размять некоторые мышцы и показать, что он все еще мачо и оскорблять его не дозволено никому – ни мужчине, ни женщине, ни преступнику, представлявшему, по его мнению, отдельный вид человеческой расы. Здесь, однако, сценарий делал более крутой и интересный поворот. В отличие от других злодеев, с которыми сталкивался Клинт, особенно в спагетти-вестернах, в данном случае убийца, которого Каллахан намеревается выследить, психотически явно связан с ним самим. Очевидно, что садист, убийца женщин и детей Скорпион (Энди Робинсон) в некотором смысле олицетворяет темную (или более темную) сторону самого Каллахана, убийственно глубокую яму, у края которой он стоит, но пока в нее не прыгнул. Кинокритик и историк кино Лоуренс Кнапп заметил: «Погоня Гарри за Скорпионом настолько интенсивна, что сама по себе становится отклонением от нормы, болезнью, столь же глубокой, как и у Скорпиона. Скорпион – это двойник Гарри». Скорпион любит оставлять загадочные заметки и отправлять власти на охоту за призраками, наслаждаясь такими играми в лихорадке своего садистского безумия. Каллахан же любит играть в игру под названием «Сколько жизней или пуль осталось в моей пушке 44-го калибра?» – игру своеобразную и не менее садистскую. Запущенная в первый раз, игра Каллахана кажется продуктом случайности, поскольку он загоняет грабителя в банк, и тот сразу старается сообразить, как бы завладеть его оружием. Это приятная сцена, которая позволяет зрителю, по крайней мере в данный момент, отождествить себя с непоколебимо сильным героем, современным Человеком без имени. Однако когда подобная сцена возникает во второй раз в кульминации фильма с самим Скорпионом, то она становится психотическим ритуалом, почти гипнотической реакцией на его собственное садистское безумие, когда из-за своего ранения он не в силах сделать ничего, кроме как подыгрывать Каллахану.

Эта сумасшедшая игра в кошки-мышки, в которую играют двое, в конечном счете определяет, победит ли «хорошая» сторона Каллахана его «плохую» сторону. (В результате получается ничья.) Потрясающий и неожиданный поворот сюжета фильма углубляет характер Каллахана. Скорпион похитил и убил еще одну жертву – молодую девушку. Каллахан выслеживает его и ловит на пустом стадионе (изящная метафора как отсутствующей совести у Скорпиона, так и гладиаторского аспекта их титанической битвы). Позже Каллахан потрясен сообщением о том, что хладнокровный убийца был освобожден из-за нарушения его прав. Ярость уничтожает остатки сомнений, и Каллахан начинает преследовать Скорпиона, уверенный в том, что убийца не сможет удержаться от нового преступления. Как и ожидалось, Скорпион (чья линейная психология опасно приближает его персонаж и сам фильм к пародии) снова начинает буйствовать, на этот раз похищая невинных детей. Это дает Каллахану возможность загнать его в угол и покончить с ним раз и навсегда, прежде чем его опять освободят по закону, чтобы он снова мог убивать. Красота (и ужас) этого отрывка истории заключается в том, что Каллахан становится и судьей, и присяжными, и палачом. Скорпион взял мальчика в заложники и держит его под дулом пистолета. Каллахан убивает его, выстрелив чуть выше головы мальчика. Сила второго выстрела из револьвера 44-го калибра отбрасывает Скорпиона в болотистый залив. Затем Каллахан неожиданно швыряет свой жетон полицейского в болото и уходит с места убийства. По экрану бегут заключительные титры.

Если Клинт отождествлялся в фильме со всеми Каллаханами мира, то он также идентифицировался со всеми Скорпионами или, по крайней мере, со страхом каждого Каллахана, что где-то его поджидает Скорпион. Наконец, нашелся персонаж, которого он захотел сыграть. Но не срежиссировать.

Когда Уэллс впервые упомянул о возможности сыграть Грязного Гарри, а Клинт проявил к этому интерес, Уэллс спросил его, что нужно сделать, чтобы это произошло. Понимая, что после фильма «Сыграй мне перед смертью» он не готов стать режиссером столь сложного фильма и одновременно сыграть в нем главную роль, Клинт без колебаний ответил: «Нужен Дон Сигел». «Я был одним из тех, кто привлек к делу [Сигела]... Когда я пришел в Warner Brothers, на этот [фильм]... то привлек Сигела. Я договорился с Warner Brothers: "Я сделаю это, если вы позволите мне нанять такого режиссера, как Дон Сигел, и мы вернем эту историю к ее первоначальной концепции"»*.

«Я научился режиссуре самостоятельно. Это не актерское мастерство, когда вы можете перед работой не спать до часа ночи. Как режиссеру мне пришлось ложиться до одиннадцати».

Безусловно, Клинт смог бы поставить и «Грязного Гарри», но он решил, что фильм «Сыграй мне перед смертью» оказался слишком «утомительным и вредным», чтобы снова загружать себя работой. И — по крайней мере, в тот момент — он предпочел сделать лучшее из возможного — привлек к работе свое закадровое alter ego, Дона Сигела. «Режиссура — это тяжелая работа, — рассказывал он одному из интервьюеров. — Вы должны в течение всего дня оставаться в форме, а это может быть утомительно. Я научился режиссуре самостоятельно. Это не актерское мастерство, когда вы можете перед работой не спать до часа ночи. Как режиссеру мне пришлось ложиться до одиннадцати».

У Сигела был контракт с Universal, но Лэнг был рад отпустить его — он хотел, чтобы Клинт был счастлив (и избавился от проекта) и чтобы при удобном случае они могли бы снова поработать вместе.

* Интересно, что одна из самых запоминающихся сцен фильма, не похожая ни на одну другую, — это эпизод с попыткой самоубийства. Каллахан спасает сумасшедшего, который стоит на крыше здания готовый к прыжку. В день, когда планировалось снимать эту сцену, Сигел заболел, и съемками руководил Клинт.

Сделку заключили весной. Сценарий претерпел множество переписываний, в том числе рукой Джона Милиуса, но было решено, что версия Финка остается лучшей. Кстати, это был единственный вариант сценария с фразой: «Повезет ли мне? Ну, повезет ли, подонок?», которая станет одной из фирменных фраз Клинта.

Блестящий оператор Брюс Сёртис*, которого также пригласил в группу сам Клинт, снимал большинство натурных сцен фильма «Грязный Гарри» ночью, подчеркивая настроение фильма. Вставки с приближающимися и отдаляющимися городскими пейзажами наводят на мысль о том, что картина дается на экране так, как ее видит богоподобный творец. В то же время возникает ощущение случайности: куда бы камеру ни направили, она везде найдет свою историю. Этот аккуратный стилистический подход в конечном итоге помог определить картинку и создать ощущение «фильма Клинта Иствуда».

Конечно, в картине также были социальные и стилистические элементы, которые в то время были отмечены определенной политической значимостью. Лента снималась в разгар войны во Вьетнаме, спустя почти десятилетие после Инцидента в Тонкинском заливе, с которого эта война началась. К тому времени американцы устали от конфликта и стали бояться, что рев льва, доносящийся из некогда самого могущественного места в мире, воспринимаемого в качестве «мирового жандарма», превратится в испуганный визг и глухое ворчание бумажного тигра. Непосредственно войну во Вьетнаме Голливуд начнет показывать только несколько лет спустя. «Охотник на оленей» Майкла Чимино (1978), «Возвращение домой» Хэла Эшби (1978) и «Апокалипсис сегодня» Фрэнсиса Форда Копполы (1979) – это все воспоминания о войне. Но уже в 1971 году «Грязный Гарри» столкнулся с чрезмерной активностью сторонников борьбы за гражданские права, провьетнамскими взглядами части американцев (и антиамериканцев по всему миру). С запоминающимися фразами «Повезет ли мне? Ну, повезет ли, подонок?» Каллахан оказался в тупике, огромный фаллический «Магнум» 44-го калибра оказывается перед лицом черного грабителя и бросает ему вызов противо-

* Брюс Сёртис был оператором фильмов «Блеф Кугана» (в титрах не указан), «Два мула для сестры Сары» (в титрах не указан), «Обманутый» и «Сыграй мне перед смертью». Позднее он продолжит работать оператором еще в нескольких фильмах с Клинтом Иствудом.

поставить свою удачу и мужество всемогущему белому авторитету правосудия, закона и порядка. Этот классический момент навсегда остался живым в памяти любого, кто когда-либо слышал или видел его, — даже если он потерял свою историческую актуальность. Образ «темной стороны», садизма Каллахана (и стоящей за ним Америки) кинематографически находится вне времени.

В чем-то повторяя судьбу своих коллег — Джо Фрайдея (Джек Уэбб) из телесериала «Облава» и Джина Хэкмена (Джимми Дойл) в фильме «Французский связной» (1971), Каллахан продвинулся в создании образа американского полицейского в американских фильмах дальше и глубже, чем кто-либо ранее. Фрайдей, как его изображает Уэбб, был роботизированным в своем безрадостном исполнении закона, а Дойл Хэкмана был озлоблен на общество и тоже безрадостен. Каллахан, однако, был еще более пугающим типом, чем любой из них, — он получал удовольствие от пыток своих «противников». В фильме «Серпико» Сидни Люмета (1973) антигерой Аль Пачино, маленький длинноволосый принц в джинсах, выступает против истеблишмента и (в определенном смысле) побеждает. В «Грязном Гарри» Каллахан сам является представителем истеблишмента, и если оказывается, что цель не оправдывает средства (как это пытались показать на большой «распродаже» Вьетнама американской публике), то тогда получается, что в этой схватке действительно никто не выигрывает. Поступок Каллахана, бросающего свой жетон в реку в конце фильма, перекликается с жестом Уилла Кейна (Гэри Купер) в конце фильма «Ровно в полдень», который был выпущен в разгар войны в Корее и знаменовал собой отказ от коррупции, лицемерия и страха перед установлением «законности и порядка».

Решение выбросить жетон не было легким. Клинт и Сигел обсуждали его снова и снова, и первоначально Клинт отверг это предложение.

Но для Каллахана подобный жест означает еще и более личное, внутреннее сражение с вездесущей, постоянно угрожающей тьмой. Он, может быть, и убил Скорпиона, но в более широком и истинном смысле, например в классической мифологии, в библейской премудрости, в великой литературе и особенно в голливудских фильмах, зло никогда не умирает. Выбрасывание жетона Каллаханом — это в лучшем случае его объявление о противостоянии системе, по крайней мере, в данный момент (а также затравка для сиквела — их было сделано аж четыре штуки).

Решение выбросить жетон не было легким. Клинт и Сигел обсуждали его снова и снова, и первоначально Клинт отверг это предложение. Он сказал Сигелу, что не может этого сделать, потому что это бы означало, что он уходит из полиции. Сигел отвечал, что это вовсе ничего такого не означает, что это просто отказ от бюрократизма полицейского управления и всех установленных правил и иерархий. Но Клинт не поддавался. Вместо этого он предложил, чтобы Каллахан сделал так: он замахивается, как будто хочет выбросить жетон, но тут вдали слышатся сирены приближающихся полицейских машин, поэтому он кладет жетон обратно в карман и уходит. Сигел неохотно согласился, и Клинт, по словам Сигела, от радости взъерошил ему волосы.

Однако в день съемок финальной сцены Клинт изменил свое мнение и все-таки решил бросить значок в воду. (Возможно, он понял, что никогда не сможет избавиться от своей темной стороны, если не убьет Скорпиона и не выбросит символ законной власти.) Сигел тогда сказал ему, что у них есть только один жетон — они бы заказали больше, если бы знали, что жетонами будут разбрасываться. Чтобы подстраховаться на тот случай, если придется делать несколько дублей, Сигел положил на дно болота черную ткань, но она не пригодилась — кадр сняли с первой попытки. Клинт привычно бросил жетон своей левой рукой...

Никсон расшаркивался перед Клинтом так, как будто был его фанатом, а Клинт – президентом. Тихо улыбавшийся, как чеширский кот, Клинт понимал, что он, несомненно, приобрел новый образ.

«Грязный Гарри» вышел на экраны в декабре 1971 года, всего через два месяца после ленты «Сыграй мне перед смертью» (Клинт отложил постпродакшн из-за трудностей в монтаже). Рождество традиционно является временем для более легкого, более оптимистичного кино, и критики почти повсеместно отрицательно отнеслись к мрачному фильму, но зато он побил рекорды кассовых сборов, став первым номером уже на первой неделе проката и заработав на внутреннем рынке более 18 миллионов долларов (в мировом прокате он в конечном счете заработал почти 60 миллионов долларов). Роджер Гринспан писал в New York Times, что «заслуженное и слегка анахроничное предприятие Дона Сигела по производству боевиков в жанре противостояния полицейских и преступников благодаря фильму

«Грязный Гарри» сделало печальный, но, наверное, неизбежный шаг вниз... Одетый в цивильный костюм Клинт Иствуд из Сан-Франциско уходит далеко за грань профессионализма и демонстрирует своего рода самопародию на удар в железную челюсть». Newsweek отбросил этот фильм как «фантазию правых», в то время как Ричард Шикел из Time оценил игру Клинта как «его лучшую роль на сегодняшний день». А газета Daily Variety осудила фильм как «ложное, фальшивое прославление полиции и показ жестокости преступников».

Полин Кейл, необъяснимо гордившаяся тем, что просмотрела фильм только один раз, чтобы ей не навязали точку зрения, отличную от мнения обычного зрителя, начала яростную атаку на «Грязного Гарри», во многих отношениях куда более грубую, чем любой эпизод фильма. Дополнительный вес придало ее рецензии то обстоятельство, что она попала под обложку New Yorker, в остальном достаточно интеллигентного журнала. «Фильм, — настаивала она, — сделал тему фундаментальной борьбы между добром и злом... настолько простой, насколько это возможно... куда более архетипической, чем в большинстве фильмов, более примитивной и сказочной, но... со сказочной привлекательностью *фашистского средневековья»* [курсив мой. — *Прим. авт.*]. Отклики «за» и «против» составили огромный пласт публицистики о том, представлял ли Гарри лучшее или худшее из того, что имелось в Америке в начале 1970-х годов. Как следствие, картина стала обязательным для просмотра фильмом конца 1971 и начала 1972 годов.

В августе 1972 года Клинт и Мэгги вместе с Джоном Уэйном, Гленном Фордом и Чарлтоном Хестоном были приглашены на прием, который Ричард Никсон проводил в Западном крыле Белого дома незадолго до своего предполагаемого повторного избрания кандидатом в президенты США на съезде Республиканской партии. Никсон расшаркивался перед Клинтом так, как будто был его фанатом, а Клинт — президентом. Тихо улыбавшийся, как чеширский кот, Клинт понимал, что он, несомненно, приобрел новый образ. До сих пор официально самым крутым парнем в мире вестернов и в мире кино в целом считался Джон Уэйн. Однако в последнее время он состарился, растолстел и превратился во что-то вроде самопародии; к тому же он с гордостью носил звание представителя крайне правого крыла. Клинт же был одним из тех, чье появление на экране чаще всего ассоциировалось с гражданскими правами и самой Конституцией, когда речь шла об обеспечении правопорядка. К тому же

Клинт (по крайней мере, согласно его пресс-релизам) предпочитал пикап своим Ferrari. И вот он общается с властной элитой! Вскоре после этого Никсон назначил Клинта вместе с Джудит Джемисон, Эдвардом Виллеллой, Рудольфом Сёркиным, Юдорой Уэлти и Эндрю Уайетом в правительственную комиссию по искусству и — на шесть лет — в Национальный совет по искусству, консультативную группу уважаемого и влиятельного Национального фонда искусств.

Для Клинта это был неплохой результат! Благодаря фильмам «Сыграй мне перед смертью» и «Грязный Гарри» он превзошел Уэйна, МакКуина и Ньюмана и стал самой высокооплачиваемой звездой в мире*.

ГЛАВА 10

★★★

Сейчас мы живем при «поколении кисок», когда все привыкли говорить: «Ну как же мы справимся с такими психологическими проблемами?» В старые времена можно было дать хулигану сдачи или оглушить его. Но даже если парень был старше и все равно тебя бы измолотил, человека, по крайней мере, уважали за то, что он дал отпор, и с этого момента его оставляли в покое.

Клинт Иствуд

После невероятного успеха «Грязного Гарри» Клинт — уже без руководства Леонарда и по совету менее дальновидного и более ориентирующегося на конъюнктуру Боба Дэйли — снова подписал

---

* По данным сорок первого ежегодного опроса владельцев кинотеатров Quigley Publications, Уэйн, который 23 раза появлялся в этом очень представительном списке, опустился в нем на четвертое место. На втором месте после Клинта шел Джордж С. Скотт, затем Джин Хэкмен, Джон Уэйн, Барбра Стрейзанд, Марлон Брандо, Пол Ньюман, Стив МакКуин, Дастин Хоффман и Голди Хоун. После появления Клинта в этом списке Академия пригласила его представить вручение «Оскара» за лучший фильм в 1973 году. До этого Клинт занимал второе место в 1970 и 1971 годах, а также пятое — в 1968 и 1969 годах. Кроме того, в 1972 году он получил еще одну — сомнительную — награду: журнал Mad в шутку переименовал его спагетти-вестерны, теперь они назывались «За пригоршню лазаньи» и «На несколько равиоли больше».

посредством Malpaso контракт с Universal. Он должен был сыграть главную роль в фильме Джона Стёрджеса «Джо Кидд» – бледной копии вестернов Леоне по сценарию Элмора Леонарда. Стёрджес был режиссером второй руки, за плечами которого был ряд успехов в начале карьеры – фильмы «Плохой день в Блэк Роке» (1955), «Перестрелка в О. К. Коррал» (1957) и знаменитый «Великий побег» (1963). «Джо Кидд» был снят в разгар скандала, вызванного «Грязным Гарри», и прошел в кинотеатрах в начале 1972 года, не вызвав большого интереса ни у аудитории, ни у критиков. Наверное, это было к лучшему: фильм ничем не зацепил публику и остался в истории одним из наименее запомнившихся фильмов Клинта. Но вместе с тем он принес хорошие деньги, что дало возможность Клинту поработать с одним из его старых армейских приятелей – Джоном Сэксоном, чья карьера никогда не превращалась в нечто запоминающееся или продолжительное.

Элитарная Академия редко снисходит до так называемых чистых боевиков. Фильм Клинта на «Оскар» даже не номинировался.

«Наездник с высоких равнин» снова стал фильмом, отличным от других. Он попал к Клинту через Universal в форме сипнопсиса на девяти страницах, который написал Эрнест Тайдиман. Тайдиман, профессиональный писатель, в свое время создал оригинальный роман и сценарий фильма «Детектив Шафт» (поставлен в 1971 году Гордоном Парксом), а также сценарий «Французского связного», за который годом раньше он получил «Оскар», премию Гильдии сценаристов США и премию «Эдгар» Ассоциации детективных писателей Америки. Сценарий «Наездника с высоких равнин» Тайдиман писал специально для Клинта Иствуда, уверенный в том, что он не сможет устоять перед искушением снять по этому сценарию фильм и сыграть в нем главную роль.

Почему Тайдиман был в этом так уверен? Частично потому, что был хорошо осведомлен о так называемом синдроме золотой лихорадки, который рано или поздно поражает в Голливуде любую звезду. Для этой болезни характерно желание официально приобщиться к маленькой статуэтке без лица, которая называется «Оскар». У Клинта были все основания полагать, что настал его час, ибо Гарри Каллахан в 1971 году замахнулся на большой трофей. В конце концов, «Грязный Гарри» стал одним из самых кассовых фильмов года, а в сознании зрителей он был неразрывно связан с Клинтом. Но тут его ждало что-то вроде разочарования, если не полная неожиданность: элитарная Академия редко снисходит до так называемых чистых боевиков. Фильм Клинта на «Оскар» даже не номинировался*.

После разочаровавшего его общения со Стёрджесом Клинт более чем когда-либо поверил в то, что срежиссировать его фильм лучше, чем Дон Сигел, не сможет никто — нечего и пытаться. Но оказалось, что снова работать с Доном Сигелом еще рано; должны были «замыться» некоторые критические отклики на «Грязного Гарри». В силу этого Клинт решил еще раз стать режессером самому себе.

Из соображений экономии средств в Universal хотели, чтобы фильм «Наездник с высоких равнин» снимался в обширных павильонах студии с декорациями, специально предназначенными для вестернов. Но Клинт предпочитал что-то более оригинальное (и более подходящее для него как режиссера). Ему удалось убедить Лэнга (зачисленного в штат в качестве исполнительного продюсера фильма) дать зеленый свет строительству в пустыне возле озера Моно, в калифорнийской части гор Сьерра-Невада, целого городка времен Дикого Запада. Строительство заняло восемнадцать дней. (Кинокритики и историки кино Ричард Томпсон и Тим Хантер позднее написали, что главная улица этого городка была «больше похожа на новый кондоминиум в Северной Калифорнии, чем на городок на Диком Западе».) Клинт снимал весь фильм в последовательности, предусмотренной сценарием, — сцена за сценой, кадр за кадром. Обычно такой подход приводил к увеличению затрат из-за перемонтировки декораций, но в данном случае фильм был снят раньше срока и в рамках бюджета**.

Клинт сыграл в этом фильме хорошо знакомую ему роль Человека без имени — на этот раз прямо названного Незнакомцем. Его напарниками были известные актеры (но не звезды): Верна Блум,

---

* Лучшим актером в том году стал Джин Хэкмен, сыгравший колоритного полицейского с Восточного побережья в фильме «Французский связной». Картина была снята в ультрареалистичном стиле, на актуальную тему и в основе имела любимую Академией «правдивую историю». Другими номинантами были Питер Финч с ролью в фильме «Воскресенье, проклятое воскресенье» Джона Шлезингера, Джордж Скотт, сыгравший в «Больнице» Артура Хиллера, Уолтер Маттау – в «Старикане» Джека Леммона и Тополь – в «Скрипаче на крыше» Нормана Джуисона.

** Клинт назначил реальным продюсером Боба Дэйли, который был исполнительным продюсером на съемках «Джо Кидда».

Мариана Хилл и Митч Райан. В фильме звучали легко узнаваемые отголоски трилогии Леоне. (В своем обзоре Box Office Magazine приписал картине «заезженный сюжет с загадочным незнакомцем, который отстреливает население целого города».) Но что примечательно в этой картине, так это присутствие некоего «потустороннего мира». Он уже появлялся в «Обманутом» и возникнет в некоторых более поздних фильмах Клинта.

Сценарий фильма «Наездник с высоких равнин» убедительно свидетельствует о том, что Незнакомец — это призрак шерифа, убитого бандой, контролирующей город; теперь Незнакомец убивает их одного за другим, прежде чем самому исчезнуть на закате*. Сделанный с аллюзиями на ленты «Ровно в полдень», «Шейн» и трилогию Леоне, фильм содержал целый набор компонентов, которые придавали правдоподобность всей истории, а необычайные широкоугольные объективы Брюса Сёртиса усилили яркость ландшафта и добавили в фильм едва ли не картины ада.

Зритель увидел Клинта Иствуда таким, каким он хотел его видеть: ковбоем, хладнокровным, непогрешимым, благородным убийцей, а не каким-то несовершенным бывшим заключенным по имени Джо Кидд.

В этом фильме зритель увидел Клинта Иствуда таким, каким он хотел его видеть: ковбоем, хладнокровным, непогрешимым, благородным убийцей, а не каким-то несовершенным бывшим заключенным по имени Джо Кидд. «Наездник с высоких равнин» стал мегахитом в жанре кассовых сборов, заработав во время первого показа на внутреннем рынке почти 16 миллионов долларов. Похоже, в этом фильме было все, что присутствовало в ранних иствудских вестернах. Но его путь к сердцу зрителя был непростым, поскольку фильм был менее аутентичным, а его ложная мистика представляла собой простую замену настоящей тайны Человека без имени. Некоторым Клинт казался немного похожим на Элвиса Пресли после службы в армии — он по-прежнему выглядел и пел так, будто лишь недавно

* Клинт всегда отрицал присутствие в фильме чего-то сверхъестественного и не раз заявлял, будто хотел намекнуть на то, что таинственный бродяга — брат убитого шерифа. (См. Boris Zmijewsky and Lee Pfeiffer, The Films of Clint Eastwood (New York: Citadel Press, 1993), 152.) Но многочисленные просмотры фильма показывают, что такие намеки просматриваются с трудом — если вообще просматриваются.

ворвался в культурную жизнь, но уже при первом взгляде на него мгновенно становилось понятно, что это не тот человек, каким он был раньше. «Наездник с высоких равнин» был слишком привычным и слишком «гладким».

Итак, фильм оказался для проката «дойной коровой», но на самом деле зрители особенно не интересовались его содержанием. На этот раз никто не заикался о каких-нибудь наградах ни за фильм, ни за роль в нем Клинта Иствуда. Между тем эта картина ознаменовала собой начало деятельности Клинта как режиссера.

22 мая 1972 года Мэгги Иствуд родила второго ребенка — дочь Элисон, которая весила семь фунтов и четыре унции*. Фактически она родила на пятнадцать дней раньше срока, сразу как прилетела в Лос-Анджелес, чтобы увидеть Клинта. Месяц спустя Мэгги уже присутствовала с Клинтом на церемонии открытия трехдневного турнира по теннису среди знаменитостей. Турнир проходил в Пеббл-Бич, в нем принимали участие такие легендарные звезды, как Джон Уэйн и Чарлтон Хестон.

Клинт все еще поддерживал контакты с Роксанной Танис, снабжая ее деньгами на воспитание их общего ребенка. Но его чувства к Танис стали остывать, когда она обратилась к восточным духовным практикам и отвезла дочь в Денвер.

К тому времени практически любой, кто общался с Клинтом на съемочной площадке или в компании Malpaso, знал, что брак Иствудов был, мягко говоря, немного неординарным. Но никого из людей его круга, как и из ее круга, это, казалось, не очень беспокоило — и в первую очередь не беспокоило самих Иствудов. В это время Клинт все еще поддерживал контакты с Роксанной Танис, снабжая ее деньгами на воспитание их общего ребенка. Но его чувства к Танис стали остывать, когда она обратилась к восточным духовным практикам и отвезла дочь в Денвер, где та смогла бы полноценно учиться. Роксанна и Клинт все еще общались, но не так часто и не так тесно, как это было раньше. В то время, когда он снимал свой очередной фильм, они почти не виделись.

В октябре 1972 года, через два года после смерти отца Клинта, его мать Рут тихо вышла замуж. Свадебная церемония в гавайском духе прошла в Пеббл-Бич. Новым мужем Рут стал Джон Белден Вуд,

* Почти 3,3 кг *(прим. ред.)*.

богатый вдовец, который в Пидмонте заработал целое состояние на пиломатериалах. Во время церемонии Клинт с радостью прошел под руку со своей матерью, испытав облегчение от того, что ей больше не придется оставаться одной.

Затем Клинт снова обратил внимание на режиссуру. На этот раз его интересовало, сможет ли он продать студии и зрителям фильм, в котором сам сниматься не будет. Выбранный им проект довольно сильно резонировал с его собственным жизненным опытом — это была похожая на «Лолиту» история отношений коммивояжера средних лет Фрэнка Хармона (Уильям Холден) и хиппующей девочки-подростка Бризи (Кэй Ленц).

В некотором смысле фильм «Бризи» сигнализировал о смещении фокуса внимания Клинта с насильственного и, можно сказать, социально значимого боевика на мелкомасштабную любовную историю. В предыдущих фильмах Иствуда романтика отсутствовала полностью; даже картину «Сыграй мне перед смертью» можно твердо отнести к категории фильмов ужасов. Этот сдвиг был призван ознаменовать собой отстранение от того шума в обществе, который окружал фильм «Грязный Гарри», хотя, впрочем, и история сексуальных отношений мужчины среднего возраста с девушкой-подростком выглядела потенциально спорной.

Частично из-за этого, а частично из-за того, что тема фильма слишком близко подходила к нарушению существовавшего табу, Universal была склонна отказаться от этого проекта, несмотря на то что Клинт в то время находился на первом месте по кассовым сборам. В конце концов компания зажгла перед Клинтом зеленый свет при том условии, что он компенсирует компании один миллион долларов (технически это выглядело так: компания даст на фильм миллион долларов и будет получать выручку от продажи билетов до тех пор, пока не возместит свои убытки, после чего средства начнут поступать компании Malpaso).

На роль зрелого героя Клинт выбрал Уильяма Холдена — красивого спокойного актера, который в равной степени был «своим» и в вестернах, и в любовных историях, и в картинах о войне. Всегда выглядевший мужественным, Холден во многих отношениях представлял собой версию Клинта Иствуда 1950-х годов. Часто он выступал в ролях американского любовника, скованного социальными нравами. В подобной ипостаси он играл вместе с такими звездами, как смиренная и скромная Грейс Келли в картине Марка Робсона «Мосты у Токо-Ри» (1954), в фильме Джорджа Ситона «Деревенская девушка» (1954), с Дженнифер Джонс в фильме Генри Кинга «Любовь — самая великолепная вещь на свете» (1955). В этих трех фильмах единственной формой физического контакта между любовниками, показанной зрителям, являлся невинный поцелуй. Возможно, именно подобные ограничения помогают объяснить те неуместные вспышки страсти, которые Холден продемонстрировал в таких «картинах гнева», как фильм Билли Уайлдера «Лагерь для военнопленных № 17» или лента «Мост через реку Квай» Дэвида Лина (1957), однако необузданная страсть Холдена искупляется благородной жертвенностью.

Клинт не собирался действовать в соответствии с социальными и сексуальными ограничениями прежних персонажей Холдена, но тем не менее мужественно сопротивлялся изображению похоти в своих фильмах. Ему хотелось показать простую, открытую, счастливую, любящую натуру героя-мужчины, при этом женщина не должна была быть убийцей, ведьмой, проституткой, обманщицей или беспомощной жертвой.

Клинт постепенно отступал от экранного образа рыцаря закона и порядка и приближался к своему реальному образу — стареющего ловеласа.

Гораздо сложнее оказалось найти актрису на роль молодой девушки Бризи. Среди многих претенденток Клинт выделил симпатичную уроженку юга, 25-летнюю белокурую актрису по имени Сондра Локк. Локк получила определенную известность в Голливуде за номинированную на «Оскар» роль в экранизации произведения Карсона МакКаллерса «Сердце — одинокий охотник», которую сделал в 1968 году Роберт Эллис Миллер. Впоследствии карьера актрисы пережила небольшой спад. Кандидатуру Локк предложила Клинту Джо Хеймс, сценарист фильма «Бризи», — она считала, что Сондра Локк прекрасно подходит для этой роли. Однако Локк до кастинга не дошла: посмотрев несколько десятков минут фильма «Сердце — одинокий охотник», Клинт решил, что она слишком стара для этой роли — дело в том, что в своем фильме он хотел подчеркнуть разницу в возрасте двух главных персонажей. В конце концов он выбрал очень молодую и кокетливую Кэй Ленц, которая идеально подходила на роль Бризи, но почти не имела опыта работы в кино.

Производство фильма стартовало в ноябре 1972 года, и почти сразу всем на съемочной площадке стало очевидно, что Клинт к ней неравнодушен. Было похоже на то, что Клинт постепенно отступал от экранного образа рыцаря закона и порядка и приближался к своему реальному образу — стареющего ловеласа. Этот «бес в ребро» удваивал интенсивность отношений Бризи с Клинтом-режиссером — авторитетной фигурой для молодой женщины.

Но какие бы электрические разряды ни били между Ленц и Клинтом за кадром, они не могли зажечь отношения между ней и Холденом на экране. Не удивительно, что зрители отвернулись от этого романа «мая с декабрем». Холден выглядел слишком уставшим и чересчур старым для того, чтобы зрители поверили, что он может быть привлекательным для Бризи. В общем, в фильме не было «химии любви». Он полностью провалился в прокате, и не только из-за своей неправдоподобности, но и просто потому, что зритель не был особенно заинтересован в просмотре фильма Клинта Иствуда, если в нем не снимался сам Клинт Иствуд. Тем не менее некоторые рецензенты заточили свои карандаши и на полную катушку использовали представившуюся им возможность повеселиться. Типичной оказалась реакция Джудит Крист: снисходительно посмеиваясь, она написала в журнале New York Magazine, что фильм «Бризи» оказался «настолько ужасен, что почти смешон». А вот Молли Хэскелл из Village Voice восприняла фильм всерьез: «Это самая продвинутая режиссерская работа Клинта Иствуда на данный момент... Это любовная история, в которой почти все работает как надо». Впрочем, в то время критики уровня Хэскелл не имели особого влияния на читателей и не могли определить коммерческую судьбу картины, тогда как у Крист было огромное количество поклонников, особенно в богатом на кассовые сборы Нью-Йорке.

По большому счету, такие критики, как Крист, правильно поняли причины провала картины, но сверхчувствительный Клинт поспешил назвать причиной неудачи не собственную режиссуру, а слабую рекламную кампанию Universal: «Это был маленький фильм — просто история омоложения циника. Я подумал, что это интересная тема, особенно в наше время, в эпоху цинизма... Фильм потерпел финансовую катастрофу из-за очень плохой дистрибьюции и очень плохой рекламы... А за это отвечала компания Universal. У них ужасно и совершенно бездумно сработал рекламный отдел. Я пытался отслеживать этот процесс, но [в Universal] это было очень трудно сделать».

Абсолютный провал «Бризи» снова отбросил Клинта в теплые, ожидающие и сулящие богатство объятия компании Warner Brothers, которая стремилась дать зеленый свет сиквелу «Грязного Гарри». Хватит с нас глупых романов, решили обе стороны, давайте вернемся к старым добрым окровавленным кишкам!

Следующую романтическую «историю любви» Иствуд снимет только через двадцать два года...

Клинт согласился с тем, что нужно смягчить характер Гарри Каллахана – хотя и не слишком сильно. Но это был не полностью выбор Клинта – скорее решение принимала команда талантливых и верящих в успех писателей, работавших в сотрудничестве с ним и Робертом Дэйли. Безусловно, фильм стал бы намного привлекательнее, если бы Каллахан стал более простым и понятным для женщин, – это бы дало возможность поднять сборы на выходных. Конечно, Каллахан не мог стать «кошечкой», но все они чувствовали, что легкое заигрывание с женской аудиторией франшизе не повредит.

Этот фильм был вдохновлен сценаристом Джоном Милиусом, который сделал несколько частичных модификаций сценария «Грязного Гарри», потом написал сценарии для фильмов Сиднея Поллака «Иеремия Джонсон» (1972) и Джона Хьюстона «Жизнь и времена судьи Роя Бина» (1972), а позже в том же году собирался написать сценарий для фильма «Диллинджер». Рабочим названием этой истории выбрали «Бдительность», но позже его изменили на «Magnum Force» («Высшая сила») в честь революльвера Magnum, которым пользовались Каллахан и элитный отряд полиции Сан-Франциско. Впрочем, на этот раз у Милиуса с переписыванием сценариев что-то не заладилось, и он отказался от проекта, чтобы работать над «Диллинджером».

Тогда Клинт обратился к талантливому молодому новичку Майклу Чимино, которого ему рекомендовало агентство William Morris. Клинт поручил Чимино встроить в сценарий основный эпизод, придуманный Милиусом, – сцену поединка. И это был не поединок между Каллаханом и каким-то сумасшедшим убийцей, а схватка с целым секретным и смертельно опасным подразделением под названием «Высшая сила». Не удивительно, что этот элемент сюжета стал в фильме ключевым. При этом, несмотря на то что в новом сценарии Каллахан сохранял такую же яростную антиавторитарность, что и раньше, в его поведении более четко обозначалось желание стать, как в сериале «Мэверик», на сторону сил правопорядка. Иными словами, создатели фильма намеревались сделать его героем при сохранении статуса бунтаря. Интересно, что после «Высшей силы» Чимино участвовал в написании только одного сценария, и то в соавторстве. Это был сценарий поставленного им же фильма «Охотник на оленей». Картина имела феноменальный успех, а Чимино получил «Оскара» за лучшую режиссуру*, но затем своими же руками похоронил эти достижения, сделав в 1980 году римейк фильма «Шейн», который назывался «Врата рая». Непосредственным поводом для того, чтобы агентство William Morris порекомендовало Клинту Чимино, стало сотрудничество последнего с Дереком Уошберном при написании сценария фильма Дугласа Трамбалла «Молчаливое бегство» (1971). Фильм не стал большим хитом в прокате, но оказался достаточно заметен, чтобы агентство William Morris порекомендовало Чимино Клинту.

Клинт любил быстро двигаться вперед, тем более что теперь большинство фильмов, над которыми он работал, спродюсировала компания Malpaso. Сигел же обожал все обдумывать, взвешивать и бесконечное число раз переснимать одни и те же сцены.

Как руководитель проекта Клинт удивил всех тем, что стал сотрудничать не с Доном Сигелом, а с Тедом Постом. По-видимому, он почувствовал, что времена его творческого единения с Доном Сигелом прошли, а может быть, причина была в том, что Сигел не собирался делать мягче характер Каллахана...

Скорее всего, эта проблема во взаимоотношениях была не единственной. Клинт начал чувствовать, что Дон Сигел его ограничивает — причем как методами работы, так и стилем. Клинт любил быстро двигаться вперед, тем более что теперь большинство фильмов, над которыми он работал, спродюсировала компания Malpaso. Сигел же обожал все обдумывать, взвешивать и бесконечное число раз переснимать одни и те же сцены, что буквально выводило Клинта из себя. Наконец, стареющий Сигел терял остроту восприятия того, что происходило на экране, а Клинт в этом смысле предпочитал молодость и актуальность. Он полагал, что главный способ снять фильм — использовать скорость и инстинкт; он хотел, чтобы режиссер был менее привержен установившемуся стилю режиссуры, меньше размышлял и хотел идти в ногу со временем.

---

* Он также был одним из продюсеров и потому разделил с другими авторами «Охотника на оленей» премию «Оскар» за лучший фильм.

Клинт был благодарен Теду Посту за успех ленты «Вздерни их повыше»; студии режиссер тоже понравился. Вскоре после этого было объявлено, что Сигел уходит из группы — якобы потому, что имеет обязательства перед проектом в Европе, который предварительно назывался «Драззл», с Майклом Кейном в главной роли. (Проект не был реализован.)

Однако все пошло не так гладко, как надеялся Клинт. На съемочной площадке выяснилось, что Тед Пост, который знал Клинта еще со времен сериала «Сыромятная плеть», хотел расширить характер Гарри как грязного полицейского, в то время как запросы Клинта были гораздо скромнее: он собирался привлечь в кинотеатры больше молодежи и семейных пар. Но больше всего он хотел, чтобы информация о фильме попала в разделы развлечений и на страницы общих новостей американских и иностранных газет. (Он даже позволил съемочной группе японского телевидения повсюду следовать за собой во время работы над фильмом. Снятый при этом материал превратился в один из эпизодов популярного японского сериала «Ведущие мировые фигуры», в предыдущих сериях которого были представлены такие деятели, как папа римский Павел VI, Пабло Пикассо, Аристотель Онассис, принцесса Маргарет, Чжоу Эньлай, Индира Ганди, принцесса Грейс и Генри Киссинджер.)

В то время считалось (да и сейчас считается), что вручать самую важную награду вечера — большая честь, но Клинт поначалу отказался от нее и только под давлением со стороны студии и Мэгги решил принять это предложение.

Одно из изменений в оригинальном сценарии «Грязного Гарри» состояло в том, что Каллахану подобрали партнера по имени Эрли Смит (его сыграл Фелтон Перри). Присутствие в фильме темнокожего Перри отражало сознательную попытку Warner Brothers смягчить возмущение тем, что грабитель в сцене «Повезет ли мне?» тоже имел темный цвет кожи. Казалось, все зрители были расстроены тем, что человек, на которого был направлен пистолет «Грязного Гарри», оказался афроамериканцем в тот самый момент, когда воинствующие группировки вроде «Черных пантер» осуждали жестокое обращение со стороны полицейских, повлекшее смерть Фреда Хэмптона и Джорджа Джексона. (В 1987 году приятельские отношения «чокнувшегося» белого полицейского и его более адекватного чернокожего партнера будут повторены Мэлом Гибсоном и Дэнни Гловером в ленте Ричарда Доннера «Смертельное оружие», чрезвычайно популярном фильме, который будет иметь три сиквела — и все они в определенной степени окажутся в долгу перед «Грязным Гарри»*.)

Во время подготовки к съемкам этого фильма Клинту поступило предложение вручить премию «Оскар» за лучший фильм на церемонии Академии, которая должна была состояться 27 марта 1973 года. В то время считалось (да и сейчас считается), что вручать самую важную награду вечера — большая честь, но Клинт поначалу отказался от нее и только под давлением со стороны студии и Мэгги решил принять это предложение. Казалось бы, пока актер с эффектной внешностью выступает с речью длиной не более пары строк, проблем у него не будет.

В тот вечер он появился на церемонии вместе с Мэгги и занял назначенное место в аудитории, улыбаясь и приветствуя друзей, разбросанных по всему залу имени Дороти Чандлер. В течение последних нескольких лет на телетрансляции установилась практика участия нескольких ведущих. (В 1970 году Клинт вместе с Клаудией Кардинале уже вручал премию за лучший фильм на иностранном языке картине Коста-Гавраса «Дзета».)

И тут произошла катастрофа. Пропал Чарлтон Хестон, один из четырех «хозяев» шоу**, который должен был явиться к началу церемонии. Он не только не явился, но и уже полчаса не отвечал на телефонные звонки. Между тем вступительное слово, объясняющее правила и положения голосования, было написано специально под Хестона и представляло собой пародию на пафосных персонажей, которыми он был известен по фильмам о библейских героях.

Впавший в панику Ховард Кох, продюсер шоу, нервно помахал Клинту и Мэгги, приглашая их быстро пройти за кулисы. Они поднялись и вышли из зала, не понимая, что происходит. За кулисами Кох попросил Клинта заменить Хестона. Тот отказался, сказав Коху, что это не его дело: он не готовился, не знает текста и, наконец, просто не сможет этого сделать. Но Кох продолжал умолять актера, а публика гудела, недовольная задержкой начала церемонии. Нако-

---

* Даже фамилия сержанта Мартина Риггса (Мэл Гибсон) похожа на фамилию лейтенанта Нила Бриггса, которого Хэл Холбрук сыграл в фильме «Высшая сила».

** Другими тремя ведущими были Кэрол Бёрнетт, Майкл Кейн и Рок Хадсон.

нец к Коху присоединилась Мэгги, которая тоже стала уговаривать Клинта помочь людям. Отступать было некуда: он оказался зажат между умоляющим продюсером и настойчивой женой. Молча кивнув, Клинт вышел на сцену. Его встретили бурными аплодисментами и отдельными возгласами удивления, которые были вызваны неожиданностью его появления.

В животе гулял неприятный холодок. Телесуфлер был заполнен шутками, связанными с Хестоном, которые написал сценарист и писатель Уильям Голдман. Клинт остановился посередине сцены, посмотрел на зрителей и с натянутой улыбкой сказал: «Это выступление должно было стать частью шоу Чарлтона Хестона, но он почему-то здесь не появился. И кого же выбрали ему на замену? Они выбрали человека, который в двенадцати фильмах произнес только три строчки текста».

Когда он перечитывал те же самые шутки, которые только что озвучивал Клинт, публика то и дело взрывалась смехом, но на этот раз он был с оттенком добродушия.

В зале тихо захихикали (аудитория была так же смущена, как и он), поэтому Клинт не нашел ничего лучше, чем начать как можно более отчетливо читать подсказки, которые показывал телесуфлер. Там оказались подшучивания над Десятью заповедями, которые никто и никогда не посчитал бы смешными, особенно потому что они исходили от Клинта. Прошло несколько мучительных минут, иногда прерываемых нервным смехом кандидатов на «Оскар», уже находившихся на грани истерики. Но тут за кулисами появился запыхавшийся Хестон, который утверждал, что стал жертвой спущенной шины. Кох схватил его в охапку и буквально вытолкнул на сцену. Зал взревел.

Облегченно вздохнув, Клинт с благодарностью быстро передал слово Хестону, который начал читать текст телесуфлера с самого начала, как будто ничего не произошло. Когда он перечитывал те же самые шутки, которые только что озвучивал Клинт, публика то и дело взрывалась смехом, но на этот раз он был с оттенком добродушия. Тем вечером Клинт еще раз вернулся на сцену, чтобы вручить награду за лучший фильм, но к тому времени зрители уже были возбуждены выбором Марлона Брандо лучшим актером за главную роль в фильме Фрэнсиса Форда Копполы «Крестный отец». Кроме того, в ходе церемонии Сачин Литлфетер, одетая в традиционную одежду апачей, протестовала против показа американских индейцев в голливудских фильмах — правда, ее выступление было воспринято с куда меньшим энтузиазмом. Наконец, после этих событий на сцене появился Клинт. Он воспользовался представившейся возможностью, чтобы показать редкий для себя пример остроумия, хотя и с привкусом сарказма. «Я не знаю, — сказал Клинт, — должен ли я вручать эту награду от имени всех ковбоев, застреленных за эти годы в вестернах Джона Форда!»

Затем он предоставил слово Альберту Радди*, продюсеру фильма «Крестный отец».

На следующий день Рекс Рид так прокомментировал эти события: «Прошлым вечером мы узнали, что Клинт Иствуд, оказывается, может быть смешным!» Пройдет двадцать семь лет, прежде чем Клинт снова согласится выступить в качестве ведущего — этого или любого другого — «живого» мероприятия**.

Картина «Высшая сила» вышла на экраны в декабре 1973 года и, несмотря на отсутствие споров вокруг персонажа Каллахана, стала самым большим хитом года. Единственная по-настоящему негативная рецензия снова последовала от Кейл. Критикесса, задрав нос, на протяжении всего обзора высмеивала способности Клинта как актера. Но ни она, ни какой бы то ни было другой критик не смогли помешать зрителям массово рваться на этот фильм, который по сборам более чем на два миллиона долларов превзошел «Грязного Гарри» и стал на тот момент самой кассовой лентой Клинта. В ходе своего первого показа на внутреннем рынке он преодолел порог в 20 миллионов долларов, который в то время определял понятие «блокбастер», то есть следующую ступень за «большим хитом». К тому же, будучи сиквелом, фильм нарушил еще одно эмпирическое правило Голливуда: сиквел, как правило, оказывается вдвое хуже оригинала и приносит в кассу примерно вдвое меньше средств.

В данном случае зритель имел дело с сиквелом, который можно было считать вполовину лучше или хуже, чем оригинал, на который потратили чуть больше средств и который снял другой режиссер, —

---

* Тридцать два года спустя Клинт, Радди и сопродюсер Том Розенберг совместно получат «Оскар» за лучший фильм 2004 года («Малышка на миллион»).

** В 2000 году он вручил «Оскар» за лучший фильм продюсерам фильма «Красота по-американски» (1999).

однако он сумел превзойти оригинал. Причины этого были ясны и понятны — имя Клинта Иствуда над названием фильма и роль, которую он сыграл двумя годами ранее. Этого оказалось достаточно, чтобы привлечь огромное число зрителей. «Высшая сила» больше, чем любой другой фильм Иствуда, развеивал последние сомнения в том, что артист вышел в мировые лидеры по кассовым сборам.

Вместе с тем он выявил еще одно столь же бесспорное обстоятельство. Впервые на экране и вне его Клинт стал выглядеть старым или, по крайней мере, постаревшим — его облик отражал каждый день из прожитых сорока трех лет. Густая грива каштановых волос заметно поредела и стала отступать с обеих сторон головы. Его лицо огрубело, на лбу залегли морщины, а на переносице, между глазами, образовались две короткие вертикальные линии, похожие на кавычки. Иными словами, по голливудским меркам, в техническом смысле он уже вышел из категории актеров, которые могли эксплуатировать свою моложавость.

Клинт и сам это понимал, что только усиливало его желание сменить облик звезды на профессию режиссера. И действительно, может ли что-нибудь быть более смешным, чем пожилой и раздраженный Гарри Каллахан? И Клинт знал, что это произойдет, если он будет работать с плохими советниками и доверять им. В одном из интервью он попытался объяснить, что никогда не чувствовал себя обязанным какой-то крупной студии. «Я такой же человек, как люди, которые идут смотреть мое кино. У меня не было особо мощного старта или какой-то раскрутки со стороны большой студии. У меня не было фотографий, на которых я целую свою собачку при выходе из самолета. Ничего такого не было. Есть звезды, которых создала пресса. Я — не тот вариант. Однажды Богарт сказал, что всем лучшим в себе он обязан кинозрителям — и только им. Я тоже так думаю».

Чимино знал, что может понравиться Клинту, и позаботился о том, чтобы в сценарии таких вещей было много: тут тебе и философствование в барах, и долгий диалог об «упругих задницах» у женщин, и хвастливые рассказы о всяких непотребствах.

Пора было приступать к следующему фильму. У Леонарда Киршана был проект, который, как он думал, мог понравиться Клинту. Проект пришел к нему через Стэна Кэмена, руководителя отдела художественных фильмов агентства William Morris. В то время

Кэмен помогал продвигать восходящую звезду Майкла Чимино, который благодаря сценарию фильма «Высшая сила» стал на 100% прибыльным, так что продюсеры выстраивались в очередь, чтобы вложить в него свои деньги. Чимино написал сценарий нового фильма в жанре «роуд-муви», имея в виду Клинта. Этот жанр фильма-путешествия стал популярным в новом, «независимом» Голливуде после необычайного успеха Денниса Хоппера и Питера Фонды с фильмом «Беспечный ездок» (1969), которым они забили один из последних и, возможно, самый большой гвоздь в гроб старой студийной системы.

Теперь все захотели снимать «роуд-муви» – и Клинт тоже. По крайней мере, именно такое решение он принял, прочитав сценарий Чимино, в котором действовала вряд ли возможная в жизни парочка – грабитель банков и бродяга. Кэмен подключил к проекту одного из своих крупнейших клиентов – Джеффа Бриджеса, только что номинированного на лучшего актера второго плана за роль в фильме «Последний киносеанс» Питера Богдановича. Кэмен хотел, чтобы Клинт сыграл грабителя банков, ветерана войны во Вьетнаме.

Чимино знал, что может понравиться Клинту, и позаботился о том, чтобы в сценарии таких вещей было много: тут тебе и философствование в барах, и долгий диалог об «упругих задницах» у женщин, и хвастливые рассказы о всяких непотребствах, и бесконечная (а по сути – экзистенциальная) дорога. А еще в сценарии фильма не было недостатка в женщинах, которые встречались на пути Громобоя (Клинта), – всегда молодых, сексуальных и изнывающих от желания.

Чимино настаивал, что ставить фильм по его сценарию должен был не кто иной, как он сам. Клинт чувствовал в этом «попутчике» отчаянно независимого и горячего молодого человека, который хотел делать все по-своему, и потому одобрил его кандидатуру – при условии, что Хиршан сделает этот фильм проектом Malpaso. «Нет проблем», – заверил его Кэмен, хотя Фрэнк Уэллс из Warner Brothers еще до согласия Клинта отказался от проекта, чувствуя, что он слишком своеобразен и что ему не хватает потенциала блокбастера. Когда Клинт узнал об этом, то пришел в ярость. Он воспоминал: «Ленни Хиршан взял сценарий фильма "Громобой и Быстроножка", который мне понравился, и отнес его Фрэнку [Уэллсу] и Джону [Кэлли], но они сказали: "Нет, не по этой цене", так что через двадцать минут у меня уже был заключен контракт с United Artists».

Чтобы потрафить Клинту, компания UA (а это был первый американский дистрибьютор трилогии спагетти-вестернов) предложила Malpaso неисключительный контракт на два фильма, с которым Клинт немедленно согласился. Вопрос, о чем будет вторая картина, отложили на более позднее время. Съемки фильма «Громобой и Быстроножка» с Бобом Дэйли в качестве линейного продюсера начались в июле 1973 года на натуре в Монтане и продолжались до конца сентября.

Несмотря на то что Клинту понравились сценарий и дерзость Чимино, он не принял в расчет перфекционизм режиссера. В результате сотрудничество с Чимино по ощущениям напоминало работу с Сигелом, который переснимал каждую сцену раз по десять. (Именно эта навязчивая идея, граничащая с манией, впоследствии будет способствовать фактическому самоуничтожению Чимино как режиссера при работе над фильмом «Врата рая».)

По прошлым съемкам Клинт был хорошо известен тем, что предпочитал делать один дубль рано утром, а затем проводить остаток дня на поле для гольфа. Во время съемок фильма «Сыграй мне перед смертью», где у него было «три кепки» (режиссера, фактического продюсера и исполнителя главной роли), Клинт говорил: «Должен признаться, что не выношу долгие съемки на натуре и длинные производственные графики. Если я пошел, то какой смысл волочить ноги? Во время съемок я могу работать намного более плотно и эффективно, если выкладываюсь на полную мощность. Может быть, это потому, что я, в общем-то, человек ленивый?»

За время съемок Клинт понял, что ему легко работать с Бриджесом, а играет он отлично. Когда в 1974 году фильм вышел на экраны, Бриджес был номинирован на «Оскара» за лучшую мужскую роль второго плана*. Согласно нескольким источникам, в том числе книге Стивена Баха «Окончательный вариант» (но не только ей), Клинт считал, что Бриджеса тогда «отодвинули» от премии. Он рвал и метал. Когда же выяснилось, что фильм вызвал разочарование в финансовом смысле (первый показ в кинотеатрах принес только девять миллионов долларов — менее половины суммы, которую заработа-

---

* Бриджес уступил Роберту Де Ниро, сыгравшему роль в фильме Фрэнсиса Форда Копполы «Крестный отец — 2». Другими номинантами были Фред Астер (фильм Джона Гиллермина и Ирвина Аллена «Вздымающийся ад»), а также Майкл Гаццо и Ли Страсберг (фильм «Крестный отец — 2»).

ла «Высшая сила»), то, по словам Баха, Клинт не стал винить в этом своего неофициального и чересчур избалованного протеже Чимино. Вместо этого он указал на компанию UA, которая, по мнению Клинта, не смогла правильно позиционировать и разрекламировать фильм. Забыв обо всем, что студия сделала для него, вплоть до вестернов Леоне, Клинт поклялся, что никогда больше не будет работать с этой компанией. Надо сказать, что он остался верен своему слову и не только не снял второй фильм в соответствии с контрактом о двух картинах, но и вообще больше не снимал ничего для UA.

Вскоре Клинт вернулся в компанию Universal, чтобы сделать для нее более «удобный» и более прибыльный фильм — с прямолинейным сюжетом и без всяких женщин (независимо от степени упругости их задниц), которые своим вмешательством только замедляли ход событий. Он хотел вернуться к более безопасному варианту, где его герой рисковал бы жизнью и висел над пропастью на кончиках пальцев, а зрители бы с радостью выстраивались в очереди, чтобы все это увидеть.

Только на этот раз он действительно чуть не сорвался в пропасть.

ГЛАВА 11

* * *

Когда я начала сниматься в фильме «Джоси Уэйлс – человек вне закона», то испытывала благоговейный трепет в присутствии Клинта Иствуда, главной звезды картины. Когда я заканчивала съемки в этой ленте, то была в восторге от многогранного таланта Клинта Иствуда.

Сондра Локк

Лента «Санкция на пике Эйгера» снята в стилистике фильмов о Джеймсе Бонде. Клинт играет в картине киллера, нанятого властями с целью убить шпиона-изменника, но на самом деле в правительственном агентстве считают, что изменник — это сам герой Клинта, и надо сделать так, чтобы его убили. Ну, или это он так думает... Причины возникновения такой паранойи раскрываются в предыстории, а само нападение происходит на пике Эйгер в Швейцарии, показ которого занимает значительную долю экранного времени.

Клинт ухватился за возможность снять еще один фильм, который бы подчеркивал его физическое мастерство, причем в таком окружении, что ему не пришлось бы делить сцену с другими, возможно, более талантливыми или более известными актерами. К тому же он был сам себе режиссер и работал по сценарию, который представлялся более красочным, чем снимавшийся фильм. Картина «Санкция на пике Эйгера» принадлежала к таким фильмам, в которых он разбирался лучше всего: ее содержание и форма сливались воедино в непрерывном потоке действия, так что в конце концов содержание становилось его формой. В общем, это был такой бессюжетный фильм с Человеком без имени в главной роли.

По-видимому, в своем относительно пожилом для Голливуда возрасте — сорок четыре года — Клинт чувствовал, что ему еще есть что показать и доказать. Финансового краха «Громобоя и Быстроножки» оказалось достаточно, чтобы Клинт захотел отойти на более знакомую территорию — желательно на природу, и сыграть молчаливого, но смертельно опасного для врагов героя, обладающего колоссальной физической силой, а также умением убивать. Итак, Джонатан Хэмлок (Иствуд), бывший киллер, который недавно обратился к поискам духовности всюду и во всем, снова вызван «секретным» разведывательным агентством США (т. е. ЦРУ). Он должен выполнить еще одно, последнее задание, и в случае успеха у него появится возможность покупать новые и еще более дорогие произведения искусства. Как бы нелепо это ни звучало, сюжет создавал идеальные условия для демонстрации чистого экшна, который действительно стал неотъемлемым компонентом ленты «Санкция на пике Эйгера». По своему обычаю Клинт лично прошелся по сценарию толстым синим карандашом и максимально сократил все диалоги.

В своем относительно пожилом для Голливуда возрасте – сорок четыре года – Клинт чувствовал, что ему еще есть что показать и доказать.

Авторские права на «Санкцию на пике Эйгера» принадлежали студии Universal уже довольно давно — точнее, она приобрела права на экранизацию еще в 1972 году. История о пике Эйгера была первой из серии романов писателя Треваньяна* о санкциях (слово «санкция» на языке его книг означает просто «убийство»). Главное действующее лицо – герой-интеллектуал, который в минуты опасности легко способен стать человеком действия. Продюсерская команда Ричарда Занука и Дэвида Брауна, основательно поработавшая с Universal, приобрела права на «Санкцию на пике Эйгера», имея в виду Пола Ньюмана. (В следующем году их ждал большой успех, связанный с выходом экранизации романа «Челюсти», режиссером которой стал Стивен Спилберг.) Ньюман, достигший пика известности после выхода фильмов Джорджа Роя Хилла «Бутч Кэссиди и Сандэнс Кид» (1969) и «Афера» (1973), сначала проявил интерес к проекту, но потом почему-то к нему охладел. В результате Дженнингс Лэнг посоветовал Зануку и Брауну предложить этот проект Клинту, как он с самого начала и хотел сделать. Клинт прочитал сценарий, он ему понравился, и вместе с Malpaso они разработали контракт, который вскоре был подписан.

«Взойдя на борт корабля», Клинт взял на себя полный контроль над проектом, став его номинальным продюсером, хотя в титрах таковыми значились Занук, Браун и Боб Дэйли со стороны Malpaso. Первое, что сделал Клинт, – забросил исходный сценарий и заключил контракт с Уорреном Мерфи – романистом, чьи работы ему когда-то очень понравились. (Экшн-сериал «Истребитель» Мерфи послужил основой минимум для одного художественного фильма – «Ремо Уильямс: Приключение начинается», который снял в 1985 году Гай Хэмилтон. Впоследствии Мерфи разработал сюжет «Смертельного оружия – 2» для Ричарда Доннера.) Клинту нравился минималистичный стиль Мерфи, и, хотя у писателя еще не было опыта в создании сценариев, Клинт убедил его попробовать сделать таковой для фильма «Санкция на пике Эйгера».

Переработав черновой вариант сценария Мерфи, Клинт запустил его в производство с актерами, среди которых выделялся Джордж Кеннеди в роли Биг Бена Баумана, приятеля Хэмлока, а также его тайного врага. Клинт и Кеннеди подружились во время создания фильма «Громобой и Быстроножка», и Клинт, по своему обычаю, вознаградил Кеннеди за эту дружбу, сделав членом «семьи»

* Треваньян (только фамилия, без имени) – это псевдоним профессора Техасского университета Рода Уитакера.

Malpaso. Клинт также дополнил актерскую команду Джеком Кэссиди и Вонеттой МакГи (она играла шпионку Джемайму Браун). МакГи до этого снималась в паре фильмов из жизни темнокожих американцев и имела такой же «упругий низ», как и Браун в книге Треваньяна.

Клинт хотел, чтобы фильм создавал иллюзию подлинности, которая отличала далеко не все его картины. На этот раз он рассматривал ленту как, по сути дела, репортаж о трудном восхождении на гору — с небольшой сопроводительной историей и с еще меньшим количеством диалогов, и потому в качестве технического консультанта фильма привлек к работе известного альпиниста Майка Хувера. Съемки действительно проходили в Швейцарских Альпах, на северном склоне пика Эйгера. Гора имела дурную репутацию: считалось, что на нее практически невозможно подняться. Справедливость такой оценки подтверждалась мрачным списком погибших при попытках ее покорить. Хувер в свое время снял документальный фильм «Соло», который был номинирован на премию «Оскар» за лучший короткометражный фильм, — Клинт видел эту ленту и восхищался ею. В данном фильме Хувер нес двойную нагрузку: во-первых, он должен был научить Клинта выглядеть при восхождении профессиональным альпинистом, во-вторых — в условиях повышенной опасности Хувер должен был взять на себя работу оператора. После нескольких дней тренировок в Школе альпинизма Йосемитского национального парка Хувер и его сборная команда (в которую входил по крайней мере один ветеран покорения северного склона пика Эйгера), а также актеры и съемочная группа вылетели в Швейцарию, где забронировали места в отеле Kleine Scheidegg, расположенном у подножия той самой горы.

Одним из членов команды Хувера был Дэвид Ноулз — 27-летний британский альпинист, который был удостоен высшей награды Королевского гуманистического общества за участие в спасении в 1970 году нескольких альпинистов в Гленко, Шотландия. Привлекательная внешность сделала Ноулза идеальным дублером Клинта при съемках нескольких кадров в самых сложных горных условиях. (Клинт и остальные актеры скалолазанием практически не занимались — на гору и обратно их доставляли вертолетами.) Последним эпизодом первой рабочей недели должны были стать съемки оползня — его моделировали с помощью резиновых «камней», раскрашенных под горную породу. Хувер и Ноулз решили снять этот эпизод сами. Они расположились на более низком уступе, чтобы получить нужный ракурс. Внезапно движение резиновых камней вызвало реальный камнепад — и все это начало падать одновременно. Возможно также, что оползень спровоцировали вибрации от вертолетов. Хувер, получивший перелом костей таза, сумел ухватиться за выступы на склоне и продержаться до подхода спасателей. Ноулзу не повезло — он был найден мертвым. Тело альпиниста висело вниз головой, болтаясь на одной ноге. Удар валуна по голове убил его мгновенно.

Все были, естественно, потрясены и расстроены случившимся, и какое-то время Клинт подумывал о том, чтобы отменить съемки, но затем в частном порядке принял решение, что работа должна продолжаться.

> «Это были очень сложные съемки. Хорошо, что мы были ограничены в количестве аппаратуры, в противном случае рискнули бы пойти в направлении фильмов о Джеймсе Бонде. Особенно трудно было снимать альпинистские сцены. Мы вынужденно задействовали две команды: одну — из техников, а вторую — из альпинистов. И каждое утро нам приходилось слушать прогноз погоды и решать, какую из двух команд отправлять на гору. Мне и еще трем актерам пришлось пройти интенсивное обучение. На седьмой день съемок мы потеряли одного из наших альпинистов, и, поверьте мне, я потом неоднократно спрашивал себя, стоила ли такая игра свеч…»

Произошедший на съемке инцидент весьма хладнокровно использовался для продвижения фильма. В интервью, озаглавленном «Клинт: захватывающий фильм», Джеймс Бэйкон назвал некоторые кадры из него «вызывающими дрожь». Также он сказал: «Единственный раз, когда [Клинт] использовал дублера, это был манекен. На съемках в Швейцарии погиб профессиональный альпинист — падающий камень попал ему в голову. Всего несколько минут назад на этом месте стоял Клинт». Бэйкон процитировал Клинта, который высказался по этому поводу так: «Меня просто втягивало туда все глубже и глубже. Оттуда не было пути назад. Сначала я собирался использовать дублера, но дублер думает только о самом трюке. Он не может думать о характере героя. С дублером это просто не проходит». Бэйкон завершает интервью замечанием о том, что Клинт выглядит очень молодо: «Клинт в свои 44 года является самой большой в мире рекламой здоровой пищи… Даже принадлежащий ему ресторан в Кармеле – Hog's Breath Inn – предлагает здоровое питание. Там также подают органические напитки – без консервантов. В меню входят такие вкусности, как блюда под названием "Грязный Гарри", "Пригоршня бифштексов на косточке", "Блеф Кугана", нью-йоркский стейк. Кажется, что все, к чему прикасается Клинт, приносит ему деньги. Его жена Мэгги рассказала мне, что ресторан Клинта сразу взлетел вверх, как его кассовые сборы».

Ресторан, находящийся в бывшем антикварном магазине, стал основным местом встреч Клинта и его друзей из числа местных жителей, не имевших отношения к шоу-бизнесу, включая Пола Липпмана и Уолтера Беккера, которых он знал еще по одному из самых престижных ресторанов Кармела – Le Marquis. Бэйкон писал: «Во дворе ресторана The Hog's Breath стоит старомодная печь, а вся территория окружена белым забором, затянутым плющом. В меню представлены такие основные блюда, как швейцарский сыр на ржаном хлебе с авокадо и ростками люцерны, обжаренная на углях котлета на домашней булочке с сыром или нарезанными помидорами, вегетарианский салат, омлеты со свежими грибами и целый ассортимент блюд из рыбы, выловленной в заливе Монтерей, включая обжаренное до хрустящей корочки филе камбалы, кальмаров, тушенных в белом вине с рубленым луком-шалотом, а также широкий выбор различных видов чая».

Мэгги все более расстраивалась из-за продолжавшейся маргинализации ее брака и вообще ее участия в жизни Клинта.

«В общем, это золотая жила», – с довольным видом сообщила Мэгги Бэйкону.

Редкий случай участия Мэгги в интервью Клинта (вероятно, это было сделано для того, чтобы «очеловечить» его образ после происшествия) побудил Бэйкона изобразить ее в качестве партнера Клинта по приятному, приносящему удовольствие времяпрепровождению – управлению этим и другими семейными бизнесами. В действительности Мэгги все более расстраивалась из-за продолжавшейся маргинализации ее брака и вообще ее участия в жизни Клинта. Клинт взял ее с собой и еще на одно интервью, необходимое для продвижения фильма. В этом интервью обращает на себя внимание ответ, который Мэгги дала на вопрос Питера Оппенхаймера о том, как она справляется со склонностью Клинта «подвергать себя опасности» в своих фильмах. Она ответила: «Я ничего не могу с этим поделать». Этот поразительно удачный ответ можно рассматривать и как итог ее размышлений о жизни с Клинтом: ее удел — быть хозяйкой трактира, в то время как муж снимается в кино с симпатичными девахами. Но Клинт в том же интервью описывал свою семейную жизнь как пример абсолютного совершенства. На вопрос, почему некоторые эпизоды «Санкции на пике Эйгера» он снимал в Кармеле, Клинт ответил: «Потому что у меня в Кармеле есть дом, и таким образом я могу чаще оставаться дома со своей семьей, чтобы дети попрыгали у меня на коленях».

Липпман, также давший интервью на эту тему, утверждал (в шуточной манере, которая как-то не вязалась с общим настроем разговора), что Иствуд представляет собой «романтика Казанову, заглянувшего в паб». Он общается со всеми девушками, особенно с блондинками, ему нравятся хрупкие и миниатюрные женщины — он называет их «кляксами», «креветками» или «шпульками». Липпман также утверждал, что они с Клинтом часто встречаются «на следующее утро за просмотром мультиков и сравнивают свои впечатления»*.

К великому удивлению и разочарованию Клинта, картина «Санкция на пике Эйгера» провалилась в прокате, заработав на треть меньше, чем «Громобой и Быстроножка». Ее первый показ на внутреннем рынке принес чуть более 6,5 миллиона долларов, в то время как даже скромный «Громобой» — 9 миллионов. Итак, через пять лет Клинту должно было стукнуть пятьдесят, его карьера находилась в упадке, а брак лишь подрывал публичный имидж... В этих условиях Клинт решил вернуться к Warner Brothers и Фрэнку Уэллсу, который поклялся воскресить меркнущую звезду.

Но Уэллс настаивал: чтобы добиться успеха, Клинт должен возвратиться к прибыльной франшизе под названием «Грязный Гарри». Он надеялся, что это вернет Клинта на вершину кассовой горы, сложенной из наличных денег, известности и всего такого прочего. Там же его будут ждать нетерпеливые молодые блондинки, с которыми он умеет обращаться.

* Позже Клинт все это отрицал, говоря, что Липпман сильно преувеличил их дружбу.

Частью контракта Клинта стало воссоздание на территории Warner Brothers офиса Malpaso, который был в Universal, – вплоть до прежних безделушек на привычных местах. Warner Brothers находилась в Бербанке, штат Калифорния, всего в миле от Universal. В этом офисе Клинт проведет следующую четверть века...

Чтобы поставить еще одного «Грязного Гарри», Клинту нужно было написать и проработать подходящий сценарий. Он с беспокойством спросил Уэллса, нет ли у него какого-нибудь готового материала, и когда тот ответил, что нет, Клинт обратился к Соне Чернус, которую он сделал главой сценарного отдела компании Malpaso в качестве благодарности за помощь в получении роли Роуди Йейтса. В простой структуре Malpaso Чернус фактически сама представляла весь сценарный отдел. У нее действительно нашлись наброски и синопсис фильма по какому-то роману – такие произведения обычно не читали и возвращали авторам. Чернус быстро просмотрела текст, он ей понравился, и она почувствовала, что Клинту он тоже может быть интересен. Черновое название произведения звучало как «Мятежный повстанец Джоси Уэйлс»*.

Чернус была права, заставив Malpaso вынести за скобки договора опцию о правах на неопубликованную книгу. Уэллс согласился финансировать фильм, если Клинт сможет внести за него четыре миллиона долларов. Когда деньги поступили, Клинт отправился в агентство William Morris в поисках писателя и режиссера для разработки проекта. В конце концов на работу был взят Филип Кауфман, который в 1972 году написал сценарий и выступил режиссером

---

* В первый раз роман был опубликован в 1972 году под названием «Ушедшие в Техас». Его автор Форрест Картер был наполовину коренным американцем, чероки. Его звали Эйза Картер, и был он печально известен тем, что являлся расистом и сторонником Ку-клукс-клана, а также писал речи для крайне правого политика Джорджа Уоллеса. Роман прославлял солдата армии южан Джонни Реба, отказавшегося после окончания Гражданской войны сдаться и вступавшего в кровавые стычки с преследовавшим его отрядом северян. История понравилась Клинту, которого всегда привлекали антиобщественные типы. Истинная личность Картера была раскрыта только после выхода фильма. На стадии монтажа и озвучки в одном из интервью Клинт заявил: «Это история, написанная индейцем. В ней речь идет о периоде Реконструкции Юга сразу после Гражданской войны в США. Этот парень – просто поэт, писал стихи о жизни индейцев... И кто-то уговорил его написать эту книгу... Я просто влюбился в нее». Цитата Клинта взята из произведения Larry Cole's "Clint's Not Cute When He's Angry", Village Voice, May 24, 1976.

фильма «Великий налет на Нортфилд» (1972) — вестерна об ограблении банка по мотивам едва ли не бесконечных приключений Джесси Джеймса.

Клинт нанял Кауфмана с надеждой на быстрое начало работы и возвращение вложенных средств, но медлительность в подготовительной фазе, характерная для Кауфмана, вызывала у Клинта невероятное раздражение. Сам он привык работать быстро даже по не завершенным сценариям, как, например, на съемках ленты «Санкция на пике Эйгера». Но из-за провала этого фильма приходилось давать Кауфману чуть больше времени...

Закончив сценарий, Кауфман «переоделся» в режиссера и уже в этом качестве смело пригласил на главную роль Одинокого Уоти — проводника Джоси Уэйлса из племени чероки и голоса его совести — индейского вождя Дэна Джорджа. (Вождь придал фильму немного аутентичности за счет создания образа коренного американца. Позднее такой подход найдет отражение в ленте Кевина Костнера «Танцы с волками» (1990), и вообще этот фильм в большой степени обязан картине «Джоси Уэйлс — человек вне закона» своим видеорядом, режиссерским стилем и тематической сюжетной линией.) По ходу выполнения миссии Уэйлс и вождь подбирают по пути заблудшие души, что придает фильму легкий флер христианской аллегории. Это было необычно для фильма Клинта Иствуда, который чаще подчеркивал физическую месть, нежели моральное искупление. Но все-таки фильм демонстрирует скорее не путь к Иисусу, а путешествие, некое покорение вершины, которое ведет, как в ленте «Санкция на пике Эйгера», к большему взаимопониманию между двумя людьми.

В роли Лоры Ли, еще одной новообращенной в возглавляемом Джоси движении за поиски заблудших душ среди тех, кто выжил в Гражданской войне, Клинт хотел видеть Сондру Локк — актрису, которую он когда-то собирался взять на роль Бризи в одноименном фильме. С тех пор как она была номинирована на «Оскар» за роль в фильме «Сердце — одинокий охотник», ее карьера затихла, и она обитала где-то на окраине кинобизнеса. Но когда Клинт увидел актрису, то сразу ее вспомнил. Несмотря на 17-летнюю разницу в возрасте (а может быть, именно из-за этого), их сразу сильно потянуло друг к другу. Клинт начал подталкивать Кауфмана к тому, чтобы дать Локк «зеленый свет», но, казалось, чем больше он это делал, тем сильнее сопротивлялся Кауфман. Тогда Клинт, действуя через голову режиссера, все равно ее нанял. Он имел на это полное право, но все-таки в Голливуде такое поведение считалось проявлением дурных манер*.

Локк вспоминает момент возникновения их связи таким образом: «"Ну, чем ты занималась с тех пор, как я видел тебя в последний раз?" — спросил Клинт так, как будто мы расстались на прошлой неделе». Через несколько дней после того, как Локк получила текст роли, ей позвонил Клинт, чтобы пригласить на ужин. «"Я приказал взять тебя в группу..." — "Правда?" — "Я не могу забыть тебя со времен «Бризи», Сондра". — "Но в тот фильм вы же меня не взяли, правда?" — поддразнила его я. — "Нет, не взял. Это была большая ошибка... Но сейчас я тебя взял". — "Я рада". Я искренне покраснела».

Не обнаружив Кауфмана на площадке (он куда-то отлучился), нетерпеливый Клинт снял эту сцену сам. На следующий день он с раздражением передал Кауфману извещение об его увольнении.

Вскоре после того, как Клинт подписал контракт с Локк, Кауфман в частном порядке сказал одному своему другу, что действие Клинта через его голову — это «худшее, что кто-либо когда-либо со мной проделывал»: «Он просто оторвал мне яйца».

Съемки на натуре начались в октябре 1975 года в Аризоне, Юте и Вайоминге. Клинт держал в одной руке сценарий, чтобы не пропустить свои реплики, а в другой — секундомер, чтобы фильм не вышел из расписания, а значит, и из бюджета, и он бы мог выполнить свои финансовые обязательства перед Уэллсом. Но более всего Клинт страдал от медлительности режиссера, считая ее признаком отсутствия таланта.

Некоторые полагают, что произошедшие затем события были связаны исключительно с неспособностью Кауфмана утвердить свою власть с первого дня работы, начиная с найма Локк Клинтом. Действительно, Клинт считал, что пассивность — это качество, ко-

* В голливудской иерархии власти в постстудийную эпоху режиссер является звездой и автором фильма, но главным боссом всегда был и остается продюсер — по той простой причине, что деньги побеждают талант. Тот, кто выписывает чеки, тот и контролирует производство фильма, независимо от того, насколько креативным или властным выглядит режиссер. А в данном случае человеком, который платил зарплату Кауфману, был Клинт.

торое мало полезно для режиссера. Сам Клинт всегда предпочитал работать по принципу «съемка сейчас, вопросы потом», а не в созерцательном стиле, когда режиссер подолгу разглядывает свои творческие инструменты.

Ситуация резко ухудшилась после того, как Кауфман (несмотря на то что он был женат и его жена присутствовала на съемках) пригласил Локк поужинать — причем в тот же вечер, когда это сделал и Клинт. Сондра Локк не была глупышкой и потому отказалась от ужина с режиссером ради ужина с продюсером. Объясняя свое предложение, Кауфман утверждал, что ему нужно дополнительное время, чтобы поработать с Локк над характером ее героини, но так или иначе между Кауфманом и Клинтом явно разгорелось сражение, подогреваемое всплесками тестостерона.

Через несколько дней после оплошности с Локк Кауфман, выглядевший на съемочной площадке робким и растерянным, полностью запорол сцену изнасилования, позволяя камере слишком долго наблюдать и явно путая команду «стоп» с командой «мотор». Наконец, во время съемок другой важной сцены он не смог поймать золотое время заката, и это переполнило чашу терпения Клинта. Не обнаружив Кауфмана на площадке (он куда-то отлучился), нетерпеливый Клинт снял эту сцену сам. На следующий день он с раздражением передал Кауфману извещение об его увольнении.

Клинт был в ярости из-за очевидной некомпетентности Кауфмана, но Гильдия режиссеров Америки (DGA) не санкционировала его увольнение. По мнению организации, все контракты режиссеров содержат пункт, который гласит, что если режиссер завершает подготовку производства и начинает съемки, то по требованию актера (или актрисы) его нельзя уволить. Тот факт, что Клинт был еще и продюсером, только усугубил ситуацию — и производство фильма практически остановилось. Наконец Уэллс в порыве отчаяния договорился об отступных для Кауфмана, а Гильдия наложила на Клинта штраф в размере 50 000 долларов (его почти наверняка заплатил не Клинт, а компания Warner Brothers).

Увольнение Кауфмана разозлило одних членов съемочной группы и напугало других. Для многих это выглядело так, будто Клинт велел Кауфману проделать всю подготовительную работу над фильмом (а ее было много), чтобы потом прийти на все готовое и получить всю так называемую славу. Кауфман и по сей день молчит об этом инциденте, но хорошо известно, что он после него почти три года не снимал фильмы, а когда все-таки получил работу, то по иронии судьбы это оказался римейк фильма «Вторжение похитителей тел» Дона Сигела (1978)*.

В такой ситуации, в общем, неважно, кто прав, а кто нет: если режиссер передает дело в DGA, то это всегда очень серьезный акт, о котором продюсеры забывают нескоро. Инцидент на съемках «Джоси Уэйлса» привел к появлению «правила Иствуда» – теперь по решению DGA ни один актер или член съемочной группы не может сместить режиссера-постановщика...

Фильм «Джоси Уэйлс – человек вне закона» получил смешанные отклики, но сделал феноменальную кассу. (Журнал Time назвал его одним из десяти лучших фильмов года.) Говоря коротко, зрители посчитали, что к ним вернулся их «старый» Клинт Иствуд – асоциальный, жестокий, циничный антиромантик-одиночка, по которому они очень сильно скучали. Доходы от первого внутреннего показа достигли 14 миллионов долларов – достаточно хорошие цифры для того, чтобы признать, что Клинт восстановил свой кассовый потенциал**. Это обстоятельство снова привлекло к нему внимание Полин Кейл, которая в своей рецензии пожаловалась на то, что с Джоси Уэйлсом Клинт зарекомендовал себя «доведенным до абсурда мачо сегодняшнего дня». В целом постоянные наскоки Кейл очень раздражали Клинта.

Вернувшись на путь, ведущий к победам, Клинт перенес всю свою активность на строительство дома своей мечты в Кармеле, ко-

---

* После серии проходных картин Кауфман стал режиссером фильма «Парни что надо» (1983), работа над которым определенно утвердила его в качестве крупного голливудского режиссера.

** По данным Quigley Publications, в 1976 году Клинт оставался в первой десятке списка «кассовых чемпионов», в то время как, скажем, Джон Уэйн уже покинул этот список и больше никогда в него не возвращался. Считается, что именно тогда Уэйн послал Клинту письмо, в котором критически отзывался о его «ревизионистском» взгляде на американский вестерн (некоторые могли бы возложить ответственность за это на самого Уэйна), и Клинт якобы был этим очень расстроен. Однако содержание этого письма, если даже оно и существовало, так и не было опубликовано, и ни Уэйн, ни Клинт никогда его открыто не обсуждали. Клинт в том же году шел в списке самых «кассовых» актеров под пятым номером. Первым был Роберт Редфорд, за ним следовали Аль Пачино, Чарльз Бронсон, Пол Ньюман, Клинт и Бёрт Рейнольдс.

торое продолжалось уже седьмой год. Занятый то сеансами трансцендентальной медитации, к которой он недавно пристрастился, то делами Malpaso, он все реже заезжал домой к семье.

Несколько раз Клинт анонимно посещал Лас-Вегас — но не для развлечений и не для игры. В свое время в Сан-Франциско он начал встречаться с психиатром — доктором Рональдом Лоуэллом, который по поводу Кейл сказал Иствуду следующее: «То, что говорит Кейл, на самом деле на 180 градусов противоположно тому, что она хочет сказать... Часто мужчины или женщины, одержимые проповедью великой морали, больше интересуются аморальностью». Чуть позже, выступая с речью, Клинт указал зрителям, что Кейл ненавидит его фильмы за их мужественность, но обожает «Последнее танго в Париже» Бернардо Бертолуччи, где Пол (Марлон Брандо, любимец Кейл) практикует анальный секс с Жанной (Мария Шнайдер), то есть отношения, которые диктует Пол, основываются только на унижающем сексе. Это все, что нужно знать о ее неофеминистских тирадах, с усмешкой сказал Клинт. Аудитория посмеялась над этим вместе с ним.

Клинту было сорок шесть лет, и каждую секунду он это чувствовал. Озабоченность возрастом, или, точнее, старением, является универсальным профессиональным опасением для всех артистов Голливуда.

Клинту было сорок шесть лет, и каждую секунду он это чувствовал. Озабоченность возрастом, или, точнее, старением, является универсальным профессиональным опасением для всех артистов Голливуда, и неудивительно, что эта тема стала одной из самых любимых в его интервью. «В моей голове сейчас не появляется ничего нового, — сказал он одному из авторов интервью. — Единственное, что с возрастом у меня появилось терпение».

Похоже, терпение у него выработалось ко всему и всем. Оно отключалось только тогда, когда предстояла встреча с Сондрой Локк — с ней он теперь виделся так часто, как только мог. Это были отношения, которым он не мог противиться. Такая страсть рано или поздно должна была произвести необычайный сдвиг в динамике его работы и его жизни. Это чувство навсегда изменило жизни всех трех главных героев — Клинта, Локк и Мэгги, заставив их сыграть в реальной мелодраме, по сравнению с которой история Бризи казалась совершенным пустяком.

ГЛАВА 12

***

Люди думали, что я правый фанатик... Но все, что делал Гарри, подчинялось более высокому моральному закону... Люди даже говорили, что я расист, потому что я застрелил черных грабителей банков. Но, черт возьми, черные тоже грабят банки. Этот фильм дал работу четырем черным каскадерам, только об этом никто не говорил.

Клинт Иствуд

В середине 1975 года, за несколько месяцев до того, как был запущен в производство фильм «Джоси Уэйлс — человек вне закона», Клинт получил сценарий под названием «Бегущая мишень». Его написали два выпускника оклендской школы и передали напрямую — через заведение актера Hog's Breath Inn. Клинт сценарий прочитал, одобрил и передал Бобу Дэйли, который должен был определить, стоит ли обращаться в фонд Malpaso, чтобы нанять профессионального сценариста для дальнейшей проработки текста. Дэйли сценарий тоже понравился, и он позвонил известному голливудскому сценаристу Стёрлингу Силлифанту, написавшему во времена своей молодости сценарий одного из эпизодов сериала «Сыромятная плеть», а затем перешедшего на большой экран со сценарием для постнуара Дона Сигела «Линейка» (1958), основанного на материалах популярного телешоу. Десять лет спустя он получил «Оскар» за сценарий для фильма Нормана Джуисона «Полуночная жара» (1967). Клинт всегда ценил Силлифанта, а также его таланты, и согласился с Дэйли, что «Бегущая мишень» может стать следующим фильмом о Грязном Гарри.

Они отправили Силлифанту сценарий, а затем встретились, чтобы обсудить его. Силлифант раскритиковал прочитанное, но ему понравилась центральная идея: Грязный Гарри противостоит подрывной террористической организации, и его напарником выступает женщина. Клинт оценил предложенный Силлифантом подход и дал добро на выделение средств для разработки сценария.

Вскоре после выхода на экраны «Джоси Уэйлса» Силлифант завершил первый набросок сценария. Клинт прочитал его — и не пришел в восторг от написанного. В материале не было необходимого тонкого баланса, который бы позволял сохранить нетронутым антисоциальный характер Грязного Гарри, но в то же время смягчал его настолько, чтобы до Гарри смогла «добраться» женщина. В результате Клинт передал сценарий Дину Райснеру. Тем временем Силлифант нашел молодую, многообещающую и явно не манерную актрису Тайн Дэйли на роль спутницы Гарри. Впрочем, сама актриса прочитала сценарий и отказалась от предложения, причем не один, не два, а три раза. С каждым новым заходом в сценарий вносили все новые изменения, но актриса по-прежнему чувствовала, что партнерство с таким крутым и жестким человеком, как Гарри, сделает из ее симпатичного образа полную кретинку — слишком смешную, чтобы быть правдоподобной. Клинт заказал еще несколько переписываний, хотя было известно, что он их ненавидит из-за задержек и дополнительных расходов, а также потому, что всегда предпочитает первые, инстинктивные импульсы долгим размышлениям. Именно такой метод он считал лучшим для создания «фильма Клинта Иствуда». Впрочем, на этот раз ожидание окупилось сторицей, и когда Дэйли прочитала очередной вариант сценария, то нашла его приемлемым и согласилась сыграть эту роль.

Клинт все еще был не готов к тому, чтобы сниматься в фильме и одновременно взять на себя обязанности режиссера. И он начал искать человека, который бы не оспаривал его мнение, не отходил от темы, работал быстро и в рамках бюджета. Чтобы избежать повторения фиаско с Кауфманом, Клинт обратился к своему давнему знакомому — режиссеру Джеймсу Фарго* — и попросил его возглавить съемочную группу фильма, который получил название «Подкрепление».

Когда Тайн Дэйли предложила изменить основную сюжетную линию так, чтобы у ее героини и Гарри не было романтических отношений, он быстро согласился. Клинт никогда не хотел романтики в своих фильмах. Он не считал себя героем-любовником и верил, что и его зрители будут держаться подальше от всего, что даже издали напоминало бы историю любви великого одиночки и его мечтательной партнерши. Грязный Гарри влюблен? Это было бы похоже

---

* Фарго работал помощником режиссера на съемках фильмов «Джо Кидд», «Наездник с высоких равнин», «Бризи», «Санкция на пике Эйгера» и «Джоси Уэйлс — человек вне закона».

на вставную любовную историю в фильме о высадке в Нормандии*. Да, в данном случае «любовь» — это было бессмысленное понятие, и Клинт был благодарен Дэйли за то, что она это поняла.

Съемки фильма начались на улицах Сан-Франциско летом 1976 года. До этого момента Клинт мало занимался производством фильма. Причина была проста: он целиком и полностью погрузился в страстный роман с Сондрой Локк. Этот факт был позднее подтвержден многими людьми, которые близко знали Клинта и/или работали с ним в то время, включая Джеймса Фарго.

Роман продолжался в течение всего времени съемок фильма «Подкрепление». Несколько раз Клинт оставался на ночь в одной из квартир, которые он держал в Сан-Франциско и Саусалито. Клинта не было на площадке так часто, что его обычный жесткий контроль за производством отсутствовал вплоть до того момента, когда пришло время монтировать фильм. В результате две сцены просто не состыковались, несмотря на все усилия хитроумного Ферриса Уэбстера — а ведь он имел репутацию человека, способного смонтировать что угодно.

К счастью, несовершенство монтажа не имело для боевика большого значения. В фильме «Подкрепление» Каллахан сражается с группой террористов (они явно не были политическими; в боевиках 1970-х годов террорист обычно представал достаточно условным «плохим парнем», более заинтересованным в получении огромной суммы денег, чем в свержении правительства) вместе с новичком — женщиной, которой он постепенно увлекается. Ее (естественно) убивают, что побуждает Каллахана, еще более злого, чем обычно, уничтожить террористическую группу одним выстрелом из гигантской базуки, являющейся фаллическим символом, в сравнении с которым его знаменитый «Магнум» кажется игрушечным пистолетиком.

Несмотря на то что в фильме были некоторые интересные моменты — Тайн Дэйли потом использовала их в качестве трамплина для собственных телесериалов «Полицейские и грабители», «Кегни и Лейси», — критики ленту обругали. Нет ничего удивительного в том, что новую картину явным «ликованием» встретила и Кейл, ко-

* Имеется в виду Нормандская операция, ознаменовавшая открытие второго фронта в ходе Второй мировой войны. За один день — 6 июня 1944 г. — потери англичан и американцев составили около 9 тыс. человек *(прим. ред.)*.

торая отмечала, что «святая сдержанность Иствуда кажется в этом фильме более странной, чем когда-либо еще».

Впрочем, возможно, Кейл действительно поняла одно обстоятельство, которое другие критики решили проигнорировать: Клинт устал от своей роли, а может быть, и от кинопроизводства в целом. Оглядываясь назад, можно предположить, что передача им обязанностей режиссера Джеймсу Фарго, возможно, была вызвана не столько незащищенностью, сколько безразличием. Во время съемок «Подкрепления» для Клинта реальное действие было больше связано с Локк, чем с работой на съемочной площадке. Не удивительно, что этот фильм выглядит скорее благодушным, чем жестоким, скорее скучным, чем откровенным, снятым скорее уставшим, нежели жестким человеком. Наконец, он плохо смонтирован, его фабула изложена сухо и формально, а исполнение Клинтом своей роли граничит с сомнамбулизмом.

Кейл поняла одно обстоятельство, которое другие критики решили проигнорировать: Клинт устал от своей роли, а может быть, и от кинопроизводства в целом.

Типичной для большинства критиков можно назвать рецензию Рекса Рида, который обожал делить фильмы по жанрам. Обращаясь к читателям New York Daily News, Рид писал: «"Подкрепление" — это третий или четвертый фильм о Грязном Гарри, где Клинт Иствуд сносит зрителям головы и создает хаос, который даже Бэтмен признал бы детскими забавами... Все это вышло из моды много лет назад, как и бормотание Клинта Иствуда... Сэкономьте ваши деньги, на Пасху это покажут по телевизору».

Ни одна из критических рецензий на фильм не была объективной, но это не имело совершенного никакого значения. Зрителям все еще не хватало Клинта в роли Грязного Гарри, и потому при первом показе на внутреннем рынке фильм собрал феноменальную сумму — 60 миллионов долларов — и удвоил ее при прокате за рубежом, обеспечив Клинту крупнейший на тот день финансовый успех.

На волне этого успеха по настоянию Warner Brothers Клинт задумался о своем следующем фильме, который, как надеялась студия, можно было выпустить к Рождеству 1977 года*. И студии, и звезде край-

* Масштабные фильмы «Грязный Гарри», «Высшая сила» и «Подкрепление» компании Warner Brothers и Malpaso выпускали к рождественским каникулам.

не необходим был следующий блокбастер, который воспользовался бы импульсом «Подкрепления» и вышел на кассовый сбор своего предшественника или даже превзошел его. В конце концов, на роль «наследника» был выбран фильм «Сквозь строй». В нем Клинт не Каллахан, а полицейский, который должен доставить свидетеля из Лос-Анджелеса в Аризону. Специфика состоит в том, что этот свидетель — проститутка, а за ними гонится целая вереница «плохих парней», которые хотят убить их обоих. Клинт — по-видимому, потому что он Клинт — несмотря ни на что, доставляет проститутку в нужное место, и по ходу дела выясняется, что она является главным свидетелем по делу о политически-сексуальном скандале, а ее прибытие позволит покончить с коррупционерами, окопавшимися в полиции Аризоны.

Персонаж Клинта — Бен Шокли — это на самом деле «перевернутый» Каллахан, медленно спивающийся полицейский без всяких перспектив на службе. Но именно ему Блейклок (Уильям Принс), комиссар полиции Феникса, поручает выслать проститутку Гус Мэлли (Сондра Локк). Когда Шокли понимает, что следы обвинения ведут прямо в Феникс и ни ему, ни заключенной не оставлено шанса выжить, он приходит в ярость и замышляет захватывающую схему, которая ведет его через строй полицейских и приводит к смерти — но к смерти Блейклока, а не его собственной.

Что касается Мэлли, то в компании Warner Brothers хотели видеть в этой роли Барбру Стрейзанд, но Клинт, который, как всегда, имел в кастинге последнее слово, сказал нет — обычно в его фильмах играли менее масштабные фигуры, чем он сам. Студии же он сказал, что Стрейзанд слишком стара, чтобы играть рядом с ним (для справки: ей тогда было 35 лет, ему — 47). Вместо этого он настоял на том, что эту роль должна сыграть Сондра Локк. И новая подруга вновь попала в центр киновнимания Клинта. В фильме «Джоси Уэйлс — человек вне закона» ее героиня подвергалась насилию, но Клинт ее спас. Теперь, в ленте «Сквозь строй», она должна была еще раз подвергнуться жестокому изнасилованию — и снова для того, чтобы быть спасенной своим рыцарем в потускневших доспехах.

В компании Warner Brothers, мягко говоря, не пришли в восторг от идеи Клинта. Студия выделила на производство этого фильма 5 миллионов долларов, что сделало проект очень дорогим. Неудивительно, что руководству студии потребовалась звезда «удвоенной светимости» — с именем, которое стояло бы выше названия картины и украшало кинозалы по всей стране. К тому же студия уже заплатила 200 000 долларов за сценарий Деннису Шрайаку и Майклу Батлеру — они были очень востребованными из-за того, что написали бурно обсуждавшийся сценарий пока еще не вышедшего фильма Эллиота Сильверштейна «Автомобиль». Наконец, студия обещала пятнадцать процентов от прибыли и еще 100 000 долларов за будущие права на преобразование фильма в роман (тогда это было очень популярным источником дополнительного дохода). Когда Клинта проинформировали об условиях, на которых Warner Brothers согласились заполучить Шрайака и Батлера, он остался, мягко говоря, недоволен*. Клинт, который через Malpaso был одной из сторон в этой сделке, никогда не платил много за сценарии и никогда не предлагал проценты в качестве стимула. Кроме того, он всегда больше интересовался историей, чем диалогами, предпочитая создавать фильм на основе общей идеи сюжета и сопровождать ее как можно меньшим количеством слов.

Чувствуя, что он сделал достаточно уступок, утвердив таких сценаристов, Клинт твердо решил дать главную роль Локк, а не Стрейзанд. В конце концов компания Warner Brothers уступила, и в апреле 1977 года на натуре в Неваде и Аризоне начались съемки.

Сюжет фильма «Сквозь строй» был элегантнее и необычнее других сюжетов Клинта. Ни Шрайак, ни Батлер не собирались приправлять его гремучим, взрывным насилием, но Клинт вставил такие сцены, и в Warner Brothers с радостью его поддержали. Вообще, в фильмах Клинта, выпущенных этой студией, никогда не было недостатка в жестокости, сексуальном насилии над женщинами или грубой брутальности.

Получившийся фильм представлял собой смесь «Блефа Кугана» и «Высшей силы» за минусом плутовства на Западном/Восточном побережье и такого персонажа, как Грязный Гарри. Слабости Бена Шокли делают его историю еще более убедительной (по крайней

---

* Заметим, что известность в киноиндустрии дуэту принес именно договор о сценарии к фильму «Автомобиль», а не сам сценарий или фильм, который по нему был поставлен. Как всегда в Голливуде, последнее слово оставалось за «деньгами»: кто платит, тот и заказывает музыку. «Больше денег» здесь всегда означало «больше власти», и это была одна из причин, по которой Клинт никогда не любил платить сценаристам большие суммы. Именно для обеспечения своей собственной власти (и финансовой независимости) он и основал компанию Malpaso. Клинт не хотел отдавать много денег, потому что это означало, по крайней мере для него, передачу власти и подчинение.

мере в теории), поскольку он, сам не зная того, отправляется в самоубийственную миссию. По сюжету фильма «Сквозь строй» Шокли и Мэлли должны прорваться на автобусе через живой забор, в который выстроены все полицейские силы Феникса. В этот момент фильм становится сюрреалистичным, но не достигает потенциально искупительной трансцендентности. В ходе нападения на автобус теряется драматизм, когда становится очевидным, что автобус легко остановить, просто прострелив ему шины. Еще более абсурдно окончание фильма: как только Шокли освободил пленницу и убил всех нападавших, никто не хочет ее знать и не представляет, что с ней делать. Можно только предположить, что эти двое пересаживаются на другой автобус, уезжают из города и где-то живут долго и счастливо.

Несмотря на нелепый сюжет и «мультяшную» развязку, «звездности» Клинта оказалось достаточно, чтобы превратить фильм в настоящий кассовый хит. Как всегда, отрицательные отклики не имели для судьбы фильма никакого значения. Джудит Крист из New York Post подытожила свое мнение в пяти словах: «"Сквозь строй" — это полный отстой». Винсенту Кэнби из Times фильм тоже не понравился, но он, по крайней мере, признал, что фильм имеет «иствудский» шарм:

> «Клинт Иствуд... играет характерную роль. Фильм "Сквозь строй" не имеет отношения к реальности, зато прекрасно отражает художественную манеру Клинта Иствуда. Она же всегда связана с силой (самого Иствуда), которая, в свою очередь, направляет и исправляет все неправильное в нашем кривом мире. Фильм смотрится без единой мысли в голове, но сцены действия настолько яростны, что просто невозможно не уделять им внимания большую часть того времени, что идет фильм. Талант Иствуда в его стиле — это стиль человека неторопливого и уверенного в себе».

В своем первом рождественском показе фильм «Сквозь строй» собрал более 54 миллионов долларов, а к тому времени, когда он закончил свой марафон по кинотеатрам мира, сборы превысили отметку в 100 миллионов долларов.

Словно для того, чтобы компенсировать время, которое он проводил с Локк, Клинт сделал необычайно публичной жизнь в своем доме вместе с Мэгги. Он впервые за многие годы пригласил журналистов в Кармел, чтобы они лично убедились в том, как он беспредельно счастлив и каким нормальным женатым человеком является вдали от Голливуда.

Едва ли не каждый журнал воспользовался шансом взять интервью у прежде неуловимого Клинта, но даже если репортеры пытались найти в его потоке слов нечто откровенное или спонтанное, им это не удавалось. А затем, в самый разгар этой шумной рекламной кампании, 13 февраля 1978 года, вышел в свет номер журнала People, на обложке которого красовалась фотография Клинта и Сондры Локк. Этот журнал не пропустил никто, в том числе Мэгги, которая справедливо пришла в бешенство.

Мэгги многое вытерпела за время своего долгого брака. Она старательно не замечала все внебрачные связи Клинта. Она отворачивалась и смотрела в другую сторону, когда на вечеринках с участием супругов неожиданно появлялась Сондра Локк. Но обложка журнала People — это было уже слишком, даже для нее. Единственное, чего раньше Клинт никогда не делал, — не выставлял свои связи напоказ, позволяя Мэгги сохранять достоинство. На той же неделе, когда журнал People вышел с этой обложкой, Мэгги наняла адвоката и стала добиваться раздельного проживания супругов по решению суда. После долгих обсуждений Клинт убедил ее поехать с ним в отпуск на Гавайи, чтобы решить, смогут ли они спасти свой брак.

Во время отпуска Клинт признался Мэгги, что влюблен в Сондру. Когда они вернулись, Мэгги подала на раздельное проживание.

Во время этого отпуска Клинт и признался Мэгги, что влюблен в Сондру.

Когда они вернулись, Мэгги подала на раздельное проживание.

Сондра тоже была расстроена. Конечно, брак Клинта выглядел так, как будто он должен был вот-вот закончиться, но ей было трудно воспринимать Клинта как одинокого мужчину.

Почему? Хотя бы потому, что она сама была замужем и не собиралась разводиться.

Сондра Локк вышла замуж за Гордона Андерсона, в которого была влюблена с самого детства. Они жили в Шелбивилле, штат Теннесси, и вместе провели много дней, пытаясь вообразить, что представляет собой остальной мир. Родители Сондры не одобряли выбор дочери, поскольку, как они утверждали, Гордон пылал к ней «греховной страстью». Кончилось дело тем, что в ночь после школьного выпускного молодые люди сбежали из города. Андерсон переехал в Нью-Йорк, чтобы сделать карьеру актера, но Локк не последовала за ним — она перебивалась случайными заработками, работая моделью и снимаясь в рекламе. Однажды Андерсон прочитал объявление об общенациональном конкурсе талантливых девочек-подростков, победительница которого сыграет главную роль в будущем фильме «Сердце — одинокий охотник».

Он немедленно вернулся в Теннесси, забрал Локк и отвез ее в Нэшвилл, где проходили предварительные прослушивания. Андерсон потратил много времени, чтобы сделать более выразительными ее лицо и внешность: постриг, перекрасил волосы, перевязал лентой пышную грудь, чтобы сделать ее менее заметной, одел в платье, соответствующее стилю одноименного романа. Они договорились солгать о ее возрасте — ей был двадцать один год, но на роль требовалась девушка-тинейджер. После успешного собеседования они приехали в Бирмингем, штат Алабама, где проходил первый серьезный отбор кандидаток. На прослушивание пришли тысячи молодых девушек, и только около ста прошли в следующий тур, в том числе и Сондра Локк. Следующей остановкой на пути к цели стал Новый Орлеан, где финалистки должны были встретиться с режиссером фильма Робертом Эллисом Миллером.

Тот факт, что Локк была замужем, совершенно не беспокоил Клинта; на самом деле такой вариант изначально его очень устраивал. Брак, и в его случае тоже, обеспечивал участникам отход в безопасное место.

Через неделю после встречи с Миллером оставшихся девушек вызвали в нью-йоркский офис Warner Brothers на последний тур прослушиваний (все расходы оплачивала компания). Подготовленная Андерсоном, Локк уверенно держалась перед продюсерами и режиссером — и получила желанную роль! В 1968 году, когда Клинт снялся в своем семнадцатом фильме («Блеф Кугана»), юная Сондра Локк была номинирована на «Оскар» за лучшую женскую роль второго плана*.

* Она уступила Рут Гордон, сыгравшей в фильме Романа Полански «Ребенок Розмари». Другими кандидатками были Линн Карлин с ролью в фильме Джона Кассаветиса «Лица», Кэй Медфорд из «Смешной девочки» Уильяма Уайлера и Эстель Парсонс с ролью в фильме Пола Ньюмана «Рэйчел, Рэйчел».

Еще до того, как фильм вышел на экраны, Локк и Андерсон переехали в Голливуд – или, точнее, в Западный Голливуд, преимущественно гомосексуальный район, расположенный между Беверли-Хиллз и собственно Голливудом, где Андерсон приобрел просторный таунхаус. Он хотел жить в Западном Голливуде по одной причине – он был геем, который провел большую часть жизни, не афишируя этот факт. Правда, Сондра знала об этом еще до их свадьбы, но тогда она сказала, что это ее не беспокоит. Он нравился ей таким, каким был. Сначала они были друзьями и любили друг друга без секса, что не казалось проблемой, поскольку оба могли получить то, чего хотели, в других местах. Западный Голливуд дал Андерсону шанс на каминг-аут, и он воспользовался им, превратив его в своеобразный реванш. К тому времени, когда Локк встретила Клинта и появилась вместе с ним в фильме «Джоси Уэйлс – человек вне закона», Андерсон уже имел серьезные отношения с другим мужчиной.

Тот факт, что Локк была замужем, совершенно не беспокоил Клинта; на самом деле такой вариант изначально его очень устраивал. Брак, и в его случае тоже, обеспечивал участникам отход в безопасное место. И чем больше он узнавал о Сондре Локк и ее неортодоксальном браке с Андерсоном, тем больше видел в ней родственную душу – талантливую одиночку, состоящую в браке, который был удобным и даже выгодным, но не приносил удовлетворения.

За месяц до того, как Клинт и Локк оказались на обложке журнала People, Клинт появился на обложке журнала Time от 9 января вместе с Бёртом Рейнольдсом. На восьми страницах журнала много рассказывалось об официальной (то есть санкционированной к публикации студией) жизни Клинта. Но это «много» превращалось в «относительно мало» по сравнению с биографией его старого друга Рейнольдса, который до сих пор оставался «конвертируемой» звездой, эксплуатирующей свое впечатляющее участие в фильме Джона Бурмена «Избавление» (1972). Об этой роли повсюду писали не иначе как с добавлением слова «Оскар» – до тех пор, пока Рейнольдс не самоуничтожился, опубликовав свое полуобнаженное фото на развороте журнала Cosmopolitan. Этот шаг освободил его дальнейшую карьеру от всяких притязаний на серьезность. Кинофильмы, которые он сделал после «Избавления», не могли зажечь публику до тех пор, пока он не вернулся к облику простого работяги-южанина в фильме Хэла Нидэма «Полицейский и бандит» (1977), имевшем огромный кассовый успех, но полностью проигнорированном Киноакадемией. В статье Ричарда Шикела в журнале Time отмечалось, что есть только два актера — Клинт и Рейнольдс, отвечающих вкусам кинематографической Америки. Автор смело примерял на них киношную мантию «простого человека», которую когда-то носили Джеймс Стюарт и Генри Фонда, и благосклонно сравнивал их с такими крутыми героями экрана, как Джон Уэйн, Марлон Брандо и Пол Ньюман (игнорируя при этом Аль Пачино и Роберта Де Ниро). В завершении статьи говорилось: «В сегодняшних условиях для того, чтобы стать Иствудом или Рейнольдсом, может потребоваться больше смелости и воображения, чем для того, чтобы стать Николсоном или Редфордом». Отдельно от этого дуэта, по словам Шикела, сияла «третья великая звезда боевиков» своего поколения — Чарльз Бронсон.

К тому времени сравнение Иствуда с Бронсоном стало делом обычным. Вот, например, что писал журнал Hollywood Studio:

> «В современном обществе, изобилующем насилием, в атмосфере все возрастающей беспомощности Клинт Иствуд и Чарльз Бронсон удовлетворяют насущную психологическую потребность киноманов всего мира, демонстрируя им героев вестернов, которые способны в одиночку одолеть враждебные силы и доказать, что и один человек может иметь значение в нашем беспокойном и бурном мире... Именно эти два образа из вестернов вспоминаются, когда речь заходит о синдроме немногословного одиночки».

Рейнольдса и Бронсона захватила идея о том, что они являются знаковыми фигурами, но Клинт избежал этого соблазна. И если Рейнольдс позволил себе принять свой образ, раздутый публикацией Шикела в Time, то Клинт держался от него подальше.

Вместо этого для оценки своей творческой деятельности он обратился к Локк. Из всех женщин, с которыми он встречался, она выделялась одним важным аспектом. Она была молодой, белокурой, весьма неопытной (по крайней мере, он в это верил) и, возможно, даже немного покорной, но вместе с тем она обладала спокойствием и глубоким пониманием, что не вязалось с ее сельскими южными корнями. Она была актрисой до мозга костей, и пока критики, оглядываясь по сторонам, пытались выяснить, кто такой Клинт Иствуд и каково значение его личной привлекательности, сам он уже знал, что единственным человеком, кто его действительно понял, была Сондра Локк.

Некоторые из критиков хотели сделать из Клинта реинкарнацию «великого американского героя», оригинал которого был утерян при позорном поражении страны во Вьетнаме. Клинт был более чем счастлив позволить им сделать это и возложил прославление своего экранного героизма на самозваных критиков-всезнаек вроде Ричарда Шикела. Сам же Клинт был слишком занят, пытаясь сбалансировать свою личную жизнь между тем, что ему было нужно (домашний уют, жена вроде Мэгги, дети, большой дом в Кармеле), и тем, что хотелось иметь: женщину наподобие Сондры Локк, которая могла бы скрыться ото всех вместе с ним, понимала бы его и могла бы привести туда, где не было никаких других женщин. Впервые со времени женитьбы он не стал сначала переживать по поводу случившегося, а потом убегать домой к жене.

Именно Локк, по ее собственным словам, убедила Клинта после выхода ленты «Сквозь строй» сделать разворот на 180 градусов и снять фильм «Как ни крути — проиграешь». Для нее (а затем и для Клинта) это был идеальный ответ всем, кто настаивал на том, что он остается главным американским кинематографическим героем. Именно Локк указала Клинту на то, что во всех снятых им фильмах (за случайными исключениями вроде лент «Там, где гнездятся орлы», «Герои Келли» и «Санкция на пике Эйгера») он создал, по сути дела, всего лишь двух знаковых персонажей, которые затем снова и снова присутствовали в его фильмах. Человек без имени, появившийся в трех спагетти-вестернах Леоне, был так или иначе отражен в большинстве последующих вестернов, в том числе в лентах «Вздерни их повыше», «Два мула для сестры Сары», «Джо Кидд», «Наездник с высоких равнин» и «Джоси Уэйлс — человек вне закона». Все эти персонажи, включая Человека без имени, представляли собой антигероев времен войны во Вьетнаме, людей, которые выступали против истеблишмента, главным образом потому, что сам истеблишмент контролировался преступниками — и именно это делало из аутсайдеров героев. Другой великой экранной личностью, созданной Клинтом, был Грязный Гарри, в некотором смысле — современная версия Человека без имени. Эти герои (и их варианты) не были рыцарями в потускневших доспехах, они просто сами были «потускневшими» — и это сделало их уникальными. Предлагая снять фильм «Как ни крути — проиграешь», Локк тем самым стремилась расширить «царство Клинта» и удовлетворить потребность общества на сдвиг тематики в духе культуры послевоенного времени.

Она была совершенно права, и он понимал это. На подходе к своему пятидесятилетию он был более чем готов обменять свою мантию Джона Уэйна на одеяние вроде того, что носил Бёрт Рейнольдс. (С 1972 года Рейнольдс занимал в опросах популярности более высокие места, чем Дюк Эллингтон, и теперь грозил обойти самого Клинта*.)

Невероятный успех фильма Рейнольдса «Полицейский и бандит», вышедшего годом ранее, подсказал Клинту сразу две вещи. Во-первых, он не должен перестать сниматься в масштабных и крутых боевиках. Во-вторых, интересы публики могут смещаться в сторону показа простых людей и юмора южных штатов, а потом возвращаться обратно. А это то, что, по его понятиям, он сам с легкостью может сделать. В интервью, которое он дал примерно в это время, отчетливо проявляется влияние Локк на его образ мыслей: тут и неожиданные ссылки на Капру и Стёрджеса, и попытки отказаться от своего устоявшегося имиджа, и оценки себя как кинодеятеля (особенно как сценариста). Впрочем, со стороны эти намеки могут показаться немного натянутыми:

> «Сценарий [фильма "Как ни крути — проиграешь"] был известен давным-давно, но все его отвергали, он уже казался пожеванным или затертым. Большинство здравомыслящих людей относились к нему скептически; конфликты по этому

* Основное различие между Уэйном и Клинтом заключалось в том, что фильмы Уэйна сознательно пропагандировали «суперпатриотизм» — примерно так, как это делали Дэвид Миллер в «Летающих тиграх» (1942) или сам Уэйн в своем опусе о войне во Вьетнаме «Зеленые береты» (1968). Клинт в своих фильмах предпочитал исследовать недостатки отдельных персонажей, а не посылать зрителю простые и явные патриотические месседжи. Безусловно, оба актера (и режиссера) достигали схожих результатов — можно сказать, что «Грязный Гарри» был более политическим фильмом, чем «Зеленые береты». Но как художественные явления эти фильмы, вынутые из их социального контекста, отражают совершенно разные творческие идеи и подходы и дают разные художественные результаты.

поводу вспыхивали и в моей собственной группе. В общем, мне говорили, что это опасно. Мне говорили: "Это не твое". Но я сказал, что это мое... Это был рассказ о парне, который стал неудачником, но не признавал этого, и который был противником цинизма. Был ли он старомодным? В некотором роде — да. Этого парня было весело играть, потому что он, как казалось, был лишен всех достоинств... На этом этапе моей карьеры мне не нужно было доказывать свою коммерческую ценность. Я не хотел в очередной раз обыгрывать образ плохого шерифа. Я посчитал, что у Клинта Иствуда могла бы получиться и "нормальная» картина"».

И вместо этого он сыграл с орангутаном.

В сценарии Джереми Джо Кронсберга главный герой — водитель грузовика, который путешествует из города в город, зарабатывая деньги в буквальном смысле своими кулаками: он участвует в боях на деньги, где соперники дерутся голыми руками. С ним вместе ездит орангутан, которого он выиграл в одном из предыдущих боев. Герой влюбляется в певицу кантри, теряет ее, завоевывает и снова теряет*. По-видимому, первый вариант сценария Клинт получил от своей секретарши, которая была подругой жены Кронсберга. В Malpaso все, кроме Клинта, выступили против этого проекта, но Сондре Локк он понравился. В попытке получить финансирование Клинт отправил его в Warner Brothers.

В Warner Brothers всеми силами стремились получить еще одну картину Иствуда для демонстрации в кинотеатрах, тем не менее относительно этого фильма мнения разделились. Новый руководитель департамента кинопроизводства Джон Кэлли хотел отклонить этот проект, но Фрэнк Уэллс, верный союзник Клинта на студии, посчитал, что фильм может стать хорошим коммерческим ходом. После многочисленных встреч и долгих переговоров в Warner Brothers наконец сказали «да» и вложили деньги в производство. Вскоре после этого, в апреле

* В оригинальном сценарии персонажу Клинта — Фило Беддо — было двадцать девять лет. Во время съемок сценарист Джереми Джо Кронсберг, поддразнивая Клинта, заявил, что сценарий нужно пересмотреть и сделать Фило старше, чтобы Иствуд смог бы сыграть его более правдоподобно. Когда Клинт спросил, сколько лет должно быть его герою, Кронсберг ответил: «Да где-то около тридцати пяти».

1978 года, начались съемки в Альбукерке, Санта-Фе, Таосе и Денвере — в фильме это были места стоянок дальнобойщика. В конечном счете караван киношников оказался в Лос-Анджелесе, где съемки фильма продолжились и на натуре, и в павильонах Warner Brothers.

В качестве режиссера фильма Клинт пригласил Джеймса Фарго, в последний раз работавшего с ним над лентой «Подкрепление», — то есть, по сути дела, выбрал человека, который не будет ему мешать. Далее он решил, что в фильме должна постоянно звучать музыка кантри, и нанял Снаффа Гарретта, знакомого еще по сериалу «Сыромятная плеть», чтобы тот написал несколько мелодий, и выбрал название одной из них («Как ни крути — проиграешь») в качестве названия самого фильма (первоначально он назывался «Приехал Фило Беддо»). Затем он заключил контракты с Warner Brothers на всех исполнителей и выпуск альбома с саундтреком. Заглавная песня, написанная Эдди Раббиттом, выпущенная на пластинке за месяц до выхода фильма, стала суперхитом и обеспечивала бесплатную рекламу всякий раз, когда звучала по радио. В фильме Линн Хэлси-Тейлор, которую играет Локк, поет две песни. Локк очень не хотела этого делать, да и как певица была не особенно хороша, но Клинт нанял для нее великолепного репетитора — Фила Эверли из знаменитого ансамбля Everly Brothers, и он мучил Локк до тех пор, пока Клинт не решил, что песни и сцены уже достаточно хорошо сделаны.

Несмотря на то что роль кантри-певицы играла Сондра Локк, в фильме Иствуда все осталось как прежде: женщина была частью предыстории, но не главной сюжетной линии картины. В данном случае частью этой линии являлся орангутан. Работа с животными всегда таит в себе много трудностей, и Клинт это знал еще с тех времен, когда снимался с ними в своей почти проходной роли в сериале «Фрэнсис, Говорящий Мул». Однако Клинт чувствовал, что сумеет справиться с этими трудностями. Его напарником был орангутан, которого в фильме звали Клайд. Реально в съемках принимали участие три орангутана, причем большую часть времени на экране появлялся один из них по кличке Манис, и зрители сразу же влюбились в этого хорошо выдрессированного исполнителя из Лас-Вегаса.

Несмотря на то что роль кантри-певицы играла Сондра Локк, в фильме Иствуда все осталось как прежде: женщина была частью предыстории, но не главной сюжетной линии картины.

Клинт, хорошо разбиравшийся в менталитете читателей комиксов, сознательно снизил уровень фильма вплоть до демонстрации упрощенной морали: уроки жизни человек получает у орангутана. Больше всего зрителям запомнилась сцена, в которой Клинт складывает пальцы пистолетиком, направляет их на Клайда и выкрикивает «Бах!», а Клайд притворяется, что упал замертво. В конце концов комедийное действо с мотоциклетными бандами крутых парней, с кулачными боями в полуобнаженном виде, с «неискренними» женщинами и орангутаном, исполняющим роль Тонто в «Одиноком рейнджере», превратилось в невероятный хит, обеспечивший сенсационные кассовые сборы. Женщины, которые обычно держались в стороне от более жестких фильмов Клинта (если их не затаскивали на просмотр мужья или бойфренды), полюбили этот фильм и помогли ему взлететь в стратосферу.

В начале 1979-го, после года переговоров, Клинт решил, что он готов согласиться на развод. Он заплатил Мэгги единовременно 25 миллионов долларов, сохранил за ней большой дом в Кармеле и оставил с ней детей.

Между тем почти все отзывы критиков были ужасными. «Фильм вообще ни о чем» (Variety). «Это комедия для болванов, в которой не на чем остановиться глазу. Если бы я смог убедить своих друзей посмотреть "это", то они, скорее всего, меня бы возненавидели» (Стюарт Байрон, Village Voice). «Комедия Клинта Иствуда, которую невозможно было создать руками человека... Можно простить участие в ней орангутана, но извиняет ли это Иствуда?» (Дэвид Ансен, Newsweek). «Последний позор Клинта Иствуда» (Рекс Рид, New York Daily News). Тем не менее под аккомпанемент таких отзывов фильм «Как ни крути – проиграешь» собрал при первом внутреннем показе поразительную сумму – 124 миллиона долларов, то есть примерно в восемь раз больше, чем лента «Сквозь строй», и стал вторым фильмом года для Warner Brothers* после «Супермена» Ричарда Доннера (Клинт всерьез размышлял о том, чтобы сыграть в нем главную роль).

В начале 1979-го, после года переговоров, Клинт решил, что он готов согласиться на развод. Он заплатил Мэгги единовременно 25 миллионов долларов, сохранил за ней большой дом в Кармеле

* За первый год международного показа фильм «Как ни крути – проиграешь» заработал более 200 миллионов долларов.

и оставил с ней детей. Суд принял решение, что Клинт, как он сам настаивал, сможет свободно приходить к детям и забирать их с собой. Несмотря на то что дети его особенно не занимали, он их все еще любил и чувствовал, что они ему близки. За собой Клинт сохранил совершенно новый Ferrari Boxer за 100 000 долларов. Затем он поручил Сондре Локк найти для них новый дом, пообещав, что «это нам навсегда, будем жить вместе на пенсии». Как сообщалось, между Клинтом и Мэгги «не осталось гнева или злобы». Просто между ними возникла ледяная стена отчуждения, но он был полон решимости растопить ее – ради себя, ради детей (как он утверждал), а также ради того, чтобы согнать со своей шеи и с шеи Мэгги беспардонных репортеров.

По этой же причине, а также потому, что адвокат Мэгги требовал 50 процентов всего, что Клинт заработал, пока они жили вместе, он внезапно изменил свою позицию и больше не настаивал на окончательном разводе. Вместо этого он вдруг почувствовал, что им потребуется длительное раздельное проживание, чтобы у обоих было время обдумать ситуацию. Иными словами, Клинт придал ироничный смысл новой броской фразе из собственного фильма: «Как ни крути – проиграешь».

ЧАСТЬ II

От актера до автора

***

ГЛАВА 13

***

Мне советовали воздерживаться
едва ли не от всего, что я когда-либо делал.

Клинт Иствуд

В следующем фильме Клинта «Побег из Алькатраса», его тридцать четвертой художественной картине за двадцать пять лет, не было роли для Сондры Локк. Практически целиком мужская приключенческая лента основывалась на реальной истории побега в 1962 году Фрэнка Ли Морриса и Джона и Кларенса Энглинов из печально известной тюрьмы, расположенной на острове в заливе Сан-Франциско. Пока Клинт занимался съемками, Локк искала новый дом, где они могли бы жить вместе. Она не сказала ему, как собирается поступить со своим мужем, который в это время жил с другим мужчиной. И собирается ли вообще…

Фильм был основан на популярной книге Дж. Кэмпбелла Брюса «Побег из Алькатраса: Прощание со скалой», вышедшей в 1963 году. Началось все с того, что Ричард Таггл, редактор небольшого журнала о здоровье, выкупил права на экранизацию, чтобы таким способом проникнуть в кинобизнес. Таггл написал свою собственную адаптацию для экрана, много раз ее перерабатывал, и когда посчитал, что сценарий выглядит достаточно прилично, отправил его одному режиссеру. Таггл надеялся, что этому режиссеру его работа понравится и он поставит по ней фильм.

Таггл всю жизнь увлекался тюремными историями — как реальными, так и выдуманными, и, в частности, считал лучшим в своем жанре фильм Дона Сигела «Бунт в тюремном блоке № 11» (1954). История этого фильма была такова: кинопродюсер Уолтер Уэнджер задумал его после выхода из тюрьмы — он отсидел за то, что застрелил человека, который, как он подозревал, имел дело с его женой. Находясь в заключении, Уэнджер счел условия тюремной жизни настолько ужасными, что захотел показать их широкой публике. Результатом стала одна из самых жестоко-реалистичных тюремных драм.

В конце февраля 1978 года Таггл послал сценарий Сигелу через своего агента Леонарда Хиршана, связанного с William Morris, агентством Клинта. Сигелу материал понравился, но он в это время был занят другим проектом, который назывался Das Boot («Подводная лодка»), и руки у него до тюремной истории не доходили. Потом один из высших руководителей немецкой Bavaria Studios тяжело заболел, и проект Das Boot, уже бывший в работе, пришлось остановить. В начале марта Хиршан снова обратился к Сигелу и попросил его еще раз рассмотреть проект. Сигел ответил, что, по его мнению, проект идеально подходит для Клинта. Хиршан согласился, но отправил материал Дэйли. (Это вызвало у Сигела раздражение, поскольку он полагал, что их отношения были достаточно крепкими и личными, чтобы сценарий пошел непосредственно к Клинту.) Клинту материал понравился, и он решил, что режиссером фильма будет Сигел, сам он сыграет главную роль, а реализовываться проект должен через компанию Malpaso.

Но Сигел, вместо того чтобы взять сценарий в работу, выкупил его за круглую сумму в 100 000 долларов, специально прописав в контракте условие, что режиссером фильма будет он сам. На этих условиях он обратился к Клинту, Malpaso и, как поговаривали, к Warner Brothers. Клинт не согласился с такой постановкой вопроса о том, за кем будет последнее слово. Сигел (все еще обиженный на Хиршана за то, что он не послал сценарий непосредственно Клинту, или за то, что он неправильно понял контракт) не услышал ни слова в ответ ни от Клинта, ни от Хиршана об условиях, которые он поставил. В результате он в гневе отозвал свои предложения и перенес проект в Paramount. Соруководители этой студии — Майкл Эйснер и Джеффри Катценберг — спасли Paramount от гибели, разработав весьма успешный телевизионный блок и серию собственных ситкомов. Теперь они искали подходящий проект для восстановления славы студии на большом экране. Им показалось, что «Побег из Алькатраса» идеально подходил для этого. Они заключили соответствующий контракт и стали искать звезду на главную роль «у себя дома».

Но одним звездам это показалось неинтересным, а другие были заняты. (В Paramount особенно зазывали Ричарда Гира, но его проект не взволновал.) Видя такое развитие событий, Эйснер призвал Сигела помириться с Клинтом и попытаться привести его в Paramount. Сигел согласился, ибо в Warner Brothers он чувствовал себя недооцененным. Подобно Клинту, он обвинял студию в слабой рекламной кампании в период выдвижения на премии Киноакадемии — в результате «Грязный Гарри» даже не был номинирован на «Оскар». Сигел сделал хорошую мину при плохой игре: приехал в офис Клинта в Malpaso, за бутербродами и пивом переговорил с ним и в конце концов подписал контракт с участием Malpaso, Siegel Film и Paramount, который предусматривал трехстороннее сотрудничество.

Клинт долго держался в стороне от Paramount из-за своей обиды на задержку производства и на чрезмерные расходы, связанные с фильмом «Золото Калифорнии», — именно в этом состояли две основные причины, по которым он создал Malpaso.

«Переезд» в Paramount, даже ради одной конкретной картины, стал для Клинта большой проблемой. Впервые почти за десять лет его большой летний показ 1979 года должен был проходить под маркой Paramount и знакомым логотипом с горой в круге. Это была не только победа Paramount, но и пощечина студии Warner Brothers, которая со времен «Грязного Гарри» ежегодно наслаждалась постоянным потоком праздничных блюд от Иствуда.

Клинт долго держался в стороне от Paramount из-за своей обиды на задержку производства и на чрезмерные расходы, связанные с фильмом «Золото Калифорнии», — именно в этом состояли две основные причины, по которым он создал Malpaso. Клинт знал, что рискует, возвращаясь в Paramount, однако понимал, что на этот раз он находится на гораздо более высоком уровне власти в Голливуде и его уход из Warner Brothers может потрясти эту студию и напомнить, каким ценным финансовым активом он был.

Производство фильма «Побег из Алькатраса» началось в октябре 1978 года. Как и опасался Сигел, работа превратилась в непрекращающуюся битву между ним и Клинтом за контроль над каждым аспектом съемок. Клинт явно побеждал; кончилось дело тем, что Сигел в гневе покинул площадку еще до завершения съемок. До конца доводили работу сам Клинт, его давние сотрудники Феррис Уэбстер и Джоэл Кокс, а также оператор Джек Грин.

Неудивительно, что готовое произведение выглядело не так, как любой из прежних четырех фильмов Сигела, снятых в сотрудничестве с Клинтом. Так, в предполагаемой окончательной версии Сигела фильм заканчивался в тюрьме, создавая впечатление мрачной реальности. В варианте Клинта фильм завершался кадром с изображением цветка, который показывал, что трое беглецов вырвались на свободу, и знаменовал собой триумф преступника над обществом, заключившим его в тюрьму. Этот решающий момент изменил весь смысл фильма. Обе версии были мрачными: Сигел отражал неизбежную реальность Алькатраса, в то время как Клинт предполагал еще больший мрак жизни в бегах — его символизировали темные мутные воды, которые окружают и поглощают цветок. В этом, как и во всех фильмах Клинта, выживание иногда оказывается более трудным, а потому более драматичным, чем сама смерть. (За всю свою карьеру Клинт «умирал» только в трех фильмах: «Обманутый», «Поющий по кабакам» и «Гран Торино».) Отвечая на вопрос журнала Time о мрачном настрое фильма, а также о том, имеет ли он какое-либо отношение к действительности, Клинт в самом конце разговора лаконично ответил: «Я не знаю».

После выхода на экраны в 1979 году «Побег из Алькатраса» получил в основном восторженные отзывы — одни из лучших за всю карьеру Клинта.

Хотя Клинт официально не снимал этот фильм (продюсером и режиссером указан Сигел), мрачный настрой картины и постоянное присутствие самого актера на экране четко позиционируют «Побег из Алькатраса» как фильм Клинта Иствуда.

После выхода на экраны в 1979 году «Побег из Алькатраса» получил в основном восторженные отзывы — одни из лучших за всю карьеру Клинта. Впереди всех шествовал Винсент Кэнби из The New

York Times, который вообще не упоминал о Сигеле и подчеркивал важность работы Клинта: «Это первоклассный боевик. Потрясающе захватывающий. В любом кадре есть очевидные свидетельства того, что автор знает, как снимать кино, и эти свидетельства гораздо более веские, чем у большинства других современных американских фильмов. Мистер Иствуд выполняет требования роли и фильма так, как это, наверное, не смог бы сделать ни один другой актер». Фрэнк Рич, пишущий для журнала Time, назвал картину «гениальной, точной и захватывающей».

В целом критикам стало ясно, что своим «Побегом из Алькатраса» Клинт затронул какой-то важный нерв, но зрители проявили к нему гораздо меньший интерес. Первоначальные валовые сборы от фильма на внутреннем рынке оказались относительно скромными — 34 миллиона долларов*, то есть примерно треть от того, что принесла лента «Как ни крути — проиграешь». Сборы также составили менее одной пятой от кассы «Супермена» Ричарда Доннера и Warner Brothers, крупнейшего фильма года, сделавшего звезду из исполнителя главной роли Кристофера Рива (Клинт неоднократно отказывался от этой роли). Разочарование в кассовых сборах «Побега» и недовольство Сигелом, который заключил эту сделку (особенно тем, что он купил права до того, как пришел к нему в Warner Brothers), сделали «Побег из Алькатраса» последним фильмом, над которым они работали вместе**.

Если Клинт в роли Фрэнка Морриса пытался бежать из тюрьмы, из которой сбежать было невозможно, то у Клинта в роли Клинта реальная жизнь была еще сложнее. Несмотря на давление со сторо-

---

* По сообщениям прессы, Клинт получил 15 процентов от общего дохода, принесенного фильмом, в дополнение к его обычным актерским и продюсерским гонорарам. В отличие от него, Ричард Таггл и Дон Сигел получали выплаты, основанные на прибыли от фильма, т. е. после того, как из дохода вычитались расходы на изготовление печатных изданий, рекламу, распространение и т. д. Согласно изданию Hollywood Reporter, каждый из них получил в общей сложности менее чем по два миллиона долларов.

** Ни Клинт, ни Сигел никогда не обсуждали свои рабочие отношения ни в каких других терминах, кроме самых позитивных. Правда, в автобиографии Сигел очень осторожно намекает на то, что между ними были некоторые трения: «Клинт очень предан своим друзьям; по-моему, иногда даже слишком предан... У нас никогда не было ссор. Разногласия? Да. Различия во мнениях? Да. Возможно, это происходило потому, что он смотрел на меня как на суррогатного отца» (Siegel. A Siegel Film, 495).

ны Сондры Локк, требовавшей, чтобы он завершил развод с Мэгги, Клинт продолжал тянуть резину — возможно, из-за того, что равнодушно относился к идее прекращения брака с Мэгги. Ближе к своему пятидесятилетию Клинт нашел для себя новый режим поддержания здоровья: рассказывали, что он стал активным приверженцем программы продления жизни от Дерка Пирсона и Сэнди Шоу, которые теоретически доказывали, что люди способны дожить до 150 лет, сохраняя свои физические и умственные способности. Программа Пирсона и Шоу требовала от адептов выполнения физических упражнений и регулярного приема витаминов, которые пропагандировала эта пара. Сондра Локк утверждала:

> «В [1978 году] у Клинта появилась новая навязчивая идея — он стал потреблять огромное количество витаминов и аминокислот. Сначала Клинт объяснял, что новый "мегавитаминный" удар нужен ему для того, чтобы стать сильнее и лучше сыграть своего персонажа... Он держал в холодильнике большие миски вареной картошки и поедал ее, как попкорн, в течение всего дня. Все остальные порошки он хранил в огромных стеклянных банках на полках кухонного шкафа. Мы тщательно перемешивали эти порошки, сидя на диване в гостиной, а потом засыпали эту чудо-смесь в огромные прозрачные желатиновые капсулы. Иногда концы капсул сминались или не соединялись, и тогда Клинт приходил в ярость... Некоторые смеси он употреблял в таких колоссальных количествах, что это начинало меня беспокоить. Здесь были такие вещества, как селен и гидергин, L-аргинин, триптофан, диметилсульфоксид от синяков, столько каротина, что его руки стали оранжевыми... Прошли времена поедания красного мяса и любого жира — даже авокадо с майонезом, которые мы всегда ели на обед, оказались под запретом».

В журнале Herald Examiner также сообщалось, что Клинту сделали подтяжку лица, но сам он всегда это отрицал.

Летом 1978 года, вскоре после того, как была завершена работа над фильмом «Как ни крути — проиграешь», Сондра Локк забеременела. Клинт прореагировал на это известие с ледяным спокойствием. Он сказал ей, что никогда не хотел детей и завел их после более чем десятилетнего брака только потому, что на этом настояла Мэгги. (Тема ребенка от Роксанны Танис, очевидно, не обсуждалась.) Теперь, сказал он ей, об отцовстве не может быть и речи, и предложил сделать аборт. Она не хотела этого делать, но после анализа всего, что это значило для Клинта, согласилась. Некоторое время казалось, что отношения между ними снова стали прежними. Но вскоре после завершения производства ленты «Побег из Алькатраса» она снова забеременела.

Клинт вновь настоял на том, чтобы она сделала аборт, и Сондра снова с неохотой пошла на это. Когда она вышла из больницы, Клинт — как будто чтобы вознаградить ее или компенсировать потерю — купил ей в фешенебельном районе Бель-Эйр новый дом, который она давно хотела. И, очевидно, чувствуя себя бесконечно щедрым (а также не желая, чтобы муж Сондры крутился где-то рядом с домом в Бель-Эйр), он и для него купил дом, правда, в менее престижном Западном Голливуде. В то же самое время он приобрел для себя еще один дом в Кармеле, на берегу океана, где мог оставаться один, когда Сондра задерживалась в Голливуде по делам. Все это напоминало политику, которую Клинт проводил в ранние годы жизни с Мэгги: он оборонял различные «крепости одиночества» в Голливуде и в Кармеле, предоставляя себе свободу проводить там время не только наедине с самим собой, но и с другими женщинами, если он того пожелает.

Его следующий фильм — «Бронко Билли» — начался со сценария, который попал к нему после случайного разговора во время неформального ужина с друзьями в ресторане Dan Tana — популярном месте тусовки представителей киноиндустрии, расположенном в Беверли-Хиллз. «Когда Дэннис Хакин прислал мне сценарий, — вспоминал позже Клинт, — я сначала подумал, что речь идет о Бронко Билли Андерсоне, звезде немого кино. Я проглотил сценарий за один присест и сразу решил, что этот фильм мог бы сегодня сделать [Фрэнк] Капра, если бы он все еще делал фильмы».

Закончив читать, он передал сценарий Сондре Локк, которая разделила его энтузиазм. Пять с половиной недель спустя вблизи города Бойсе, штат Айдахо, начались съемки фильма. Клинт сыграл в нем главную роль владельца шоу «Дикий Запад» (столь же блеклого, как и время, которое оно прославляет), а Сондра Локк — испорченную светскую девушку, в которую он влюбляется.

В «Бронко Билли» центральный персонаж, деятель шоу-бизнеса, представляет собой двумерную модель героя вестерна, действующего в окружении группы прихлебателей. Он влюбляется в Антуанетту Лили, еще одну фигуру из длинной череды несовершенных и отверженных обществом женщин. Оказывается, она была замужем за мужчиной, которого на самом деле не любила, который бросил ее и, по-видимому, похитил все ее состояние. Билли помогает ей свести концы с концами, позволяя присоединиться к своему шоу в качестве «мишени» для его метательных ножей. В конце концов она решает все свои денежные и семейные проблемы и возвращается к прежней жизни в Нью-Йорке — только для того, чтобы понять, что она все это время действительно любила Билли. Бросив все, она спешит воссоединиться с ним и с его шоу.

Клинт снова почувствовал себя достаточно уверенно, чтобы срежиссировать фильм самому. Он укрепил звуковую дорожку большим количеством музыки кантри, которую снова написал Снафф Гарретт.

Если пересказ содержания фильма звучит так же, как и у многих других голливудских фильмов, то это только потому, что он действительно напоминает несколько великих картин, в том числе ленту «Это случилось однажды ночью» Фрэнка Капры, которую Клинт всегда считал образцом для подражания. В фильме была показана богатая, но несчастная женщина, которая пускается в бега от своего отца. Ей приходит на помощь (спасает ее и в конечном итоге выкупает) бедный, но честный репортер. Фильм также перекликается с романтической комедией Престона Стёрджеса «Странствия Салливана» (1941). Привыкший смотреть циничным взглядом на современную городскую жизнь, в «Бронко Билли» Клинт становится частью выдуманной жизни счастливых бедных и несчастных богатых. Эта тема особенно нравилась представителям рабочего класса, на которых и были ориентированы и этот фильм, и лента «Как ни крути — проиграешь».

Клинт снова почувствовал себя достаточно уверенно, чтобы срежиссировать фильм самому. Он укрепил звуковую дорожку большим количеством музыки кантри, которую снова написал Снафф Гарретт. А также выступил дуэтом с Мерлом Хаггардом*, исполнив песню, ко-

* Американский певец, композитор и легенда жанра кантри *(прим. ред.)*.

торая поднялась в хит-парадах страны на первое место. Поступления от песни помогли фильму значительно увеличить цифры в графе «Итого». Благодаря «Бронко Билли», выпущенному весной 1980 года, Клинт получил одни из лучших рецензий за всю свою карьеру. Критикам этот вариант Клинта понравился даже больше, чем публике. Но никому он не понравился так, как самому Клинту, который, наконец, нашел зону комфорта, пародируя тех самых героев вестернов, которые впервые привлекли к нему внимание публики.

Клинт, отвечавший в музее на вопросы аудитории, состоявшей из представителей высшего общества, был уже не яростным героем боевиков, а автором фильмов, который сделал себя сам. И он пришел один.

31 мая 1980 года, за несколько недель до того, как «Бронко Билли» вышел на экран (и потерпел фиаско по кассовым сборам), Клинт начал совершать массовые изменения в компании Malpaso. Многие из первых сотрудников продюсерской команды были уволены. Фрэнк Уэллс, лучший союзник Malpaso в Warner Brothers, сказал, что хочет исполнить свою мечту о восхождении на самые высокие горы на каждом континенте. «Добровольный» же отъезд Роберта Дэйли, возможно, был вызван, по крайней мере частично, его растущим возражением против присутствия в команде Сондры Локк и ее очевидного влияния на Клинта. Некоторые считали, что именно Сондра отодвинула его от привычных героев, смягчила его образ и тем самым оттолкнула от Клинта его основную аудиторию.

В ознаменование дня рождения Клинта и наступления нового десятилетия Нью-Йоркский музей современного искусства (МОМА) запланировал «марафонский забег» — демонстрацию в течение одного дня четырех фильмов: «За пригоршню долларов», «Побег из Алькатраса», «Сыграй мне перед смертью» и «Бронко Билли». В музее прославляли Клинта как популярного актера, который, как было написано в программе, «оставил свой личный след во множестве киножанров» и которого в начале года журнал Quigley Publications назвал первым в списке самых «кассовых» звезд 1970-х годов*. Но

* На втором месте располагался Бёрт Рейнольдс, за ним следовали Барбра Стрейзанд, Роберт Редфорд, Пол Ньюман и Стив МакКуин. Согласно ежегодному опросу, проведенному издательством Quigley, Клинт также был назван «звездой кассовых сборов» в 1972 и 1973 годах.

Клинт, отвечавший в музее на вопросы аудитории, состоявшей из представителей высшего общества, был уже не яростным героем боевиков, а автором фильмов, который сделал себя сам.

И он пришел один.

ГЛАВА 14

★ ★ ★

Снимая вестерн, вы правите четырьмя лошадьми, точнее, у вас есть камера и четыре лошади, которые должны идти бок о бок, что очень трудно обеспечить при съемке крупным планом. Тут же болтается микрофон на «журавле», и лошадям это не нравится. Они и так раздражены, а тут еще какой-то парень во всю силу своих легких орет через мегафон: «Мотор!», и лошади окончательно сходят с ума. Я предпочитаю не говорить «Мотор!». Конечно, актеры — не лошади, но они испытывают такое же беспокойство при слове «Мотор!». Я стараюсь поддерживать звук на низком уровне. Я начинаю с того, что говорю что-то вроде: «О'кей, хорошо». А в конце я просто говорю: «Достаточно».

Клинт Иствуд

Даже в то время, когда Клинта чествовали в Нью-Йоркском музее современного искусства, фильм «Бронко Билли» продолжал гореть в кассах синим пламенем, несмотря на хорошие отзывы. В итоге он заработал чуть более 18 миллионов долларов — даже с учетом прибыли от хитовой песни, которая для него была написана. Для некоторых это стало своего рода негативной реакцией на изменение образа Клинта. Критически настроенная интеллигенция считала нарушением некоторой элементарной правды то обстоятельство, что Клинт изменил свой образ простого парня, — для них это был верный знак того, что и фильм, и его образ являются фальшивыми. Сам Норман Мейлер, который считался не кем иным, как арбитром в вопросах культуры, с сарказмом заметил у Клинта отсутствие новизны: «Иствуд — живое доказательство того, что лучший способ прожить жизнь — это прожить ее круто». Еще более резок был в своих высказываниях «о новейшем любимце Нью-Йорка на поприще культуры»

Джеймс Уолкотт из Vanity Fair: «Бронко Билли – это неуклюжий кривоногий американец, тогда как подруга Иствуда Сондра Локк, как обычно, играет свою роль пронзительно и чутко».

В это время Клинт уже работал над сиквелом ленты «Как ни крути – проиграешь», который назывался «Как только сможешь». Работал, несмотря на разочарование Warner Brothers, что он вместо этого не снимается в следующем фильме серии «Грязный Гарри». Некоторые люди на студии вслух выражали мнение, что успех ленты «Как ни крути – проиграешь» был случайностью, что «выстрелила» она скорее благодаря присутствию милого орангутана, чем по какой-либо иной причине. Они полагали, что если Клинт продолжит идти по такому пути (то есть делать фильмы, подобные «Бронко Билли», а теперь и «Как только сможешь»), это вполне может означать необратимый закат одной из самых крупных звезд франшизы.

Клинт был убежден, что он находится на правильном пути развития своей карьеры. Он разослал повсюду официальные письма о том, что собирается разорвать все оставшиеся связи Malpaso с Warner Brothers.

Сам Клинт был убежден, что он находится на правильном пути развития своей карьеры. Он разослал повсюду официальные письма о том, что собирается разорвать все оставшиеся связи Malpaso с Warner Brothers. Первый официальный комментарий от Warner Brothers прозвучал в связи с уходом продюсера Malpaso Боба Дэйли, который меланхолично высказался в защиту карьеры Клинта: «Клинт Иствуд снял «Бронко Билли» с опережением графика на 13 дней и сэкономил 750 000 из 5 000 000 долларов, и это не потому, что мы переоценили бюджет... Я знаю [Клинта] 25 лет, еще с тех пор, когда он подрабатывал, копая котлованы для бассейнов, а я работал в бюджетном отделе Universal. Мы все время говорили об эффективности работы. Помню, когда он снимался в сериале «Сыромятная плеть», то никогда не уходил в свою гримерку, а оставался на площадке и наблюдал за съемками».

Затем в драку вступил сам Клинт. «Мы все сделали правильно, – сказал он одному репортеру. – Все ожидали, что «Бронко Билли» станет еще одним вариантом фильма «Как ни крути – проиграешь». Но зачем нам это? У нас теперь немного другая аудитория. Мы немного расширились. Фильм не потерял никаких денег, он стоил всего 5 200 000 долларов... И у меня никогда не было лучших отзывов, чем сейчас. Я думаю, что мы хорошо сработали». Эти комментарии спровоцировали «разборку» между корпорациями Warner Brothers и Malpaso, которая должна была состояться в Джексон-Хоул, штат Вайоминг. Именно там Фрэнк Уэллс был отвлечен от своего кризиса среднего возраста и занятий альпинизмом, чтобы организовать перемирие между Клинтом и студией.

Клинт тем временем продолжал консолидировать свою власть в Malpaso, уволив еще нескольких старых сотрудников. Используя принцип ленты «Как ни крути — проиграешь», Клинт собирался попросить Джереми Джо Кронсберга написать еще один сценарий в том же духе, который первоначально должен был называться «Сойти с ума», и намеревался снять по нему фильм. Между тем Кронсберг, не имея ни малейшего представления о том, что Клинт собирается делать сиквел, подписал контракт с Paramount на разработку фильма подобного типа — причем с обещанием, что он будет не только сценаристом, но и продюсером. Когда Клинт узнал об этом, то разорвал все отношения с Кронсбергом и пригласил для написания сценария сиквела картины «Как ни крути — проиграешь» нового сценариста — Стэнфорда Шермана. Предыдущие работы Шермана предназначались в основном для маленького экрана — это были четыре эпизода сериала «Агенты А.Н.К.Л.», один эпизод «Крысиного патруля» и восемнадцать эпизодов «Бэтмена». Несмотря на это, Клинт поручил ему написать сценарий фильма «Как только сможешь».

Целых полтора года мир прожил без нового фильма Клинта Иствуда — он ждал появления идеального сценария, способного оживить его карьеру.

В качестве режиссера Клинт выбрал Бадди Ван Хорна, бывшего каскадера, которого он знал еще по сериалу «Сыромятная плеть» в Universal. У него практически не было опыта подобной работы, но зато были любовь и доверие Клинта, который стал неофициальным режиссером фильма. Если фильм получится, то благодаря ему. Если нет — удары критиков примет на себя Ван Хорн. Героиня Линн Хэлси-Тейлор из первого фильма, которую играла Сондра Локк, перешла во второй, поскольку автору хотелось продолжить ее отношения с Фило. То же произошло с персонажами Рут Гордон и Джеффри Льюиса. Для ставшего обязательным музыкального номера Клинт ангажировал Рэя Чарльза, а написание музыки снова поручил Снаффу Гарретту.

Впрочем, как и предсказывали в компании Warner Brothers, фильм «Как только сможешь» стал типичным сиквелом, то есть стоил в два раза больше оригинала и заработал меньше. Несмотря на то что показ состоялся в золотое время рождественских каникул, выручка от фильма с трудом преодолела отметку в 10 миллионов долларов. Существовало мнение, что небольшая прибыль, которую фильм все-таки имел, была скорее связана с малобюджетностью ленты, чем с кассовыми сборами. Так или иначе, если у Клинта и были какие-то планы относительно франшизы «Как только сможешь», они испарились после плохих сборов. У Warner Brothers появилась надежда, что Клинт осознает свою ошибку, вернется в свою лучшую форму и сделает еще один фильм из серии «Грязный Гарри».

Однако история пошла по-другому. Целых полтора года мир прожил без нового фильма Клинта Иствуда — он ждал появления идеального сценария, способного оживить его карьеру. Все это время он занимался несколькими проблемами, которые ранее отодвинул на задний план из-за недостатка времени. В частности, теперь ему пришлось столкнуться лицом к лицу с проблемой своих отношений с Локк, или, точнее, признать, что они рушатся, а также с необходимостью противостоять новому, широко разрекламированному роману Мэгги.

Как написала Локк в своих мемуарах, после абортов ее отношения с Клинтом так никогда полностью и не восстановились. Несмотря на все слова Клинта о том, что он просто не хочет иметь больше детей, она увидела в них четкий сигнал о том, что он не собирается оставаться с ней навсегда. Более того, в 1980 году он даже рассказал Локк о своей дочери от Роксанны Танис.

Вскоре после этого Локк предложили главную роль в телевизионном фильме Джеки Купера «Рози: история Розмари Клуни». Проект не имел ничего общего с Клинтом, но Сондра приняла это предложение. Сразу после съемок «Рози» журнал Us нашептал своим читателям: «Ходят слухи, будто Клинт Иствуд и Сондра Локк больше не являются хорошими друзьями. Так, Клинт планирует снять без ее участия свой следующий фильм "Поющий по кабакам", а Сондра уже выразила желание начать сольную карьеру. Таким образом, [недавний] рождественский показ фильма "Как только сможешь", похоже, завершает их долгое и финансово успешное сотрудничество».

Шепоток, который, конечно, не ограничивался одним журналом, содержал крупицу правды. По словам Локк, Клинт, никогда не желавший делиться ничем — ни деньгами, ни титрами, ни славой, просто выбросил ее из жизни за то, что она приняла предложение сыграть роль в фильме, который он не контролировал, — пусть даже это был всего лишь телевизионный фильм. В некотором смысле это еще более ухудшило ситуацию и разлучило их, опустив ее до уровня телеэкрана, от которого Клинт в свое время так стремился убежать.

Помимо всего этого в игру вступила Мэгги, которая теперь подчеркнуто публично появлялась со своим новым «компаньоном» — миллионером-плейбоем Генри Винбергом. В возрасте сорока шести лет Винберг приобрел сомнительную репутацию человека, вступившего в отношения с Элизабет Тейлор в промежутке между двумя ее браками с Ричардом Бёртоном. После Тейлор (и до Мэгги) Винберг недолго имел связь с актрисой Оливией Хасси, разведенной женой Дино Мартина, сына Дина Мартина.

Очевидно, ответ Клинта на публичное хвастовство Винберга должен был состоять в том, чтобы на время уйти со сцены. И он ушел: вместе с Сондрой он отправился в Хельсинки и Копенгаген.

Несмотря на то что Винберг большую часть времени проводил в Беверли-Хиллз, а Мэгги жила в Кармеле, они виделись по нескольку раз в месяц. Винберг в то время говорил: «Мы встречаемся так часто, как только можем... Мы с Мэгги проводим время вместе: катаемся на лыжах, плаваем, играем в теннис... А иногда мы просто гуляем и беседуем. Мы также любим готовить и приглашать друзей на обеды. Это одна из причин, по которой я ей нравлюсь. Я — отличный повар. Я не знаю, что ждет нас в будущем. На данный момент мы не планируем вступать в брак... Мэгги никогда не говорит о Клинте».

Очевидно, ответ Клинта на публичное хвастовство Винберга должен был состоять в том, чтобы на время уйти со сцены. И он ушел: вместе с Сондрой он отправился в Хельсинки и Копенгаген, чтобы, как писали Daily Variety и Hollywood Reporter, изучить места для будущих съемок. После краткого пребывания в континентальной Европе Клинт повез Локк в Лондон на концерт Фрэнка Синатры.

По возвращении в Америку Локк начала сниматься в своем телевизионном фильме, а Клинт продолжил поиски сценария, достойного стать следующей лентой во франшизе «Грязный Гарри». В свободное время, которого становилось все больше, он начал посещать снова ставший дружественным Голливуду город Вашингтон, округ

Колумбия, и в частности президента Рональда Рейгана. Клинт был тепло встречен в столице и скоро был принят в кинематографический круг, которым Рейган окружил себя в Белом доме. Благодаря этим контактам Клинт познакомился с несколькими «солдатами удачи» международного уровня, проводившими секретные правительственные операции «во имя демократии», многие из которых были санкционированы президентом США.

Фритц Мэйнс был одним из немногих «оставшихся в живых» после крупной чистки персонала Malpaso, которую провел Клинт. Говорят, что именно он устроил встречу Клинта с французом Бобом Денаром, который сам себя называл «солдатом удачи», участвовавшим в 1970-е годы в специальных операциях в Африке. После этой встречи Клинт, впечатленный интригующими рассказами Денара, предложил Malpaso снять биографическую картину о его жизни.

В это же время Клинт в частном порядке вместе с несколькими другими голливудскими консерваторами финансировал экспедицию наемников в Лаос для поиска американских солдат, предположительно пропавших или попавших в плен во время войны во Вьетнаме. Эта затея закончилась провалом; в ходе экспедиции по крайней мере один наемник был убит. Клинт почти ничего не рассказывал прессе ни об этой экспедиции, ни о своем финансовом участии в ней, но после того как информация о ней стала общедоступной и подверглась большой негативной огласке, он тихо отказался от проекта Денара. Вместо этого он обратился к экранизации бестселлера 1977 года — книги Крэйга Томаса «Огненный лис» («Firefox»). Этот фильм должен был ознаменовать возвращение пятидесятилетней кинозвезды на большой экран.

В некотором смысле фильм «Огненный лис» вписывается в канон Иствуда и является беллетризованной версией той картины, которую он хотел снять о Денаре. Это боевик, главный герой которого — пилот Митчелл Гант — также является международным шпионом. У Ганта есть потенциально фатальный недостаток, который ведет его прямиком на темную сторону жизни. Он страдает психическими расстройствами, которые лишают его возможности нормально жить, но вместе с тем он ставит перед собой задачу спасти мир от коварных русских (действие происходит во времена холодной войны). Ему поручено украсть у русских новейший и потенциально очень опасный самолет Firefox и перегнать его в одну из стран НАТО.

Несмотря на актуальность сюжета фильма, внутренняя структура «а-ля Джеймс Бонд» лишала его ощущения реализма. Возможно, для того, чтобы еще дальше дистанцироваться от текущих скандальных заголовков, Клинт, который выступил в роли режиссера, продюсера и исполнителя главной роли в фильме, позаботился о том, чтобы в титрах фильма не было упоминания Malpaso.

Фильм снимали в разных точках Австрии, Англии, Гренландии и Соединенных Штатов, он имел внушительный бюджет в 21 миллион долларов (еще одна возможная причина, по которой он не хотел делать партнером компанию Malpaso), и на его завершение ушел почти год. Когда фильм наконец вышел, его встретили в лучшем случае неоднозначные отклики. Шейла Бенсон из Los Angeles Times отметила в нем «долгое и чрезмерное разочарование, пустую болтовню и медленное развитие событий»: «Это первый случай, когда Иствуд-режиссер так плохо служит Иствуду — звездному актеру, и это обстоятельство меня пугает...»

Мэгги заговорила о завершении развода с Клинтом и о браке с Винбергом, что означало для Клинта выплаты в размере около 25 миллионов долларов и разделение активов.

«"Огненный лис" — это забавно, — писал Эндрю Саррис в Village Voice, — ну, может быть, чуть больше, чем забавно, но точно не существенно меньше». Саррис и ряд других авторов решили, что фильм «Сыграй мне перед смертью» потерпел фиаско потому, что был подделкой под Хичкока, а «Огненный лис» имел успех потому, что напоминал нового Джеймса Бонда.

Вместе с тем фильм нашел отклик у зрителей, жаждавших увидеть, как Клинт возвращается на позицию безжалостного героя со стальным взором. «Огненный лис» стал одним из самых доходных фильмов Клинта и вернул его на голливудскую вершину*.

Вернув свою карьеру в прежнюю колею, Клинт позвонил Локк и уговорил ее переехать в новый дом в районе Бель-Эйр, который

* «Огненный лис» заработал в прокате почти 25 миллионов долларов и имел колоссальный успех у зрителей, но прибыль от его показа была невелика из-за огромного бюджета, связанного со спецэффектами и авиасъемками. Характерно, что Клинт был продюсером и режиссером этого фильма, но не был его исполнительным продюсером. По иронии судьбы на этой позиции оказался Фритц Мэйнс.

она в свое время обставляла и декорировала. Локк согласилась, несмотря на то что, как она позднее писала в своих воспоминаниях, поведение Клинта дома характеризовалось дикими вспышками гнева. Эти короткие, но сильные вспышки, освещавшие в остальном сдержанный фасад отношений, выглядели так, как будто у человека где-то перегорал эмоциональный предохранитель. Локк также пишет о нараставшем нарциссизме Клинта: «Он редко признавал за собой какие-то недостатки. Я очень удивилась, когда где-то в середине восьмидесятых ему сделали пересадку волос. На самом деле это значило, что он, наконец, признал, что теряет волосы. Но до того он невероятно тщательно это скрывал — как, впрочем, и все остальное... На самом деле ситуация была настолько нелепой, что я делала все, что могла, чтобы не рассмеяться. Тогда я либо объясняла эти причуды Клинта его юмористической эксцентричностью, либо воспринимала их как маленькие человеческие слабости».

Отношения между Мэгги и Винбергом — а они продолжались — тоже не помогали Клинту сглаживать молниеносные перепады настроения. Теперь Мэгги заговорила о завершении развода с Клинтом и о браке с Винбергом, что означало для Клинта выплаты в размере около 25 миллионов долларов и разделение активов — то есть то, чего он пытался избежать все последние годы. Как будто в ответ на эти события Клинт, по словам Локк, не сближался к ней, а, напротив, все дальше отстранялся и все меньше говорил об их общем будущем.

Еще более показательным стало следующее обстоятельство. Отсутствие Локк в фильме «Огненный лис» еще можно было объяснить тем, что у Клинта не нашлось для нее приличной женской роли. Но когда он публично объявил о своем следующем фильме «Поющий по кабакам», знаменовавшем несколько неожиданное возвращение в мир крепких парней из южных штатов и музыки кантри, выяснилось, что главную женскую роль, в которую Локк вошла бы как рука в перчатку, Клинт отдал молодой, красивой и неизвестной актрисе Алексе Кенин.

Фильм «Поющий по кабакам», основанный на одноименном романе Клэнси Карлайла 1980 года, представляет собой вымышленную биографию неудачливого кантри-певца Рэда Стовэлла, единственная очевидная цель которого в этой жизни — принять участие в Grand Ole Opry, старейшей американской радиопередаче в формате концерта в прямом эфире с участием звезд кантри. Книга, основанная на эпизодах из жизни певцов Хэнка Уильямса и Джимми Роджерса, заканчивается смертью Стовэлла, который так и не успел осуществить свою мечту.

Как выяснилось, Карлайл был клиентом William Morris, и агентство, как всегда, захотело оставить проект среди «своих». Так книга попала к Клинту, который искал проект, чтобы представить в кино своего сына Кайла, которому недавно исполнилось четырнадцать лет. Клинт предложил купить права на фильм, сниматься в нем, режиссировать и выпускать его через Malpaso, полагая, что это будет иметь большое значение для Кайла, ибо объединит их как в профессиональном, так и в личном плане.

Карлайл, однако, не хотел продавать права Клинту, полагая, что в свои пятьдесят два года он уже был слишком стар, чтобы играть роль певца кантри, умирающего в тридцать один год. И хотя Клинт немного пел, его голос никоим образом не соответствовал красоте парящих голосов Уильямса и Роджерса — прототипов, по которым Карлайл строил образ Стовэлла.

Как только Карлайл закончил свой сценарий, Клинт принялся за переделку его истории по своему вкусу. Он никогда не хотел умирать в своих фильмах, поэтому заставил Карлайла переписать финал.

Клинт пригласил Карлайла к себе домой и пообещал, что если он продаст ему права на книгу, то сможет написать сценарий адаптации романа к фильму без чьего-либо постороннего вмешательства. Этого оказалось достаточно, чтобы Карлайл согласился на сделку.

Но как только Карлайл закончил свой сценарий, Клинт принялся за переделку его истории по своему вкусу. Он никогда не хотел умирать в своих фильмах, поэтому заставил Карлайла переписать финал так, чтобы лежащий при смерти Стовэлл попал в Зал славы кантри-музыки за свой хит «Поющий по кабакам». Тем самым персонажу было позволено «жить дальше». Клинт также заручился услугами своего любимого музыкального продюсера — Снаффа Гарретта — и поручил ему наполнить сценарий Карлайла «классическими» хитами кантри, включая песни Джона Андерсона, Портера Вагонера и Рэя Прайса — все они должны были появиться в саундтреке фильма.

Если Карлайл и имел возражения против каких-то из этих изменений, у него не было реальной возможности их выразить. С началом съемок он неоднократно обращался к режиссеру с просьбой позволить ему более активно участвовать в создании картины, но Клинт не обращал внимания на его просьбы. Справедливости ради следует сказать, что такое случается со сценаристами довольно часто: продюсеры, исполнители главных ролей и режиссеры (а в данном случае все эти позиции занимал Клинт) обычно не хотят допускать к съемкам сценаристов, которые уверены в том, что каждое написанное ими слово обязательно должно попасть на экран. Но в данном случае ситуация была еще более деликатной, так как Клинт и Карлайл были клиентами William Morris и агентство не могло просто так принять ту или иную сторону в конфликте. Так или иначе, Карлайл остался в стороне от съемок и уже ничего не мог с этим поделать. В такой борьбе сценарист всегда проигрывает.

Как и опасался Карлайл, Клинт, явно человек среднего возраста, не был даже отдаленно похож на молодого певца (хотя он действительно имел некоторое сходство с Хэнком Уильямсом, чей блуждающий взгляд, появившийся у него перед смертью, делал его намного старше своего возраста). В общем, этот фильм потерпел фиаско в прокате, быстро исчез с экранов и по сей день не пользуется популярностью у зрителей.

Последнее появление Сондры Локк на большом экране вместе с Клинтом произошло в его следующем фильме – очередной, можно сказать, отчаянной, попытке реанимации Гарри Каллахана в картине «Внезапный удар». Вышедший через семь лет после «Грязного Гарри», он стал для Клинта четвертой попыткой воплощения в самой успешной экранной персоне. К удивлению всех (в том числе, конечно, и самого Клинта), эта попытка оказалась самой удачной. «Это была дань уважения Дону Сигелу. Я не был режиссером этого фильма, и потому подумал: "А почему бы и нет?"».

Проект, как ни странно, начался со сценария, присланного Локк. А ей сценарий прислал Эрл Смит, с которым она работала над небольшим «независимым фильмом» еще во времена, предшествовавшие ее номинированию на «Оскар». Сондра согласилась помочь Смиту развить этот сценарий. К тому моменту она хорошо знала, как опасно делать что-либо без одобрения Клинта, поэтому она обсудила с ним возможность ее участия в работе в качестве продюсера. «Естественно, я поговорила об этом с Клинтом, надеясь, что у него не будет никаких возражений. Но не успела я опомниться, как Клинт мгновенно выкупил синопсис у Эрла, нанял сценариста по своему выбору и начал превращать мою историю в очередной фильм "Грязный Гарри", даже не снизойдя до вежливого: "Сондра, ты не возражаешь?"».

Чтобы Сондре было легче отказаться от контроля над фильмом, Клинт пообещал ей главную женскую роль и гонорар в 350 000 долларов (на самом деле это произошло по просьбе Фритца Мэйнса, который знал, что проект исходит от нее и что она честно заслужила такие деньги). После урегулирования этой части сделки Клинт пригласил сценариста Джозефа Стинсона, который должен был преобразовать имевшийся материал в полноценный сценарий фильма «Внезапный удар». (Как всегда, Клинт предпочел молодого и неопытного сотрудника ветеранам, которые не только требовали больше денег, но и могли поспорить с ним.)

Съемки фильма «Внезапный удар» начались весной 1983 года. Исполнительным продюсером был Мэйнс, оператором – Брюс Сёртис, а Клинт выступал в трех ипостасях: в качестве продюсера, режиссера и исполнителя главной роли. Благодаря Дину Райснеру фильм Клинта приобрел слоган, ставший главной цитатой всей его карьеры: «Давай, сделай мой день!» Он был настолько лаконичен и силен, что позднее Рональд Рейган позаимствовал его для своего выступления в Конгрессе США*. «Когда ты приставляешь пистолет кому-то к голове и говоришь: "Давай, сделай мой день"... Ну, я понял, что зрители будут на такой фильм валом валить». «Это было удивительно, – вспоминал позднее Клинт. – Я не хотел снимать этот фильм, но потом подумал, а почему бы не сделать еще одну картину, прежде чем завершить серию? Фильм был основан на идее, которая не была предназначена для того, чтобы превращать ее в картину из серии "Грязный Гарри". Все, что у меня было, – это небольшой синопсис. Я скомпоновал на его основе сценарий и сказал сам себе: "Хорошо, я это сделаю"».

В этой истории Каллахан был временно отстранен от службы в полиции за угрозы боссу мафии, который затем умирает от сердечного приступа. Клинт, всегда старавшийся не делать Гарри неудачником, рассматривал его отстранение от должности как еще одно злоупотребление со стороны чрезмерно авторитарной полиции, которая просто не ценит праведной миссии Каллахана и его мило-

* 13 марта 1985 года в ответ на угрозу Конгресса поднять налоги Рейган в свою очередь пригрозил наложить вето на решение Конгресса и, чтобы подчеркнуть свою решимость, завершил речь словами: «Давай, сделай мой день». Американцам это очень понравилось.

сердия (или их отсутствия). В общем, речь в фильме идет о том, что в 1980-х в Сан-Франциско, как утверждалось, полиция перешла на «персональную справедливость».

Каллахана отправляют в небольшой городок Сан-Пауло, чтобы в случае неудачи отстранить его от должности. Гарри воспринимается как воин без войны, как полицейский, недооцененный и отодвинутый в сторону. Но между тем он расследует убийство и обнаруживает, что серийный убийца все еще действует. Как обычно, обнаружить зло помогает энергия и героизм Гарри. Выясняется, что начальник местной полиции Дженнингс (его играет всегда эффектный Пэт Хингл, у которого была роль подобного же типа в картине «Сквозь строй») знает о присутствии убийцы. Более того, Дженнингс подозревает, что это молодая симпатичная художница Дженнифер Спенсер (Сондра Локк), совершающая убийства как акт мести — в молодости ее изнасиловала группа молодых бандитов во главе с Миком (Пол Дрейк). Гарри заводит романтические отношения со Спенсер и в конечном счете спасает ее от похищения, задуманного Миком. Затем Каллахан эффектно избавляется от самого Мика и от остальной части его банды. Таким образом, он не только помогает Спенсер, но и спасает ее, ибо перекладывает на Мика вину за все ее серийные убийства.

«Внезапный удар», вышедший в прокат в декабре 1983 года, стал тем самым громким возвращением, которого так ждал Клинт: при первом показе на внутреннем рынке он принес колоссальную сумму в 70 миллионов долларов.

Эта история еще раз подчеркивает существование связи между Клинтом и Каллаханом (даже имена актера и его героя представляют собой частичные анаграммы, ибо имеют общие буквы К, Л и Н). В фильме Каллахан отпускает Спенсер на свободу — то есть совершает действие, которое в его мире оправдано более широким (более грубым, а для зрителя — более убедительным) чувством закона и правопорядка.

> «"Внезапный удар", вышедший в прокат в декабре 1983 года, стал тем самым громким возвращением, которого так ждал Клинт: при первом показе на внутреннем рынке он принес колоссальную сумму в 70 миллионов долларов. Фильм также имел отличные отзывы, в том числе еще один кивок одобрения со стороны Сарриса: "Постановка сцен насилия стилизована, но динамична и визуально изобретательна, — писал он в Village

Voice. — Впрочем, Иствуду и его поклонникам не приходится об этом беспокоиться так, как другим кинематографистам и любителям кино. Когда он приступает к своим перестрелкам, очищающим общество, в зале, скорее всего, мало кто дремлет. Мне нравится его подход, потому что даже в моем сердце есть немного места для уважения к закону и порядку"».

А вот что написал Дэвид Денби в New York magazine:

«Поставив этот фильм, Клинт Иствуд попытался пересказать миф о Грязном Гарри в стиле нуар-фильмов сороковых годов. Большая часть "Внезапного удара", включая все сцены насилия, была на самом деле снята ночью. Это сделано в жесткой, репортажной и сенсационной манере, но показанный беспредел впечатляет: камера скользит сквозь темноту, зловещие бандиты появляются из глубокой тени, а Сондра Локк со светлыми волосами, обрамляющими ее лицо в стиле Вероники Лэйк, движется в кадре, сея вспышки насилия».

Отзывы об игре Локк тоже были превосходными, а ее экранный дуэт с Клинтом оценивался не иначе как электрический разряд. Как партнер она разделяла его темную (убийственную) сторону, которая на этот раз оказалась заточена и с «женского» края. Немало критиков называли ее героиню в этом фильме Грязной Гарриет. В Warner Brothers быстро оценили эту удачу и предложили сделать еще один фильм из серии «Грязный Гарри». Но, несмотря на то что оба они были хороши на экране, Сондра Локк знала, что этого никогда не произойдет*. Горячая страсть Клинта к ней исчезла, и она ничего не могла с этим поделать, кроме как стоять и наблюдать, как теперь исчезает и он.

---

* Локк и Клинт сделали еще одну совместную работу. Произошло это на телевидении в сериале NBC «Удивительные истории» — в эпизоде под названием «Ванесса в саду», который снял Клинт. Впервые эта серия была показана 29 декабря 1985 года. Ее сценарий написал Стивен Спилберг, который также был исполнительным продюсером сериала. Интересно, что Клинт снял в этом шоу и Джейми Роуз — женщину, с которой он в то время тайно встречался. В съемках также участвовал Харви Кейтель. По данным Los Angeles Times, этот эпизод привлек к сериалу NBC (и так провальному) самую маленькую аудиторию. «Ванесса в саду» был восемнадцатым из двадцати девяти эпизодов, снятых до того, как шоу ушло из эфира.

ГЛАВА 15

★ ★ ★

Вплоть до фильма «Петля» в картинах Иствуда вуайеризм типа того, что мы видели в «Грязном Гарри», представлял собой не более чем разминку.

Дэннис Бингхэм

Итак, «Внезапный удар» был высоко оценен критиками и собрал огромную кассу. Вернувшись на пик коммерческого успеха, Клинт решил совершить гигантский прыжок с него и снять фильм вместе со своим приятелем Бёртом Рейнольдсом, карьера которого переживала не лучшие времена. Некоторые наблюдатели посчитали это благотворительным жестом со стороны Клинта.

Похоже, у Клинта также созрел план «сдать на склад» Сондру Локк, поскольку он уже завел новый роман с прекрасным молодым редактором и аналитиком из Warner Brothers, которую звали Меган Роуз. Клинт познакомился с ней во время съемок фильма «Поющий по кабакам». Их отношения продлятся почти пять лет, до 1988 года. В течение всего этого времени Клинт регулярно посещал близлежащий офис Warner Brothers. По словам Роуз, они занимались любовью в ее офисе во время обеда, в спальне, которую он оборудовал за своим офисом, а также в ее квартире.

Из-за сложностей с рабочим расписанием актеров проект с Бёртом Рейнольдсом был отложен. Вместо этого Клинт погрузился в производство нового фильма «Петля», который снимали в Новом Орлеане. Сондра Локк не имела отношения к фильму; роль, которая могла бы достаться ей, досталась Женевьев Бюжо — сорокалетней актрисе, родившейся в Канаде. Бюжо сыграла роль Анны Болейн, снявшись вместе с Ричардом Бёртоном в фильме Чарльза Джэррота «Тысяча дней Анны» (1969). После этого ее карьера замедлилась из-за нетипичной внешности, сильного акцента и недостатка сексапильности. На самом деле для съемок в этом фильме ее рекомендовала Сондра Локк, которая была всегда готова помочь своим знакомым.

Клинту понравилась идея снять Бюжо в этой картине, потому что, как он полагал, в его фильме и вокруг него все должно было выглядеть экстравагантно, в том числе и женщина, которая будет играть вместе с ним. Она исполнила роль руководителя женского центра по защите от изнасилований — женщины, которая была жесткой и нежной, решительно не обаятельной, но тем не менее сексуальной.

«Петля» создавалась по оригинальному сценарию Ричарда Таггла. Как и его же «Побег из Алькатраса», это был свободный пересказ реальной истории — в данном случае о серии убийств на сексуальной почве в районе залива Сан-Франциско, о которых писала местная газета. Таггл создавал свой сценарий, имея в виду Дона Сигела в качестве режиссера и Клинта как исполнителя главной роли. Но Сигел от такой чести резко отказался — он все еще не желал снова работать с Клинтом. Таггл стал подумывать, чтобы поставить фильм самому. Согласно данным источника в Malpaso, такая сделка была заключена в ходе единственного 30-секундного телефонного разговора Таггла с Клинтом, который прочитал сценарий фильма и сказал, что готов в нем участвовать. Некоторые наблюдатели считают, что на самом деле он настолько хотел сниматься в этой картине, что это и послужило настоящей причиной, по которой он отодвинул в сторону ленту с Рейнольдсом, — чтобы освободить место в своем графике.

Действие фильма было перенесено в Новый Орлеан, чьи ночные виды прекрасно отражали нуаристический настрой картины — мгла и туман здесь были повсюду. Его персонаж — опытный офицер полиции — привлекал и отталкивал не только жертв преступника (в основном шлюх и проституток Нового Орлеана, повторявших судьбу жертв печально известного Джека-потрошителя), но и самого преступника — возможно, в нем воплотились темные стороны самого главного героя. На этот раз в фильме будет идти борьба между полицейским и его внутренним «я», между желанием и страхом поддаться более темной, грубой, сексуальной стороне собственного «я», которая скрывается внутри каждого человека (такое восприятие самого себя совершенно отсутствовало в характере Гарри Каллахана).

Именно с этим внутренним моральным «перетягиванием каната» (обратите внимание на название фильма — «Петля») сталкивается персонаж Клинта, которого зовут Уэйс Блок. На этот раз герою приходится иметь дело не с «Магнумом» 44-го калибра, как Каллахану, а с двумя девочками, оставшимися без матери, которые сами становятся потенциальными жертвами убийцы. Кроме того, Блока привлекает его коллега — социальный работник Берил Тибодей (Бюжо), глава центра для жертв изнасилований — она точно воплощает собой высвобождение беспокойств и желаний Блока, а также является стабилизирующей силой. Тибодей символизирует социальные связи, которые ограничивают Блока, защищают его как от завистников, так и от страхов.

Блок чувствует, что не сможет долго хранить свои секреты, особенно от Тибодей, — его привлекают покорные женщины, которые уступают его странным желаниям и слабостям. Он любит практиковать оральный секс, а также занимается любовью, используя при этом наручники, инструменты своей профессиональной деятельности. А сцена, которая происходит в особенно грязном гей-баре, предполагает, что герой с говорящей фамилией Блок может иметь и некоторые не сильно скрываемые гомосексуальные наклонности. Убийства с применением сексуального насилия и нанесением резаных ран, которые по ходу фильма становятся все более ужасными, являются для него альтернативной машиной острых ощущений — даже несмотря на то, что они сопровождаются все более дикими преследованиями, которые в конце концов превращаются в гонки одной темной души за другой, еще более темной... Фильм также ознаменовал собой кинодебют второго ребенка Клинта от Мэгги — двенадцатилетняя Элисон Иствуд сыграла роль одной из двух маленьких дочерей полицейского.

«Иствуд просто потрясает... его исхудавшее лицо голодного человека демонстрирует весь спектр обуревающих его чувств... Благодаря усилиям сценариста и режиссера Ричарда Таггла этот подчеркнуто неряшливо сделанный, но удивительно умный фильм иногда пугает зрителя так же, как один из напряженных триллеров Хичкока».

На этот раз даже самые суровые критики творчества Иствуда (за исключением Кейл) изо всех сил старались похвалить качество фильма и игру Клинта. Даже в том случае, когда кинокритикам не особенно нравилось содержание картины, им приходилось восхищаться тем, как мастерски построено действие фильма или показаны все более отчаянные, но продуманные попытки Клинта разгадать действия маньяка. Так, Кэтлин Корнелл писала в New York Daily News: «Иствуд просто потрясает... его исхудавшее лицо голодного человека демонстрирует весь спектр обуревающих его чувств... Благодаря усилиям сценариста и режиссера Ричарда Таггла этот подчеркнуто неряшливо сделанный, но удивительно умный фильм иногда пугает зрителя так же, как один из напряженных триллеров Хичкока». Дж. Хоберман в Village Voice назвал ленту «одним из лучших, самых рефлексивных и рефлективных фильмов Иствуда со времен "Бронко Билли"»: «По моему мнению, это лучший голливудский фильм из тех, что вышли в этом году». Непреклонной осталась одна Кейл: «"Петля" — это противоположность изысканному кино... Клинт, кажется, пытается с его помощью прорваться сквозь отсутствие у актера мужества». В редкой демонстрации своих эмоций на публике — а именно в выпуске журнала Video за май 1985 года — Клинт наконец отреагировал на эти заметки, оценив Кейл как простого паразита, который цепляется за него всю свою карьеру, чтобы почувствовать себя более важной персоной: «[Кейл] нашла проспект, который выведет ее в звезды. Я — всего лишь один из тех, кто помог ей на этом пути». Впрочем, правда состояла в том, что в Голливуде не было недостатка в актерах, актрисах и режиссерах, которые чувствовали то же самое.

«Петля» вышла в прокат на Монреальском кинофестивале 1984 года и собрала во время первого внутреннего показа внушительные 60 миллионов долларов. Эта сумма превысила 100 миллионов долларов после первой демонстрации фильма за рубежом и продажи прав для ТВ и видео. В тот год, в основном благодаря успеху «Петли», Клинт был назван журналом Quigley первой звездой кассовых сборов в мире, причем второй раз подряд. Он появился в первой десятке списка в шестнадцатый раз — больше, чем любая другая ныне живущая звезда.

22 августа 1984 года Клинта пригласили оставить отпечатки своих рук и ног в легендарном голливудском Китайском театре Граумана и таким образом присоединиться к величайшим легендам кино всех времен. После короткого разговора с относительно небольшой толпой, которая собралась по такому случаю в середине дня (эти события никогда широко не освещались именно для того, чтобы собравшаяся толпа была маленькой и управляемой), Клинт, с гордостью глядя на Кайла и Элисон, нацарапал рядом с отпечатками своих ладоней: «Вы сделали мой день».

Фильм «Петля» еще показывали в кинотеатрах, когда Клинт наконец-то приступил к съемкам ленты «Заваруха в городе» с Бёртом Рейнольдсом. Разница в зарплатах двух звезд отражала уровень их текущей популярности: Клинту заплатили 5 миллионов долларов, а Бёрту — 4 миллиона. Работая вместе, обе звезды выглядели счастливыми — даже если их широко разрекламированные дружеские отношения были скорее продуктом PR, чем реальностью. Правда состояла в том, что они никогда тесно не общались; в мемуарах Рейнольдса Клинт — не более чем его случайный знакомый.

В начале работы возникла напряженность между Клинтом, Рейнольдсом и режиссером Блейком Эдвардсом, который участвовал в написании сценария. Центральный вопрос состоял в кастинге, но реальные проблемы были намного глубже. Дело в том, что Эдвардс изначально передал сценарий не Клинту, а Сондре Локк, то есть попал в одну из типичных ловушек, которые в Голливуде срабатывают едва ли не каждый день. Эдвардс спросил ее, будет ли она читать сценарий, заметив, что она идеально подойдет на роль Кэролайн, подруги Мерфи (Рейнольдса). Он также сказал, что видел ее в фильме «Бронко Билли», ему понравилась ее игра и он бы хотел, чтобы она снялась у него. Чтобы она согласилась, Эдвардс предположил, что появление Локк в этом фильме раз и навсегда выведет ее из той гигантской тени, которую отбрасывала на нее карьера Клинта.

Неудивительно, что Локк решила воспользоваться этим случаем. Именно тогда Эдвардс сменил тему и спросил Локк, не возражает ли она против того, чтобы передать сценарий Клинту. «Не успела я опомниться, — рассказывала позже Локк, — как Блейк со своей женой Джули Эндрюс уже обедали с Клинтом и со мной. Затем неожиданно появился Бёрт Рейнольдс, а через несколько недель меня просто вывели из игры и забыли».

По-видимому, Эдвардс использовал Локк как трамплин, позволяющий добраться до Клинта, чтобы заключить сделку с Malpaso, которая, в свою очередь, обеспечила бы финансирование и одновременно твердое обязательство двух звезд сняться в фильме, который он будет режиссировать.

Еще до того, как фильм вышел на стадию производства, треугольник из Эдвардса, Иствуда и Рейнольдса натолкнулся на кирпичную стену размером с широкий экран Cinemascope*. Конечно, и Клинт, и Рейнольдс первоначально одобрили сценарий, но теперь каждый был заинтересован в том, чтобы выглядеть и звучать лучше партнера. В результате Рейнольдс стал вносить в сценарий разнообразные изменения, и эта работа привела к многомесячным задержкам, которые приводили Клинта в бешенство, однако обеспечивали ему достаточно

* Cinemascope — широкоэкранная кинематографическая система, которая использовала объективы для съемки и проекции изображения на экран шириной до половины длины кинозала *(прим. ред.)*.

времени, чтобы посещать ближайшее поле для гольфа. А Рейнольдс все продолжал предлагать изменения, и дело кончилось тем, что старинные приятели, используя Эдвардса как вынужденного посредника, стали косвенно бороться между собой за каждый нюанс сценария.

За год до этого Эдвардс снимал Рейнольдса в фильме «Мужчина, который любил женщин», уже сталкивался с подобными трудностями и как-то научился справляться с постоянно капризничающим актером. Но он не знал, как обращаться с Клинтом, и, возможно, предположил, что и для управления им придется надеть такие же лайковые перчатки.

Проблема заключалась в том, что Клинт, всегда нетерпимый к слабости, по-своему истолковывал особенности режиссуры Эдвардса. Загоревшись той или иной работой, Клинт любил выходить на съемочную площадку и выполнять ее. И чем более двусмысленным становилось поведение Эдвардса, тем меньше Клинт верил в то, что он сможет сделать свою работу. Кончилось тем, что незадолго до начала съемок Эдвардс, измученный эгоизмом Рейнольдса и нетерпением Клинта, бросил все и ушел из фильма. Официальной причиной его ухода были «творческие разногласия», но неофициально инсайдеры говорили о некоем последнем взрыве гнева со стороны Клинта, в результате которого Эдвардса либо попросили покинуть команду фильма, либо просто «ушли» из нее.

Загоревшись той или иной работой, Клинт любил выходить на съемочную площадку и выполнять ее. И чем более двусмысленным становилось поведение Эдвардса, тем меньше Клинт верил в то, что он сможет сделать свою работу.

По словам Рейнольдса, которые он приводит в своих мемуарах, Клинт фактически организовал уход Блейка, заменив его Ричардом Бенджамином — менее известным, более симпатичным и менее дорогим режиссером*. Первоначальное название ленты «Заваруха в Канзас-Сити» теперь было по команде Клинта изменено на более

* Возможно, уходу Эдвардса поспособствовали и некоторые другие факторы. Так, в какой-то момент Эдвардс хотел взять на одну из ролей в фильме свою жену, но Клинт резко возразил на это, что он-то не взял Сондру Локк. Эдвардс также выдвинул несколько требований, не оцененных Клинтом как исполнительным продюсером. К ним относилось, например, требование предоставить ему автомобиль с водителем, который доставлял бы его из Беверли-Хиллз в Бербанк и обратно. Согласно одному источнику, Клинт послал режиссера с этой просьбой куда подальше. «Пусть пешком ходит, — якобы сказал Клинт, — или скачет на лошади».

простое и понятное — «Заваруха в городе». Всегда надежный Фритц Мэйнс вместо Эдвардса стал линейным продюсером, а сценарий переписали на некоего Сэма Брауна (это был псевдоним, одобренный Гильдией киносценаристов).

Естественно, Рейнольдс рассматривал все эти события как поглощение проекта Клинтом, который нарушил тонкий баланс сил, существовавший между двумя суперзвездами. Кроме того, за время долгой предварительной стадии через съемочную площадку прошло множество актеров и актрис, которых ждали другие обязательства. Говорили, что они сменялись так быстро, как кегли в боулинге в субботу вечером. Окончательный состав актеров второго плана сложился всего за несколько дней до начала съемок — это были Мэдлин Кан, Джейн Александер, Рип Торн, Ирен Кара, Ричард Раундтри и Тони Ло Бьянко.

Сюжет был столь же мрачным, сколь и проходным: детектив эпохи депрессии Майк Мерфи (Рейнольдс) обнаруживает, что его партнер Дел Свифт (Раундтри) хочет купить бухгалтерские книги у бухгалтера крестного отца одной из банд, чтобы продать их главе банды соперников. Естественно, это приводит к быстрой гибели Свифта. Достаточно скоро Мерфи получает эти бухгалтерские книги, а вместе с ними и смертный приговор от крестного отца (Ло Бьянко). Он похищает подругу Мерфи (Кан) и заручается поддержкой своего бывшего соратника по полиции лейтенанта Спира, которого играет Клинт (весь фильм Клинт носит натянутую на глаза фетровую шляпу, как будто хочет, чтобы его никто не узнал). Фильм заканчивается взрывом, который ничего не объясняет и только дает возможность остановить череду запутанных, несмешных и непонятных событий.

Нет ничего удивительного в том, что экранная «химия», которая должна была возникнуть между Рейнольдсом и Клинтом, застыла на отметке около ста градусов ниже нуля. Это обстоятельство может объяснить и несчастный случай, который положил конец карьере Рейнольдса. Когда снималась сцена в баре, в которой Спир бьет Мерфи в лицо, каскадер по ошибке взял настоящий стул вместо бутафорского, «бьющегося», стула и ударил им Рейнольдса. Дело кончилось переломом челюсти и дисфункцией височно-нижнечелюстного сустава, которая повлияла как на способность удерживать равновесие, так и на сенсорное восприятие. После этого здоровье Рейнольдса резко ухудшилось, и в прессе поползли слухи, что он заболел СПИДом — это предположение было вызвано резкой потерей веса. (На самом деле из-за повреждения челюсти он не мог есть твердую пищу.)

Неудачный эпизод, по сути дела, предрешил конец Рейнольдса как главной голливудской кинозвезды. Конечно, он в конце концов выздоровел и продолжил работу в кино, в частности в фильме Пола Томаса Андерсона «Ночи в стиле буги» (1997), за что был номинирован на «Оскар» за лучшую мужскую роль второго плана, а также снялся в нескольких телесериалах. Но его рейтинг никогда уже больше не достигал рейтинга кинозвезды национального масштаба. Многие люди верили в то, что это Клинт нанес Рейнольдсу удар, который навсегда вывел его из строя*.

Тем временем Локк, оставшаяся без участия в фильмах «Петля» и «Заваруха в городе», сама отправилась в офис агентства William Morris в поисках проекта, который она могла бы срежиссировать. (Позднее Клинт утверждал, что это он предложил ей перейти к режиссуре, но, по словам Локк, эта идея сначала пришла ей в голову, а Клинт ее поддержал.) В агентстве она наткнулась на сценарий, который уже много лет валялся, как там говорили, в «аду разработки». Он был написан Робом Томпсоном и назывался «Рэтбой» — «Крысиный мальчик» («Мальчик-крыса»). Его содержание исчерпывалось названием — это был рассказ о мальчике, который был наполовину крысой, а наполовину — человеком. Плохонький промоутер — женщина по имени Никки — столкнулась с мальчиком-крысой и решила сделать из него большую звезду. По ходу дела она полюбила Рэтбоя и искупила свое желание заработать на нем. Таким образом, сценарий представлял собой нечто среднее между «Красавицей и чудовищем» и «Кинг-Конгом».

Локк быстро заключила контракт о передаче прав, а затем принесла сценарий Терри Семелу в Warner Brothers. Семел был готов дать проекту зеленый свет, если она согласится на два условия. Во-первых, Локк должна была появиться в картине, а также стать ее режиссером. С этим у Локк проблем не возникло — она решила играть Никки.

* Кстати, осталось неясным, кто все-таки нанес этот удар — Клинт или каскадер — и что вызвало перелом — удар или падение. Что касается Эдвардса, то в его следующем сатирическом фильме «Передряга» (1986; он написал сценарий и выступил режиссером) была краткая, но уничтожающая критика Клинта, названного Человеком без имени.

Но второе условие состояло в том, что продюсером ленты должен был быть Клинт.

Это условие никого не обрадовало. Клинт больше не хотел работать с Локк, а Локк чувствовала, что, как только имя Клинта будет упомянуто в связи с «Рэтбоем», ее проект превратится в очередной «фильм Клинта Иствуда» и на этом ее попытка выйти из гигантской тени Клинта закончится. Решение Клинта оказалось простым: он хотел оставить свое имя в картине, но поручить всю работу по производству Фритцу Мэйнсу. При этом компания Malpaso не была задействована: Клинт, желая установить физическую и профессиональную дистанцию между собой и Локк, решил создать в Malpaso новую производственную единицу, предназначенную для съемок только одной этой картины.

Клинт больше не хотел работать с Локк, а Локк чувствовала, что, как только имя Клинта будет упомянуто в связи с «Рэтбоем», ее проект превратится в очередной «фильм Клинта Иствуда» и на этом ее попытка выйти из гигантской тени Клинта закончится.

Затем — вероятно, чтобы забить последний гвоздь в гроб своих отношений с Клинтом — Локк утвердила своего мужа Гордона на роль брата Никки.

Как и ожидалось, Клинт выступил категорически против этого. Последовала гневная отповедь: Клинт обвинил Локк в непотизме*. Локк же напомнила Клинту, что он уже в двух фильмах снимал сына и дочь. Клинт ответил, что зато не снимал их в своем первом фильме. Локк возразила, что ее фильм на самом деле не предназначен для кинематографического мейнстрима, следовательно, это не имеет никакого значения. Клинт в ответ заявил, что не хочет видеть Гордона в фильме, и остановил дальнейшую разработку сценария до тех пор, пока Локк с ним не согласится.

Загнанная в угол, Локк бросила в противника еще одну гранату: она выбрала на роль главного героя актрису Шэрон Бэйрд, в свое время сыгравшую в первой картине «Мышкетёры» («Mouseketeers»). Клинт не мог в это поверить. Он лишь язвительно напомнил ей, что фильм называется «Крысиный мальчик», а не «Крысиная девочка».

Борьба на этом не прекратилась: Клинт пытался сохранить абсолютный контроль над каждым, даже самым незначительным, аспек-

* Предоставление привилегий родственникам или друзьям независимо от их профессиональных качеств *(прим. ред.)*.

том фильма. К тому времени, когда работа была завершена, Локк поняла, что ее творческий вклад был полностью похоронен под ворохом исправлений Клинта*. Ее не успокоило даже приглашение на Фестиваль американского кино в Довиле (Франция), где фильм получил хорошие отзывы.

Для коммерческого показа «Крысиного мальчика», состоявшегося в 1986 году, компания Warner Brothers выбрала по одному кинотеатру в Лос-Анджелесе и в Нью-Йорке. А в качестве дополнительного «бонуса» топ-менеджеры Warner Brothers, среди которых были Терри Семел, Люси Фишер и Марк Кантон, договорились, что будут немедленно отказываться от любых предложений Сондры Локк.

С самого начала проекта, то есть с 1984 года, Клинту было нелегко работать с Локк, но, возможно, ухудшение их отношений не было единственной причиной возникших трудностей. Как только Клинт увлекся этим фильмом, Мэгги официально подала на развод и публично заявила о своем намерении выйти замуж за Винберга. Первоначальное соглашение об урегулировании отношений от 1979 года оценивалось примерно в 28 миллионов долларов США наличными; имущество и алименты шли в нем отдельными статьями**.

К тому времени, когда Клинт был готов снять свой следующий фильм — «Бледный всадник», он познакомился с новой женщиной — Джейслин Ривз, ставшей впоследствии матерью его следующего ребенка. Положение дел Клинта хорошо описывалось словом «хаос».

И он, естественно, принял логичное решение — баллотироваться на пост мэра Кармела.

---

* В результате брата сыграл Луи Андерсон, Гордон озвучил Мальчика-крысу, а Геррит Грэм сыграл другого брата Никки. Но Бэйрд, несмотря на серьезные возражения Клинта, все-таки появилась в главной роли.

** Когда в мае 1984 года после долгого и порой спорного процесса они наконец развелись, денежная компенсация, как сообщалось, была определена из расчета миллион долларов за каждый год брака. Отдельными соглашениями регулировался раздел собственности. Опека над детьми осталась совместной, причем за Мэгги признали физическую опеку. В статье в журнале People, опубликованной вскоре после завершения процедуры развода, Мэгги обвинила в своем окончательном расставании с Клинтом Сондру Локк. Но вместе с тем развод был объявлен «дружеским», Мэгги и Клинт продолжали сотрудничать в сфере деловых интересов и совместно владели различными предприятиями. Мэгги вышла замуж за Винберга в 1984 году, а в 1989 году они развелись.

ГЛАВА 16

* * *

Я всегда считал себя слишком индивидуалистичным, чтобы быть правым или левым.

Клинт Иствуд

Приключение с выборами мэра началось из-за мороженого в стаканчиках, точнее, из-за того, что в жаркие летние дни его невозможно было купить, потому что отцы города Кармел-на-море (таково его официальное название – Carmel-by-the-Sea) приняли постановление, запрещающее продажу в магазинах мороженого в стаканчиках. Почему? Потому что они «почувствовали», что есть их на улице «недостойно». Самый знаменитый житель Кармела, который сам летом любил есть такое мороженое, выразил свое гражданское возмущение этим решением и, несмотря ни на что, не собирался оставлять ситуацию без последствий.

У Клинта и раньше были проблемы с городским советом. В июне 1983 года он обратился за разрешением на возведение двухэтажного отдельно стоящего здания – дополнения к ресторану Hog's Breath, – и ему в этом было отказано. В качестве причины совет назвал проблемы с дизайном и материалами новой постройки. По мнению совета, на улице San Carlos, где находилось здание Hog's Breath, и так уже было слишком много стеклянных и бетонных конструкций – и не хватало деревянных. В начале весны 1984 года, вскоре после завершения съемок фильма «Заваруха в городе» и серии обоюдных маневров, Клинт выступил с заключительным личным обращением к совету, который, впрочем, быстро отклонил и его. Разгневанный и расстроенный Клинт угрожал подать иск против городского совета Кармела, утверждая, что правила, которые совет использовал в качестве основы для своего решения, были «расплывчаты и субъективны».

Вскоре после начала битвы за мороженое, в условиях, когда ситуация с Hog's Breath все еще оставалась нерешенной, Клинт сидел в своем заведении с друзьями. Внезапно кто-то предложил ему баллотироваться на пост мэра. По словам собеседника, если он будет избран, то сможет сразу изменить правила игры. Возможно, это была шутка, но за столом никто не засмеялся — и Клинт в том числе.

Впрочем, в этот момент у него было множество других неотложных (если не сказать великих) дел. Весной он был удостоен приглашения в престижную парижскую Французскую синематеку* на ряд мероприятий, кульминацией которых стал специальный европейский предварительный показ фильма «Петля». Это приглашение было особенно важным, потому что Клинта собирались удостоить звания кавалера французского Ордена искусств и литературы** — чести, которую можно было получить только при значительной внешней поддержке.

Несмотря на то что некоторые критики до сих пор не воспринимали его фильмы всерьез, а сюжеты им не нравились, сам Клинт своими фильмами очень гордился.

Карьера Клинта в кино значила для него очень многое. Несмотря на то что некоторые критики до сих пор не воспринимали его фильмы всерьез, а сюжеты им не нравились, сам Клинт своими фильмами очень гордился. В этот период в одном интервью он сказал: «Возможно, во времена "Грязного Гарри", в 1971 году, и были определенные предубеждения, но их сейчас нет, или они меняются, или времена меняются. Наверное, я стал старше, стал более зрелым — а может быть, меняется зритель, и я вместе с ним. Все это только обстоятельства. Я никогда не претендовал на респектабельность».

На самом деле суть была именно в респектабельности — она больше не казалась недосягаемой. Большинство критиков, которые далеко отстали от зрителей в признании фильмов Клинта как потря-

---

* Крупнейший в мире архив фильмов и документов, связанных с кинематографом, является частной ассоциацией *(прим. ред.)*.

** Эту награду Клинту вручил Пьер Вио, бывший руководитель Национального киноцентра, незадолго до этого назначенный президентом Каннского кинофестиваля, а не министр культуры Жак Ланг — он сослался на то, что не может присутствовать на церемонии из-за каких-то данных прежде обязательств. Во Франции тогда широко распространилось мнение, что Ланг — член Социалистической партии — не захотел чествовать американскую звезду, чьи фильмы часто способствовали формированию в обществе «правых» представлений о законе и порядке. В поддержку Клинта выступили Терри Семел, Ричард Фокс (недавно ставший главой компании WB International) и Стив Росс из Warner Brothers. Демонстрация поддержки звезды еще раз подтвердила, что прошлые проблемы в их взаимоотношениях с Клинтом были — по крайней мере в то время — отставлены в сторону.

сающих развлечений, начинали «понимать», что он был больше чем просто кинематографист развлекательного жанра и что в его фильмах было что-то еще – даже если внешне это были обычные истории любви формата «встретил мальчик девочку».

Как писал в это время один критик в New York Times, где уже одно упоминание приравнивалось к благословению, «персона Иствуда вызвала недовольство "синих воротничков"* по отношению к стране, изображаемой кровоточащим сердцем». Другими словами, Гарри Каллахан – безнравственный фашиствующий элемент – теперь превратился в Гарри Каллахана – героя правопорядка.

Свое мнение о Клинте изменил даже суперлиберальный Норман Мейлер. «Клинт Иствуд – это художник, – заметил он, – и у него лицо президента». По его словам, на самом деле «наверное, никто не является большим американцем, чем Клинт».

После своего триумфального визита в Париж Клинт вернулся домой и сразу же приступил к работе над фильмом «Бледный всадник» – первым его вестерне со времен картины «Джоси Уэйлс – человек вне закона», вышедшей девятью годами ранее. Тем временем при посредничестве Меган Роуз на горизонте появился новый сценарий – «Уильям Манни Киллингс»: Роуз прочитала его и решила, что он идеально подходит для Клинта. При этом опцион на этот материал был у Фрэнсиса Форда Копполы. Когда Роуз показала сценарий Люси Фишер, руководителю отдела производства и разработки компании Warner Brothers, та подтвердила, что это хороший материал для Клинта, но вместе с тем заметила, что Клинт никогда не согласится, чтобы режиссером был Коппола. Их стили работы – кропотливая и медленная деятельность перфекциониста Копполы и быстрый, инстинктивный подход Клинта – были совершенно несовместимы между собой. К счастью, в конце концов Коппола отказался от своих прав на сценарий, и Роуз преподнесла его в качестве подарка Клинту на Рождество 1984 года (она положила копию сценария в рождественский чулок). Сценарий Клинту понравился, он его купил, а потом отложил до лучших времен. Эти времена наступили в 1992 году, когда будущий фильм получил название «Непрощенный».

---

* Понятие, обозначающее наемных работников, представителей рабочих специальностей, которые заняты в промышленной и производственной сфере *(прим. ред.)*.

На этот раз уверенность Клинта в себе пенилась, как ледяное шампанское. Он убедил себя в том, что у него больше не будет проблем с темпераментными или неопытными режиссерами, как и с подругами, имевшими чрезмерные притязания на права собственности. Теперь, когда его роман с Роуз заканчивался, Клинт старался держаться от нее на достаточно большом расстоянии. В фильме «Бледный всадник» он собирался выступить продюсером, режиссером и исполнителем главной роли; Мэйнсу оставалась номинальная роль исполнительного продюсера от компании Malpaso.

Некоторым наблюдателям решение Клинта вернуться к вестернам (особенно к таинственным и окрашенным в элегантную мистичность) казалось странным, поскольку этот жанр со времен «Врат рая» был объявлен скучным, если не усопшим. Более того, «Бледный всадник» во многих отношениях представлял собой еще одну версию тех же реальных событий, на которых был основан не только фильм «Врата рая», но и лента «Шейн». Речь шла о так называемой Войне в округе Джонсон — конфликте между мелкими фермерами и крупными землевладельцами, который длился в этом округе штата Вайоминг с 1889 по 1893 год. После успеха «Петли» (и неудачи с «Заварухой в городе», о которой все постарались забыть) «Бледный всадник» казался в лучшем случае необычным выбором.

Клинт переместил место действия фильма в Калифорнию времен золотой лихорадки. Старателей, потенциальных миллионеров, терроризирует корпорация, во главе которой стоит магнат Кой Лахуд (Ричард Дайсарт). Чтобы выжить, его компании нужна земля. (В предыдущих версиях, включая «Шейна» и «Врата рая», рассматривался конфликт поселенцев и скотоводов.)

На стороне Лахуда — крупный землевладелец Халл Баррет (Майкл Мориарти), поселенец, у которого есть новая подруга (Кэрри Снодгресс) и дочь Меган от первого брака (Сидни Пенни). Из тумана появляется человек, известный как Проповедник (Иствуд), которому удается объединить золотоискателей и победить в схватке с Лахудом и его людьми. В их числе на стороне Лахуда действует злой маршал (Джон Рассел), с которым Проповедник сражался когда-то в прошлом. В череде странных и жестоких столкновений Проповедник помогает старателям достичь мира. Несмотря на то что Меган его обожает, Проповедник уходит в закат, становясь призраком, который применяет насилие против беззакония, царящего на Диком Западе...

Подобно Шейну, Проповедник, похоже, приходит из прошлого, чтобы противостоять злым скотоводам, прежде чем отправиться в Бут-Хилл, то есть умереть насильственной смертью. Такова неизбежная судьба всех стрелков, особенно на Диком Западе. В «Бледном всаднике» (как в «Наезднике с высоких равнин») Проповедник — это не столько бывший меткий и опытный стрелок и боец, сколько призрак такого стрелка. В этом же фильме с псевдорелигиозным флером он вполне может быть потомком одного из четырех всадников Апокалипсиса. (Проповедник проезжает мимо окна Меган как раз в том момент, когда она читает вслух этот пассаж из Библии.)

Актеры и съемочная группа, работавшие в Солнечной Долине, быстро почувствовали, что Клинт находится в отличной форме, с удовольствием переживая собственное воскрешение и возвращение к наиболее знакомому жанру и привычной роли — крутого парня из вестернов.

Ощущение драматической, почти неземной силы, чувство чего-то необъяснимого, мистического и сверхъестественного пронизывает этот фильм так же, как и фильм «Обманутый», хотя здесь эти ощущения поданы гораздо более эффектно. Очевидны аллюзии к ранним фильмам Иствуда: от туманной истории Человека без имени до жесткой тактики Гарри Каллахана и уже упомянутой атмосферы «Обманутого». Отличие же «Бледного всадника» заключается в том, что его персонаж не просто вышел из основного потока жизни — кажется, он существует вне течения самой жизни.

Кроме того, ощущение политического и социального воскрешения плывет как туман на протяжении всего фильма и наводит на мысль о поствьетнамской метафоре: кажется, что призраки американцев, погибших на войне, живут, совершая героические поступки для землевладельцев из Южного Вьетнама, которые бились с Севером не только за права на землю, но и за определение того, каким будет закон о земле. Таким образом, на уровне «духа времени» фильм с его верой в нравственную силу защитников земли превращается в чистую фантазию времен Рейгана.

Создание фильма «Бледный всадник» оказалось очень трудным, но и очень интересным делом. Актеры и съемочная группа, работавшие в Солнечной Долине, быстро почувствовали, что Клинт находится в отличной форме, с удовольствием переживая собственное воскрешение и возвращение к наиболее знакомому жанру и привычной роли — крутого парня из вестернов.

Когда весной того же года Клинта пригласили в Канны, чтобы он показал «Бледного всадника» до официального коммерческого проката, Клинт принял это предложение. «Я с удовольствием поехал туда, потому что взял с собой вестерн. Никто и никогда не привозил на такие фестивали американский вестерн. Было довольно весело, и фильм был воспринят довольно хорошо. Они дали мне титул, который назывался "кавалер Ордена искусств и литературы", а позже — "командор Ордена искусств и литературы"*».

«Бледный всадник» вышел на экраны в июне 1985 года под восторженные отзывы критиков. Его изо всех сил хвалил Винсент Кэнби:

> «Занимательный, мистический новый вестерн... играется абсолютно прямолинейно, но это также выглядит очень забавно, сухо и изысканно. Только сейчас стало очевидно, что это справедливо и для фильмов самого Иствуда, и для фильмов Иствуда, снятых Доном Сигелом... Как и все картины Иствуда, "Бледный всадник" очень хорошо снят во всех аспектах, начиная с показа исполнителя главной роли. Мистер Иствуд продолжает совершенствовать личность своего героя вестернов, в частности он практически устранил все лишние жесты. Он стал мастером минимализма. Камера не передает тщеславие. Она обнаруживает характер, кроющийся в герое. "Бледный всадник" — это первый приличный вестерн за очень долгое время».

А вот что писал Эндрю Саррис в Village Voice:

> «В целом инстинкт Иствуда как художника является почти единственным источником вдохновения в контексте соблазнов, с которыми ему приходится постоянно сталкиваться и которые он успешно преодолевает своей игрой. Можно сказать, что даже его ошибки вносят свой вклад в мистику

* Французская версия британского рыцарства.

этого фильма... Благодаря вмешательству призрака героической персоны Иствуду удалось сохранить этот жанр живым...»

Впрочем, как это всегда бывало с фильмами Клинта, громче критиков говорила зрительская аудитория картины. «Бледный всадник», стоимость производства которого составила менее четырех миллионов долларов, за первую неделю своего показа стал самым кассовым фильмом, заработав удивительные (для 1985 года) 9 миллионов долларов, а за первые десять дней принес 21,5 миллиона долларов. В целом доходы от первого показа ленты на внутреннем рынке превысили 60 миллионов долларов, и это число выросло более чем в три раза к тому времени, когда он демонстрировался на экранах по всему миру, везде вызывая невероятно восторженные отзывы.

Образцом фимиама в международном масштабе можно считать строчки из французского журнала, который заявил: «Clint Eastwood, depuis 15 ans, la star de cinéma le plus populaire du monde!»*

Итак, Клинт продемонстрировал впечатляющий возврат к прекрасной форме, и не только в кино. На съемочной площадке в Солнечной Долине ни для кого не было секретом, что в жизни Клинта появился новый предмет обожания – симпатичная молодая женщина по имени Джейслин Ривз, которую он встретил в своем ресторане Hog's Breath. Ривз работала стюардессой в авиакомпании, базировавшейся в Кармеле.

А еще он держал в запасе для «регулярной ротации» по крайней мере одну женщину (как он некоторое время держал в запасе Танис, Роуз, Ривз и даже Локк). Актриса Джейн Бролин (вышедшая замуж за Джеймса Бролина в 1966 году) знала Клинта еще со времен работы по контракту на Universal – именно на территории студии они впервые и встретились. После расставания с Бролином Джейн повстречала Клинта, и вскоре между ними возникли романтические отношения.

Примерно в это же время Клинт начал получать анонимные «письма ненависти», автор которых всячески поносил Сондру Локк.

* «Последние пятнадцать лет Клинт Иствуд является самой популярной кинозвездой в мире!»

Некоторые знакомые с ситуацией люди подозревали, что письма исходили от Джейн — несмотря на то что отношения Локк с быстро остывающим к ней Клинтом уже стали весьма шаткими. Сам Клинт отказывался верить в причастность Джейн, и этот вопрос так никогда и не прояснился*.

21 марта 1986 года Джейслин Ривз, забеременевшая от Клинта, родила сына и дала ему имя Скотт. Свидетельство о рождении подтверждает, что ребенок родился в Общественной клинике Монтерея. Вместо имени отца в документе стоял прочерк.

И вот в гуще всех этих событий Клинт решил сделать что-то с постановлением о мороженом, а заодно и с теми, кто мешал ему расширить Hog's Breath, — он вступил в борьбу за пост мэра. Почти сразу после этого на стенах зданий и на уличных фонарях стали появляться агитационные плакаты с его изображениями, чем-то похожими на комбинацию Рональда Рейгана и Грязного Гарри. Появились наклейки на бамперы с лозунгом «Давай, сделай меня мэром!». В обществе еще была жива память о невероятном прыжке, который совершил Рональд Рейган из кино в Белый дом, и потому новость о том, что Клинт «пошел в политику», заполонила первые страницы газет по всему миру. (Он выставлялся как беспартийный, поскольку должность мэра не требовала демонстрации своей политической принадлежности.)

Утром 30 января 1986 года, после завершения раунда на общенациональном турнире по гольфу в Пеббл-Бич и всего за несколько часов до дедлайна, Клинт вручил свою петицию с тридцатью подписями (на десять больше, чем требуемый минимум), и его имя было внесено в официальный список кандидатов. В своем первом интервью после объявления кандидатом Клинт рассказал местной газете Кармела, почему он решил участвовать в выборах:

> «Мне не нужно привлекать к себе внимание. Я делаю это как местный житель. Я здесь живу и намерен прожить здесь остаток своей жизни. Я глубоко вовлечен в местное сообщество. Раньше в этом сообществе царил дух товарищества — великий дух. А сейчас появился негатив. Я хотел бы, чтобы сюда вернулся старый дух, в некоем роде — кор-

* В 1995 году Джейн Эйджи Бролин погибла в автомобильной катастрофе.

> поративный дух… Я помню время, когда в Кармеле вы могли гулять по улице, зайти в магазин и купить там мороженое. Теперь бы вас за это оштрафовали… Город будет моим абсолютным приоритетом. Я буду намного менее активен в кино, чем в прошлом».

Это было потрясающее заявление. Слова о том, что он затормозил свою более успешную, чем когда-либо, карьеру в кино ради пользы маленького городка, прозвучали будто из картины «Эта прекрасная жизнь». Стиралась граница между его ролями и реальной жизнью. В своих фильмах Клинт всегда представал, так или иначе, защитником людей. Теперь он хотел защитить их в реальной жизни. В свои пятьдесят шесть лет, когда большинство мужчин в лучшем случае начинали думать о выходе на пенсию, Клинт с гордостью, публично открывал новую авеню своей судьбы. Более того, он зашел настолько далеко, что предположил, будто это событие предвещает кардинальные перемены в его карьере.

На следующий день ему позвонил президент Рейган, который твердым голосом поздравил новоиспеченного мэра, а потом достаточно развязно спросил: «А что это актер, который однажды снялся в фильме с обезьяной, делает в политике?»

Впрочем, изменения уже действительно витали в воздухе и начали осуществляться в том же году — хотя и не совсем те, которые Клинт имел в виду.

8 апреля 1986 года он одержал победу в борьбе за пост мэра (оклад — 200 долларов в неделю), потратив на свою кампанию более 40 тысяч долларов. Его противник, действующий мэр Шарлотта Таунсенд, потратила на свою кампанию 300 долларов. Клинт получил 2166 голосов, или 72 процента от общего числа, Таунсенд — 799 голосов. Клинт проголосовал перед завтраком, приехав на участок в помятом желтом кабриолете Volkswagen. Чтобы проголосовать, ему пришлось пройти «сквозь строй» представителей прессы.

На следующий день ему позвонил президент Рейган, который твердым голосом поздравил новоиспеченного мэра, а потом достаточно развязно спросил: «А что это актер, который однажды снялся в фильме с обезьяной, делает в политике?» Это был достаточно толстый намек на самого Рейгана, который в 1951 году снялся в подобном фильме — «Бонзо пора спать». Позвонил с поздравлениями

Клинту и Джимми Стюарт, звезда фильма «Эта прекрасная жизнь», который не лез в политику, но, верный своему имиджу, слыл лучшим другом президента.

На церемонии принятия присяги при вступлении в должность мэра на двухлетний срок присутствовали мать Клинта, его сестра Джинн, более тысячи горожан и по крайней мере столько же папарацци, которые пришли посмотреть, как Шарлотта Таунсенд будет передавать Клинту символический молоток власти.

Одним из первых действий, которые предпринял на должности мэра лидер кассовых сборов 1985 года, было увольнение из городского совета глав четырех комиссий по планированию, которые отклонили его предложение построить еще одно здание рядом с рестораном Hog's Breath*. Сразу после этого Клинт отменил постановление о борьбе с мороженым, что вызвало заметный рост продаж вафельных стаканчиков.

Вскоре после выборов Клинт передал свои повседневные обязанности мэра шестидесятилетнему консультанту — Сью Хатчинсон, которую он нанял для организации своей избирательной кампании. Ее сильные организаторские способности идеально подходили для такого рода работы. Она не имела к Клинту никакого отношения, но знала, как «управлять кораблем». Убедившись в надежности позиции Хатчинсон, Клинт стал все чаще садиться на корпоративный самолет Warner Brothers, который всегда был в его распоряжении, и летать в офис Malpaso в Бербанке, чтобы снова сосредоточиться на кинопроизводстве.

Первым проектом, понравившимся ему после «Бледного всадника» (и одним из двух художественных фильмов, которые он снял, будучи якобы мэром Кармела), стал присланный из Warner Brothers сценарий на военную тему под названием «Перевал разбитых сердец». Его написал Джеймс Карабацос, ветеран войны во Вьетнаме,

---

* Само постановление было частично отменено еще в ноябре предыдущего года. Оно предписывало, чтобы новое здание находилось подальше от улицы, имело меньшую поверхность остекления и выглядело как «в основном деревянное». Клинт отклонил эти требования, но даже после окончания полного срока его пребывания на посту мэра проблема оставалась нерешенной — до середины 1990-х годов. Постройка все-таки была полностью возведена — в основном в соответствии со спецификациями первоначальных несогласованных планов, «только еще уродливее», как заявил один из близких к проекту специалистов.

однажды уже использовавший собственный опыт при создании фильма «Герои» (режиссер Джереми Каган, 1977)*. Прокатом ленты занималась компания Universal, но «Герои» попались на глаза руководителям Warner Brothers, и их заинтересовало создание следующего фильма Кагана, особенно после успеха фильмов «Апокалипсис сегодня» и «Охотник на оленей», сделавших Вьетнам горячей темой популярных фильмов.

Тем не менее у Warner Brothers оставалась проблема с получением актера с громким именем, заинтересованного в том, чтобы сыграть главную роль в фильме «Перевал разбитых сердец». Такая проблема часто возникает, когда проект приобретается без «прикрепленной» к нему звезды, и причины этого обычно быстро становятся очевидными. В случае с «Перевалом разбитых сердец» очень немногие возрастные актеры хотели играть в нем с молодежью, противопоставляя свои стареющие лица американских бунтарей кучке ворвавшихся на экран новичков. Клинт, однако, не боялся выглядеть старым и не участвовал в обычных экранных любовных историях; он искал именно такой сценарий, и, как всегда, сценарий должен был быть написан автором, который почти (или совсем) не стремился бросить ему вызов.

Клинт и Меган Роуз выложили перед собой страницы со всеми имеющимися версиями и вместе выбрали из них то, что, по их мнению, было самым «снимабельным». Затем Клинт вернул Хакина и Стинсона и попросил их поработать над сценарием вместе.

После нескольких переписываний сценария, вызванных конкретными устными замечаниями Клинта, раздраженный Карабацос решил прекратить дальнейшую работу над «Перевалом разбитых сердец», требуя заключения другого договора. Клинт незамедлительно заручился поддержкой Дэнниса Хакина, написавшего «Бронко Билли», для переделки фильма в экшен и комедию. Но и это было не все. По-прежнему неудовлетворенный Клинт привлек к работе Джозефа Стинсона, который написал сценарий фильма «Внезапный удар». Кончилось дело тем, что Клинт и Меган Роуз выложили перед собой страницы со всеми имеющимися версиями и вместе выбрали из них то, что, по их мнению, было самым «сни-

---

* Фильм «Герои» был средством продвижения актера Генри Уинклера, более известного как Фонзи из телесериала «Счастливые дни».

мабельным». Затем Клинт вернул Хакина и Стинсона и попросил их поработать над сценарием вместе. Этот шаг ознаменовал собой конец участия Роуз в делах Клинта и начало непрекращающегося спора о том, на ком лежит ответственность за окончательный вариант фильма*.

Одной из причин, по которой сценарий оказалось так сложно приспособить к Клинту, было то обстоятельство, что лишь немногие из авторов (если таковые вообще были) понимали, насколько личным, а не жанровым был для него на самом деле этот фильм. Дни Клинта как лидера почти завершились, и даже его долгие романтические отношения с Сондрой Локк почти увяли. Клинт говорил:

---

* «Дело Роуз» началось и закончилось в типичном для Клинта стиле: оно возникло как прилив тепла в их отношениях, прошло обычным для Клинта курсом и завершилось похолоданием ровно в тот момент, когда Клинт захотел, чтобы так случилось. Когда фильм «Непрощенный» был наконец готов (а произошло это почти десятилетие спустя), выяснилось, что Роуз не удостоилась ни упоминания в титрах, ни денежной компенсации (не говоря уже об оплате труда сопродюсера и поиска участников проекта). После непродолжительной, но серьезной болезни она ушла из Warner Brothers, а затем нашла вестерн, удобный для раскрутки телеактера Тома Селлека, который хотел выйти на большой экран. Говоря точнее, она нашла сценарий фильма «Куигли в Австралии» (1990, режиссер Саймон Уинсер). В этой ленте она упомянута в титрах как сопродюсер. После того как «Непрощенный» был номинирован на «Оскар» за лучший фильм, она наняла адвоката и потребовала для себя гонорар за поиски, а также упоминания в титрах как участника производства фильма. Чтобы избежать судебного процесса, Клинт предложил ей 10 000 долларов США за участие в качестве редактора сценария своего следующего фильма «Совершенный мир». 8 марта 1993 года эта история попала в желтую прессу, прежде всего на знаменитую шестую страницу газеты New York Post, и долго обсуждалась среди других сплетен и новостей. Возможно, Клинт понял, каким ущербом это ему грозит, и отозвал свое предложение. В конце концов и Роуз отозвала свой иск, навсегда оставив и самого Клинта, и его окружение. Характерно, что вклад Роуз в финальный сценарий был публично поставлен под сомнение исполнительным продюсером фильма Фритцем Мэйнсом. В конце концов единоличное упоминание в экранных титрах заработал только Карабацос, который противостоял желанию Клинта упомянуть Стинсона как соавтора. На этом этапе спор перешел к арбитражу Гильдии киносценаристов, и там процесс выиграл Карабацос. После того как фильм вышел на экраны, Клинт в своих интервью постоянно ссылался на вклад Стинсона, что в итоге побудило чиновников из Гильдии киносценаристов посоветовать ему воздерживаться от любых дальнейших публичных комментариев по этому вопросу под угрозой санкций со стороны гильдии.

«"Перевал разбитых сердец" — это рассказ о том, что делают солдаты, когда они не заняты на войне. Это всегда меня интересовало. И я подумал, что вот есть такой персонаж, давайте посмотрим, как он строит взаимоотношения с людьми, особенно с женщинами. Это была интересная история, повествующая в том числе и о солдате, который всегда воевал — и не делал ничего другого. И вот он обнаружил, что достиг конца своей карьеры и ему не на что оглянуться в прошлом и не на чем сосредоточиться».

В конце концов стареющий сержант расстается с женой и понимает, что его время почти истекло. Во время Корейской войны за участие в битве на Перевале разбитых сердец он получил Медаль Почета, высшую военную награду США, но теперь он низведен до подготовки новобранцев, его удел — превращать мальчишек, у которых еще молоко на губах не обсохло, в готовых к бою морских пехотинцев (видимо, для вторжения на крохотную Гренаду, которое состоялось в 1983 году). Если что-то из этого фильма показалось знакомо зрителю, то произошло это потому, что похожая история была написана в 1982 году Тейлором Хэкфордом для фильма «Офицер и джентльмен», в котором главную роль сыграл Ричард Гир. В фильме курсант училища летчиков превращается в «настоящего мужчину» благодаря героине Дебры Уингер и крутому сержанту-артиллеристу, которого играет Луи Госсетт-младший. Это был фильм Гира, но «Оскар» за лучшую мужскую роль второго плана увез с собой Госсетт-младший*. Возможно, именно неудовлетворенное эго и долгокипящий гнев Клинта в отношении Киноакадемии, не признававшей его достижения, и привлекли актера к роли, очень похожей на ту, которая принесла неуловимую статуэтку Госсетту.

Помимо тщательно отглаженного сценария и стиля игры Клинта, который казался теперь скорее унылым, чем дерзким, фильм столкнулся с проблемами в Министерстве обороны США. Сначала министерство согласилось сотрудничать со съемочной группой, но после просмотра окончательного варианта сценария отказалось от сотрудничества. Причины крылись в чрезмерном использовании

* Гир вообще не был номинирован, а Уингер боролась за звание лучшей актрисы, но выиграла статуэтку Мерил Стрип за исполнение женской роли в фильме Алана Пакулы «Выбор Софи».

ненормативной лексики и показе нечестной тактики ведения боя. (Против жестокости сержанта и его методов обучения с ударами «ниже пояса» в фильме «Офицер и джентльмен» у военных возражений не было, потому что с постановщиками этого фильма они не сотрудничали.) Больше всего Министерство обороны возражало против сцены, в которой сержант Хайвей (Клинт) всаживает пулю в спину уже убитого солдата противника. Другим поводом для возражений стал тот факт, что морские пехотинцы при реальном вторжении на Гренаду двигались через Бейрут — Клинт об этом в фильме не упомянул. Достаточно скоро Клинт устал от постоянных препирательств с военными. Когда они стали указывать Клинту, что это армия, а не морские пехотинцы, спасла в Гренаде студентов-медиков, он подвел черту под этим сотрудничеством. На самом деле он угрожал позвонить Рональду Рейгану* и попросить его вмешаться, если военные не оставят его в покое, тем более что большинство просьб Минобороны было спокойно согласовано.

Клинта снова разозлило крайнее пренебрежение со стороны Академии, и он начал искать, кого бы в этом обвинить (кроме себя).

Когда фильм наконец-то вышел на экраны (а произошло это во время каникул 1986 года), то был принят на удивление хорошо. Между тем многие критики сомневались, что из-за возраста Клинта (а он ничего не сделал для того, чтобы его скрыть) действию фильма будет хватать убедительности. «Перевал разбитых сердец» оказался почти таким же успешным, как и «Петля». Он заработал более 70 миллионов долларов при первом показе на внутреннем рынке и удвоил этот показатель за рубежом. При этом никого особенно не волновало, как выглядит в фильме Клинт и насколько точно в нем описываются действия военных. Все иностранные зрители хотели увидеть своего героя Клинта Иствуда в действии — и получили это зрелище.

В Warner Brothers организовали мощную и дорогостоящую кампанию по выдвижению «Перевала разбитых сердец» на «Оскар», но все лавры в том году достались «Взводу» Оливера Стоуна: он вы-

* Некоторые наблюдатели посчитали, что заметно более низкий и грубый голос Клинта в фильме был демонстрацией его почтения (или подражания) Рональду Рейгану. Клинт это отрицал, утверждая, что на самом деле он основывался на своих воспоминаниях о дяде, который повредил голосовые связки и вынужден был говорить хриплым голосом.

грал четыре статуэтки (одну из них получил Стоун как лучший режиссер, еще одну – съемочная группа за лучший фильм) и был номинирован еще на четыре. «Перевал разбитых сердец» фигурировал только в одной номинации – на лучший звук, но проиграл тому же «Взводу».

Согласно некоторым источникам Клинта тогда снова разозлило крайнее пренебрежение со стороны Академии, и он начал искать, кого бы в этом обвинить (кроме себя). В конце концов он косвенно указал на Министерство обороны и прямо – на Фритца Мэйнса, чья работа как исполнительного продюсера, настаивал Клинт, заключалась в «разруливании» подобных ситуаций. Мэйнс не имел никаких отношений с Клинтом с тех пор, как с энтузиазмом поддержал Сондру Локк с ее фильмом про мальчика-крысу. После того фиаско все в Malpaso подумали, что Мэйнс, один из самых старых и ближайших друзей Клинта и один из его самых преданных сотрудников, был сделан козлом отпущения за все, что пошло не так с «Перевалом разбитых сердец».

Локк рассказывала, что по мере того как ее отношения с Клинтом рушились, у Мэйнса происходило то же самое:

> «Я знала Фритца с тех пор, что и Клинта, а Фритц и Клинт были близкими друзьями с самых юных лет. Мне казалось, что Клинту должно быть стыдно за то, что их отношения портятся, да еще и таким образом. На это Клинт мне ответил: "Держись подальше от всего этого. Это не имеет к тебе никакого отношения! Мне не нравится, как он управляет моей компанией. Он – не Malpaso. Malpaso – это я, и никто другой".
>
> Затем Клинт начал кампанию по сбору мелких деталей, способных дискредитировать Фритца... Так, он узнал, что Фритц иногда позволял Джуди, собственному секретарю Клинта, пользоваться кредитной картой компании, чтобы платить на бензоколонках. Он также время от времени позволял бухгалтеру Майку Мауреру и его жене совершать междугородные телефонные звонки, плата за которые взималась с компании...
>
> На самом деле Клинт не противостоял Фритцу, он просто играл с ним в кошки-мышки. Как только Фритц был благополучно уволен, Клинт захотел вернуть компании телефон, уста-

новленный в автомобиле Фритца. Ему было все равно, что это старомодный аппарат, к тому же стационарно привинченный, он просто хотел этого... Он даже придумал схему, по которой [мой муж] должен был проникнуть в дом Фритца и напечатать образец текста на его пишущей машинке, чтобы убедиться, что ее особенности совпадают с характерными чертами наполненных ненавистью анонимных писем, которые он в течение нескольких лет получал».

Вскоре после того, как «Перевал разбитых сердец» не получил «Оскара», длительные и плодотворные профессиональные и личные отношения между Фритцем Мэйнсом и Клинтом окончательно прекратились.

ГЛАВА 17

★★★

Я был на джазовом концерте в Оклендской филармонии. Там вышел парень в костюме в тонкую полоску, постоял себе в стороне, подергался, а потом неожиданно подошел к музыкантам и начал играть, и всем показалось, что их стало вдвое больше. Я подумал: «Как, черт возьми, он это делает?» <...> Это был отличный урок исполнительского мастерства и уверенности в себе. Я никогда не видел исполнителя, актера, художника, который был бы так уверен в себе.

Клинт Иствуд

В марте 1987 года, после церемонии вручения премий «Оскар», Клинт снова погрузился в управление Кармелом. Одно из его первых дел состояло в наблюдении за продолжающимся конфликтом вокруг Mission Ranch, большого заболоченного места к югу от городской черты. Эту территорию выкупил частный консорциум, который хотел развернуть на ней современный проект жилищного строительства с дорогими таунхаусами и, возможно, даже соорудить автономный торговый центр с просторной парковкой. Городской совет был против такого освоения земель, поскольку хотел сохранить за Кармелом образ красивой, естественной приморской деревни. Чтобы предотвратить развитие проекта, город предложил за эту землю 3,75 миллиона долларов, то есть примерно половину того, что владельцы собирались потратить на разработку проекта. Но ситуация оставалась в тупике до тех пор, пока Клинт не решил выделить 5,5 миллиона долларов из своих собственных средств, чтобы помочь Кармелу выкупить эту землю. Завершив сделку по продаже, он получил землю из рук девелоперов и пообещал оставить все как есть. Старейшины городка приветствовали этот шаг, Клинта также поддержала национальная пресса.

После этой победы Клинт углубился в муниципальную деятельность Кармела. Он активно занимался проектами, направленными на улучшение доступа пешеходов к пляжам, строительством общественных туалетов, прокладкой пешеходных маршрутов, сооружением в городке новой библиотеки. Он начал писать свою авторскую колонку в местной газете Pine Cone и вести свой личный форум, на котором можно было обсуждать злободневные вопросы, особенно те, которые вызывали наибольший приток писем в его офис. Он даже привнес в эту игру немного старой политики закулисной мести, когда помешал бывшему члену совета Дэвиду Марадею поставить новый фронтон на крышу своего дома. Марадей был одним из тех, кто в свое время помешал Клинту добавить еще одно здание к его ресторану Hog's Breath Inn. И хотя Клинт официально воздержался от голосования по этому вопросу, он позаботился о том, чтобы все знали, что он этот план не поддерживает.

Когда в городке должен был пройти местный кинофестиваль в честь Джимми Стюарта, городской совет выдал разрешение на установку дополнительного временного освещения, объяснив это тем, что оно создаст яркую, голливудскую атмосферу праздника. Клинта вывела из себя (вероятно, справедливо) эта завуалированная ссылка на мэра-кинозвезду, и он добился того, чтобы огни фестиваля сияли менее ярко. Он также позаботился о том, чтобы папа Иоанн Павел II во время своего визита в США в 1987 году смог совершить остановку в Кармеле — это способствовало росту туризма и наполнению городской казны. Пока Клинт был знаменитым мэром, в Кармел любили приезжать туристы, надеясь мельком увидеть его прогуливающимся по городу и всегда готовым и способным сохранять спокойствие и умиротворенность.

Тем временем Сондра Локк пыталась продвинуть свою остановившуюся карьеру. Время от времени она все же добиралась на машине до побережья, чтобы навестить Клинта в его офисе в Кармеле. Локк знала, что если ей захочется увидеть его, то нужно приходить именно туда — в противном случае она рискует влиться в постоянный поток других женщин-посетительниц (а Клинт не сделал ничего, чтобы скрыть от нее это обстоятельство). Среди прочих дам он продолжал встречаться с Джейслин Ривз, которая в феврале 1988 года родила их второго ребенка — дочь.

В доме на Страделла-роуд в Лос-Анджелесе отводилось все меньше места для Сондры Локк и все больше — для Кайла Иствуда. По словам Локк, сын Клинта приезжал сюда даже во время учебы в Университете Южной Калифорнии. Обычно Кайл привозил с собой «стаю» музыкантов и актеров, большинство из которых Локк не знала. Когда она высказала свое недовольство Клинту, тот поддержал Кайла, хотя сам редко бывал в этом доме. При всех возражениях Локк хозяином дома являлся Клинт, и она не имела никакого законного права останавливать внезапный приток туда «членов семьи и друзей».

> «Вот во что превратилась моя жизнь с ним, — писала она. — Клинт был далеко, он редко бывал в этом доме, и Кайл с его друзьями чувствовали себя здесь совершенно свободно: в полночь — за полночь играли на музыкальных инструментах, уединялись с девушками, оставались ночевать. Было унизительно чувствовать, что я никак не могу повлиять на то, что творится в моем же собственном доме... Последней каплей для меня стала та ночь, когда я проснулась и увидела, что кто-то склонился надо мной и смотрит сверху вниз. Это был какой-то друг Кайла. Я вышвырнула его прочь и с того дня запирала дверь в спальню...»

Тем не менее временами Локк чувствовала, что ее отношения с Клинтом вроде бы налаживаются, что они радуются, когда видят друг друга. Какое-то время она его официально сопровождала — даже дома в Кармеле, где он развлекался со своим обычным кругом знаменитостей, в том числе с Мервом Гриффином, который из-за возраста и мании уважения к «старому» Голливуду мало интересовал Локк (да в конечном итоге и Клинта). Постоянными посетителями вечеринок были Кэри Грант и Люсиль Болл, хотя, опять же, при общении с ними Локк было трудно справиться с разницей в возрасте и с их напускной утонченностью.

Постепенно, однако, круг общения Клинта менялся, ибо старшие его участники отходили от дел или просто уходили в мир иной. Обновленный круг стал включать в себя телепродюсера Бада Йоркина и его жену, Арнольда Шварценеггера и Марию Шрайвер, Эла Радди (продюсера фильма «Крестный отец») и Ричарда Занука с женой Лили. Большинство из них были друзьями, которые перекочевали сюда из дома Клинта в Солнечной Долине — места, которое всегда нравилось Локк. Эти люди были ей ближе по возрасту, темпераменту и любви к спорту — например, к катанию на лыжах, которое заставляло ее чувствовать себя частью жизни Клинта. И конечно же, все они были активными кинодеятелями.

Большая часть ценности Клинта заключалась в его появлении на экране. К тому времени он снял только один фильм, где не снимался сам, — это был проблемный «Бризи»

Но на самом деле между Локк и Клинтом все было кончено. Когда отношения заканчивались, Клинт всегда занимал пассивную позицию. Так, в то время как его брак с Мэгги тихо сходил на нет, он постоянно держал на заднем плане Роксанну Танис и их ребенка. Если Локк всеми способами пыталась помириться с Клинтом, то сам он не был склонен что-то предпринимать, он просто надеялся, что она уйдет.

К концу своего мэрского срока, несмотря на визит папы римского и занятость местной политикой, Клинт наконец задумался о создании нового фильма, контракт на который он фактически подписал еще в то время, как поставил свою карьеру в кино на «паузу».

Проект представлял собой биографию альт-саксофониста Чарли Паркера по прозвищу Птица. Фильм много лет промаялся в состоянии, которое в Голливуде мрачно называют «адом разработки». Клинт не мог играть в нем главную роль, потому что Паркер был афроамериканцем, но мог выступить продюсером и режиссером фильма. Эта перспектива волновала не только его — она автоматически запускала дрожь по позвоночнику у всей компании Warner Brothers.

Клинт, наверное, был самым ценным «товаром», который Warner Brothers приобрела в постстудийную эпоху. Но большая часть ценности Клинта заключалась в его появлении на экране. К тому времени он снял только один фильм, где не снимался сам, — это был проблемный «Бризи» (1973), о котором все забыли и который не вошел в число тридцати лучших из сорока трех фильмов, в которых Клинт появлялся на экране (в некоторых из них он также был режиссером).

Вероятно, ни один другой актер или режиссер в то время не смог бы добиться того, что хотел сделать Клинт. На него в 1988 году приходилось целых 18 процентов, почти одна пятая, доходов Warner Brothers от демонстрации фильмов на внутреннем рынке. Дополнительные 1,5 миллиона долларов в неделю «генерировали» его фильмы на международном уровне. Клинт понимал, что биография джазового музыканта Чарли (Птицы) Паркера, который беспробудно пил и накачивал себя наркотиками до самой своей смерти в 1950-х годах, биография, наполненная неудачами, отчаянием и предчувствием смерти, вряд ли привлечет в кинотеатры зрителей и заметно пополнит кассу. В частности, она будет неинтересна представителям рок-н-ролльного поколения 18–25-летних, которые покупают большинство билетов в кинотеатры.

Как и почти каждый фильм Иствуда, лента «Птица» продюсировалась Malpaso как самостоятельный проект, что позволяло Клинту «греметь саблей» и агрессивно вести дела с другой студией, если ее руководители делали что-то такое, что ему не нравилось. Страсть Клинта к «Птице» была так велика, что Терри Семел, не желая навлекать на себя гнев босса (или, что еще хуже, потерять франшизу Иствуд/Malpaso), не оказал никакого сопротивления напору Клинта — при том что никто из Warner Brothers не думал, что у фильма есть хоть какой-то шанс заработать хотя бы цент. Никакие фильмы о джазе никогда не приносили в Америке прибыли (исключение — «Певец джаза», новаторская и прибыльная новинка 1927 года, снятая Аланом Крослендом, но она не имела абсолютно никакого отношения к джазу). Лучшее, на что надеялась студия, — что ее потери не будут слишком большими.

Клинт когда-то косвенно участвовал в создании фильма о джазе. Это была лента Бертрана Тавернье «Полночный джаз» (1986), в которой режиссер с любовью следил за жизнью нескольких парижских джазовых музыкантов — эмигрантов из США. Фильм получил «Оскара» за лучшую оригинальную музыку (Херби Хэнкок) и номинацию на исполнителя главной роли для актера Декстера Гордона.

Когда продюсер фильма Ирвин Уинклер пытался получить под него деньги, он встретил стену непонимания во всех студиях, за исключением Warner Brothers, где департаментом производства тогда руководил гибкий Марк Розенберг. Клинт тоже повлиял на то, чтобы фильм получил зеленый свет. Вскоре после этого кинокомпания Fox предложила выплатить три миллиона долларов в обмен на право демонстрации фильма за границей. Вот на эти «иностранные» деньги Уинклер и снял картину, которая стала одним из неожиданных хитов 1986 года.

Сценарий фильма «Птица» впервые попал к Клинту, проделав длинный и извилистый путь — что не является чем-то необычным для проектов, которые студии считают «периферийными». Сценарист и автор идеи Джоэль Олиански до этого написал умеренно увлекательный сценарий о конкурсе классической музыки (классическая музыка была еще одной темой, услышав о которой, все студии говорили: «Нет-нет») и в конце концов снял по нему фильм, который получил название «Состязание» (1980). Фильм был принят достаточно хорошо, и его автор получил новое задание — написать восьмичасовой исторический мини-сериал для канала ABC под названием «Масада» (1981). В результате сериал был номинирован на «Эмми», а его автор получил контракт от компании Columbia. Вскоре там зажгли зеленый свет и для съемок «Птицы», художественного фильма — биографии Чарли Паркера. И хотя Олиански обещали, что снимать будет он, студия в итоге передала проект Бобу Фосси, номинированному на звание лучшего режиссера за свой автобиографический фильм «Весь этот джаз»* (1979), сделанный на основе бродвейской постановки. Для компании Columbia названия со словом «джаз» оказалось достаточно, чтобы сделать вывод: Фосси — идеальный режиссер для такого фильма. Но вскоре Фосси от проекта отказался, и он вернулся к Олиански.

Первоначальный интерес Columbia к проекту был основан на убежденности, что главную роль будет играть Ричард Прайор. Но после того как Прайор чуть не сгорел в 1980 году во время печально известного «инцидента», связанного с наркотиками, студия отодвинула этот проект на второй план. Пять лет спустя компания Warner

* Фосси ранее получил «Оскар» за лучшую режиссуру фильма «Кабаре» (1972).

Brothers возродила интерес к нему как к возможному средству раскрутки певца Принса, у которого неожиданно возник хит, прозвучавший в его полуавтобиографическом фильме «Пурпурный дождь» (1984, режиссер Альберт Магноли). Чтобы заполучить у Columbia проект Джоэля Олиански, называвшийся в то время YardBird Suite, Warner Brothers продала свой сценарий под названием «Месть»* компании Рэя Старка Rastar — производителю, давно работавшему по эксклюзивному контракту с Columbia.

Когда участие Принса сорвалось, сценарий снова «повис», пока кто-то не придумал отправить его Клинту. К тому времени и Мэйнс, и Чернус от него ушли (Чернус была помощницей Мэйнса и ушла вместе с ним), поэтому Клинт занимался поиском проектов самостоятельно. Когда он узнал, что у Семела есть сценарий YardBird и он не знает, куда с ним податься, то попросил себе копию, прочитал ее и решил, что хочет снять этот фильм. Он позвонил Олиански, они встретились, но, несмотря на общий интерес к Паркеру, договориться не смогли. По слухам, поссорились они из-за деталей сделки: Клинт хотел, чтобы Олиански переписал свой сценарий, а Олиански просил переписать сумму в чеке. Клинт, возможно, считая, что автор мог быть более благодарным тому, кто готов помочь проекту, годами лежавшему без движения, сам переписал сценарий, в основном сокращая диалоги. Но в дальнейшем, вплоть до выхода фильма, держал Олиански от себя на расстоянии вытянутой руки.

Главную роль в фильме поручили Форесту Уитакеру. Уитакер сделал себе имя в триптихе «Цвет денег» (Скорсезе, 1986), «Взвод» (Оливер Стоун, 1986) и «Доброе утро, Вьетнам» (Барри Левинсон, 1987). Съемки «Птицы» прошли гладко, а исполнение Уитакера было настолько сильным, что весной 1988 года, когда Клинт взял фильм на фестиваль в Канны, Уитакер получил приз за лучшую мужскую роль. К сожалению для Клинта, он уступил «Золотую пальмовую ветвь» аргентинцу Фернандо Соланасу с фильмом «Юг». Эта потеря затормозила выход фильма и его прокат силами Warner Brothers.

Разочарованный Каннами, Клинт вернулся в Штаты и приступил к исполнению своих обязанностей мэра. При этом он быстро сделал два публичных объявления.

---

* Фильм «Месть» вышел в 1990 году, его режиссером был Тони Скотт, в главных ролях — Кевин Костнер и Энтони Куинн.

Во-первых, что он не собирается баллотироваться на второй двухлетний срок в качестве мэра Кармела. Тем самым Клинт положил конец коллективной фантазии, согласно которой он однажды последует по стопам Рональда Рейгана и будет успешно баллотироваться на пост президента. На самом деле Клинт разочаровался в местной политике, посчитав ее большей частью скучной и обыденной. К тому же он так и не смог добиться успешного окончательного исхода в своей битве с городским советом за Hog's Breath Inn, которая, собственно говоря, и побудила его баллотироваться на пост мэра. А возможность публично есть мороженое почему-то не показалась ему достаточной победой, чтобы продолжать борьбу за пост мэра вторично. Не привлекало его и пристальное внимание к персонам политиков, выходящих за пределы маленьких городков. Разоблачение фактов из его частной жизни, изобилующей любовницами и внебрачными детьми, появившимися на свет до, во время и после единственного брака, не только исключало его из серьезной борьбы за более высокую должность, но и могло повредить общественному имиджу, а возможно, и актерской карьере. Семь лет спустя в интервью газете Los Angeles Times Клинт сказал: «Я бы никогда не смог пройти тест Билла Клинтона и Гэри Харта*… Да и кто бы его смог пройти, кроме матери Терезы?**»

Клинт разочаровался в местной политике, посчитав ее большей частью скучной и обыденной. К тому же он так и не смог добиться успешного окончательного исхода в своей битве с городским советом за Hog's Breath Inn.

Во-вторых, он собирался вступить в ту же реку еще раз – снять очередной фильм из серии «Грязный Гарри». Этот пятый фильм будет называться «Смертельный список».

Сценарий фильма появился из совершенно неожиданного источника – его предоставила супружеская пара диетологов, которых Клинт знал по крайней мере с конца 1970-х годов. У Дерка Пирсона и Сэнди Шоу была программа под названием «Продление жизни», которая среди прочего обещала улучшить внешний вид человека,

---

* Имееются в виду скандалы, связанные с супружескими изменами президента США Б. Клинтона и кандидата в президенты США Г. Харта *(прим. ред.)*.

** Тереза Калькуттская, известная как мать Тереза, – католическая монахиня, основательница женской монашеской конгрегации сестер – миссионерок любви, занимающейся служением бедным и больным *(прим. ред.)*.

уменьшить беспокойство и, конечно, гарантировала долгую жизнь. Пирсон был выпускником Массачусетского технологического института, который специализировался в области физики; впоследствии он посвятил свою жизнь поиску способа, благодаря которому человек мог бы дожить до 150 лет без заметного ухудшения физического состояния или умственной деятельности. — иными словами, он хотел удвоить продолжительность жизни человека. Метод Пирсона был основан на приеме больших доз витаминов, минералов и других питательных веществ. На пути к достижению своей цели он повстречал Сэнди Шоу, выпускницу Калифорнийского университета в Лос-Анджелесе со степенью в области биохимии, которая детально изучала процесс старения, и вступил с ней в союз.

Клинт впервые встретился с Пирсоном и Шоу на обеде, организованном Мервом Гриффином, который уже был преданным поклонником пары и хотел пригласить к ним Клинта. В 1981 году Пирсон и Шоу написали бестселлер под названием «Продление жизни», основанный на их теориях и прикладных методах. В книге они рассказали о встрече с Гриффином и «мистером Смитом» — под этим неброским псевдонимом скрывался Клинт Иствуд, который, как сообщается, позднее опробовал систему мегадозирования и экстремальных упражнений и обнаружил, что она чрезвычайно полезна для его здоровья и при борьбе с аллергией. Предложенные целителями меры даже улучшили его умение разговаривать с интервьюерами, что в прошлом всегда вызывало у него некоторое беспокойство и отражалось в замедлении потока слов. В 1984 году, после многих лет уклонений и умолчаний, Клинт наконец признал, что он-то и был тем самым «мистером Смитом»*. Его ежедневный режим включал трехмильные пробежки, два часа занятий в тренажерном зале, два сеанса медитации и безжировую диету с высоким содержанием овощей и почти без мяса (если не считать случайно затесавшегося в диету чизбургера), а также дозы холина, селена, деанола, L-аргинина и L-дигидроксифенилаланина. Позже Клинт утверждал, что благодаря такому подходу он читал без очков до 58 лет.

Для многих, кто знал эту историю, покупка Клинтом сценария представлялась подарком Пирсон и Шоу за то, что они помогли ему оставаться в хорошей форме, чтобы иметь возможность снять еще

* В качестве «миссис Смит» выступала Сондра Локк.

один фильм из серии «Грязный Гарри». На самом деле Пирсон и Шоу работали и над предыдущим фильмом Клинта, выступая в качестве «консультантов» при съемках Firefox, но их оставили без титров, чтобы сохранить в тайне более глубокую вовлеченность Клинта в их деятельность.

Теперь Клинт был готов предоставить им титры во всей полноте. Новый проект из серии «Грязный Гарри» имел в своей основе знакомый сюжетный ход — выслеживание серийного убийцы. «Смертельный список» («Dead Pool», не путать с фильмом Стюарта Розенберга «Drowning Pool» — «Бассейн утопленников» (1975), послужившим средством раскрутки Пола Ньюмана) рассказывает об игре, в которой делались ставки на то, как долго проживет знаменитость. (Он или она должны были умереть естественной смертью, чтобы победитель смог получить деньги.) К сожалению, в фильме было мало психологических обертонов и драматических элементов, характерных для «Петли». На экране Клинт выглядел уставшим и совершенно не вовлеченным в действие. Кажется, что он просто проходил через фильм.

Со сценарием, в значительной степени переписанным Стивом Шэроном, и с Бадди Ван Хорном в качестве режиссера (Хорн был каскадером, дублировал Клинта в комических гонках в фильме «Как только сможешь») фильм не сильно вырывался из череды проходных. Однако это был ловкий выпад в адрес женщины-кинокритика. Конечно, это была Полин Кейл, та самая, которая в рецензии на «Птицу» задавалась вопросом: «А не экономит ли Клинт на счетах за электричество?» (это означало, что фильм показался ей слишком темным и мрачным). В этой картине снялся также очень молодой Джим Керри (в титрах он представлен как Джеймс Керри), который сыграл смертельно несмешную пародию на обреченную рок-звезду. При первом американском показе «Смертельный список» собрал около 59 миллионов долларов — цифра неплохая для большинства фильмов, но разочаровывающая для «Грязного Гарри»*. В данном случае это означало только то, что эта франшиза раз и навсегда умерла.

* «Смертельный список» вышел на экраны до «Птицы». Warner Brothers и Клинт согласились, что это был лучший фильм для показа летом, в то время как «Птица» могла поймать свой шанс в начале сентября. «Смертельный список» демонстрировался в общенациональном масштабе — в нескольких сотнях кинотеатров, тогда как «Птица» вышла лишь в нескольких городах и менее чем в дюжине залов.

К концу 1988 года карьера Клинта, казалось, начала замедляться. Этот процесс не был ни быстрым, ни достаточно резким, чтобы вызвать тревогу, но все-таки было похоже на то, что слава Клинта клонилась к закату. Справедливости ради следует сказать, что только несколько актеров из 1960-х годов все еще приносили серьезные кассовые сборы (среди них — Пол Ньюман и Дастин Хоффман), но их фильмы уже не имели ничего общего с теми картинами, в которых они блистали в начале своей карьеры.

К концу 1988 года карьера Клинта, казалось, начала замедляться. Этот процесс не был ни быстрым, ни достаточно резким, чтобы вызвать тревогу, но все-таки было похоже на то, что слава Клинта клонилась к закату.

Клинт решил, что настало время бросить внимательный, долгий, твердый и реалистичный взгляд на свою карьеру и свою жизнь. А для этого нужно было раз и навсегда избавиться от Сондры Локк.

Он постоянно пытался увеличивать расстояние между ними, заметно ускорив этот процесс после кассового провала «Крысиного мальчика». Он знал, что сделать это будет нелегко, но это не имело для него никакого значения — просто пришло время удалить себя из ее жизни, а ее — из своей.

Чего он не ожидал — так это того, насколько трудным, мерзким, запутанным и затратным окажется это дело.

ГЛАВА 18

***

Есть только один способ вступить в счастливый брак, и как только я узнаю, в чем он состоит, я снова женюсь.

Клинт Иствуд

Приближаясь к своему шестидесятилетию, Клинт Иствуд хотел навести у себя дома порядок в прямом и переносном смысле. Единственной собственностью, которой он на самом деле владел в Лос-Анджелесе, был дом, который он фактически сдавал в аренду Локк. Ей нужно было покинуть этот дом, и больше не было никакого смысла откладывать это событие. Но в калифорнийском законодательстве была особая проблема, которая на юридическом языке называлась палимонией, а на обычном — выплатой алиментов сожительнице в незарегистрированном браке. Красивое слово «палимония» вошло в широкий лексикон в конце 1970-х, после того как проживавшая у Ли Марвина подруга при расставании с ним подала в суд, требуя с его стороны определенной «поддержки». Суд стал на сторону женщины. Это решение вызвало озноб во всем голливудском сообществе, где у кинозвезд или высших руководителей кинобизнеса — женатых или одиноких — было в обычае содержать подругу, чаще всего симпатичную «звездочку», предоставляя ей квартиру, машину и кредитную карту на время, пока теплые отношения не остынут. При этом подразумевалось, что как только это произойдет, подружка должна все бросить и быстро освободить помещение.

Клинт, как и большинство звезд, наслаждался обществом множества разных женщин, и привилегированное положение позволяло ему жить по своим общественным (или антиобщественным) правилам. К тому времени модель его поведения давно устоялась. Ему нравилось быть женатым или, по крайней мере, демонстрировать, что он женат. Несомненно, это было хорошо для его имиджа времен съемки «Сыромятной плети», когда моральные ограничения постоянно висели у актера на шее, а его проступки, реальные или приписываемые, тщательно перемывались в могущественном и потому опасном журнале Confidential, предтече всей сегодняшней мегаиндустрии сплетен о знаменитостях. Брак с Мэгги, несмотря на все сопутствующие ему ограничения и компромиссы, придавал жизни Клинта определенную структуру, а его образу — некоторую санитарную обработку. А чтобы его образ в реальной жизни не слишком конфликтовал с праведным персонажем Роуди Йейтса, он позаботился о том, чтобы Роксанна Танис счастливо жила где-то отдельно, воспитывала своего ребенка как мать-одиночка и оставалась далеко от публичной персоны Клинта. Однако Сондра Локк оказалась не столь уступчивой и не согласилась добровольно жить

К тому времени модель его поведения давно устоялась. Ему нравилось быть женатым или, по крайней мере, демонстрировать, что он женат.

вдали от своего мужчины. И вообще, она совершила пару непростительных грехов, за которые он теперь собирался ей воздать.

Какие это были грехи? Во-первых, она так и не развелась со своим мужем Гордоном Андерсоном. А ведь Клинт более или менее поддерживал его, позволяя оставаться в доме, который он приобрел в Голливуде. Что же касается дома на Страделла-роуд, купленного для Локк, Клинт сохранил его на свое имя и заключил с Локк договор аренды, который дал ему полный контроль и всю полноту власти в доме. Он заставил переехать туда Кайла, но Локк крепко окопалась в доме и теперь очевидно, как и Клинт, была готова к предстоящей драке.

Сегодня трудно определить, когда, как говорится, «увядший цвет опал с деревьев», но можно точно сказать, что в середине 1988 года напряженность в отношениях между Клинтом и Локк заметно обострилась из-за относительно мелкой аварии, в которую попала (или не попала?) Локк, находившаяся за рулем одного из пикапов Клинта на бульваре Сансет, возле «Тауэр Рекордс», в то время самого популярного музыкального мегамаркета в Лос-Анджелесе. Во всяком случае, некий мотоциклист утверждал, что его сбил пикап на парковке у «Тауэр Рекордс».

Инцидент привел Клинта в ярость, потому что мотоциклист подал в суд на его компанию по автострахованию. Когда Клинт попытался объясниться по этому поводу с Локк, она стала утверждать, что не попадала в аварию на его пикапе ни у «Тауэр», ни где-либо еще. Клинт ей не поверил. Он лишил ее водительских прав и сказал, что отныне она будет водить только свою собственную машину — не его пикап, не его синий «Мерседес», а исключительно свой собственный автомобиль. И это, добавил он с ударением, также относится и к Гордону.

Когда Локк заглотила наживку и стала защищать Гордона, Клинт в ответ сказал: «Ну, я же развелся с Мэгги, а ты с Гордоном не развелась». Локк показалось, что еще одна причина его злобы кроется в том, что они не поженились. Понятно, что Локк не имело смысла продолжать разговор, на который он ее вызвал. Но она все же спросила: «Клинт, ты что, хочешь, чтобы мы немедленно поженились?»

«Дело не в этом, — рявкнул он. — Ты должна была развестись без моей просьбы. Я не могу жениться, пока ты замужем».

Все это звучало правильно, но Локк не поддалась на такой заход. Она посчитала его еще одной уловкой Клинта, направленной на то, чтобы вытолкнуть Гордона из своей жизни — так же, впрочем, как и ее саму. После этого произошли два, казалось бы, не связанных между собой инцидента, из-за которых медленно тлевшая ярость Клинта мгновенно вспыхнула с новой силой.

Первым был новый фильм и режиссерский контракт, который Сондра Локк сумела получить от Warner Brothers. «Зеленый свет» ему дали Терри Семел и продюсер Люси Фишер. Первоначально проект назывался «Внезапный импульс». Это был психологический триллер с женской ролью, который, как считал Семел, идеально подойдет для Сондры Локк, поставившей «Крысиного мальчика». Однако Сондра хотела найти для проекта другое название, чтобы Клинт не подумал, что оно слишком похоже на название фильма «Внезапный удар», в котором они вместе снялись несколько лет тому назад.

Однако, по словам Локк, прежде чем она смогла переименовать проект, Клинт начал делать все возможное, чтобы этот проект стал для нее трудным. «Неожиданно он решал, что я с ним куда-то должна поехать именно тогда, когда у меня была важная встреча — и он знал это. На ранчо всякий раз, когда мне звонил [продюсер] Эл Радди, Клинт садился за рояль и начинал громко "выстукивать" мелодии Скотта Джоплина».

Вторым инцидентом стали рождественские каникулы, которые Локк и Клинт проводили вместе с тех пор, как познакомились. Сочельник был вечером только для них двоих, независимо от того, сколько других людей было в их жизни. Но в 1988 году за несколько недель до Рождества Клинт вдруг «случайно» сообщил ей, что собирается провести этот праздник в одиночестве в Кармеле, играя в гольф. Сондра Рождество отметила с Гордоном. Затем, когда она готовилась к ежегодной новогодней поездке на лыжный курорт вместе с Клинтом, ей позвонила Джейн Бролин. Бролин пригласила ее приехать в Солнечную Долину, куда Локк и так собиралась отправиться, сообщив, что Кайл и Элисон тоже туда приедут. Локк, опасаясь худшего, полетела в Солнечную Долину на частном самолете Warner Brothers с Бролин и двумя детьми Клинта.

«Дело не в этом, – рявкнул он. – Ты должна была развестись без моей просьбы. Я не могу жениться, пока ты замужем».

На следующее утро, уже в Солнечной Долине, Бролин столкнулась с Локк и сказала ей, что на самом деле она в их компании не очень-то и нужна. Это была странная конфронтация, и первое, что подумала Локк, – Клинт заставил Джейн выполнить за него грязную работу. Между женщинами начался обмен репликами, который быстро перерос в скандал. Когда от криков у них на шеях стали набухать вены, в комнату неожиданно вошел Клинт, выслушал их и велел обеим сесть на самолет Warner Brothers и убираться домой.

Сондра Локк со слезами на глазах собралась и ушла. Бролин осталась с Клинтом.

Как только праздники закончились, Локк обратилась к адвокату Норману Оберстайну. Тот заметил, что, возможно, сейчас не самое лучшее время, чтобы начинать судебное разбирательство.

Между тем Клинт проводил большую часть своего свободного времени с актрисой Фрэнсис Фишер, которая полностью завладела его вниманием. Утром 4 апреля 1990 года он зашел в дом на Страделла-роуд и ожидал в гостиной, пока Локк не спустится вниз по лестнице. Этот визит удивил ее. Он специально приехал сказать, чтобы она уходила из дома. Локк, готовившаяся к съемкам своего фильма, онемела от неожиданности. Ничего не сказав, Клинт просто повернулся и вышел за дверь.

Когда Локк находилась в компании Warner Brothers, Клинт снова появился в доме и на этот раз сменил там все замки. В тот же день он направил Локк написанное от руки уведомление о том, что ей «больше не рады».

10 апреля, когда Локк находилась в компании Warner Brothers, Клинт снова появился в доме и на этот раз сменил там все замки. В тот же день он направил Локк написанное от руки уведомление о том, что ей «больше не рады» на Страделла-роуд и у нее больше нет законного доступа в этот дом. Все ее вещи были доставлены в дом Гордона на Кресент Хайтс, который купил для него Клинт. Прочитав уведомление, Локк потеряла сознание.

Тем временем Клинт занялся работой над новым фильмом «Розовый кадиллак». С момента его последнего кассового успеха – выхода фильма «Перевал разбитых сердец» – прошло уже три года, и он очень надеялся, что новая лента наконец изменит его судьбу к лучшему. Это был фильм о простых работягах – деревенских ковбоях с чуть более жестким звучанием, даже с некоторыми отголосками «Грязного Гарри». Бросалось в глаза отсутствие в картине пения и обезьян, присутствие прекрасной Бернадетт Питерс и появление все еще относительно малоизвестного Джима Керри (опять представленного как Джеймс) — это был его второй фильм у Клинта.

В «Розовом кадиллаке» Клинт играет Томми Новака — крутого охотника за головами, которому поручили найти некую Лу Энн МакГуинн (Питерс в нетипичной роли — без пения) — столь же крепкую молодую мамочку, пустившуюся в бега со своим ребенком после предъявления обвинения в хранении поддельных денег. Угнетающий ее муж Рой МакГуинн (Тимоти Кархарт) в последнее время связался с самой жестокой бандой белых расистов, которые и являются настоящими фальшивомонетчиками. Средством побега Лу Энн оказался розовый кадиллак ее мужа. Где-то на полпути она находит в машине какие-то фальшивые деньги, бросает ребенка с сестрой и направляется в ближайшее казино, где ее догоняет Новак. Благодаря очередному повороту сюжета (а их в картине больше, чем витков в штопоре) деньги в машине оказываются настоящими. Новак и МакГуинн обнаруживают этот факт, банда посылает группу киллеров, чтобы убить МакГуинн и вернуть деньги. В конце концов происходят столкновение и перестрелка, Новак и МакГуинн побеждают плохих парней (угадайте — как?), понимают, что они без ума друг от друга и живут долго и счастливо или как там еще можно жить в границах этой бесцветной и скучной жизни. В общем, фильм представляет собой комедию с драматическим подтекстом или драму с комическим подтекстом — сложно сказать, какой именно вариант к нему ближе.

В качестве режиссера Клинт пригласил своего бывшего каскадера Бадди Ван Хорна, который поставил два предыдущих фильма Клинта — «Как только сможешь» и «Смертельный список». Сам Клинт наслаждался своей неожиданной ролью.

Питерс была более знакома зрителям Бродвея, чем любителям кино. Как показалось нескольким свидетелям, присутствовавшим на съемочной площадке, Клинт пригласил ее на эту роль просто потому, что его к ней «тянуло». Возможно, внутренняя логика Клинта и заключалась в том, что если его «тянуло» к своей коллеге, то и его зрителя должно «потянуть» в том же направлении. У Питерс и Клинта сложилась хорошая «химия» на экране, но «в реале» она не проявила никакого романтического интереса к Клинту, и тогда он снова обратил внимание на Фрэнсис Фишер, которая играла небольшую роль Дины, сестры героини Питерс.

Локк, все еще занятая созданием своего фильма, постоянно слышала о том, что Клинт мотается по городу с Фишер. В приступе досады она снова пошла к Оберстайну. На этот раз он согласился, что пришло время действовать. В первую очередь он решил, что Локк и Гордон должны подписать соглашение о разделе имущества. По сути дела, это означало, что, хотя они все еще были женаты, Гордон добровольно отказывается от всей собственности Локк. Цель этих маневров состояла в том, чтобы парировать возможную аргументацию защиты Клинта относительно того, что отношения Локк с Гордоном имели финансовые мотивы или что она все равно каким-то образом была ему обязана.

После того как эти бумаги были подписаны, Оберстайн по настоянию Локк встретился с адвокатом Клинта Брюсом Рэмером, чтобы выяснить, возможно ли неформальное урегулирование отношений между ними. Рэмер сообщил, что Клинт согласится только на то, что Гордон может сохранить свой дом, но Локк должна в любом случае покинуть дом на Страделла-роуд. Когда Оберстайн передал условия Клинта, Локк поняла, что у нее не осталось иного выбора, кроме как идти дальше и подавать в суд.

История надвигающегося судебного процесса обрушилась на национальную прессу со всей силой голливудского урагана. Эта тема смела все остальные с первых страниц таблоидов по крайней мере на несколько недель.

История надвигающегося судебного процесса обрушилась на национальную прессу со всей силой голливудского урагана. Эта тема смела все остальные с первых страниц таблоидов по крайней мере на несколько недель. Газеты часто вспоминали похожий, крайне бурный и бесконечно интересный процесс о палимонии между Ли Марвином и Мишель Триола, который состоялся десять лет тому назад и фактически похоронил карьеру Марвина.

Клинт не хотел становиться в центр подобной шумихи, особенно в то время, когда его карьера, казалось, шла на спад. «Розовый кадиллак» появился в прокате в День поминовения, что было традиционно для старта многопрофильного летнего фильма, обещающего большие деньги. Но фильм быстро исчез с экранов — произошло это из-за того, что отзывы о нем в основном оказались негативными (Ричард Фридман, пишущий для Newhouse News Services, назвал его «122-минутным бульдозером»). Второе обстоятельство — кинематографическое цунами, которым обрушился на публику фильм «Индиана Джонс и последний крестовый поход» Стивена Спилберга. За первые десять дней проката «Розовый кадиллак» заработал около 6 миллионов долларов против 38 миллионов «Индианы», превратив «Розовый кадиллак» в одну из самых крупных неудач Клинта и Malpaso и практически положив конец кинокарьере Питерс. Осталось неясным, повлияла ли на судьбу ленты шумиха, возникшая вокруг юридической схватки Клинта с Локк, но, скорее всего, фильм просто не привлек к себе обычного зрителя Клинта.

«Розовый кадиллак» только еще выходил на экраны, а Клинт уже планировал свой следующий фильм — «Белый охотник, черное сердце». Его должны были снимать на натуре у озера Кариба — в привлекательном месте, которое было еще более привлекательным для Клинта, поскольку находилось очень далеко. Клинт не пригласил в этот фильм Фрэнсис Фишер и даже, как поговаривали злые языки, не позвонил ей перед отъездом.

Все в Голливуде, кто не работал с Клинтом, любили его — это означало, что они надеялись однажды с ним поработать. Он имел репутацию быстрого и легкого на подъем человека, любил после обеда поиграть в гольф и вообще позволял актерам играть свои роли так, как они хотели.

Но зато он успел получить уведомление о том, что Локк сделала шаг вперед и подала против него иск на 70 миллионов долларов. Для публики стали откровением интервью с Сондрой Локк о распутстве Клинта и двух абортах, которые он заставил ее сделать. Однако общественный консенсус удивительным образом сложился в пользу Клинта: большинству показалось, что Локк надевает петлю ему на шею для того, чтобы спасти свой светлый образ.

Почему Голливуд принял сторону Клинта, хотя в свое время выступил против Марвина? Причину этого понять несложно. Несмотря на свои последние неудачи, Клинт оставался одним из самых мощных, а возможно, и самым мощным актером, продюсером и режиссером в постстудийную эпоху Голливуда. Он построил себе крепость в виде Malpaso, и его карьера за тридцать пять лет вылилась в сорок семь фильмов, которые принесли миллиарды долларов кинопроизводству и обеспечили огромное количество рабочих мест актерам, режиссерам, сценаристам и декораторам — вплоть до продавцов попкорна с тележек, которые по выходным тянулись к кинотеатрам.

Более того, все в Голливуде, кто не работал с Клинтом, любили его — это означало, что они надеялись однажды с ним поработать. Он имел репутацию быстрого и легкого на подъем человека, любил после обеда поиграть в гольф и вообще позволял актерам играть свои роли так, как они хотели. Возможно, студийным боссам не нравился его метод ведения бизнеса, но они жили в страхе — единственная истинная эмоция Голливуда — в страхе перед тем, что если они как-то обидят Клинта, то не смогут выплачивать вторую ипотеку за свой домик у моря. Марвин был не более чем увядающим актером, а Локк появилась в одном примечательном фильме и шести фильмах Клинта*, а также сама сняла один неудачный фильм.

Юридическая команда Локк настаивала на немедленной даче показаний, чтобы Клинт не смог до этого уехать в Африку. По словам Локк, «дача моих [устных] показаний была сущим адом». Адвокат Клинта Ховард Кинг, выступавший в качестве свидетеля, повел ожесточенную атаку на характер и мотивации Локк. Она, мол, сама много раз говорила Клинту, что любит рассказывать разные сказки и истории. Кинг пытался на основе этого доказать, что она живет в собственном мире и видит в Клинте своего спасителя, рыцаря в сияющих доспехах. Он расспрашивал ее о долгом браке с Гордоном и выпытывал, почему она никогда не пыталась с ним развестись. Он хотел знать, были ли у нее другие сексуальные отношения в то время, когда она жила с Клинтом. Он осуждал ее за «кражу» мужа у другой женщины.

Все это привело Сондру к психиатру.

Затем наступила очередь Оберстайна поджаривать Клинта на гриле. В течение шести часов Оберстайн сосредотачивался на «реальных» намерениях Клинта в отношении дома на Страделла-роуд, указывая, что Клинт первоначально собирался делать и почему писал в завещании (которое с тех пор несколько раз переписывал), что хочет оставить его Сондре. Отвечая на вопрос, касающийся характера его взаимоотношений с Локк, Клинт заметил, что они только-только обрели стабильность, но с формальной точки зрения он с Сондрой не жил вместе, потому что она была замужем за Гордоном. «Приходящая соседка по комнате» — так Клинт охарактеризо-

* Вот эти шесть фильмов: «Джоси Уэйлс — человек вне закона», «Сквозь строй», «Как ни крути — проиграешь», «Бронко Билли», «Как только сможешь» и «Внезапный удар».

вал Сондру Локк. Вынужденный объяснить это определение, Клинт сказал, что «если человек проводит в каком-то месте одну ночь, то его можно назвать "приходящим"». Оберстайн поставил Клинта перед фактом, что он прослушивал телефоны в доме на Страделла. Тот ответил, что стал жертвой преследователя и просто пытался собрать доказательства, чтобы возбудить дело против него — или против нее. По его словам, Локк не раз угрожала его убить. Позже в автобиографии Локк назвала эти обвинения «грубой и нелепой клеветой».

Неделю спустя было проведено предварительное слушание за закрытыми дверями, которое было призвано определить, может ли Локк вернуться в дом на Страделла. Было собрано много доказательств «за» и «против» — в основном их давали друзья и родственники, поддерживавшие каждую из сторон. Джейн Бролин свидетельствовала, что всякий раз, когда она оставалась с Клинтом на Страделла-роуд (а это она делала часто), она не могла не заметить, сколько там было одежды Локк и ее личных вещей. При этом Бролин давала показания в пользу Клинта, и это была по меньшей мере странная стратегия: из-за этих показаний он выглядел еще большим плейбоем, чем хотел, а интерес Бролин к вещам Локк вполне можно было представить как слежку.

Под присягой выяснилось, что именно Бролин была тем самым «неназванным источником» многих «эксклюзивных» историй об ухудшении отношений между Локк и Клинтом, печатавшихся в National Enquirer. Она же была вероятным автором насыщенных ядом писем. Кайл показал, что он был основным арендатором здания на Страделла-роуд. В ходе слушаний Клинт впервые сделал достоянием общественности информацию о том, что у него с Джейслин Ривз есть двое детей — девочка Кэтрин и мальчик Скотт. До тех пор никто не знал наверняка, кто был отцом ее детей, поскольку в свидетельствах о рождении обоих стоял прочерк. Существование этих детей стало полным шоком для Локк, которая не подозревала, что Клинт во время их совместной жизни основал еще одну семью с другой женщиной.

В результате Сондра Локк отсудила себе временную поддержку, но ей было отказано в палимонии, поскольку судья установил, что в то время, когда у нее была связь с Клинтом, она была замужем за другим мужчиной. Дело рассматривалось в арбитражном суде, и его решение не было обязательным. В связи с этим Локк отказалась признать решение и потребовала полного слушания в Верховном суде

Лос-Анджелеса. В июне, продолжая разбирательство, Локк арендовала относительно скромную квартиру на Фаунтэн-авеню в Западном Голливуде и возобновила постпродакшн своего проекта, который теперь назывался просто «Импульс».

Поскольку слушание было перенесено на следующее заседание, Клинт предоставил право бороться адвокатам и наконец-то отправился в Африку вместе с Джейн Бролин.

«Белый охотник, черное сердце» представлял собой еще один из личных «антижанровых» фильмов Клинта, который был сделан по образцу «Птицы». Это был плохо завуалированный биографический портрет Джона Хьюстона — одного из самых уважаемых режиссеров Голливуда. В свое время Питер Виртел написал ошеломляющий роман, в котором под вымышленными именами были выведены реальные лица. А писал он о приключениях Хьюстона в Конго во время съемок отмеченного потом многими наградами фильма «Африканская королева» (1951). В романе хорошо показана одержимость Хьюстона двумя вещами — выпивкой и охотой на слонов.

Для Клинта этот фильм кажется странным. Почему он его снял? Вот что он сам об этом говорил:

> «Давным-давно, в начале пятидесятых, я познакомился с человеком по имени Стэнли Рубин — он тогда был продюсером на Universal и работал на Рэя Старка. Он спросил меня, не будет ли мне интересно почитать сценарий, который уже давно бродит по офисам Columbia вместе с некоторыми другими произведениями… Потом я познакомился с Питером Виртелом и разузнал у него всю историю этого романа: оказывается, автор начал описывать эти приключения перед началом съемок фильма "Африканская королева". Он меня просто очаровал, как это всегда бывает с одержимым человеком… Это был очень интересный персонаж…»

В фильме «Белый охотник, черное сердце» Джон Уилсон (Клинт) собирается убить слона, но у него внезапно происходит сердечный приступ, в результате которого он убивает близкого ему местного проводника Киву (Бой Матиас Чума). Кива чем-то похож на Ганга Дина из стихотворения Киплинга; это единственный человек, который небезразличен Джону Уилсону). Белый охотник с черным сердцем, как его называют жители деревни, Уилсон возвращается к своей единственной настоящей любви — к кино, в данном случае — к съемке фильма, ради которого он сюда приехал. Когда в последнем кадре картины Уилсон восклицает «Мотор!», искусство выходит за пределы всей его жизни...

Такой подход близок к утверждению самоопределения, которое всегда проповедовал молчаливый Клинт. Он мог отождествить себя с Хьюстоном — как с режиссером, так и с противоречивой личностью: по характеру он был и экстравагантным, и избирательным, и щедрым, и экономным, и добросердечным, и низким. И как актер, и как режиссер (часто в рамках одного и того же проекта) Хьюстон снимал в основном жанровые фильмы — например, «Мальтийский сокол» и «Африканскую королеву», в которых он выступил режиссером. Эти картины являлись его личными высказываниями — диковинными, причудливыми, которые всегда означали нечто «большее» — как, например, фильм «Фрейд: Тайная страсть», в котором он был и режиссером, и рассказчиком. А еще эти ленты никогда не получали того внимания и не достигали таких кассовых сборов, которых, по мнению автора, они заслуживали.

Брак с Винбергом был на грани развала, и Мэгги хотела посмотреть, как Клинт справляется с переводом своих отношений с Локк в юридическую и эмоциональную плоскости. Ей было интересно, возьмет ли Клинт верх над Локк.

Создавая картину «Птица» и вот теперь «Белый охотник, черное сердце», Клинт неуклонно двигался к фильмам, которые во многих отношениях были лишь слегка завуалированными автобиографиями. Его герой — это Чарли Паркер, музыкальный гений, который пошел против основного течения только для того, чтобы рассекать набегавшие волны. Это Хьюстон, физически устрашающий режиссер и актер, чьи фильмы не всегда вписывались в ту или иную коммерческую категорию, но всегда оставляли огненный след в памяти. Самое интересное, что Хьюстон всегда выходил за рамки и не обременял себя самодисциплиной. Иными словами, он был полной противоположностью Клинту, чья самодисциплина — как в кинопроизводстве, так и в режимах ухода за собственным здоровьем — была хорошо известна всем, кому доводилось с ним работать. Таким образом, фильм, выглядевший как дань уважения мастеру, одновременно был для Клинта способом облагородить и обоготворить Хьюстона (ну, и себя самого).

В конце августа съемки завершились. Клинт возвращался в Штаты через Лондон. Здесь он встретился с Мэгги. Ее брак с Винбергом был на грани развала, и Мэгги хотела посмотреть, как Клинт справляется с переводом своих отношений с Локк в юридическую и эмоциональную плоскости. Ей было интересно, возьмет ли Клинт верх над Локк. При всех его «неосторожных» поступках Мэгги всегда обвиняла в разрыве своего брака с Клинтом именно Локк. Кроме того, Мэгги и Клинт остались деловыми партнерами в ряде предприятий в результате сложного бракоразводного процесса, а также родителями двоих детей. Мэгги также воспользовалась случаем донести до Клинта мысль, что он должен играть более существенную роль в жизни Кайла и Элисон.

Была и еще пара слов, которые очень хотела сказать ему Мэгги. После сенсационного судебного процесса по палимонии Мэгги, как и все остальные, узнала, что Клинт является отцом дочери Кимбер, которая родилась у Роксанны Танис еще в то время, когда Мэгги и Клинт состояли в браке. Вероятно, Мэгги не упустила возможности поговорить с Клинтом и об этом... Так или иначе, он выслушал все, что она хотела или должна была сказать, и при этом не спорил и не возражал бывшей жене.

По возвращении в Лос-Анджелес Клинт спокойно возобновил свои отношения с Фрэнсис Фишер и, поскольку дело о палимонии затянулось, начал обработку материала, отснятого для фильма «Белый охотник, черное сердце». В мае 1990 года он привез готовую версию фильма в Канны, где по необъяснимым причинам начал перед прессой отрицать то обстоятельство, что фильм имеет в своей основе историю Джона Хьюстона. Огромное число зрителей и высококвалифицированных кинокритиков, хорошо осведомленных об истории создания «Африканской королевы», были немало озадачены вопросом, о чем же еще может быть этот фильм.

В сентябре того же года Клинт показал картину на кинофестивале в Теллурайде, в Колорадо, где его встретили куда сдержаннее, чем ожидалось.

Фильм «Белый охотник, черное сердце» вышел в прокат осенью 1990 года и за свой первый отечественный показ заработал менее 8 миллионов долларов, став одним из самых неприбыльных фильмов в карьере Клинта.

Вступив в пятое десятилетие работы в киноиндустрии с тремя неудачами подряд и публичным судебным разбирательством о палимонии, Клинт сразу же начал работу над фильмом в жанре простого полицейского детектива, хотя и с некоторым «заворотом». Вместо того чтобы эксплуатировать свой фирменный бренд «одиночника», Клинт попытался привлечь к просмотрам более юную аудиторию, разделив экран с гораздо более молодым и чрезвычайно популярным исполнителем Чарли Шином. Фильм начинается с того, что новичок (Шин) попадает «под крыло» офицера Ника Пуловски (Клинта), поскольку последний коллега Пуловски убит бандой угонщиков автомобилей, которой руководят безжалостные убийцы-латинос. Фильм «Новичок» был поставлен по сценарию Боаза Якина и Скотта Шпигеля и казался бледной копией (а некоторые критики посчитали его откровенной пародией) фильмов из серии «Грязный Гарри», правда, за вычетом грязи и самого Гарри. При этом нельзя сказать, что в фильме не было привлекательности. Никто не откажет в привлекательности актрисе Соне Брага, которая играет садомазохистку и убийцу по имени Лизль. Она надевает наручники на героя Клинта, приковывает его к стулу, довольно живописно его насилует, а затем переходит к убийству жертвы, которая, впрочем, чудом от нее ускользает. Это была сцена-бомба, о которой говорили зрители, — к сожалению, единственная в фильме. При всей своей очевидной провокационности и эксплуатации принципа «искусство ради искусства» сцена также может быть воспринята как выражение чувств Клинта, ставшего жертвой красивой, но плохой женщины. Ведь в этой сцене Лизль надевает на него наручники, подвергает сексуальным пыткам, угрожает посадить в тюрьму и хочет убить, даже когда занимается с ним любовью. Но в конце концов в дело вступает большая пушка Клинта...

Фильм получил смешанные, в основном негативные отклики, но «в кассе» выглядел лучше, чем любой из недавних предшественников. Это обстоятельство побудило Винсента Кэнби из New York Times задуматься о том, как Клинт смог достичь столь высокого уровня и потерпеть неудачу с фильмом «Белый охотник, черное сердце» и, с другой стороны, пасть так низко, но добиться кассового успеха с фильмом «Новичок». Выпущенная в прокат на Рождество 1990 года, картина при первоначальном показе на внутреннем рынке собрала 43 миллиона долларов. Это был достаточно хороший результат, чтобы показать, что «сползание в пропасть» приостановлено, но снятый фильм ни в коем случае нельзя было назвать не только отличным, но даже очень хорошим.

Следующий свой фильм Клинт снял только через два года...

ЧАСТЬ III

От автора до «Оскара»

★★★

ГЛАВА 19

★★★

«Непрощенный» завершает траекторию, начатую фильмом «За пригоршню долларов». Вместо того чтобы отказаться от создания семьи или просто создать семью, на этот раз персонаж Иствуда объявляет, что у него есть семья — но при этом в картине рядом с ним нет ни одной женщины, по крайней мере, ни одной живой женщины.

Бретт Уэстбрук

В апреле 1990 года фильм Локк «Импульс» вышел в прокат и получил неплохие отклики, в том числе желанное одобрение со стороны влиятельных телевизионных журнальных критиков Юджина Сискела и Роджера Эберта (их отклики обычно помогали поднять сборы от фильма). Вместе с тем, по словам Локк, компания Warner Brothers вообще не занималась продвижением фильма. А появившаяся на выходных газетная реклама «Импульса», шедшего в нескольких кинотеатрах Лос-Анджелеса, ни словом не упоминала об обзоре Сискела и Эберта. Еще хуже для Локк оказалась другая новость: через несколько недель после весеннего показа фильма Люси Фишер сообщила ей, что, к сожалению, Warner Brothers отказалась от трех других проектов Локк, которые находились у студии на разных стадиях разработки.

Эмоционально подавленная и разъяренная Локк указала на Клинта как на виновника того, что в ее жизни все пошло не так. К тому же у нее не было никаких оснований полагать, что она сама может что-то сделать с решением Warner Brothers. Почему это произошло? Возможно, Warner Brothers выбросила Локк на улицу потому, что она нарушила негласный общеотраслевой запрет на «стирку грязного белья в общественных местах». Если дело обстояло именно так, то это было, по-видимому, бизнес-решение — чистое и простое. Бизнес в Голливуде — это постоянное балансирование на канате между искусством и коммерцией. За годы, прошедшие между выдвижением на премию «Оскар» и выходом фильма «Импульс», карьера Локк никак не развивалась. Она не стала большой звездой, а ее фильмы никогда не приносили такого дохода, как картины Клинта Иствуда. Иными словами, она стала расходным материалом.

«Я буду таскать ее за задницу по судам, пока от нее ничего не останется. Я никогда не пойду с ней на мировую. Я заплатил ей за работу в кино, так теперь она хочет, чтобы ей еще и за любовь заплатили?»

Впрочем, сама Локк считала, что все ее проблемы носили личностный характер и были обусловлены яростной потребностью Клинта в мести. В своих мемуарах она цитирует Клинта, который говорил своему другу: «Вопрос в том, кем она хочет стать — режиссером или Мишель Марвин? Я буду таскать ее за задницу по судам, пока от нее ничего не останется. Я никогда не пойду с ней на мировую. Я заплатил ей за работу в кино, так теперь она хочет, чтобы ей еще и за любовь заплатили?»

Развернувшийся судебный процесс ни к чему не привел, кроме того что Локк стали поступать огромные счета. В надежде остановить этот процесс она просто подняла трубку, позвонила Клинту и спросила, могут ли они встретиться. Клинт согласился, и уже на следующий день она пришла в его офис. Вспоминая позже об этом дне, Сондра писала, что тогда Клинт начал с ней флиртовать. В ответ она попросила его отозвать иск. Он взорвался, настаивая на том, что это она заварила кашу и что если теперь она в отчаянии или разорена, то должна устроиться на работу официанткой. Однако он был согласен на сближение, если она готова вернуться к нему как к своему любовнику, только «без всяких там условий»*.

---

* Клинт никогда не комментировал эту встречу и даже не признавал, что она состоялась.

Потом Локк написала Клинту письмо, надеясь, что печатное слово не позволит его эмоциям помешать попытке примирения. Письменный ответ Клинта был коротким и безличным: «Я ничего тебе не должен».

В надежде взять новый старт в Голливуде Сондра Локк покинула агентство William Morris и подписала контракт с агентом Дэвидом Гершем, который быстро заключил для нее сделку в Orion Pictures на фильм «О, детка!» — романтическую комедию, которую она могла бы легко срежиссировать.

Локк уже была готова начать кастинг, когда заметила уплотнение в правой груди. Оно оказалось злокачественным. В результате в сентябре 1990 года, вместо того чтобы начать работу над новым фильмом, она попала в больницу, где ей сделали двойную мастэктомию.

В ноябре, когда она только начала выздоравливать после операции, продюсер Эл Радди сообщил, что готов выступить посредником и попытаться урегулировать ее отношения с Клинтом до начала суда, назначенного на март 1991 года. Радди также уведомил, что Клинт готов отказаться от своего иска, если она откажется от своего; что Гордон может жить в доме на Кресент Хайтс; наконец, что он позаботится о том, чтобы она получила перспективные контракты в Warner Brothers. Она также получит 450 000 долларов наличными, если откажется от всех будущих претензий к дому на Страделла-роуд и согласится никогда больше не судиться с Клинтом.

Клинт почувствовал, что наконец-то готов снять еще один фильм, и выбрал для него жанр вестерна. Это был мудрый выбор — вестерны всегда у него получались.

Локк была без сил после сражений с Клинтом и недавней операции; у нее накапливались счета за лечение. Не задумываясь о том, почему Клинт внезапно изменил свою позицию и пытается помириться, Сондра Локк приняла это предложение.

Итак, Клинту потребовалось два года, чтобы договориться с Локк и урегулировать еще один не связанный с этим, но тягомотный судебный процесс, который разразился в связи с автомобильной аварией. Теперь Клинт почувствовал, что наконец-то готов снять еще один фильм, и выбрал для него жанр вестерна. Это был мудрый выбор — вестерны всегда у него получались. В конце концов, он начал свою карьеру именно с телевизионных вестернов и сделал большой прорыв к славе благодаря вестернам — и вот теперь он вернется к этому жанру и сделает еще один фильм, который будет называться «Непрощенный».

Клинт держал у себя сценарий этой картины уже несколько лет. Написанный малоизвестным сценаристом, текст оставался в загашнике до тех пор, пока Клинт не смог найти кого-то, кроме него самого, кто мог бы хорошо сыграть главную роль (событие маловероятное, поскольку роль идеально подходила для Клинта), или (как он говорил интервьюерам после выхода фильма в прокат — и это было более вероятно) до тех пор, пока он не почувствовал, что стал слишком возрастным, чтобы достоверно сыграть главную роль. Возможно, еще более показательным в этом смысле стало его интервью Cahiers du cinéma перед европейским показом:

> «Почему вестерн? Мне показалось, это был единственно возможный жанр для этой истории, потому что на самом деле все выросло именно из истории. Во всяком случае, я никогда не думал о том, чтобы что-то делать только потому, что на это есть мода. Напротив, я всегда чувствовал необходимость идти против течения... Что касается отличия этого вестерна от других — мне кажется, фильм рассказывает о насилии и его последствиях гораздо больше, чем все, что я делал раньше. Да, в прошлом в моих фильмах убивали множество людей, однако в этой истории мне понравилось то, что людей не убивали, а акты насилия не совершались без определенных последствий. Я думаю, что это проблема, и я считаю, что сегодня важно об этом говорить, поскольку эта проблема принимает масштабы, которых не было в прошлом, хотя мы веками с ней жили».

«Непрощенный» обладал таким сюжетом, что Клинт мог бы снять его даже во сне. Еще до того, как был сделан первый кадр, он точно знал, как должна будет выглядеть картина в целом.

Первоначально называвшийся «Убийства шлюх», фильм был переименован в «Убийства Уильяма Манни», но и это название Клинту не понравилось. Сценарий «Непрощенного» был детищем Дэвида Уэбба Пиплза, который изучал английскую литературу в Беркли, после окончания учебы работал редактором телевизионных новостей, а затем перешел к документальным фильмам. В 1981 году вместе со своей женой Джанет и соавтором Джоном Элсом он снял документальный фильм о создании атомной бомбы, который назывался «День после Троицы». Срежиссированная Джоном Элсом, лента оказалась достаточно хороша, чтобы быть номинированной на премию «Оскар» как лучший документальный фильм.

Этот успех заставил Пиплза порыться в ящиках своего стола и достать из них все, что можно было бы немедленно продать. Там он нашел сценарий, написанный за пять лет до «Дня после Троицы». В то время он никуда не пошел, но вот сейчас пригодился.

Потом этот сценарий многократно передавали из рук в руки и обновляли, и в конце концов через Меган Роуз он попал к Клинту. Прочитанный текст Клинту понравился, и, когда сценарий вышел из-под ограничений очередного опциона, он просто купил его, положил в ящик своего стола и стал ждать, пока придет время для его экранизации.

Вполне возможно, фильм мог быть снят еще в 1985 году, когда происходило элегическое прощание Клинта с жанром, положившим начало его карьере, но тогда появился сценарий фильма «Бледный всадник» и началась работа над превращением его в фильм... Теперь же, находясь в поисках чего-то такого, что могло бы развеять усиливающиеся слухи о том, что он «кончился», Клинт еще раз обратился к самому надежному для себя жанру — вестерну — и стал продюсером, режиссером и исполнителем главной роли в фильме, получившем новое название — «Непрощенный». Чтобы убедиться, что картина станет достаточно большим хитом и вернет его к славе, он убрал все замедления действия (или, точнее, столько, сколько смог вынести сценарий без взлета бюджета к небесам).

Фильм был снят в типичном для Клинта стиле: быстро, недорого, по оригинальному сценарию.

В целом фильм был снят в типичном для Клинта стиле: быстро, недорого, по оригинальному сценарию. Сам Клинт рассказывал: «Я начал переписывать сценарий и рассказал об этом Дэвиду. Я говорил, что хочу сделать это и вот это, добавить пару сцен... Но чем больше я возился, тем больше понимал, что разбираю множество блоков, из которых состоит сценарий. Наконец, однажды вечером я позвонил ему и сказал: "Забудь обо всех тех переписываниях, о которых я тебе говорил. Мне он нравится таким, какой есть"».

Действие фильма происходит в вымышленном городке Биг Виски, штат Вайоминг, но снимали его в Калгари, провинция Альберта, с привлечением лучших талантов, способных оживить город и фильм. Во главе этого списка талантов стоял Генри Бамстед, в последний раз работавший на Клинта двадцать лет назад — над фильмом «Наездник с высоких равнин» — и ставший за это время одним из самых востребованных голливудских художников-постановщиков. Широкой публике Бамстед был больше всего известен благодаря своей работе над фильмом Роберта Маллигана «Убить пересмешника», за которую он получил «Оскар»*, а также над лентами Хичкока «Человек, который слишком много знал» (1956) и «Головокружение» (1957).

В фильме «Непрощенный» было очень важно передать настроение, и потому работа Бамстеда оказалась ключевым компонентом, помогающим визуализировать ощущение того, что живая мстительница ходит среди живых мертвецов, ожидая своей очереди в мифическое бессмертие. Бамстеду потребовалось всего месяц и один день, чтобы построить все декорации, в которых по желанию Клинта снимались сцены. Это придало фильму стилистическое единство, которое не могли обеспечить съемки в обычном павильоне.

В «Непрощенном» Клинт решил поработать с другими звездами, что он редко делал в фильмах Malpaso. Так, Морган Фриман сыграл Нэда Логана, бывшего подельника Манни (Клинт) по преступлениям. Логан в последний раз присоединяется к нему, чтобы отработать деньги, собранные городскими проститутками во главе со Строберри Элис (актриса Фрэнсис Фишер — еще одна подруга Клинта в роли проститутки). Эти деньги — вознаграждение тому, кто расправится с человеком, ответственным за нанесение увечья и убийство одной из проституток — Делайлы, которую играет Анна Томсон. Еще один из поворотов сюжета состоит в том, что шериф Биг Виски, фашиствующий Маленький Билл Даггетт (Джин Хэкмен), отпустил настоящего убийцу. Неудивительно, что в таких условиях к Биг Виски подтягивается несколько охотников за головами, которые тоже надеются получить эту награду. В их числе — Англичанин Боб (Ричард Харрис) и его «биограф» Бошам (Сол Рубинек). Единственным малоизвестным

* За лучшую работу художника в черно-белом фильме. Он также получил премию «Оскар» за лучшую работу художника-постановщика в фильме Джорджа Роя Хилла «Афера» (1973) и был номинирован с «Головокружением», но не победил. Карьера Генри Бамстеда началась еще в 1940-х годах, а скончался он в 2006 году, успев поработать над фильмами Клинта «Флаги наших отцов» и «Письма с Иводзимы».

участником актерского состава, кроме Фишер, был Джеймс Вулветт, который сыграл Скофилда Кида, молодого стрелка, мечтающего стать такой же легендой, какой когда-то был Манни.

Несколько неожиданных разворотов сюжета придают фильму больше иронии и глубины, чем в любой из прежних лент Клинта Иствуда, однако в нем есть ссылки на многие из его картин. Манни – стрелок легендарных масштабов, который отказался от своего «убийственного» прошлого и попытался загладить вину перед людьми; он женился, у него есть дети, он разводит свиней на ферме... Многое из характера и действий Манни было придумано и проработано еще до начала съемок фильма – и этим он отличается от Шейна, кинематографической модели для Проповедника из «Бледного всадника». Манни собирается получить награду с тем же чувством выполнения собственной миссии, которое было рассмотрено в трилогии Леоне. В «Непрощенном» Человек без имени вернулся к своей миссии стрелка – вернулся пожилой, усталый и раскаявшийся, потому что ему нужны деньги, чтобы растить детей после смерти жены, но также и потому, что он – Стрелок, человек, который должен выполнить предназначение судьбы. В этом смысле неизбежный насильственный и ужасающий кульминационный момент фильма «Непрощенный», во время которого Манни мстит не только за убитую проститутку, но и за Нэда Логана, убитого Даггеттом, является изящным воплощением известного изречения древнегреческого философа Гераклита о том, что характер человека создает его судьбу. Судьба Манни – убить Даггетта, потому что это в его характере (как и судьба Даггетта – быть убитым, это тоже в его характере). В «Непрощенном», как и в нескольких фильмах серии «Грязный Гарри» (наверное, наиболее ярко это проявляется в ленте «Высшая сила»), справедливость может быть злом, но и зло может быть справедливым.

И наконец, «биограф» Англичанина Боба – У. У. Бошам, которого играет Сол Рубинек, настолько коррумпирован, труслив, настолько любит саморекламу и не заботится об истине (да и не может ее отстаивать), что сама его история становится подозрительной. Легенда сливается с реальностью, и зрителям остается задаться вопросом, что же на самом деле случилось с Манни. В некотором смысле Бошам представляет для Клинта всех писателей (включая биографов и, вероятно, кинокритиков), которые слишком часто относятся к кино легко и непринужденно, подбирают себе «соломенных» героев и злодеев, чтобы на их фоне ярче выглядел их собственный блеск.

Фильм затрагивает и многие другие человеческие пороки — например, расизм, сексизм и тщеславие, и все они объединяются в одной невероятной кульминации, которая разрешается, как и во всех великих вестернах (а в более широком, метафорическом смысле — во всех великих фильмах), в одной из самых мощных перестрелок, которая когда-либо попадала на экран.

И все это было снято менее чем за месяц*.

С самого начала вокруг фильма поднялась огромная шумиха, поскольку в нем участвовало по крайней мере два человека, которые стояли во главе целых школ актерской игры. Это были Морган Фриман, номинированный на «Оскар» за лучшую мужскую роль в фильме Брюса Бересфорда «Шофер мисс Дэйзи» (1989), и Джин Хэкмен, получивший «Оскар» как лучший актер за исполнение роли в фильме «Французский связной» (1972). Интересно, что за несколько лет до этого, когда сценарий попал к Клинту, Хэкмен отказался от роли Манни. Когда же Клинт предложил ему роль Даггетта, он отказался и от нее, потому что посчитал его слишком жестоким и отталкивающим персонажем. Но Клинт каким-то образом убедил его в том, что фильм содержит сильное послание против насилия. Ричард Харрис, необычный ирландец, родившийся в городе Лимерик, долго оставался в списке ведущих актеров Голливуда уже после того, как его главные фильмы остались в далеком прошлом; те, кто видел кадры проб в «Непрощенном» с его участием, рассказывали, что они были лучшими в его карьере.

Поскольку о фильме говорили много хороших слов еще до его выхода, компания Warner Brothers вызвалась взять на себя продвижение. Клинт обычно отклонял такие предложения, но на этот раз с готовностью согласился. Почти каждый предыдущий фильм, сделанный Malpaso, рекламировался независимо друг от друга Чарльзом Голдом и Китти Даттон, которых Клинт нанял через Malpaso еще в те времена, когда в Warner Brothers работал Фрэнк Уэллс и там мало кто верил в способность студии продвигать фильмы. Теперь,

* У всегда суеверного Клинта главным талисманом этого фильма стали сапоги — это были те же самые сапоги, которые он носил на протяжении большей части съемок телесериала «Сыромятная плеть». В 2005 году он одолжил их для выставки Серджо Леоне, которая тогда проходила в Музее Джина Отри (Музее наследия Дикого Запада) в Лос-Анджелесе, штат Калифорния.

когда ответственными за это дело стали Терри Семел и Боб Дэйли, студия проводила намного более агрессивную политику, и они убедили Клинта, что могли бы это сделать лучше, чем Malpaso.

Было организовано несколько пресс-джанкетов, то есть мероприятий по раздаче интервью в связи с выходом фильма (до «Непрощенного» Клинт был против них), а Ричард Шикел, кинокритик и режиссер-документалист, получил практически неограниченный доступ к ролику о создании фильма. Были «взяты на борт» Джек Мэтьюз из Los Angeles Times и Питер Бискинд из относительно нового и очень влиятельного журнала Premiere, который был похож на Rolling Stone и по внешнему виду, и по манере делать репортажи о фильмах. Были организованы многочисленные упоминания в кинотеатрах и рекламные акции, конкурсы и личные интервью с Клинтом*. А потом произошло то, чего вообще никто не ожидал: Клинт согласился прийти на программу *The Tonight Show*, чтобы рассказать там о фильме.

Причину всей этой нетипичной доступности было нетрудно понять. Клинт все еще хотел получить свой «Оскар». Это было так просто. Есть же повод. Ему будет шестьдесят два года, когда выйдет фильм – пятидесятый из череды фильмов, в которых он или снялся, или был режиссером, или и то и другое. И если ему все же суждено получить «Оскар», то сейчас самое время.

Причину всей этой нетипичной доступности было нетрудно понять. Клинт все еще хотел получить свой «Оскар».

Фильм «Непрощенный», в заключительных титрах посвященный Серджо Леоне и Дону Сигелу, вышел в прокат 7 августа 1992 года. Август – это месяц, когда выходят летние фильмы, от которых не ждут больших достижений; лучшим из них дают выходные вокруг Дня Памяти, следующие по качеству показывают четвертого июля, в День независимости США, после чего демонстрируются все остальные. Но с этим фильмом работала стратегия Дэйли-Семела, которая заключалась в том, что «Непрощенный» отделялся от других больших летних фильмов года, среди которых были «Возвращение Бэтмена» Тима Бёртона и «Игры патриотов» Филиппа Нойса с Харрисоном Фордом в главной роли – оба они вышли в прокат до августа.

* Интервью были почти идентичны. Как всегда, Клинт мало что рассказывал о себе, да и вопросы были ограничены темой фильма.

Эта стратегия себя оправдала: в первый уик-энд фильм заработал 14 миллионов долларов — лучший результат в истории фильмов Клинта. Но судьбе было мало того, что карьера Иствуда воскресла, — внезапно он стал самым ярким актером и режиссером в Голливуде. «Непрощенный» в первом показе в кинотеатрах получил в общей сложности 160 миллионов долларов, еще 50 миллионов долларов дали демонстрации картины за границей. Таким образом, новый фильм уступил только двум клинтоновским «лентам с орангутанами» и на тот момент вошел в тройку самых прибыльных картин Клинта.

В связи с этим не кажется удивительным, что в ту зиму, когда были объявлены номинации на «Оскар», среди номинантов оказались и Клинт, и его фильм. «Непрощенный» был заявлен на «Оскар» за лучший фильм, и в этой борьбе Клинт как продюсер выступил против нескольких фильмов. Во-первых, против причудливой, сексуально неоднозначной, крайне оригинальной и совершенно захватывающей ленты «Жестокая игра» Нила Джордана. Во-вторых, против военно-судебной драмы Роба Райнера «Несколько хороших парней», в которой снялись три самых яркие звезды Голливуда (Джек Николсон, Том Круз и Деми Мур) и которая получила дополнительные баллы из-за того, что стала воплощением на экране недавнего бродвейского хита. Среди других номинантов был фильм «Ховардс-Энд» Джеймса Айвори, который показал миру, каким может быть литературный Голливуд. Наконец, здесь был представлен фильм Мартина Бреста «Запах женщины» — о слепом человеке, который мог «видеть» реальную жизнь лучше зрячего, с Аль Пачино в главной роли.

Клинт был также номинирован на лучшего актера и в этой долгожданной первой номинации противостоял Роберту Дауни-младшему в свежей биографии Чаплина режиссера Ричарда Аттенборо; впечатляющему исполнению Стивеном Ри роли ирландского бунтаря в фильме «Жестокая игра», Дензелу Вашингтону в главной роли в фильме «Малкольм Икс» Спайка Ли; и, наконец, Аль Пачино.

Он также был номинирован на звание лучшего режиссера, где противостоял Роберту Олтману с его разоблачением аморальности Голливуда в фильме «Игрок», а также Мартину Бресту, Джеймсу Айвори и Нилу Джордану.

Другие важные номинации, на которые был выдвинут «Непрощенный», включали роль лучшего актера второго плана (Джин Хэкмен) и лучший сценарий (Дэвид Уэбб Пиплз).

29 марта 1993 года, в ночь награждения, улыбающийся среброголовый Клинт появился на церемонии в смокинге, с галстуком-бабочкой и об руку с Фрэнсис Фишер, по облику которой еще нельзя было сказать, что она беременна. Обычное течение церемонии награждения премиями Киноакадемии, которая считается кладезью юмора и остроумия, было нарушено ведущим Билли Кристалом, которого вывез на сцену на коляске Рон Андервуд, претендент на звание лучшего актера второго плана за фильм «Городские пижоны» на прошлогодней церемонии «Оскара». Тем самым организаторы лишили себя и церемонию последней толики достоинства.

Тема шоу была объявлена как «Женщины в кино», и хотя в этом году памятных женских ролей и выступлений было немного, но появление Элизабет Тейлор и награждение вместе с ней премией Джина Хершолта недавно скончавшейся Одри Хепберн вызвало в аудитории сильные электрические разряды. Вечер двигался к ожидаемой «коронации» Клинта Иствуда. Правда, по пути к заветной цели Клинт получил один неожиданный удар, когда «Оскар» за лучшую мужскую роль отправился к Аль Пачино за одно из наименее значительных исполнений в его карьере. Произошло это вскоре после того, как Джин Хэкмен получил «Оскар» как лучший актер второго плана. Но в ночь, наполненную азартом Лас-Вегаса, всегда существует опасность опередить фаворитов, и Клинт взял себя в руки.

Следующую презентацию вела Барбра Стрейзанд — наверное, самая крупная звезда в тогдашнем Голливуде, облаченная в великолепное черное платье. «Эта награда предназначена для лучшего режиссера, — заговорила Стрейзанд, слегка наклонившись к микрофону. Ее обнаженные плечи блестели в ярком свете. — И сегодня вечером я имею честь представить ее вам». Она аккуратно прочитала имена номинантов и названия фильмов, а в это время на экране мелькали кадры из представленных лент. Последним прозвучало имя Клинта. На кадре, который в это время мелькнул на экране, он был небрит и смотрел прямо в кинокамеру, медленно и отстраненно пережевывая жевательную резинку. «Итак, "Оскар" получает... — произнесла она, раскрывая кон-

Она аккуратно прочитала имена номинантов и названия фильмов, а в это время на экране мелькали кадры из представленных лент. Последним прозвучало имя Клинта. На кадре, который в это время мелькнул на экране, он был небрит и смотрел прямо в кинокамеру, медленно и отстраненно пережевывая жевательную резинку.

верт, затем расплылась в широкой улыбке, кивнула Клинту, сидевшему в первом ряду вместе с Фишер, и наконец сказала: — Клинт Иствуд!»

Аудитория взорвалась самым сильным откликом за вечер, над радостно аплодирующими полетели приветствия и крики «вау». Перед тем как Клинт встал со своего места, Фишер быстро поцеловала его в щеку. По дороге на сцену он приостановился, чтобы пожать руку Аттенборо и принять от него поздравления. Когда он вышел на сцену, аплодисменты стихли. Клинт неожиданно высказался о своем горле, которое пересохло, пока он сидел, в ожидании большого события. Потом он вытер губы и начал снова. «Я просто хочу... — произнес он и замолчал, глядя на статуэтку «Оскара», которую крепко держал в правой руке. — Нет, это очень хорошо, все в порядке». А затем, нервно улыбаясь, продолжил свою благодарственную речь:

> «Я тут кручусь тридцать девять лет, и мне действительно это нравится... Мне очень повезло... Я слышал, как Аль [Пачино, победитель в категории "Лучший актер"] сказал, что ему повезло, но все так себя чувствуют... когда ты можешь зарабатывать на жизнь профессией, которая тебе действительно нравится. Это та возможность, которой, я думаю, многие люди не имеют. Я должен поблагодарить съемочную группу, а также Дэвида Валдеза [исполнительного продюсера фильма] и Джека Грина [главного оператора] — в общем, всю съемочную группу... Проблема в том, что за время долгой жизни ты встречаешь множество людей, но не можешь запомнить их имена».

Когда Клинт повернул голову в смутном замешательстве, по залу прокатились добродушные смешки. Он снова улыбнулся.

> «Немного волнуюсь... Да, так, в Год женщины я хотел бы поприветствовать женщин из Биг Виски, а это были Анна Томсон, Фрэнсис Фишер, и Лайза, и Тайра, и Джози, и Беверли, и все те женщины, которые действительно послужили катализатором для создания этой истории с нуля, и Дэвида Пиплза за сказочный сценарий, и Warner Brothers, связавшихся с этим фильмом, и кинокритиков, которые обнаружили этот фильм, — он не был широко разрекламированным, когда вышел, но они в течение года следили за ним, как и французские кинокритики, которые

очень давно оценили некоторые из моих работ. Хочу поблагодарить Британский институт кино и Музей современного искусства, а также людей, оценивших меня задолго до того, как я вошел в моду. Ленни Хиршан, моего агента... Я наверняка не назвал еще целую группу людей, о чем буду сожалеть, когда снова сяду на свое место. В любом случае, большое вам спасибо».

С этими словами Клинт поднял «Оскар», помахал им толпе и покинул сцену под еще более громкие аплодисменты.

Но покинул только для того, чтобы через несколько минут вернуться обратно, когда ухмыляющийся Джек Николсон зачитал имена номинантов на премию за лучший фильм таким тоном, как будто это было его личной шуткой, а затем открыл конверт и спокойно произнес имя Клинта. В зале снова вспыхнули восторженные аплодисменты. На этот раз Клинт оказался готов назвать имена тех, кого он не смог поблагодарить в своей предыдущей речи, включая авторов из Warner Brothers Джо Хайамса и Марко Барла, руководителей студии Терри Семела и Боба Дэйли и «целые слои» исполнителей из Warner Brothers. Он также почтил память бывшего шефа Warner Brothers Стива Росса, который умер в прошлом году от рака простаты и был одним из самых ярых сторонников Клинта в студии. А затем, сделав паузу, Клинт тихим голосом сказал: «В Год женщины здесь сегодня вечером присутствует самая великая женщина на планете, и это моя мама Рут». Камеры быстро нашли ее в зале. Рут было восемьдесят четыре года, но она выглядела довольно крепкой и с гордой улыбкой радовалась успехам сына.

Это была триумфальная ночь для Клинта и его фильма, который взял четыре «Оскара»: два для него самого, один для Хэкмена и один для Джоэла Кокса за лучший монтаж.

Это была триумфальная ночь для Клинта и его фильма, который взял четыре «Оскара»: два для него самого, один для Хэкмена и один для Джоэла Кокса за лучший монтаж.

Покорно посетив все официальные торжества, включая обязательный Губернаторский *бал Академии*, но нигде подолгу не задерживаясь, Клинт повел пару своих близких друзей и Фишер в ресторан Никки Блэра. Клинт познакомился с ним еще в первые годы своей работы в кино, когда Блэр был одним из актеров-контрактников на студии Universal, и все это время оставался его другом. Блэр также оказался талантливым поваром. В те далекие дни он часто готовил еду для всех своих безработных друзей, включая Клинта. Позднее он стал известным ресторатором на Сансет Стрип*. Клинт просидел с Фишер и со своими друзьями до самого рассвета.

На следующий день на вопрос репортера о том, как он себя чувствует, Клинт ответил: «Устал».

Итак, в шестьдесят два года Клинт достиг пика своей карьеры. До этого самым возрастным «получателем» «Оскара» был Джон Уэйн — он выиграл свой единственный «Оскар» двадцать три года назад за роль в «Настоящей хватке» Генри Хэтэуэя. Клинт чувствовал себя не только удовлетворенным, но и бодрым и через несколько дней после двойной победы на «Оскаре» был готов начать работу над новым фильмом — «На линии огня». Он был готов принять свое будущее, которое, наконец, не было обременено ограничениями прошлого. Он полагал, что все старые долги, заработанные в игре под названием «Голливуд», наконец-то оплачены.

И думал он так до тех пор, пока в его жизнь не вернулась Сондра Локк — еще более решительная, чем когда-либо раньше. Она возвратилась, чтобы свести с ним счеты.

ГЛАВА 20

★ ★ ★

Мои чувства [к Сондре Локк] были обычными чувствами, испытываемыми к человеку, который в течение многих месяцев планировал отобрать наследство у моих детей.

Клинт Иствуд

Сондра Локк стала для Клинта сущим кошмаром. Каждый раз, когда он думал, что она ушла из его жизни, она возвращалась, и каждый раз этот дурной сон становился все хуже и хуже...

---

* Полуторамильный участок (2,4 км) бульвара Сансет, который простирается от Западного Голливуда до Беверли-Хиллз. Известен своими бутиками, ресторанами, рок-клубами и ночными заведениями, а также огромными красочными рекламными щитами *(прим. ред.)*.

В декабре 1990 года Локк доработала детали своего судебного иска против Клинта и перед началом традиционных рождественских каникул, когда вся киноиндустрия исчезала из города до Нового года, переехала в свой новый офис в Warner Brothers, полученный согласно ее договору с Клинтом. Она была в поисках нового проекта и нового сценария для разработки: нужно было запустить хоть что-то, потому что проект «О, детка!» рухнул из-за банкротства компании Orion.

Зная, что Арнольд Шварценеггер проявляет некоторый интерес к тому, чтобы сыграть главную роль в новом фильме, Локк решила, что не составит труда передать проект в Warner Brothers. Она уверенно передала его Терри Семелу и Тому Лассалли вместе со сценарием и выражением интереса со стороны Шварценеггера.

Семел и Лассалли все приняли*.

В течение следующих трех лет Локк, у которой была заключена с компанией сделка на 1,5 миллиона долларов, приходила в офис в Warner Brothers, искала сценарии и пыталась заинтересовать ими Терри Семела, Боба Дэйли или Люси Фишер. Она даже получила разрешение направлять им некоторые из сотен сценариев, которые могли бы пригодиться для будущего производства ее фильма на студии. Но пока для нее ничего такого не находилось. Ничего такого. Ни-че-го.

Тем временем Клинт начал работу над своим следующим фильмом — «На линии огня» для студии Columbia. Это был его первый фильм для другой компании (не Warner Brothers) с 1979 года, когда он снялся в фильме «Побег из Алькатраса» для Paramount. Возможно, он почувствовал, что после всего, что произошло, смена корпоративного пейзажа может оказаться полезной как для него, так и для Warner Brothers.

В этом фильме Клинт занял (условное) второе место после режиссера Вольфганга Петерсена (наиболее известного благодаря фильму «Лодка» («Das Boot») и лично отобранного Клинтом, ценившим покладистость режиссера). В фильме Клинт играет отставного агента секретной службы, который присутствовал при убийстве Джона Ф. Кеннеди и теперь призван вернуться на службу, чтобы предотвратить покушение на жизнь нового президента. В картине было

* В своих мемуарах Локк вспоминает, что когда сделка была завершена, Шварценеггер передал концепцию фильма Айвену Райтману, который в итоге ее переработал в фильм «Джуниор», главные роли в котором должны были сыграть Шварценеггер и Дэнни ДеВито.

занято множество звезд «среднего звена», включая Джона Малковича и Рене Руссо.

Одной из вероятных причин, по которой Клинт хотел успокоиться, был огромный успех фильма «Непрощенный». В Голливуде чаще всего происходит следущее: когда фильм получает столько «Оскаров», режиссер и звезда не сразу пытаются конкурировать со своим предыдущим успехом. Они понимают, что следующий фильм, который они сделают, вряд ли будет таким же удачным, и часто предпочитают снять один или два проходных фильма перед следующей «большой» картиной.

Конечно, если кто-то и должен был смотреть на жизнь немного проще, то это был Клинт. В шестьдесят три года «откат назад» после такого фильма и «всего лишь» роль в следующей картине были для него совершенно естественны.

И вот таким же, тоже «естественным», образом лента «На линии огня» стала самым кассовым фильмом в карьере Клинта на тот момент, получив более 200 миллионов долларов за время первоначального отечественного показа и вдвое больше за рубежом. При всем при том это был самый обычный фильм с явно блеклым сюжетом, который некоторые критики поспешили назвать «Грязный Гарри едет в Вашингтон». Среди актеров не было ни одной звезды, кроме Клинта, так что «звездностью» ленты тоже нельзя было объяснить колоссальные цифры сборов. Единственным логичным объяснением успеха фильма была огромная сила притяжения Клинта Иствуда, который снова стал самой популярной кинозвездой в мире.

После этих слов он повесил трубку, оставив ее в полном замешательстве. Доброта не была частью натуры Клинта. Она это хорошо понимала, особенно после всего того юридического безобразия, которое они устроили друг другу.

В 1993 году (третий и последний год ее контракта с Warner Brothers) Локк снялась в телесериале «Смерть в малых дозах» — она надеялась, что именно телехит вернет ее к известности. Однажды, когда она сидела у себя в офисе, ей позвонил Клинт. Она не разговаривала, не переписывалась и вообще не общалась с ним в течение многих лет. Звонок прозвучал всего за несколько недель до церемонии вручения «Оскаров». Клинт и «Непрощенный» были главными фаворитами гонки, и при настолько активной рекламе, которой

Клинт в то время занимался, его голос был последним на земле, который она ожидала услышать в телефонной трубке.

Их разговор был коротким, приятным и совершенно загадочным для Локк — тем более когда Клинт сказал, что счастлив, поскольку у нее есть свой фильм, и что хотел бы увидеть его черновой вариант.

После этих слов он повесил трубку, оставив ее в полном замешательстве. Доброта не была частью натуры Клинта. Она это хорошо понимала, особенно после всего того юридического безобразия, которое они устроили друг другу*.

Вскоре после триумфальной для Клинта церемонии «Оскара» Локк узнала от общих друзей, что Фишер уже несколько месяцев беременна, хотя в вечер вручения наград этого заметно не было. Может ли это быть как-то связано с телефонным звонком Клинта? Впрочем, Сондра понимала, что пробовать понять его мотивы все равно что пытаться собрать кубик Рубика.

Чувствуя, что что-то здесь не так, но понятия не имея, что именно, Локк попыталась выяснить, что происходит. В своем кабинете она дотянулась до телефона и набрала прямой номер Клинта в офисе. По ее словам, когда Клинт поднял трубку, она сказала следующее: «Я не понимаю, что происходит, Клинт, но что-то не так с Warner Brothers и с моим контрактом. Здесь вообще ничего не понятно. Я надеюсь, что они не испытывают неудобств по поводу нашего расставания. Мне не хотелось бы думать, что там что-то происходит». Не услышав ни слова в ответ, она продолжила: «Слушай, у меня сейчас есть один сценарий, который имеет большой потенциал. Я передала его одному руководителю, которому он понравился, но он не смог пройти мимо его босса — Брюса Бермана. Если ты прочитаешь его и тебе понравится, не мог бы ты помочь мне? В конце концов, мы договорились, что я сниму здесь несколько фильмов. И если тебе это не нравится, то я хотела бы услышать, где, на твой взгляд, я сбилась с цели?»

---

* Клинт не был новичком в судебных тяжбах. Еще в 1984 году он подал в суд на National Enquirer за статью, в которой журнал написал о его романтической связи с Таней Такер. Он потребовал 10 миллионов долларов за мировое соглашение. В 1994 году Клинт снова подал в суд на то же издание за публикацию так называемого эксклюзивного интервью и выиграл в 1995 году 150 000 долларов, которые, правда, были задержаны из-за апелляции и получены только в 1997 году. Клинт пожертвовал эти деньги на благотворительность (правда, куда именно — он не сказал). Вместе с тем стало известно, что его команда адвокатов получила 650 000 долларов за юридические услуги.

По словам Локк, Клинт быстро согласился взглянуть на сценарий и напомнил, что все еще ждет кассету с ее телевизионным фильмом. Последняя фраза озадачила Локк. Клинт, казалось, слишком заинтересовался этим фильмом. Почему? Он что, боялся, что там будет какое-то разоблачение, что-то личное и откровенное об их совместной жизни? Три недели спустя она снова позвонила ему и прислала сценарий. Он пообещал выяснить, сможет ли получить от Warner Brothers зеленый свет.

Итак, несмотря на два телефонных звонка, с этим сценарием ничего не произошло. Странные вещи продолжали твориться и с ее другими потенциальными проектами. Ланс Янг, бывший продюсер Paramount, перебравшийся в Warner Brothers, хотел привлечь Локк к съемкам фильма. Но ее друг, знавший Янга по Paramount, передал, что Янгу сообщили, что Warner Brothers не будет с ней работать, потому что она причастна к «сделке Клинта».

Локк обратилась к адвокату и сообщила ему о своем намерении подать в суд на Warner Brothers за нарушение контракта. Она надеялась, что компания продлит ее контракт хотя бы на год и даст ей шанс снять хотя бы один фильм.

«Сделка Клинта». Что бы это могло значить? Раздраженная и сбитая с толку, Локк снова сменила агентов, на этот раз подписав контракт с агентством International Creative Management, чтобы еще раз попытаться начать карьеру. Когда она свела новое агентство с Warner Brothers и попросила разобраться, в агентстве изучили ситуацию и сообщили ей, что компания Warner Brothers просто не собирается снимать с ней фильмы. Никакие.

В начале 1994 года Локк обратилась к адвокату и сообщила ему о своем намерении подать в суд на Warner Brothers за нарушение контракта. Она надеялась, что компания продлит ее контракт хотя бы на год и даст ей шанс снять хотя бы один фильм. Она полагала, что еще один фильм — это все, что ей нужно, чтобы вернуть себе карьеру.

Реакция Warner Brothers на запрос адвоката Локк была быстрой и резкой. По словам Локк, Терри Семел и Боб Дэйли оскорбили ее, предложив просто уйти: «У нас нет никакого интереса заключать какие-либо реальные сделки с Сондрой. Мы можем выдать ей компенсацию в двадцать пять тысяч долларов за ее проблемы, но это все, что мы можем». Локк сказала нет, съехала из своего офиса в Warner

Brothers и еще раз сменила адвокатов из-за все более неустойчивого финансового положения. Она обратилась за помощью к Пегги Гаррити, которая, изучив все факты, согласилась разобраться с делом, которое Локк хотела довести до суда с Клинтом и Warner Brothers (с оплатой по результату).

Выиграть иск против Warner Brothers было нелегко. Не многие свидетели будут готовы прийти и дать показания — для тех, кто хочет когда-либо снова работать в Голливуде, это был бы конец карьеры. Первоначальная реакция Warner Brothers на подачу иска Локк состояла в том, что компания хотела отмахнуться от него, заявив, что просто не могла найти для Локк никакой работы, при этом Сондра не принесла им ничего, что, по их мнению, соответствовало бы чрезвычайно высоким стандартам студии. Но зато Warner Brothers предоставила ей место для парковки у студии и готова присылать бесплатную индейку на каждый День благодарения. В этом — доказательство их благих намерений, заявили в студии.

До конца 1994 года, на протяжении 1995-го и до лета 1996 года Локк, как Давид, с помощью Гаррити занималась борьбой с Голиафом — юридическим представительством Warner Brothers — компанией O'Melveny & Myers. Были взяты показания у представителей Warner Brothers, которые твердо утверждали, что они не сделали Локк ничего плохого. Вскоре после этого Гаррити, почувствовав, что дело состоит не столько в нарушении договора, сколько в фактическом мошенничестве (а это влекло за собой гораздо более серьезное обвинение), призвала Локк подать иск против Клинта*. Локк согласилась, Гаррити подала этот иск, и, по словам Локк, которые она приводит в своих мемуарах, Warner Brothers «развернула масштабную кампанию ради того, чтобы вывести Клинта из этого судебного процесса».

К ужасу и тревоге Локк ходатайство о привлечении Клинта было отклонено.

Затем Гаррити попросила Warner Brothers предоставить копию окончательного расчета стоимости сделки Локк — а именно все счета, которые были предъявлены ей за три года. В таких судебных процессах подобные просьбы не были чем-то необычным. Чтобы выяснить, как студия может подготовить свой встречный финансовый

* Это был гражданский иск. Обвинения криминального характера может выдвигать только государство.

иск, Локк должна была знать, сколько Warner Brothers выдала денег и предоставила услуг ей и ее сотрудникам за этот период.

Документы Warner Brothers свидетельствали о расходах на общую сумму 975 тысяч долларов, что не было так уж удивительно, учитывая трехлетний период. Но что, конечно, не было нормальной операционной процедурой — так это то, что вся эта сумма была переведена со счета Локк в Warner Brothers напрямую Клинту, в частности попала в общий бюджет расходов на производство фильма «Непрощенный». Сначала это озадачило Локк, так как она не имела абсолютно никакого отношения ко всем аспектам производства этого фильма. Затем это ее поразило. Клинт, поняла она, тайно оплачивал ее сделку с Warner Brothers. А эта сделка на самом деле не существовала — по крайней мере, так получалось согласно документам, которые Warner Brothers согласилась открыть. Теперь Локк поняла, что Клинт, похоже, заключил с Warner Brothers секретную фиктивную сделку, а все выглядело так, будто это сделала она сама. За все услуги ей должен был заплатить Клинт из бюджета фильма «Непрощенный». А это означало, что ни один цент из 975 000 тысяч долларов не был из его собственных карманов. Он устроил всю эту комедию, чтобы побудить подписать ее первоначальный иск на относительно небольшую сумму с обещанием заключить сделку со студией, которое действовало на нее как морковка на осла. Главное было — заставить ее договориться.

Все это имело далеко идущие последствия. Если Клинт фактически отрывал эти деньги от бюджета «Непрощенного», то получалось, что любой другой человек, совершавший коммерческую сделку, связанную с фильмом, также был обманут Клинтом и/или Malpaso, потому что чистая прибыль от «Непрощенного» вычислялась на основе всех производственных затрат и расходов на распространение и рекламу, вычтенных из общей суммы, заработанной фильмом.

В будущем это могло означать выдвижение обвинений по уголовным статьям и десятки сложных судебных процессов, опасных как для студии, так и для Клинта.

Первоначально Warner Brothers ответила, что это просто не тот случай, потому что деньги поступили не от Warner Brothers или Malpaso, а с его личного счета. Гаррити так не показалось, по крайней мере, согласно документам.

Тогда были назначены дополнительные слушания, но Клинт отказался принять свою повестку в суд и приказал Malpaso также отказаться от любых повесток, которые пыталась направить Гаррити. Затем компания Warner Brothers попросила суд вынести решение об исключении их из дела без проведения судебного разбирательства. Такие итоговые решения обычно запрашиваются, когда одна из сторон считает, что дело не имеет смысла или доказательства недостаточны и не заслуживают полного разбирательства. Это всегда риск, потому что отказ обычно означает, что судья считает, что у другой стороны есть достаточно веских аргументов. Запрашивать решение, вынесенное в порядке упрощенного судопроизводства, — это все равно что поставить все на черное или на красное в рулетку. Но на этот раз фишки оказались на стороне Warner Brothers.

У подавленной Локк оставалось только два варианта: обжаловать упрощенное решение суда, что обычно бывает сложно, дорого, отнимает много времени и редко бывает успешным; или начать новый иск только против Клинта, обвинив его в мошенничестве. Другими словами, начать все сначала, исключив студию из любых дальнейших судебных исков против них.

> **Были назначены дополнительные слушания, но Клинт отказался принять свою повестку в суд и приказал Malpaso также отказаться от любых повесток, которые пыталась направить Гаррити.**

Она сделала и то и другое.

На этот раз Гаррити подала иск в центре Лос-Анджелеса, а не в Бербанке, где был заявлен первый иск. Локк и Гаррити чувствовали, что Бербанк был слишком близко к силовому центру Warner Brothers. Подача иска на прежнем месте сделала бы еще более трудным поиск объективного жюри, поскольку все в Бербанке так или иначе были связаны с кинобизнесом — это была основная причина, по которой люди жили в этом, в общем-то, неудобном, жарком, влажном месте и изолированном сообществе. Теперь, решила Гаррити, их лучшей защитой станет расстояние.

Не удосужившись уведомить Гаррити, адвокат Клинта Рэй Фишер ответил на петицию тем, что попытался оставить дело в Бербанке. Ему это удалось; был назначен новый судья, не тот, кто заслушивал дело и вынес упрощенное решение по делу Warner Brothers.

В первый день судебного разбирательства, 9 сентября 1996 года, Фишер стал настаивать на «вынужденном отказе истца от своего иска», что, в общем-то, было похоже на упрощенный приговор. Фишер доказывал, что у Локк нет никакого права участвовать в этом деле, и хотел, чтобы судья согласился с его мнением. Судья принял ходатайство к сведению, но, по крайней мере в тот момент, дал делу ход.

После вступительных заявлений Локк и Гаррити начали вызывать своих свидетелей. Первым был Терри Семел, который, отвечая на вопросы Гаррити, сформулировал свои ответы так, что можно было предположить, что Warner Brothers действительно была готова вести дела с Локк в течение трех лет действия контракта, но она за это время не принесла им ничего похожего на материал для фильма. Затем Гаррити сосредоточила свое внимание на Семеле и спросила его, знает ли он о «тайном искуплении» Клинта (именно так она выразилась). Семел согласился: «Я предполагаю, что, в конце концов, его намерения состояли в том, чтобы компенсировать убытки». Гаррити спросила его, когда наступил момент «конца концов». Семел сказал, что, как он думает, это произошло, когда истекли три года и исчезли условия, на которых заключалось соглашение.

Больше вопросов не было.

На следующий день Локк вышла на трибуну, а Гаррити попросила Сондру подробно изложить условия ее пребывания в Warner Brothers и все, что произошло — или не произошло — за три года, которые она там провела. В тот вечер, когда Локк покинула здание суда, ее перехватил Кевин Маркс, личный адвокат Клинта, который присутствовал на процессе. Ранее в тот же день, по дороге на парковку у здания суда, Локк попала в автомобильную аварию и помяла переднюю часть машины. Маркс просто хотел сказать ей, что он видел все происходившее и был готов дать показания в ее защиту, если она подаст в суд на другого водителя.

На следующий день Локк была подвергнута допросу с участием Фишера, который рассмотрел условия первого судебного разбирательства, подчеркнув (без сомнения, ради присяжных) тот факт, что все время, пока Локк встречалась с Клинтом, она была замужем за другим мужчиной.

После того как перед судом прошло еще нескольких свидетелей, настало время Гаррити задавать вопросы Клинту. Он отвечал на все вопросы Гаррити под присягой. Она задавала вопросы быстро и точно, сосредоточившись на том, что считала самым важным аспектом дела. Глубоко вздохнув и выдохнув, она спросила Клинта, заключил ли он соглашение с Локк в 1990 году, чтобы урегулировать ее иск против него.

Мягким и ровным голосом он сказал, что заключил. Затем он также признал, что заключил отдельное соглашение с Warner Brothers, чтобы компенсировать студии все расходы на Локк в течение трех лет ее контракта со студией; что он не сказал Локк о договоренности; что не предлагал Локк никакой подобной сделки в тот период с Malpaso. Вот и все. Гаррити закончила задавать вопросы, и Клинт перестал быть свидетелем.

Спустя несколько дней, допросив других свидетелей, Гаррити успокоилась, и допросами занялась защита Клинта. Вскоре настала очередь Клинта произнести речь в свою защиту. Он был оптимистичен и экспансивен, поскольку Фишер мастерски провел его через процедуру допроса свидетелей. Затем Фишер спросил об отношениях Клинта с Локк.

ФИШЕР: Как вы относились к госпоже Локк после того, как иск 1989 года был урегулирован?

КЛИНТ: Мои чувства [к Сондре Локк] были обычными чувствами, испытываемыми к человеку, который в течение многих месяцев планировал отобрать наследство у моих детей... Ну, вы знаете, я чувствовал себя не очень хорошо, должен сказать...

Клинт продолжил демонстрировать свое смятение и страдания от «социального вымогательства».

После небольших сбоев — репортер включил камеру в зале суда — и нескольких возражений Гаррити Фишер спросил Клинта, не намеревался ли он совершить мошенничество. Клинт сказал «нет», добавив, что для него не имело смысла использовать свое влияние, чтобы помешать Локк получить работу в Warner Brothers, потому что, согласно его сделке, ему пришлось бы платить за ее контракт, если бы она не могла заработать денег. Затем он настоял на том, что, несмотря на все его усилия, именно компания Warner Brothers, а не он, решила не давать зеленый свет различным предложениям Локк.

Во время перекрестного допроса Гаррити пыталась заставить Клинта признать, что он прослушивал телефоны Локк (Локк это давно подозревала), но Клинт все отрицал. Затем она перешла к условиям его соглашения о компенсации в отношении Локк, но Клинт внес поправку, напомнив ей и суду, что его сделка заключалась не с Локк, а с Warner Brothers, чтобы компенсировать затраты студии.

Когда Гаррити отпустила Клинта, Фишер, категорически возражавший против нескольких вопросов Гаррити, подал жалобу на неправильное ведение судебного разбирательства. Жюри присяжных было удалено из зала, поскольку Фишер настаивал на том, что его члены не должны были слышать никаких свидетельств о прослушивании телефонных разговоров. Ходатайство было отклонено, и, пока еще в зале не было присяжных, суд сделал перерыв на обед.

Среди последних свидетелей защиты был Том Лассалли, который в ходе перекрестного допроса признал, что Клинт никогда не говорил с ним ни о каком из предложенных Локк проектов.

Окончательные дебаты начались 19 сентября 1996 года. Гаррити резко подвела итоги дела так, как она их увидела, закончив свою речь менее чем за полчаса. Наступила очередь Фишера. Он работал медленно и методично, заняв несколько часов, чтобы жюри разобралось в его версии дела и сообразило, почему решение должно быть в пользу Клинта. Перейдя к выводам, он озвучил аргументы, которые прозвучали как очень солидное замечание. Суть их состояла в том, что Клинт не был обязан по закону говорить Локк о своей компенсации Warner Brothers и что это была отдельная сделка, совершенно не связанная с условиями урегулирования ее претензий к нему.

Настала очередь Клинта произнести речь в свою защиту. Он был оптимистичен и экспансивен, поскольку Фишер мастерски провел его через процедуру допроса свидетелей.

Когда Фишер закончил, судья дал указание присяжным отправиться для вынесения решения в свою комнату. После трех дней совещаний присяжные попросили дать точное определение слова «законное», поскольку оно касалось того, было ли у Клинта «законное» обязательство информировать Локк о своем компенсационном соглашении с Warner Brothers.

На следующий день, в субботу, Гаррити позвонила Локк и сообщила, что ей только что позвонил Фишер, который сказал, что хочет обсудить возможность урегулирования. В этот момент Локк была непреклоннна — она не хотела ни на что соглашаться. Позади была долгая и трудная битва, и она была полна решимости довести ее до конца. Когда Гаррити передала решение Локк, Фишер стал настаивать на том, чтобы Гаррити убедила свою клиентку пересмотреть свою позицию. Он подчеркнул, что вердикт наверняка повредит по крайней мере одной из сторон, а возможно, карьере обоих их клиентов, и что никто никогда не может быть уверен в решении присяжных.

Локк снова поговорила с Гаррити и приняла ее предложение «хотя бы подумать». На следующий день Сондра согласилась выслушать предложение Клинта. Фишер передал его, и после еще одного сеанса размышлений с Гаррити она согласилась. Единственное условие, наложенное Клинтом, состояло в том, чтобы сумма сделки никому не была раскрыта. Локк обещала. Объявление о том, что дело урегулировано, привело к брожению в стане множества журналистов, столпившихся на ступенях суда, и к интервью с несколькими освободившимися присяжными — все они утверждали, что приняли решение в пользу Локк и что штраф Клинта исчислялся бы миллионами.

Участие Клинта в деле Локк наконец-то закончилось, оставив Локк немного богаче, а Клинта сделав немного беднее. После четырнадцати лет романтических отношений и шести лет тяжбы они окончательно освободились друг от друга.

Несколько дней спустя Фишер угрожал задержать деньги до подписания документов. Гаррити проигнорировала первое предложение и отказалась от второго. После долгих ворчаний Фишер лично передал чек, и участие Клинта в деле Локк наконец-то закончилось, оставив Локк немного богаче, а Клинта сделав немного беднее. После четырнадцати лет романтических отношений и шести лет тяжбы они окончательно освободились друг от друга*.

---

* В нескольких источниках освещается урегулирование дела о мошенничестве против Клинта (второй иск) по состоянию на 1999 год. Фактически оно было урегулировано в 1996 году. Автобиография Локк, которая включает подробности этого процесса (но не сумму), была опубликована в 1997 году. В ней она подробно обсуждает ход разбирательства. Единственным публичным комментарием Клинта на эту тему было интервью журналу «Плейбой» в марте 1997 года, когда он сказал интервьюеру Бернарду Вейнраубу, что Локк очень хорошо сыграла роль жертвы. Он указал, что полагает, будто присяжные отнеслись к ней более сочувственно из-за ее онкологического заболевания. Хотя условия урегулирования никогда не назывались публично, по слухам, они составляют от 10 до 30 миллионов долларов. (Некоторые источники сообщают, что эта цифра близка к семи миллионам долларов.) После завершения этого дела Локк сняла еще один фильм и появилась в двух других. Ее последнее известное назначение в Голливуде состоялось в 1999 году. Она живет там уже более десяти лет со Скоттом Куннином, главным хирургом Cedars Sinai Hospital в Лос-Анджелесе. Наконец, известно, что в 1999 году Локк снова подала в суд на Warner Brothers (но не на Клинта), на этот раз за сговор, и выиграла еще одно внесудебное урегулирование с еще одной нераскрытой финансовой суммой и новой продюсерской сделкой, которая пока не привела ни к каким новым фильмам.

Хотя Клинт после этого почти никогда не говорил о своих отношениях с Локк, один раз он высказался о них во время интервью журналу Playboy, которое он дал в 1997 году:

«Наверное, я единственный, кто находит странным, что она все еще одержима нашими отношениями и пользуется той же старой риторикой почти десять лет спустя. Во всем этом есть две стороны... Она замужем уже 29 лет, но никто не упоминает об этом в своих рассказах. Что касается судебного иска, то это была моя вина. Я должен взять на себя полную ответственность, потому что это я подумал, что сделал ей одолжение, помогая договориться о производстве с Warner Brothers. Я убедил Warner Brothers сделать это, но ничего не сработало. Поэтому она подала в суд на Warner Brothers, а затем на меня. Наконец, в какой-то момент я сказал: «Подождите секунду, мне было бы лучше, если бы я ничего не сделал и позволил ей подать иск против меня о палимонии». Я пытался ей помочь. Я думал, что она получит руководящие назначения, но это тоже не сработало... Я должен был предвидеть, что она вернется, чтобы преследовать меня... Но надо продолжать свое дело. Я живу своей жизнью, а если другие люди не могут жить своей, то это их проблема».

Клинт не присутствовал при передаче своего расчетного чека, оставив это дело Фишеру. Освободившись наконец от отношений с Локк, он сделал следующий логичный шаг в бесконечной драме своей реальной жизни.

Он снова стал отцом — в седьмой раз*. И он снова женился — правда, только во второй раз, на этот раз — на матери своего ребенка, которая была на тридцать пять лет моложе его самого и на три года моложе его первенца Кайла.

* Имеется в виду рождение Морган Иствуд в декабре 1996 г. *(прим. ред.)*.

ГЛАВА 21

* * *

Когда я начинаю втягиваться в работу, то фантазирую и пытаюсь поразить людей какими-то уловками, которые у меня как у режиссера могут получиться, а могут и нет. Я во все вмешиваюсь... Я восхищаюсь зрелищем и не хочу, чтобы люди замечали камеру и оператора, помощника оператора, который наводит на фокус, и других кинематографистов... Я просто хочу, чтобы люди смотрели фильм, поэтому стараюсь сделать все как можно более тонко, в то же время акцентируя внимание на тех пунктах, где мне хочется сделать акцент.

Клинт Иствуд

7 августа 1993 года Клинт без всякой шумихи в шестой раз стал отцом, когда Фрэнсис Фишер родила девочку по имени Франческа Фишер. При этом эмоционально он уже начал отстраняться от Фрэнсис. Одной из причин такого развития событий могло стать расшатывание самого понятия романтики на фоне бесконечных битв с его бывшей любовницей Локк. Но более вероятно, что причиной стало появление в его жизнь Дины Руис, которая в конечном итоге стала второй миссис Иствуд.

Руис, родившаяся и выросшая в Калифорнии, имела афроамериканское и японское происхождение по отцовской линии и ирландское, английское и немецкое – по линии матери. Она впервые встретилась с Клинтом в апреле 1993 года, когда брала у него интервью о недавнем триумфе на церемонии вручения «Оскаров» для канала KSBW, филиала NBC TV в Салинасе. Окончив университет в Сан-Франциско в 1989 году, она пошла работать стажером на маленький канал KNAZ, вещавший в Флагстаффе, штат Аризона. Когда Руис получила работу в KSBW, одним из ее первых заданий было взять интервью у Клинта Иствуда.

Первая часть интервью прошла так хорошо, что Руис попросила Клинта ответить на дополнительные вопросы, чтобы она могла расширить рассказ и сделать из него две или три части. Они встречались еще несколько раз, и интервью ясно показывают, что между Диной Руис, двадцати восьми лет, и Клинтом, которому исполнилось шестьдесят три года, возникла отличная «химия». Руис честно призналась Клинту, что видела мало его фильмов (говоря точнее, она использовала для обозначения этого числа слово «ноль») и влюблена в своего парня. Однако, хотя Клинт собирался снова стать отцом, на этот раз ребенка от Фрэнсис Фишер, они согласились оставаться на связи, чего Клинт обычно не позволял себе с журналистами.

Руис и Клинт снова встретились в середине 1994 года, сразу после того, как Клинт закончил фильм «Совершенный мир». В нем снялся Кевин Костнер, который все еще вызывал восторг благодаря исполнению роли в фильме «Танцы с волками», отмеченном наградами «Оскара» 1990 года*. Костнер продолжал появляться в больших успешных фильмах – «Робин Гуд: Принц воров» Кевина Рейнольдса (1991), «Джон Ф. Кеннеди: Выстрелы в Далласе» Оливера Стоуна (1991) и «Телохранитель» Мика Джексона (1992), что сделало его одной из самых больших звезд в Голливуде в первой половине 1990-х годов. Когда Костнер обратился к Клинту с вопросом о возможности срежиссировать фильм «Совершенный мир», Клинт прочитал сценарий и был привлечен знакомыми поворотами сюжета о беглых заключенных, особенно отношениями между преследуемым Бутчем Хейнсом (Костнер) и его преследователем Редом Гарнеттом. Клинт сказал «да» – при условии, что он будет играть Гарнетта, а производство пойдет через Malpaso.

Съемки на натуре в Мартиндейле, штат Техас, оказались сложнее, чем ожидал Клинт. Его «стремительный» режиссерский стиль сталкивался с перфекционизмом Костнера, который обожал снимать дубли. (Во время создания «Танцев с волками» немалое число участников жаловалось на то, что бесконечное повторение дублей сводит всех с ума.) Согласно одной из историй Костнер в сердцах ушел с площадки во время съемок, и Клинт заменил его дублером. Впоследствии, когда Костнер пожаловался на это, Клинт сказал ему, что он может сколько угодно раз уходить с площадки и из фильма – в любом случае это дела не изменит. Костнер после этого случая якобы больше ни на что не жаловался, и фильм был закончен без дальнейших инцидентов. Он вышел в прокат в День благодарения и стал одной из главных осенних премьер Warner Brothers в 1993 году. При первом показе в кинотеатрах картина собрала 30 миллионов долларов, а в мировом масштабе – более 100 миллионов.

В 1994 году после рождения маленькой Франчески Клинт закончил фильм, демонстрировавший таланты актрисы Фрэнсис Фишер. Точнее,

* В «Танцах с волками» Костнер также был сопродюсером (вместе с Джимом Уилсоном) и режиссером. В результате он увез домой «Оскар» как за лучшую режиссуру, так и за лучшую картину. В целом фильм получил семь из двенадцати «Оскаров», на которые был номинирован.

он продюсировал этот фильм, но сам в нем не появился. Для Malpaso это был третий такой случай за 27-летнюю историю (двумя другими были «Мальчик-крыса», от которого Клинт в конечном счете открестился, и «Птица»). Выйдет фильм «Счастливые звезды над Генриеттой», драма из истории ранней «нефтяной» Америки с участием Роберта Дювалла, Айдана Куинна и Фишер, не раньше осени 1995 года. Впрочем, эта драма быстро появилась и быстро исчезла с экранов, потому что не имела особой рекламы, а Клинт не сделал ничего, чтобы продвинуть картину.

Спилберг и Клинт не были чужими друг другу. Они познакомились и поработали вместе еще в 1985 году, когда Клинт снял эпизод телесериала Спилберга «Удивительные истории».

Еще до того, как этот фильм вышел в прокат, Клинт включился в другой проект, вызревавший долгое время и обещавший принести даже больше, чем «Непрощенный». В нем была роль, которая запросто могла бы обеспечить ему тот единственный «Оскар», которого у него до сих пор не было, и, наверное, тот, который он хотел получить больше всего, — за лучшую мужскую роль.

Еще в 1992 году Стивен Спилберг обратился к Клинту с просьбой сыграть главную роль в киноверсии чрезвычайно популярного романа Роберта Джеймса Уоллера «Мосты округа Мэдисон», который Спилберг сам намеревался спродюсировать и поставить. В то время Клинт был занят съемками «Непрощенного», а Спилберг был всецело, и в первую очередь эмоционально, поглощен измучившей его постановкой «Списка Шиндлера». Но они согласились переговорить снова, после того как их фильмы выйдут в прокат.

Спилберг и Клинт не были чужими друг другу. Они познакомились и поработали вместе еще в 1985 году, когда Клинт снял эпизод телесериала Спилберга «Удивительные истории» под названием «Ванесса в саду» с участием Сондры Локк. Хотя сериал и эпизод с Клинтом были быстро забыты, дружба со Спилбергом осталась. С тех пор они оба хотели поработать вместе над художественным фильмом, и шесть лет спустя Amblin, продюсерская компания Спилберга, получила права на экранизацию романа Уоллера, который разошелся в десяти миллионах экземпляров.

Роман «Мосты округа Мэдисон», по сути, представлял собой модернизированную версию одноактной пьесы Ноэля Коуарда «Натюрморт», которую он превратил в сценарий еще в 1945 году. Позднее она была поставлена в Лондоне Дэвидом Лином под названием «Короткая встреча». Это была история об отчаянии, вине и искушениях двух людей, состоящих в браках, которые встречаются, влюбляются, совершают прелюбодеяние, а затем навсегда расстаются. По сюжету «Мостов округа Мэдисон» Роберт Кинкейд, бродячий фотограф без корней, проезжает через округ Мэдисон по своим фотоделам, имеет краткую, но сильную любовную связь с одинокой и несчастной замужней женщиной – и отправляется дальше. (Слово «мосты» относится как к физическим конструкциям в округе, так и к эмоциональным связям между людьми.) Спилберг пришел к Клинту с вопросом, не сможет ли он сыграть Кинкейда.

Клинт, увидевший в этой роли шанс еще раз показать лучшую сторону своего образа, квинтэссенцию характера нелюдимого и замкнутого человека, быстро согласился. Но когда «Список Шиндлера» оказался более сложным, чем предполагал Спилберг, он обратился с просьбой поставить «Мосты округа Мэдисон» к Сидни Поллаку. Поллак в свою очередь предлагал, чтобы Кинкейда сыграл Роберт Редфорд. Но и Поллак, и Редфорд в конце концов отпали, после чего режиссер рассмотрел несколько других громких имен. Наконец, в качестве режиссера Спилберг привлек Брюса Бересфорда, наиболее известного благодаря фильму «Шофер мисс Дейзи», который в 1989 году получил «Оскар» за лучший фильм. Вскоре после этого Клинт заключил контракт на исполнение роли Кинкейда, но теперь он хотел стать еще и сопродюсером вместе со Спилбергом, и картина должна была появиться как результат совместного производства Amblin, Warner Brothers и Malpaso*. Спилберг, который всегда хотел, чтобы имя Клинта шло в картине первым

* Этот фильм стал совместным производством Warner Brothers, Malpaso и Amblin. Продюсером был Клинт, дистрибуцией занималась компания Warner Brothers, чье книжное подразделение опубликовало оригинальный роман в мягкой обложке. Конечно, компания была заинтересована в том, чтобы самая большая ее звезда, все еще горячая от двойной победы в битве за «Оскары», стала во главе съемок. Warner Brothers также выпустила саундтрек фильма, в который вошли несколько джазовых стандартов и оригинальная тематическая композиция «Doe Eyes», «Выразительные глаза», которая позже стала известна просто как тема любви из фильма «Мосты округа Мэдисон». Альбом оставался на вершине джазовых чартов в течение нескольких месяцев, а в других рейтингах лидировал годами. За это время Клинт создал еще и лейбл Malpaso Records, который, как и альбом со звуковой дорожкой фильма, оказался очень выгодным и для него, и для Warner Brothers. («Doe Eyes» – это прозвище, которое Клинт дал Дине Руис).

(и особенно сильно возжелавший этого после того, как Клинт получил «Оскар» за «Непрощенного»), быстро согласился. Производство должно было начаться в конце лета 1994 года.

Впрочем, Клинт все еще не был удовлетворен сценарием и, что было для него необычно, хотел не только переписать его, но и сделать это вместе со Спилбергом, хотя они находились на противоположных побережьях страны и не особенно рвались ехать за тысячи миль, чтобы поработать друг с другом.

> «У нас было три или четыре версии сценария, причем в паре из них сценаристы полностью изменили сюжетную линию. Но нас сценарий по-прежнему не устраивал, поэтому Стивен и я стали переписывать его сами. В то время он вернулся на Восток, в Хэмптонс, а я сидел в Северной Калифорнии на горе Шаста, поэтому мы обменивались письмами по факсу. Я надиктовывал несколько страниц, затем отправлял ему по факсу, а потом он вносил какие-то изменения и отправлял их мне по факсу. Так продолжалось примерно неделю, а потом мы согласились, что это и есть сценарий».

Но еще до того, как заработали кинокамеры, Клинт и Бересфорд вошли в клинч из-за исполнительницы главной женской роли. У австралийца Бересфорда было свое видение фильма, которое вступало в прямой конфликт с видением Клинта — в частности, в вопросе о том, кто должен сыграть решающую роль одинокой, расстроенной и сексуально доступной Франчески. Бересфорд предпочитал для этой роли двух актрис шведского происхождения — Лену Олин, больше всего известную в Америке по роли в фильме Филиппа Кауфмана «Невыносимая легкость бытия» (1988), и Перниллу Аугуст, шведскую звезду, практически неизвестную в Штатах. Ни одна из кандидаток Клинту не нравилась, а между тем именно он имел последнее слово в кастинге. Клинт настаивал на том, что эту роль должна сыграть американка — в этом и заключался, по его словам, весь смысл фильма (несмотря на то что в романе Франческа —

Клинт непременно хотел снять в этой роли Стрип, хотя сама она поначалу отказалась сниматься, сказав, что ей книга не нравится. Согласно данным одного источника, она обиделась, что Бересфорд не предложил ей эту роль первой.

итальянка). В качестве компромисса Бересфорд предложил Изабеллу Росселлини, дочь актрисы Ингрид Бергман, которая была очень популярна в Америке, но у нее был сильный шведский акцент. Клинт тоже сказал ей нет. За две недели до запланированного на август 1994 года начала работы над фильмом Бересфорд вышел из проекта, Клинт занял пост режиссера, а на роль главной героини утвердили Мерил Стрип. (Фишер, которая очень хотела сыграть эту роль, оказывала сильное давление на Клинта, но успеха не добилась.)

Клинт непременно хотел снять в этой роли Стрип, хотя сама она поначалу отказалась сниматься, сказав, что ей книга не нравится. Согласно данным одного источника, она обиделась, что Бересфорд не предложил ей эту роль первой. Все, кто прочитал книгу, сходились во мнении, что именно она должна играть Франческу Джонсон. Это был такой общенациональный мандат; чем-то история была похожа на то, как после выхода в свет романа Маргарет Митчелл «Унесенные ветром» вся страна требовала, чтобы Ретта Батлера сыграл Кларк Гейбл. Стрип потребовала 4 миллиона долларов и процент от прибыли, что обычно вызывало анафему у продюсера Клинта, но он так сильно хотел видеть ее в фильме, что вместе со Спилбергом и Warner Brothers согласился на ее условия, и Стрип «поднялась на борт». Клинт хотел видеть Стрип в фильме по нескольким причинам — и не в последнюю очередь из-за возрастного фактора. Он полагал, что Франческа должна быть на несколько лет старше, чем в книге, и тогда разница в возрасте между ней и Кинкейдом не будет так заметна на экране. Мерил Стрип в то время было 45 лет, Клинту — 64 года.

Съемки начались во вторую неделю августа на натуре в Де-Мойне на фоне необоснованных слухов, что у Стрип и Клинта был роман. Слухи подкреплялись тем, что Клинт отговорил Фишер от приезда к нему в гости на съемочную площадку. Но для Стрип все это было не более чем бизнесом. У нее был интересный взгляд на способности Клинта в качестве режиссера: «Причина, по которой он может поставить себя и фильм, состоит в том, что, как мне кажется, он умеет видеть себя на расстоянии». Идея отделения человека от самого себя была вариацией концепции одиночества, а также удобным способом извинения собственного поведения — всегда можно было обвинить другого во всем, что не должно было случиться.

Те, кто находился на съемочной площадке, правильно почувствовали, что отношения Клинта и Фишер закончились. Но теперь его интересовала не Стрип, а Дина Руис. Ко времени выхода фильма на экраны Фишер покинула дом Клинта на Страделла-роуд — тот самый, в котором много лет прожила Локк, — и Клинт начал открыто встречаться с Диной Руис.

Как раз в то время, когда фильм готовился к выпуску, Warner Brothers начала масштабную пиар-кампанию, чтобы сделать Клинта лауреатом премии Ирвинга Дж. Талберга 1995 года. Эта премия ежегодно вручается на церемонии вручения премии «Оскар», ею отмечается вся работа продюсера. Премия названа в честь легендарного продюсера MGM 1930-х годов, которому приписывают повышение художественного уровня этой студии и голливудских фильмов в целом. Талберг был необычайно скромен — он никогда не выводил на экран собственную фамилию, и в этом кроется одна из причин того, что продюсирование считается наименее заметным компонентом современного кинопроизводства. Для Warner Brothers объявление в Академии незадолго до ежегодного торжества о том, что Клинт в этом году может получить премию Талберга, обеспечило идеальный синергетический эффект для картины «Мосты округа Мэдисон». Благодаря этому фильм, запланированный к выпуску в июне 1995 года, должен был стать одной из самых значимых премьер этого лета.

На этом блестящем событии Клинта сопровождала только его 86-летняя мать. В Голливуде это был явный сигнал о том, что его отношения с Фрэнсис Фишер закончились.

Церемония вручения премии «Оскар» состоялась 27 марта в зале «Шрайн-Аудиториум» в Лос-Анджелесе. На этом блестящем событии Клинта сопровождала только его 86-летняя мать. В Голливуде это был явный сигнал о том, что его отношения с Фрэнсис Фишер закончились. Когда пришло время для презентации премии Талберга, Клинт был представлен подборкой сцен из своих фильмов, собранных Ричардом Шикелом, а затем, когда зажегся свет, Арнольд Шварценеггер вывел его на сцену. После бурных оваций Клинт высоко оценил невероятную историю наград Академии и поблагодарил Дэррила Ф. Занука, Хэла Уоллиса, Уильяма Уайлера, Билли Уайлдера и Альфреда Хичкока — «людей, которых я боготворил всю свою жизнь». Речь была краткой, полной уважения, и потому ее хорошо приняла публика. Под аплодисменты зрителей

Клинт сошел со сцены, держа в руках свою первую «неконкурентную» статуэтку «Оскара» и надеясь, что через год он вернется на ту же сцену за наградой в качестве актера и режиссера фильма «Мосты округа Мэдисон».

Картина вышла в прокат 2 июня при восторженных рецензиях. Фильм понравился и New York Times, и Newsweek, хотя в их статьях были определенные оговорки, однако остальные критики дали безусловно положительные оценки. Он оставался в прокате в кинотеатрах вплоть до Дня труда, отмечаемого в США в первый понедельник сентября, и за время первого общенационального показа получил 70 миллионов долларов, еще 200 миллионов долларов дал прокат за границей. Это были впечатляющие цифры для фильма, который был непохож на все, что Клинт делал раньше. Это была милая, нежная романтическая история любви пожилого мужчины и более молодой женщины, без единого удара в челюсть или выстрела как акта злой мести.

В течение сентября Клинт провел промотур фильма «Мосты округа Мэдисон»: первые зарубежные показы состоялись в Англии, Франции и Италии. Клинта сопровождали Дина Руис и две пары его давних друзей из Кармела. Когда тур закончился и все вернулись домой, Клинт уединился с Руис в местечке Хейли, штат Айдахо, расположенном недалеко от Солнечной Долины, чтобы вместе провести зимние праздники. 29 декабря он подарил ей кольцо с рубинами и бриллиантами и предложил выйти за него замуж.

На следующий день они пошли в окружной суд, чтобы подать заявление о вступлении в брак. Все поклялись держать происходящее в тайне до официальной свадьбы, которая должна была состояться в марте следующего года, после того как Клинт получит награду Американского института кинематографии.

31 марта 1996 года Клинт и Руис обменялись клятвами в Лас-Вегасе, во внутреннем дворике дома Стива Винна. На церемонии присутствовала мать Клинта, а его сын Кайл был свидетелем со стороны жениха. Дина Руис шла по проходу в сопровождении своего отца, пока музыканты играли «Doe Eyes» и «Unforgettable». Позже счастливая новобрачная так отозвалась об этом важном событии: «Тот факт, что я — только вторая женщина, на которой он женат, меня очень трогает». Что касается Клинта, то он не видел никаких проблем в том, что он, мужчина почти шестидесяти шести лет, женился на тридцатилетней женщине:

«Я не думаю об этом. Вам столько лет, на сколько вы себя чувствуете, а я чувствую себя прекрасно. Конечно, если вы мужчина, то, когда вы старше, у вас есть определенные преимущества... Никто из нас не знает, сколько времени судьба подарила нам для пребывания на этой планете. Люди настолько обеспокоены своим возрастом, своим будущим, что не проживают свою сегодняшнюю жизнь секунда за секундой. Я очень счастлив с Диной и чувствую, что наконец-то нашел человека, с которым я хочу быть... Вот и все, и тут неважно, выиграл ты, проиграл или сыграл вничью».

Несколько недель спустя, вернувшись в Лос-Анджелес после медового месяца на Гавайях, Дина ехала в машине с Клинтом и вдруг неожиданно попросила его съехать на обочину. «Она почувствовала небольшую тошноту и попросила меня остановиться на заправке, чтобы купить одну из этих тест-полосок, — вспоминал позже Клинт. — Вернувшись, она сказала: "Мы беременны"». Это был седьмой ребенок Клинта от пяти разных женщин и ее первый ребенок.

Той весной Клинт приступил к своему следующему фильму — «Абсолютная власть». Как и «Мосты округа Мэдисон», картину снимали на натуре в Балтиморе и Вашингтоне, округ Колумбия. «Абсолютная власть» была поставлена по мощному бестселлеру Дэвида Балдаччи, который представлял собой любопытный сплав из нескольких жанров — тут были и кража драгоценностей, и триллер с убийством, и мелодрама с семейным конфликтом. Прежде всего Клинт привлек к съемкам Джина Хэкмена, обладателя «Оскара» за фильм «Непрощенный». В звездную команду вошли Эд Харрис, Скотт Гленн, Джуди Дэвис и Э. Г. Маршалл. Элисон и Кимбер, дети Клинта, снялись во второстепенных ролях.

Клинт очень заинтересовался проблемой переноса на экран столь сложного сюжета: «В "Абсолютной власти" мне понравились сюжет и персонажи, но проблема заключалась в том, что в книге все эти великие персонажи погибают. Поэтому вопрос был в том, сможем ли мы сделать сценарий, в котором все герои, которые понравились зрителю, останутся в живых».

Чтобы решить эту проблему, Клинт — режиссер, продюсер и звезда Malpaso, создавая фильм в партнерстве с Castle Rock Entertainment (компании принадлежали права на роман), обратился к Уильяму Голдману, лучшему сценаристу своего поколения. Голдман решил подчеркнуть связь между похитителем драгоценностей Лютером Уитни (Клинт) и его дочерью (Лора Линни). Остальную часть сценария он построил вокруг президента (Хэкмен), у которого завязался роман с молодой женщиной. В порыве ярости она пытается нанести ему удар ножом для разрезания бумаг (вспоминается замечательная игра Хэкмена в фильме Роджера Дональдсона «Нет выхода» (1987) в роли министра обороны Дэвида Брайса, который убивает свою любовницу). Секретная служба убивает женщину. Лютер, задумавший свое последнее великое ограбление, оказывается свидетелем этой сцены и забирает нож, который становится для него чем-то вроде свидетельства о страховании жизни. Как только президент узнает, что у убийства есть свидетель, он приказывает секретной службе выследить его и убить. Тем временем Лютер решает помириться со своей дочерью, которая оказывается окружным прокурором. В конце концов настоящие убийцы — в том числе, что совершенно неправдоподобно, президент — предстают перед судом в иствудском стиле.

Сюжет объединял слишком много разных жанров и, безусловно, заставил Голдмана поломать голову. В первом варианте сценария, который был верен первоисточнику, Лютер погибает где-то в середине истории. Клинту в сюжете понравилось все, кроме гибели Лютера. Он предупредил Голдмана, что герой Клинта Иствуда никогда не должен умирать в фильмах Клинта Иствуда, а затем потребовал переписать сценарий так, чтобы Лютер не только ожил, но и сыграл ключевую роль в раскрытии убийства. Голдману пришлось работать в бешеном темпе, чтобы внести изменения в сценарий и не выйти из графика...

Фильм «Абсолютная власть» вышел в прокат 14 февраля 1997 года и принес за первый показ внутри страны 50 миллионов долларов, а за рубежом — почти вдвое больше. Это был хороший результат для большинства картин, но разочаровывающий для фильма Клинта Иствуда — он принес примерно вдвое меньше денег, чем «Мосты округа Мэдисон». Критики оказались не слишком восприимчивы — большинство согласилось с тем, что, несмотря на пронизывающую картину тему примирения, действие в основном осталось в рамках жанра боевика. Появление такой ленты вслед за «Мостами округа Мэдисон» показалось зрителям чем-то вроде возвращения к прежним работам Клинта. Картина получила престижное время демонстрации в вечер закрытия Каннского кинофестиваля, но в свете появившихся рецензий Клинт отменил запланированный и сильно раскрученный показ, предусматривавший личное присутствие.

У фильма была и еще одна проблема, которую обходила критика, но не могла не заметить публика. Впервые Клинт выглядел слишком старым для своей роли.

Свой шестьдесят седьмой день рождения Клинт отпраздновал, сняв еще два фильма. Первой была экранизация очередного бестселлера – романа Джона Берендта «Полночь в саду добра и зла». В произведении, построенном на реальных событиях, происходивших до Гражданской войны в США, рассказывается об убийствах и интригах в городке Саванна с участием арт-дилера Джима Уильямса и деляги Дэнни Хансфорда (в фильме его зовут Билли Хэнсон). Книга была выбрана для экранизации агентом-менеджером Арнольдом Штифелем, который затем продал права на нее Warner Brothers, откуда она через Семела и Дэйли попала к Клинту и Malpaso. Автором сценария картины стал Джон Ли Хэнкок, в свое время написавший сценарий фильма «Совершенный мир». Хэнкок превратил автора книги в одного из экранных персонажей и убрал из текста множество забавных, но «извилистых» рассуждений Берендта.

У фильма была одна проблема, которую обходила критика, но не могла не заметить публика. Впервые Клинт выглядел слишком старым для своей роли.

Одним из готических элементов сюжета, который особенно хорошо подходил для фильма, стала его главная съемочная площадка – дом Мерсера, построенный дедом Джонни Мерсера. Джонни Мерсер был уроженцем Саванны, одним из самых знаменитых американских поэтов-песенников, композиторов и певцов – и одним из давних любимчиков Клинта. Его помнят, среди прочего, за тексты к «Лауре», основной песне фильма-нуара Отто Преминджера 1941 года о женщине-призраке и таинственном убийстве. Когда Клинт прочитал сценарий, то сразу понял, что хочет стать режиссером этой картины, но не хочет играть в ней, предпочитая продвигать карьеру своей дочери. Элисон исполнила роль Мэнди, кокетливой подруги автора, линия которой была значительно расширена по сравнению с романом.

Несмотря на облик постаревшего Клинта, в Warner Brothers не особенно обрадовались его решению не сниматься в картине – последние два фильма Клинта, в которых он не появлялся на экране, «Бризи» и «Птица», были приняты не так хорошо, как те, в которых он снимался. Когда его спросили, почему он вообще захотел снять этот фильм, Клинт ответил:

> «Из-за героев, которые интересны только потому, что они такие разные, а затем из-за Саванны, очень необычного города, который мы тоже хотели сделать своеобразным героем фильма. Это не Юг, как его обычно изображают с переизбытком клише. [Мы хотели показать Юг, который является] изысканным, культурным, интеллигентным, открытым общественным взглядам, показать людей, о которых никто и никогда бы не подумал, что они могут интересоваться колдовством».

В звездную актерскую команду вошел Кевин Спейси, еще не остывший от получения в 1996 году «Оскара» за лучшую роль второго плана в неожиданном хите Брайана Сингера «Подозрительные лица», а также Джон Кьюсак, Джуд Лоу и ветеран кино актриса Ким Хантер. Крупномасштабная рекламная кампания подошла к своему пику как раз в момент выхода фильма, в выходные на День благодарения. Клинт в первый раз за свою карьеру появился в программе «60 минут», но уклонился от неожиданных вопросов Стива Крофта о том, сколько у него детей, от скольких женщин и (подразумевалось) почему так получилось. Намного менее интенсивные расспросы преследовали его во время двух появлений в «Шоу Опры Уинфри». Получалось так, что даже после всех лет пребывания в киномире Клинт с трудом расслаблялся в любой ситуации, которая требовала спонтанных реакций.

Несмотря на все эти меры, фильм не окупил даже те 30 миллионов долларов, которые составили цену его негатива*. В США при первом показе в кинотеатрах он принес всего лишь около 25 миллионов долларов, что сделало его одним из самых больших провалов в карьере Клинта. Фильм никак не помог и Элисон. Снова стали набирать силу слухи о том, что карьера Клинта Иствуда в Голливуде закончена.

---

* Цена негатива – это стоимость производства фильма. Имеется в виду стоимость производства негатива фильма, с которого потом делаются все копии.

И почти сразу же, как по команде, пошла молва о том, что Клинт собирается снять еще один фильм «Грязный Гарри», шестой в знаменитой серии. В конце концов Malpaso выбрала для экранизации детективный роман «Кровавая работа», труд автора, проживавшего на Западном побережье США*. Поговаривали, что Клинт подумывал о том, чтобы вывести Гарри из «отставки» для раскрытия еще одного, последнего, преступления, ставившего под угрозу его собственную жизнь. Но вместо этого Клинт объявил, что его следующим фильмом, в котором он будет режиссером и исполнит главную роль, будет «Настоящее преступление» по бестселлеру Эндрю Клэвана о репортере, пытающемся остановить казнь. Стив Эверетт (Клинт) должен поспешить, чтобы найти настоящих убийц, иначе невиновный человек будет предан смерти. В этой картине практически ничего «не сработало», и большинство наблюдателей в Голливуде нашли в ней лишь одну загадку. Она относилась к кастингу и состояла вот в чем: почему Клинт отдал сравнительно небольшую роль окружного прокурора Сесилии Нуссбаум актрисе Фрэнсис Фишер?

Клинт отказывался верить, что ему исполнилось семьдесят, хотя каждый день видел в зеркале и свое изможденное лицо, покрывшееся глубокими морщинами от жизни и работы на открытом воздухе, и «шею индейки», висящую под подбородком.

Фильм «Настоящее преступление», выпущенный весной 1999 года, очень плохо пошел в прокате, с трудом заработав 7 миллионов долларов. Вскоре после его катастрофического провала Боб Дэйли и Терри Семел ушли из Warner Brothers, прекратив таким образом свое долгое сотрудничество со студией и с Клинтом. Двойная отставка вызвала противоречивые отклики, но оба руководителя утверждали, что они просто почувствовали, что пришло время двигаться дальше и что их решение не имело никакого отношения к успехам или провалам последних фильмов Клинта Иствуда.

Вскоре после этого, в январе 2000 года, Time-Warner объединились с AOL. Этот шаг всколыхнул компанию и всю киноиндустрию, поскольку казалось, что он знаменует собой серьезный сдвиг в индустрии развлечений. Выяснилось, что студия будет отходить от бизнеса по созданию художественных фильмов. Независимо от того,

* Клинт приобрел права у Джоэля Готлера, агента Коннелли.

были ли Семел и Дэйли вытеснены, мягко «выдавлены» со студии или решили уйти по собственному желанию, их уход подчеркнул тот факт, что Клинт Иствуд больше никогда не будет таким могущественным, как прежде. И если бы Клинт подумывал о том, как изящно уйти на покой, то сейчас для этого было бы самое время.

Но Клинт отказывался верить, что ему исполнилось семьдесят, хотя каждый день видел в зеркале и свое изможденное лицо, покрывшееся глубокими морщинами от жизни и работы на открытом воздухе, и «шею индейки», висящую под подбородком... Все это означало, что его время как профессионала истекло. Но у него все еще было что доказывать публике. И он намеревался это делать с присущими ему вкусом, изяществом, большими кассовыми сборами и, самое главное, с «Оскаром» за лучшую мужскую роль, зажатым в кулаке правой руки.

Глава 22

* * *

Дина держит меня в тонусе, назовем это так. Мы оба очень любим семью, домашних животных и играть в гольф. Для меня, как я уже говорил, жизнь похожа на последние девять лунок на поле для гольфа. Иногда бывает так, что на последней девятке ты играешь лучше всего. И не потому, что ты стал сильнее, а потому, что стал мудрее.

Клинт Иствуд

Когда последняя ночь старого века растворилась в первом дне века нового, Клинт Иствуд стал вести жизнь человека, который был вдвое моложе своего биологического возраста. Он был подтянутым, стройным, здоровым и красивым, он был женат на тридцатичетырехлетней женщине и был гордым отцом трехлетнего малыша, которого мог с радостью покачать на костлявых коленях.

Он также был главой бизнес-империи и одним из самых стойких актеров своего поколения. Он все еще снимался в популярных фильмах, пользовавшихся коммерческим успехом. Его сверстники либо ушли в мир иной, либо отошли от дел, либо, как его друг Джек Николсон, на фоне убывающих кассовых сборов обратились к самопародии. Клинт имел богатство, превосходящее все его ожидания, и длительную мировую известность. Он снялся в пятидесяти шести художественных фильмах и поставил двадцать один из них; он был признан Киноакадемией, наградившей его за усилия двумя конкурсными и одним почетным «Оскаром»; он был отмечен самыми престижными музеями и крупнейшими кинофестивалями мира. И все же в нем по-прежнему жила необходимость продолжать работать, как будто у него все еще было что сказать или имелась какая-то недостигнутая цель. Всего через несколько месяцев, прошедших в новом веке, он закончил свой двадцать второй фильм и сыграл пятьдесят шестую роль на большом экране.

Клинт никогда не был простаком. Он хорошо понимал, что этот фильм в действительности представлял собой шаг назад, если не прямо вниз.

И это был не фильм о Грязном Гарри, как думали все, кто его еще ожидал. Вместо него Клинт снял ленту «Космические ковбои» – приключенческую комедию, где в главных ролях снимался, как назвал его один из продюсеров, «отряд чудаков» – Клинт, Томми Ли Джонс, Дональд Сазерленд (с которым Клинт в последний раз работал в «Героях Келли») и Джеймс Гарнер (которого Клинт знал еще с тех пор, как сам играл в сериале «Сыромятная плеть», а Гарнер по соседству снимался в сериале «Мэверик»). Фильм должен был стать этаким коктейлем из картины Филиппа Кауфмана «Парни что надо» (1983) и ленты Рона Ховарда «Кокон» (1985), витаминными таблетками с примесью виагры и астронавтом в роли подопытной обезьяны, навечно заброшенной на Луну. В общем, это должен быть фильм, который нельзя пропустить.

Новое руководство Warner Brothers не верило в фильм и выпустило – или выбросило – его в августе 2000 года только в надежде на то, что он не нанесет слишком большого ущерба бюджету компании. Но неожиданно «все пошло не так». «Космические ковбои» стали одним из крупнейших хитов года, заработав более 100 миллионов долларов в своем первом американском прокате и почти вдвое больше на зарубежных показах и вспомогательных продажах (включая прокат и покупку DVD-дисков и платных фильмов, деньги за которые сейчас составляют немалую добавку практически ко всем фильмам прошлого и настоящего).

Особенно наслаждался успехом этого фильма Клинт, в буквальном смысле хохоча над корпоративными «головами», которые едва ли не снимали сами с себя скальпы, когда он приезжал на своем пикапе в банк. Но Клинт никогда не был простаком. Он хорошо понимал, что этот фильм в действительности представлял собой шаг назад, если не прямо вниз. Эта картина поставила его на одну доску с Гарнером, который давно прекратил делать что-то вроде «больших» фильмов и для которого «Космические ковбои» стали запоздавшим бонусом.

Без всякой передышки он приступил к съемкам фильма «Кровавая работа». В нем Клинт играет бывшего агента ФБР Терри Маккалеба (в котором можно увидеть «отзвуки» доброго старого Грязного Гарри), страдающего от приближения смерти (или, по крайней мере, признающего это). В ходе своего последнего расследования он вышел на след грязного убийцы, но из-за сердечного приступа не смог задержать преступника. Как сказал Клинт одному интервьюеру: «На этом конкретном этапе моей зрелости я почувствовал, что пришло время выбирать персонажей, которые сталкиваются с другими препятствиями, нежели те, которые бы у них были, если бы я играл молодого человека в возрасте от 30 до 40 лет».

Несмотря на всю звездную мощь Анжелики Хьюстон и Джеффа Дэниелса, фильм не смог «зажечь» аудиторию и собрал в ходе первого внутреннего проката в кинотеатрах всего 27 миллионов, а на первом уикенде своего показа в 2002 году не поднялся выше десятого места с ничтожными 3 миллионами долларов сборов. По кассе Клинта смог опередить даже Аль Пачино с фильмом «Симона», режиссером которого был Эндрю Никкола. Картина представляла собой невообразимую научно-фантастическую мешанину, но тем не менее сумела опередить «Кровавую работу». А ведь ни один фильм Аль Пачино при одновременном выходе на экраны с фильмами Иствуда не опережал их с начала 1970-х годов, когда появились «Крестный отец» и «Крестный отец — 2».

Клинт возложил вину за провал фильма на новую администрацию Warner Brothers: они, мол, поставили выход фильма на «мертвое время» — третью неделю августа. Для продвижения этой работы Клинту явно не хватало Семела и Дэйли. Он был особенно зол на то, что студия не организовала фильму премьеру на красной ковровой дорожке в Нью-Йорке и не запланировала хоть какой-то предварительный показ для критиков. Это создало у них четкое ощущение того, что студия не хочет, чтобы они посмотрели этот фильм.

После того как фильм вышел в прокат в Штатах и быстро исчез с экранов, Клинт стал настоятельно намекать студии, что он подумывает вообще забросить актерскую деятельность. Для Warner Brothers это была большая, но не очень хорошая новость, поскольку фильмы с участием Клинта как актера по-прежнему намного опережали по сборам те, которые он только снимал. В Лондоне, на открытии показов фильма за границей, он отправил недвусмысленное сообщение новой властной элите Warner Brothers, сказав в интервью Daily Telegraph: «Я хотел бы отказаться от работы актера и сосредоточиться на режиссуре. И я сделаю это в тот день, когда вы посмотрите на экран и скажете: «Хватит с нас этого парня». <u>И этот день все ближе и ближе</u> (*выделено мною. – Автор*).

Клинт стал настоятельно намекать студии, что он подумывает вообще забросить актерскую деятельность. Для Warner Brothers это была большая, но не очень хорошая новость.

После относительного провала фильма «Кровавая работа» Клинт отложил свою угрозу не сниматься, по крайней мере, до своего следующего фильма. Он нашел проект, чья темная история с мрачными, мистическими оттенками определила судьбу как случайное попадание человека в мир, наполненный неуместными желаниями, где единственная приемлемая форма покаяния – это месть. Клинту понравился нигилистический сценарий, созданный 42-летним Брайаном Хелгелендом* на основе знаменитого романа Денниса Лихейна «Таинственная река». В нем прославлялись действие и последствия более высокого, чем правовой, этического кодекса (если не сказать – традиционно религиозного).

Как позже Клинт сказал Чарли Роузу**, он хотел сделать проект, не выступая в нем как актер, и потребовалось немало усилий, чтобы в таком виде заинтересовать сценарием Warner Brothers:

---

* Хелгеленд, написавший сценарий фильма «Кровавая работа», в 1997 году стал автором сценария «Секреты Лос-Анджелеса» вместе с режиссером картины Кёртисом Хэнсоном. Они разделили между собой «Оскар» за лучший оригинальный сценарий.

** Американский телеведущий и журналист *(прим. ред.)*.

«Я знал о Деннисе Лихейне, я прочитал синопсис его книги в какой-то газете и сказал себе: "Я должен его получить. Думаю, что смогу сделать из него интересный фильм..." Компания Warner Brothers всегда была очень хороша тем, что могла оставить меня в покое и позволить мне работать в качестве своего рода независимой производственной единицы. Я показал сценарий, им он тоже понравился, но они сказали, что сейчас этот фильм не пройдет. В то время на студии снимались "Матрица", "Властелин колец" и "Гарри Поттер" — все это были фильмы со сложными концепциями и большим количеством экшена. Мне говорили: "Ну заинтересуйте нас этим сильнее", но я знал, что не смогу их настолько заинтересовать. Они сказали, что сделают это, но по определенной цене [25 миллионов долларов за негатив готовой ленты], я согласился и обратился в Гильдию режиссеров Америки, чтобы они помогли мне. Раньше я снимал несколько сложных историй, но тут речь шла о раскрытии тайны, которая уходила в прошлое нескольких поколений. Здесь трагедия воссоединяет [группу друзей детства], и вы видите, на что стала похожа их жизнь, кем они стали и как на них продолжает влиять похищение, которое произошло тридцать лет назад».

Не удивительно, что именно акты мести стали для Клинта самым главным материалом. В тех случаях, когда в его фильмах месть становится выше закона, героизм тоже принимает мистические (а порой и мифические) масштабы. Месть — это любимая тема Клинта, она прошла через многие его фильмы — от картин с Человеком без имени через «Грязного Гарри» и «Петлю» вплоть до «Кровавой работы».

В «Таинственной реке» речь идет о нижнем слое бостонского общества. Оно не может противостоять социальному и эмоциональному всплеску, следующему за насилием и убийством и в итоге приводящему к моральному краху всего социального порядка. Разрушенное может быть восстановлено (и далее снова сломано — это одна из блестящих амбивалентностей фильма) столь же насильственным актом возмездия, даже когда цель этого возмездия, по крайней мере частично, невинна. Этот акт, а не какая-либо моральная сила, которая может стоять за ним, приносит определенное облегчение как персонажам, так и зрителям. Но облегчение, которое определяет этот темный и порочный фильм и управляет им, является неполным и в конечном счете неудовлетворительным.

Тьма и смерть окутывают «Таинственную реку», как и любой другой фильм Клинта Иствуда. Здесь смерть — высшая сила, которая движет и добром, и злом, заглядывает в каждый угол и проникает в души, подобно воде, которая заполняет любые углубления. Река в качестве одной из первых границ — вот что мы обнаруживаем в начальных кадрах фильма Клинта, снятых с высоты птичьего полета. Река также служит метафорой потока жизни, как и метафорой текущей крови людей, которые живут по ее берегам. Критик Деннис Ротермел отмечает, что она «впитывает в себя прошлое, не прощая и не исцеляя его». Клинт подобрал неординарный, эклектичный и мощный актерский состав, который помог ему превратить фильм в ансамблевую презентацию чувств. Он чувствовал, что это лучший коллектив, который он когда-либо собирал, хотя среди его участников не было лидеров, имевших такую же кассу, как он сам в течение большей части своей карьеры. Здесь никто и никогда не играл в настоящем блокбастере. Перипатетик* Шон Пенн, которого Клинт пригласил в фильм первым («за его резкость», сказал он) задал тон всем остальным. Он стал матерым бывшим заключенным с накачанными мускулами и татуировками, которому судьба наносит ужасающий удар, заставляя отвечать на него столь же ужасающей жизнью. Пенну помогает Тим Роббинс — жизнь его героя была разрушена из-за похищения, случившегося в детстве, и теперь оно преследует его, уже взрослого. Герой Кевина Бэйкона предстает как жесткий, умный, но в конечном счете неэффективный детектив, а Лоренс Фишбёрн — как его небесталанный партнер. Новичок в кино Эмми Россум предстает в роли молодой, красивой, но несчастливой дочери Пенна; Лора Линни играет роль жалкой жены героя Пенна, а Марша Гэй Харден — роль жены героя Роббинса.

Фильм с бюджетом в 30 миллионов долларов был снят быстро и эффективно, в привычном для Клинта стиле «пары дублей», что застало врасплох обычно медленного, методичного и долго вживающегося в роль Пенна:

---

* Перипатетики (от греч. «прогуливаться, прохаживаться») — ученики и последователи Аристотеля, его философская школа. Название возникло из-за привычки Аристотеля прогуливаться с учениками во время чтения лекций *(прим. ред.)*.

> «Я думаю, что самое большое число дублей, которое я делал в фильме Клинта, было три, и то это было редко. Чаще всего он обходился одним... В сценарии было написано, что меня останавливают шестеро парней. Я подумал, что с меня бы вполне хватило и двоих. Но если их шестеро, то кто-то из них может пострадать, если на съемках я успею нанести удар, перед тем как убежать, поэтому я не знаю, что делать. Я не хотел бы изображать фальшивую драку и не хотел никого обижать. Клинт на это сказал: "Разберемся" — и это все, что он сказал. Но когда я вернулся на съемочную площадку, то обнаружил на ней примерно с дюжину парней, которые наскакивали на меня со всех сторон. Я был заперт — и мне пришлось драться всерьез: бить их кулаками, кусать, пинать... Мне не нужно было сдерживаться, и это заставило меня биться по-настоящему. Вот так мыслит Клинт».

«Таинственная река» вышла в прокат 15 октября 2003 года и застала критиков, прохладно относившихся к творчеству Клинта, врасплох. Вид, звук и впечатления от этой картины не были похожи на впечатления от любого другого фильма Иствуда. Отзывы были потрясающими — по крайней мере, лучшими из тех, что когда-либо Клинт получал как режиссер. В Newsweek просто назвали фильм шедевром. Дана Стивенс, пишущая в New York Times, заявила, что «"Таинственная река" — это редкое американское кино, которое стремится к полновесности и глубокой тьме трагедии и достигает их». Журнал Rolling Stone, где Клинт с его антироковыми и проджазовыми предпочтениями редко поднимался до уровня любимчиков редакции, тем не менее был восхищен фильмом. Питер Треверс отмечал: «Клинт Иствуд вылил в "Таинственную реку" все, что он знает о режиссуре. Его фильм подкрадывается, влезает тебе в голову, а потом обманывает тебя. Ты не можешь его с себя стряхнуть. Он преследует тебя как нечто гипнотическое». Дэвид Денби, один из преемников Полин Кейл в журнале New Yorker (после ее смерти в 2001 году), посвятил Клинту один из лучших обзоров номера, сказав, что фильм был «настолько близок к духу греческой трагедии, насколько позволяет экран (и, думаю, ближе, чем Артур Миллер на сцене). Преступление — жестокое обращение с детьми — становится проклятием, которое определяет характер событий в следующем поколении».

Эндрю Саррис в New York Observer похвалил и фильм, и Клинта:

> «"Таинственная река" должна рассматриваться как решающий шаг режиссера к полному художественному овладению повествовательным материалом... Как и большинство наиболее интересных фильмов этого года, "Таинственная река" отображает куда более мрачное представление о нашем существовании в новом тысячелетии, чем то, которое формировали старые голливудские "фабрики грез". Г-н Иствуд заслуживает похвалы за то, что, как сообщалось, он настоял, чтобы натуру фильма снимали в его естественной среде в Бостоне, а не в более дешевом "дублере", например Торонто. Акцент на географической подлинности помогает сделать этот фильм шедевром первого ряда».

У фильма был тщательно спланированный выход на экран ограниченным числом копий — в Warner Brothers рассчитывали, что передача слухов о фильме из уст в уста поможет лучше сформировать аудиторию. План сработал. «Таинственная река» получила почти 100 миллионов долларов в своем первом отечественном прокате в кинотеатрах и более чем вдвое увеличила этот показатель на международном уровне. Но что еще более важно — фильм получил все важные премии, которые вручали перед «Оскаром», и в этом состоянии ожидал конкурса Киноакадемии.

Как и предполагалось, «Таинственная река» получила несколько номинаций. Две из них предназначались для Клинта Иствуда (премия за лучший фильм вместе с сопродюсерами Джуди Хойтом и Робертом Лоренцем и премия за лучшую режиссуру). Шон Пенн был номинирован на лучшую мужскую роль, а Тим Роббинс — на лучшую мужскую роль второго плана. Марша Гэй Харден получила номинацию на лучшую женскую роль второго плана, а Брайан Хелгеленд — за лучший сценарий*.

---

* В прошлом Пенн трижды номинировался на «Оскар»: в 1996 году — за фильм «Мертвец идет» Роббинса, в 1999 году — за ленту «Сладкий и гадкий» Вуди Аллена и в 2001 году — за фильм «Я — Сэм» Джесси Нельсон. Единственная иная номинация Роббинса была в категории «Лучший режиссер» за фильм «Мертвец идет». Харден выиграла «Оскар» за лучшую женскую роль второго плана в фильме «Поллок» Эда Харриса (2000).

Церемонии проходили в кинотеатре Kodak 29 февраля 2004 года, ведущим был Билли Кристал. К тому времени битва за звание лучшей картины развернулась именно так, как предсказывал Клинт, когда впервые столкнулся с почти полным отсутствием энтузиазма со стороны руководства Warner Brothers. Оно вложило все свои пиар-усилия в фильм «Властелин колец: Возвращение короля». В результате фильм получил одиннадцать номинаций Академии, а также стал одним из самых кассовых в истории Warner Brothers. Пенн и Роббинс победили в своих категориях, но «Властелин колец» выиграл все одиннадцать наград, на которые он был номинирован, став в один ряд с «Бен-Гуром» Уильяма Уайлера (1959) и «Титаником» Джеймса Кэмерона (1997) по количеству выигранных «Оскаров».

Тем не менее Клинт с помощью этого фильма сделал для студии сильное заявление о своих способностях режиссера. А наиболее важным оказалось то, что он не выстрелил диковинным «одноразовым» оскаровским фильмом, а мог бороться за награды из года в год и всерьез воспринимался как популярный режиссер. Этим он подготовил почву для своего следующего фильма — «Малышка на миллион», который по названию больше всего напоминал мюзикл 1930-х годов.

Но это был не мюзикл.

Сценарий для фильма «Малышка на миллион» существовал уже много лет; он представлял собой адаптацию нескольких рассказов Ф. Х. Тула, который был легендарным катменом в боксерском бизнесе. Катмен — это тот, кто во время боя стоит в углу своего бойца и должен уметь останавливать кровотечение на его лице в коротких промежутках между раундами. Пол Хаггис прочитал рассказы и попытался объединить их в единый сценарий, чтобы потом превратить его в фильм.

Сценарий пришел к Клинту уже после того, как его отклонили несколько других студий, однако даже после согласия Клинта его взять Warner Brothers отказалась удовлетворить заявку на бюджет фильма в размере 30 миллионов долларов, несмотря на успех, который годом ранее имела такая же сложная, межжанровая картина «Таинственная река». Затем Клинт довел проект до Тома Розенберга, независимого продюсера Lakeshore Entertainment, который согласился оплатить половину расходов, если Warner Brothers пойдет ему навстречу. После заключения контракта Клинт снял фильм за тридцать семь дней.

С самого начала Клинт имел в виду, что сыграет тренера Фрэнки Данна, который видел лучшие времена не только на ринге, но и практически во всех сферах своей жизни. Его дочь с ним не разговаривает. У него нет большого таланта тренера. У него мало денег, и он оттеснен на далекую и грязную периферию мира бокса.

Одним из наиболее интересных аспектов фильма «Малышка на миллион» является то, насколько просто он превращается в метафору Голливуда. Данн так же может быть режиссером (или продюсером), который ищет новый большой проект, чтобы создать «победителя» и таким образом вернуть прежние позиции. Другими словами, он ищет звезду, которая вернет ему былую славу.

И тут в его жизнь входит 32-летняя Мэгги Фицджеральд (Хилари Суэнк), которая ему совершенно не нравится. Данн считает, что для бокса она слишком стара и не особенно хороша — естественно, она же женщина. Героиню все это не смущает, и она убеждает тренера поработать с ней. Мы наблюдаем за ее продвижением наверх по рассказу друга Данна, бывшего боксера Эдди Дюпри по прозвищу Металлолом, которого играет Морган Фриман (здесь они снова встречаются с Клинтом после незабываемого дуэта в «Непрощенном»).

Одним из наиболее интересных аспектов фильма «Малышка на миллион» является то, насколько просто он превращается в метафору Голливуда.

До этого момента фильм является (довольно условно) возвышенным вариантом ленты типа «Рокки». Но затем все проваливается в ад: во время матча Большая Белая Надежда Данна получает на ринге травму, и ее полностью парализует. Неспособная двигаться девушка хочет только одного — умереть. В конце концов, она убеждает Данна оказать ей эту милость — убить ее. Как рассказывает нам Дюпри, Данн выполняет эту просьбу и пускается в бега.

Таким образом, фильм в самой середине неожиданно меняет курс, переходя от «Рокки» к чему-то вроде «Дамы с камелиями» и превращаясь из так называемой мужской картины (правда, с женщиной в главной роли) в так называемую женскую картину с главным героем — мужчиной и плохим отцом. Картину спасают от мелодраматики и превращения в мыльную оперу только превосходная игра Клинта, Фримана и особенно Суэнк.

Клинту очень нравилось в фильме чувство равновесия; что неудачу с собственной дочерью Данн мог как-то искупить «спасением» карьеры Мэгги; что сам он добавляет смыслы, ставя второстепенного персонажа в центр зрительского внимания; что он мог показать свой настоящий талант в управлении чужой игрой. Его инстинкты не подвели: зрителям это тоже понравилось. Еще до завершения первого показа фильма на внутреннем рынке он собрал более 220 миллионов долларов, и Клинт снова оказался кандидатом на «Оскар».

А еще этому фильму сильно помог высокий уровень полученных рецензий и необычайно эффектная межжанровая игра Суэнк, которая ранее уже зарекомендовала себя как крупная голливудская актриса, получив премию «Оскар» за роль Кимберли Пирс в фильме «Парни не плачут» (1999). Точно так же, как и в «Малышке на миллион», Суэнк потрясающе сыграла очень мужественную женщину. Сейчас она тоже нацелилась на «Оскар».

Однако все же именно рецензии продвинули фильм вперед и сделали так, чтобы зрители захотели его увидеть. Самым большим защитником «Малышки» стал Роджер Эберт, который в газетной колонке и в популярном телевизионном телеобзоре отстаивал его как лучший фильм года и рекомендовал прочитать свое предупреждение-«спойлер». Это предупреждение, отраженное и во многих других рецензиях, придало «Малышке на миллион» особую ауру «фильма, обязательного к просмотру». Эта аура была очень похожа на ту, что была у фильма Нила Джордана «Жестокая игра» (1992) и благодаря которой фильм двинулся по прямому пути к наградам Академии. Джордан тогда получил «Оскар» за лучший сценарий, но потерял статуэтку лучшего режиссера — им стал Клинт Иствуд за фильм «Непрощенный».

Возможно, этот год наконец станет годом Клинта, который был готов выиграть все, а особенно «Оскар» как лучший актер, — импульс, похоже, был в его пользу. Морган Фриман и Хилари Суэнк были номинированы, соответственно, на лучшую мужскую роль второго плана и лучшую женскую роль. Клинт был номинирован на звание лучшего режиссера и лучшего актера, как продюсер и как потенциальный получатель приза за лучшую картину.

Одним из прочих номинантов на лучший фильм стала лента режиссера Тейлора Хэкфорда «Рэй»* — голливудская биография ле-

---

* Предыдущим самым большим успехом Хэкфорда была его псевдовоенная сказка 1980-х годов «Офицер и джентльмен», благодаря которой взошли такие ярчайшие звезды кассовых сборов, как Ричард Гир, Дебра Вингер и Луи Госсетт-младший, получивший за этот фильм «Оскар» как лучший актер второго плана.

гендарного Рэя Чарльза*. Смерть Чарльза в начале 2004 года значительно увеличила кассу фильма и помогла «катапультировать» его в номинацию на лучшую картину. Среди кандидатов также была неожиданно очаровательная фривольная комедия Александра Пэйна «На обочине» — о несчастьях четырех неудачников среднего возраста, живущих среди калифорнийских виноградников**.

На режиссерском фронте были номинированы Тейлор Хэкфорд за фильм «Рэй», Мартин Скорсезе — за «Авиатора», Александр Пэйн — за ленту «На обочине» и Майк Ли — за «Веру Дрейк».

Церемония состоялась необычно теплым вечером в Лос-Анджелесе 27 февраля 2005 года — и снова в зале Kodak Theater на Голливудском бульваре. Крис Рок начал вечер серией бесконечно несмешных шуток. Несмотря на большую кассу, которую обеспечила «Малышка на миллион» (внутри страны она обошла «Авиатора» Скорсезе почти на 100 миллионов долларов), Скорсезе выглядел непобедимым кандидатом на роль лучшего режиссера. Фирменным знаком Скорсезе были уникальные драмы нью-йоркских улиц, например ленты «Злые улицы» (1973), «Таксист» (1976) и «Бешеный бык» (1980). Но в данном случае он уступил призы за лучший фильм и лучшую режиссуру Роберту Редфорду с его картиной «Обыкновенные люди». Ходили слухи, что этот год наконец станет годом Скорсезе***, как предыдущий был годом Клинта. И действительно, в целом вечер свелся к битве независимого Восточного побережья США с повстанцами с Запада.

Клинт наблюдал за происходящим, медленно жуя жевательную резинку. В этот момент он выглядял довольным и даже почти смирившимся со своей судьбой.

* Американский эстрадный певец и пианист, особенно прославившийся как исполнитель в стилях соул и ритм-энд-блюз. В США считается одним из наиболее значительных «истинно американских» музыкантов послевоенного времени *(прим. ред.)*.

** «На обочине» сделал звездами исполнителей двух мужских ролей — молчаливого Томаса Хейдена Чёрча (номинирован на лучшую мужскую роль второго плана) и признанного мастера характерных ролей Пола Джаматти. Фильм также на некоторое время вновь высветил талант поблекшей было звезды Вирджинии Мэдсен, номинированной на лучшую роль второго плана, и принес Сандре О ведущую роль в весьма успешном телесериале «Анатомия страсти».

*** Скорсезе ранее был номинирован на звание лучшего режиссера с фильмами «Бешеный бык» (1980), «Последнее искушение Христа» (1988), «Славные парни» (1990) и «Банды Нью-Йорка» (2003).

Клинт сидел в дальних рядах вместе с Руис, правда, на всякий случай — у прохода, недалеко от того места, где находился Скорсезе, готовый к прыжку в славу.

Главный тренд вечера стал прослеживаться довольно рано. В номинации «Лучший актер второго плана» были заявлены Фриман, Алан Алда — за роль в «Авиаторе», Томас Хейден Чёрч («На обочине»), Джейми Фокс — за роль в фильме Майкла Манна «Соучастник» и Клайв Оуэн — за роль в ленте Майка Николса «Близость». Все четыре номинанта-конкурента были очень сильными, и хотя фаворитами считались Чёрч и Фокс, они, вероятно, разделили между собой голоса, оставив Оуэну и Альде недостаточное их количество, чтобы обогнать Фримана, который и победил. Зал разразился овацией. Это была четвертая номинация Фримана, но первая победа. Сидевший прямо за Клинтом артист встал и по пути на сцену успел ухватить его за руку. Улыбка Клинта осветила зал. «Все путем, — сказал Фриман в микрофон под шум овации, добавив: — И я особенно хочу поблагодарить Клинта Иствуда за предоставленную мне возможность снова работать с ним». Клинт наблюдал за происходящим, медленно жуя жевательную резинку. В этот момент он выглядял довольным и даже почти смирившимся со своей судьбой.

Вечер прошел еще через десятки наград, пока не настало время «большой тройки». Первую из этих премий, награду лучшей актрисе, вручал Шон Пенн, лауреат «Оскара» за лучшую мужскую роль, которую он получил в прошлом году за «Таинственную реку». Пенн еще раз представил номинантов: Хилари Суэнк, Аннетт Бенинг (Иштван Сабо, «Театр»), Каталина Сандино Морено (Джошуа Марстон, «Благословенная Мария»), Имелда Стонтон (Майк Ли, «Вера Дрейк») и Кейт Уинслет (Мишель Гондри, «Вечное сияние чистого разума»). Единственным настоящим претендентом на эту награду, кроме Суэнк, была Уинслет, но ее фильм остался непонятен даже тем немногим зрителям, кто пришел на его просмотр. Пенн открыл конверт и прочитал вслух имя Суэнк. Поднимаясь на сцену, она прошла мимо Клинта, сидевшего в костюме с черным галстуком-бабочкой, взяла его лицо в свои руки и нежно поцеловала его в губы — все это под гром оваций. На ней было платье с открытой спиной, которое словно выкрикивало: «Да, я действительно женщина, и при этом сексуальная». Она смиренно приняла награду, назвав себя «простой девушкой со стоянки для автоприцепов», и поблагодарила всех, кого только смогла вспомнить. Затем она остановила заигравший было оркестр, чтобы поблагодарить Клинта за то, что он позволил ей отправиться в путешествие с ним, за веру в нее, за то, что он стал ее mo chuisle. Эти слова, написанные на спине костюма, который она носила во время съемок, в переводе с гэльского означают «моя дорогая, моя кровь». Клинт мягко склонил голову в ответ.

Затем последовало вручение премии за лучшую мужскую роль. Среди номинантов были Клинт, Джейми Фокс (со второй номинацией за вечер, на этот раз – за заглавную роль в фильме «Рэй»), Дон Чидл (Терри Джордж, «Отель Руанда»), Джонни Депп («Волшебная страна») и Леонардо ДиКаприо («Авиатор»)*.

Когда она назвала его по имени, Клинт, казалось, проявил мало эмоций. Он поднялся на своих длинных ногах и зашагал к сцене.

Во время подведения итогов, когда показывали клип Клинта, телекамера нашла его в зале. В этот момент Дина Руис обняла его за руку и в волнении потянула его к себе, Клинт смотрел прямо перед собой, не желая или не будучи способным проявить свои чувства. Блистающая Шарлиз Терон открыла конверт и прочитала имя победителя – Джейми Фокс. Зал радостно приветствовал победителя. Фокс выбежал на сцену и принял награду. В этот момент улыбка Клинта полностью растворилась в маске, которую он натянул на свое лицо. Его брови слегка приподнялись, и он зааплодировал Фоксу.

Наконец, пришло время вручения награды за лучшую режиссуру. После того как были прочитаны имена кандидатов, зал затих. Джулия Робертс открыла конверт.

Когда она назвала его по имени, Клинт, казалось, проявил мало эмоций. Он поднялся на своих длинных ногах и зашагал к сцене. Взяв в руки «Оскар», седовласый, подтянутый и загорелый актер заговорил в своем фирменном стиле, выдавая последовательности плавных гортанных звуков, а не озвучивая цепочку слов. Поблагодарив свое обычное окружение, он особо отметил главного художника фильма – легендарного мастера студийной эпохи 90-летнего Генри Бамстеда, который вместе со всеми работал над картиной «Малышка на миллион». Клинт также выразил признательность своей 96-летней матери, напомнив зрителям, что ей было всего 84 года, когда он получил

* Интересно, что герой Клинта был единственным вымышленным персонажем. Остальные четыре героя имели своими прототипами реальных людей.

«Оскар» за фильм «Непрощенный». «Поэтому я хочу поблагодарить ее за гены. Я полагаю, что я пока всего лишь ребенок — и у меня впереди еще много дел»*. 74-летний Клинт стал самым возрастным человеком, который когда-либо получал «Оскар» за лучшую режиссуру.

«Я счастлив быть здесь и по-прежнему работать», — сказал Клинт с улыбкой. Было слышно, как в это время в зале побледневший Скорсезе резко откинулся в своем кресле.

Клинт снова вернулся на сцену через несколько минут, когда «Малышка на миллион» получила приз за лучший фильм. Зрителям было трудно понять, почему картина кроме этой награды получила призы лучшего актера второго плана, лучшей актрисы и лучшего режиссера, но не лучшего актера. Но стало ясно одно: Академия, как всегда, может быть садистски жестокой в своем синдроме отрицания заслуг**.

Этой ночью Клинт отправился домой с подружкой другого актера, на этот раз Джейми Фокса. Песчинки стекали по песочным часам его жизни все быстрее и быстрее.

Глава 23

* * *

Когда я начинал работать, я был другим человеком — молодым парнем, который, как говорят, носил латунное кольцо, то есть ждал шанса добиться успеха. Потом у меня неплохо пошли дела в кинобизнесе, я стал актером и делал то, что делал. В то время мне казалось, что все это очень весело. Было бы мне весело сегодня, если бы я делал то же самое? Нет, наверное, нет. Я повзрослел, у меня появились разные мысли о разных вещах. Думаю, так должно быть у каждого.

Клинт Иствуд

В 2005 году в возрасте 75 лет Клинт Иствуд был счастлив в браке со своей второй женой. Его дочь Морган Иствуд, которой тогда ис-

* Рут Иствуд умерла год спустя в возрасте девяноста семи лет.

** В 1997 году в возрасте 72 лет Лорен Бэколл, одна из легенд золотого века Голливуда, получила последний шанс: она была номинирована на «Оскар» за роль в фильме Барбры Стрейзанд «У зеркала два лица», но проиграла Жюльет Бинош с ее ролью в фильме Энтони Мингеллы «Английский пациент».

полнилось восемь лет, была названа в честь его коллеги и хорошего друга Моргана Фримана. Клинт дважды стал дедушкой — внуки родились у сына Кимбера и дочери Кайл. Он возглавлял финансовую империю, в которую входили рестораны Hog's Breath Inn и Inn Mission Ranch, недвижимость, эксклюзивный гольф-клуб Tehama (только для приглашенных из Долины Кармел, первый взнос — 300 000 долларов), имел долю в недвижимости в Pebble Beach Golf and Country Club, владел полностью или частично правами на 60 фильмов, в которых выступал продюсером, режиссером или исполнителем главной роли (а иногда и во всех трех ипостасях), и компанией Malpaso, снявшей почти все эти фильмы. У него было восемь номинаций на премию «Оскар» и пять реальных «Оскаров». Когда начался год, он глубоко погрузился сразу в два новых фильма.

Это была пара картин о Второй мировой войне, которые восходили ко временам его юности и не имели для него «звездного» привкуса. «Флаги наших отцов» и «Письма с Иводзимы» представляли собой уникальный «двойной пакет» — они рассказывали об одном и том же сражении с точки зрения каждой из сторон (для обоих фильмов музыкальные дорожки подбирал сам Клинт). Лента «Флаги наших отцов» была основана на книге, написанной в соавторстве с Джеймсом Брэдли, сыном одного из тех, кто поднимал американский флаг над Иводзимой, и Роном Пауэрсом. В картине использовались воспоминания, раскрывающие историю битвы при Иводзиме и судьбу шестерых солдат из так называемой легкой роты второго батальона 506-го парашютно-десантного полка армии США, которые подняли над островом флаг победы*. Битва за Иводзиму, известная также как «Операция „Отсоединение“», началась 19 февраля 1945 года и длилась 35 дней. Это было одно из самых кровавых и самых важных сражений на Тихоокеанском театре военных действий.

Историческое поднятие флага на пятый день сражения всегда рассматривалось как яркий символ самой победы. Этот момент был увековечен фотографом Джо Розенталем, который получил за этот снимок Пулитцеровскую премию. (На пленке фактически запечатлено поднятие второго флага.) Фильм «Флаги наших отцов» расска-

---

* Имена шести бойцов армии США, которые водрузили победный стяг: Айра Хейз, Франклин Соусли, Майкл Стренк, Джон Брэдли, Рене Ганьон, Гарлон Блок.

зывает о том, как трое выживших из числа тех, кто показан на этой фотографии, были использованы американским правительством в пропагандистских целях, чтобы поднять боевой дух американского народа во время войны (а также помочь с продажей облигаций военного займа). А еще в нем говорится о том, что случилось с самими людьми, как повлияла на них эта битва, а также о трудностях, связанных с чувством вины, и переоценке ценностей в годы, последовавшие за так называемым моментом героической славы.

Это была чувствительная тема, символическая и политическая значимость которой стала еще более яркой на фоне того, что война в Ираке затягивалась, а развязавшая ее администрация изо всех сил пыталась найти способы «продать» эту войну американскому народу. Никто лучше Клинта Иствуда не знает, сколько может сделать картинка для продвижения идеи в массы. Возьмите, к примеру, Человека без имени, выдайте ему пончо и сигариллу, и вы сможете переопределить культовый образ стрелков американского Дикого Запада.

Проект был детищем Стивена Спилберга, который вместе с Томом Хэнксом стал самозваным представителем особой ниши поколения бэби-бума: тех, кто никогда не служил в армии (и, скорее всего, протестовал против войны во Вьетнаме), но считал предыдущее поколение — своих отцов, дядей и старших братьев — «величайшими героями» за службу в армии в годы Второй мировой войны. (Слова «Величайшее поколение» стали простым и понятным лозунгом для описания героизма и патриотизма в ходе Второй мировой войны, «хорошей войны».) Для Спилберга и Хэнкса Вторая мировая война была не столько основой настоящей драмы, сколько идеальной видеоигрой-возвращением, чем-то вроде техно-фетиша. Это хорошо видно в таких фильмах, как «Спасти рядового Райана» (1998). Кассовая работа, удостоенная многих наград, основана на реальной истории одной семьи — «сражающихся Салливанов», — которая во время войны потеряла пятерых сыновей. В фильме, начинающемся с жесткого воссоздания картины высадки союзников в Нормандии, группа солдат отправляется на поиски последнего оставшегося в живых сына Салливанов, чтобы вернуть его домой. Что и говорить, это благородный жест и отличная тема для фильма — если не учитывать огромное количество трупов, которые громоздятся ради того, чтобы спасти последнего живого Райана. Спилберг ранее создал такие фильмы, как «Империя солнца» (1987), «1941» (1979) и «Список Шиндлера» (1993), а также фильмы и сериалы об Индиане Джонсе и множество проектов, посвященных Второй мировой войне. Позднее он продолжит заниматься этой тематикой, сняв для HBO сериал из десяти фильмов под названием «Братья по оружию» (сопродюсер Том Хэнкс). Возможно, проявлением мудрости стал тот факт, что на этот раз Спилберг почувствовал, что ему необходимо подчеркнуть драматическую сущность происходящего, а не разводить стилизованную мифологию. Надо было снять фильм с чуть большим проникновением в суть событий и с чуть меньшей завистью.

Клинт впервые узнал об этом проекте, когда снимал фильм «Малышка на миллион»:

> «Я столкнулся со Стивеном [Спилбергом] на какой-то вечеринке. Он сказал: "А почему бы тебе не прийти [в DreamWorks] и не сделать что-то для меня. Ты срежиссируешь эту вещь, а спродюсируем мы ее вместе". Я сказал: "Хорошо, я готов". У него было несколько сценариев [адаптированных версий книги], но он не нашел среди них ничего, что бы ему действительно понравилось. В то время когда я работал с Полом Хаггисом над "Малышкой на миллион", я сказал ему: "Позволь мне поговорить об этом с Полом". Пол прочитал материал, у нас было несколько встреч, а потом он сел и написал сценарий».

Главный кинематографический рывок Хаггиса (и Уильяма Бройлеса-младшего) заключался в том, чтобы рассказывать историю в ретроспективе. Это позволяло сохранить историю живой и пульсирующей и одновременно поддерживать атмосферу сопричастности к тем событиям.

Благодаря тому что Спилберг был одним из продюсеров, Клинт и Malpaso смогли привлечь к проекту Warner Brothers. Съемки начались вскоре после того, как была закончена работа над фильмом «Малышка на миллион». Картина снималась в типичной манере Клинта — в труппе не было суперзвезд, самое громкое имя в фильме было у Райана Филиппа.

На полпути к производству фильма, словно чтобы подчеркнуть разницу между собой и Спилбергом, Клинт принял решение сделать то, чего раньше никто не делал.

> «Я начал задаваться вопросом: а как насчет других [японских] парней? О чем они думали? Как жили? Я имею в виду, что для американцев жизнь на этом острове была довольно трудной. И вы можете себе представить, какой была эта жизнь для другого парня, парня "с той стороны", у которого не было такого же оснащения, такого же доступа к еде и воде. На Иводзиме не было воды, единственным ее источником служили дожди, так что японцы оказались там в ловушке. Они ели сорняки и другие растения, червей — в общем, все, что могли найти. Так что они были интересными людьми. Теперь, когда прошли десятилетия, я подумал, что для японцев было бы важно оценить этих людей, даже если речь идет не о победе или поражении, не о том, кто выиграл и кто проиграл. Речь идет о жертве, которую они принесли за свою страну. Правильно или неправильно — но они ее принесли»*.

Так родилась идея создания одновременных, или параллельных, фильмов, рассказывающих об одной и той же истории, но видимой с разных сторон. «Японский» вариант картины получил название «Письма с Иводзимы». Главную роль в нем сыграл японский актер Кен Ватанабэ, который был большей международной звездой, чем кто-либо из участников картины «Флаги наших отцов». Клинт получил разрешение от правительства Японии снять некоторые сцены на Иводзиме. (Остров был возвращен Японии в начале 1960-х годов.) Однако основные части обоих фильмов снимались также на вулканическом острове в Исландии, чтобы сэкономить средства и использовать больше доступные горы и подземные туннели. Фильмы вышли в прокат почти одновременно, с промежутком в несколько недель.

После войны японскому кино понадобилось несколько десятилетий, чтобы получить распространение в Америке хотя бы в виде арт-хауса. Причина была в острых переживаниях, оставленных

---

* Войну с двух сторон пытались показать и в некоторых других фильмах, но особого успеха эти попытки не имели. Самой крупной картиной в этом ряду оказался фильм Ричарда Флейшера и Киндзи Фукасаку «Тора! Тора! Тора!» (1970) о нападении на Пёрл-Харбор. Фильм, в котором было два режиссера, не принес большой кассовой выручки и препятствовал дальнейшим попыткам показать Вторую мировую войну с более чем одной точки зрения. До «Писем с Иводзимы» ни в одном американском фильме военная проблематика никогда не показывалась полностью и исключительно с точки зрения «другой стороны».

Пёрл-Харбором. Первым, кто попытался сочувственно изобразить японцев (по крайней мере, во время послевоенной оккупации страны), был Марлон Брандо, удостоенный награды Академии за роль в фильме Джошуа Логана «Сайонара» (1957). Это было непростой задачей — заставить американцев поверить в то, что японцы тоже люди, а тем более культурные и цивилизованные люди, способные на любовь, на теплые чувства и проявление достоинства. Фильм, отмеченный премиями Академии, врученными Логану и Брандо, открыл двери для признания японского кинематографа в Соединенных Штатах. Но и сорок лет спустя киноиндустрия все еще чувствовала: крайне маловероятно, что сколько-нибудь значительная аудитория пойдет смотреть «Письма с Иводзимы». Характерно, что Клинт, даже если знал об этих слухах, все равно продолжал действовать по своему плану.

> **Большинство главных критиков заявили, что оба фильма являются одними из лучших и самых важных лент в творчестве Клинта. Но ни один из этих двух фильмов не понравился аудитории.**

«Между двумя фильмами я попытался сделать антивоенное заявление, — вспоминал Клинт. — Очень трудно создать какую-то картину про войну и сопроводить ее милитаристским заявлением». Это было действительно очень сильное и, может быть, даже удивительное заявление из уст того, чей жизненный путь изобиловал фильмами о вопиющем насилии, грязи и кровопролитии, об удовольствиях, которые получают полоумные убийцы, — а в особенности от того, кто работает вместе со Спилбергом, чьи фильмы насыщены острыми ощущениями и наполнены фантазиями о славе, а не реалистической кровью.

«Флаги наших отцов» вышли в прокат 20 октября 2006 года в надежде на то, картина станет «большим фильмом осени». Два месяца спустя, 20 декабря, «Письма с Иводзимы» получили ограниченное распространение в Соединенных Штатах — их мировая премьера и первый, весьма успешный показ прошли раньше в Японии. Три недели спустя, 12 января 2007 года, фильм запустили по всей стране.

Незадолго до того, как вышли «Флаги», Клинт осуществил акцию, которую считал пиаром: он согласился на интервью с журналом Rolling Stone, чей редакционный кинокритик на протяжении многих лет давал ему смешанные оценки. Но на этот раз Питер Треверс недвусмысленно хвалил Клинта за то, что тот «безо всякого размахивания флагами» продемонстрировал решительно неконсервативный взгляд на героизм и его неизбежные последствия. Критик дал фильму высокую оценку — три с половиной звезды из четырех:

> «Амбициозный сценарий... прыгает взад-вперед по такой путаной траектории, что ее можно было бы посчитать хаотической, если бы Иствуд не был настолько искусен, чтобы всегда пролагать путь к важным вещам. Фильм Иствуда — это жестокая атака на лицемерие и спекуляцию, характерные для военного времени, а также неизгладимый призыв к солдатам, которые не заслуживают того, чтобы оставаться в одиночестве, следуя своему чувству долга... Одно можно сказать точно: наверняка Иствуд сделал этот фильм по-своему. Насколько я понимаю, это его золотой стандарт».

Ричард Рупер, один из самых резких критиков нового поколения в области мультимедиа, написал в Chicago Sun-Times: «"Флаги наших отцов" стоят в одном ряду с оскароносными "Непрощенным„ и "Малышкой на миллион" как шедевры американского кино... Но он также патриотичен, потому что ставит под сомнение официальную версию правды и напоминает нам, что супергерои существуют только в комиксах и мультфильмах».

Большинство главных критиков тоже поняли это и заявили, что оба фильма являются одними из лучших и самых важных лент в творчестве Клинта. Но ни один из этих двух фильмов не понравился аудитории. «Флаги наших отцов» заработали около 66 миллионов долларов, что составляет менее половины от результата «Малышки на миллион» (при этом затраты на его производство составили 55 миллионов долларов). Используя стандартную формулу, согласно которой фильм должен в два раза превышать свою стоимость, чтобы стать безубыточным, можно сказать, что на фильме Клинт потерял значительную сумму денег. «Письма с Иводзимы» показали себя в прокате еще хуже и выявили огромный просчет в планах Клинта: в то время, когда США участвовали в одной из самых жестоких войн после Второй мировой, зрителей в этой стране просто не интересовал сочувственный взгляд на врага — любого врага.

У фильмов нашлись и свои критики с социальных позиций. Одним из самых откровенных из них стал Спайк Ли, афроамериканский режиссер, у которого были серьезные возражения против того, как Клинт воспринимает события Иводзимы. На Каннском кинофестивале в мае 2008 года Ли рекламировал свой собственный фильм о Второй мировой войне, рассказывающий, в частности, о подвигах 92-й дивизии Буффало, которая сражалась с немецкой армией в Италии. Во время своего выступления Ли публично раскритиковал Клинта, «Флаги наших отцов» и «Письма от Иводзимы» за то, что в них «нет ни одного афроамериканского персонажа или актера. А ведь было множество афроамериканцев, которые участвовали в этой войне, и они расстроятся из-за того, что [в двух фильмах Клинта] не увидят ни одного темнокожего. Да, вот такая у него версия: солдат-негров не существовало. Но у меня другая версия».

В ответ Иствуд, который подозревал, что Ли, критикуя фильмы Клинта, просто пытается продвигать свои фильмы, сердито заметил в интервью The Guardian:

> «Что касается фильма "Флаги наших отцов", он [Ли] говорит, что на Иводзиме был небольшой отряд из чернокожих солдат в составе подразделения, подвозившего боеприпасы. Но они не поднимали флаг. А это "Флаги наших отцов" — картина о том, как поднимали флаг. Но они этого не делали. Если я возьму и добавлю афроамериканского актера, то люди скажут: "Этот парень сошел с ума". Я имею в виду, это будет не совсем точно. Он жаловался на жизнь, еще когда я снимал "Птицу" [биографический фильм о Чарли Паркере 1988 года]. Мол, почему это делает белый парень? Да потому, что я оказался единственным парнем, который сделал это, вот почему. Он сам мог выдвинуться и сделать это. Вместо этого он занимался чем-то другим».

Вскоре Ли нанес ответный удар:

> «Во-первых, этот мужчина — не мой отец, во-вторых, мы же не на плантации. Он отличный режиссер. Он делает свои фильмы, я делаю — свои. Дело в том, что я не нападал на него лично. И если он выдает комментарий типа "такой парень должен заткнуться", то что же? Давай, Клинт, давай, вперед. Звучит прямо как брюзжание злого старика. Если бы он захотел,

> то я мог бы собрать афроамериканцев, которые сражались на Иводзиме. Хотел бы я посмотреть, как он скажет этим парням, что то, что они сделали, было не важно, а их самих вообще не было. Он сказал: «Я не придумываю это. Я знаю историю. Я изучаю историю». Но и я знаю историю Голливуда, знаю про полное отсутствие в его фильмах миллиона афроамериканских мужчин и женщин, которые участвовали во Второй мировой войне. Не все были Джонами Уэйнами, детка... Я никогда не говорил, что у него один из тех парней, держащих флаг, должен быть черным. Я сказал, что афроамериканцы сыграли значительную роль в Иводзиме. А если он намекнул на то, что я переписываю историю и хочу, чтобы один из этих четырех парней с флагом был черным... Никто этого не говорил. Просто ни в одном фильме нет ни одного чернокожего. Я знаю нашу историю, и именно поэтому сделал это наблюдение»*.

Вскоре после того, как Клинт публично предупредил Ли, чтобы тот «заткнулся», Стивен Спилберг, наконец, успокоил обе стороны, убедив Спайка Ли отступить. «После третьей игры "Лейкерс" против "Селтикс", в "Стейплс-центре", в Лос-Анджелесе, я встретил на стадионе Спилберга с Эдди Мерфи и Джеффри Катценбергом, — вспоминал Спайк Ли. — И Катценберг стал настаивать на том, чтобы я оставил Клинта в покое. Я предложил: "Стивен, на секунду, пойдем поговорим". Поговорили. Я сказал, что хотел, а он ответил: "Я позвоню Клинту утром". И все в ажуре. Он сказал, что позвонит, и позвонил, он это сделал». Пару месяцев спустя Ли даже отправил свой новый фильм Клинту для частного просмотра.

Несмотря на обвинения Ли (а может, как раз из-за них — Ли и его фильмы не страдают от перегруженности «Оскарами» и номинациями), Академия сочла фильмы Клинта достаточно хорошими для выдвижения — даже если по необъяснимым причинам она воспринимала «Флаги наших отцов» как верх сверхпатриотизма, а не как глубокую и яркую критику войны, которую администрация Буша вела в Ираке.

---

* Клинт не чурался публичных битв с другими режиссерами. В 2005 году он поклялся, что убьет Майкла Мура, если документалист когда-нибудь появится в его доме, как он это сделал с Чарлтоном Хестоном в фильме «Боулинг для Колумбины».

Вечером в воскресенье 25 февраля 2007 года в голливудском кинотеатре Kodak открылась семьдесят девятая ежегодная церемония вручения премий «Оскар». На этот раз ее хозяйкой была звезда телевизионного ток-шоу Эллен ДеДженерес. Это была попытка Киноакадемии бросить более современный взгляд на свой ежегодный ритуал самовосхваления и улучшить свои рейтинги — в конце концов, церемонии вручения «Оскаров» представляли собой телешоу, и все чаще их «хозяев» выбирали именно из этого пула талантов, а не из мира кино.

В этом году в воздухе витали новые веяния. Во-первых, Академия передвинула презентацию почти на месяц по сравнению с предыдущим годом, чтобы предотвратить снижение рейтинга телепередачи. Вручение премий само по себе становилось телевизионным жанром: «Золотой глобус», премия Гильдии киноактеров, призы зрительских симпатий и, по крайней мере, еще полдюжины других конкурсов были связаны с кино, а ведь существовало еще немало конкурсов, посвященных музыке, телевидению и театру… Среди такого количества событий церемония вручения золотых статуэток как-то поскучнела. Но к февралю, когда большое количество новогодних фильмов, по крайней мере теоретически, уже демонстрировалось в кинотеатрах, становилось все труднее оглядываться назад на то, что, по существу, представляло собой вчерашние новости.

Награждения этого года выглядели как реванш: Скорсезе вернулся с «Отступниками» — острым, снова обретшим былую форму уличным полицейским детективом. Появился ремейк фильма «Двойная рокировка» — его оригинал сняли в Гонконге в 2002 году Эндрю Лау и Алан Мак. Клинт тоже вернулся в номинацию «Лучший режиссер», но не с фильмом «Флаги наших отцов», а, что удивительно, с «Письмами с Иводзимы»*.

Номинирование Скорсезе было легко понять в свете сильного фильма, и это объясняет, почему Академия предпочла заявить «Письма», а не «Флаги». Клинт когда-то был изгоем Академии, но со времени его взрывного проникновения в ряды Академии с фильмом

---

* «Флаги наших отцов» получили две номинации — «За лучший звуковой монтаж» (Алан Роберт Мюррей и Буб Эсман) и «За лучший звук» (Джон Т. Рейтц, Дэвид Э. Кэмпбелл, Грегг Рудлофф, Уолт Мартин). В первой лента проиграла «Письмам с Иводзимы», во второй — «Девушкам мечты» (Майкл Минклер, Боб Бимер, Уилли Д. Бёртон).

«Непрощенный» его социальный и отраслевой образы слились, и, по словам редактора Variety Питера Барта, он стал старейшим государственным деятелем Голливуда. Между тем Скорсезе продолжал оставаться стареющим и вызывающе независимым «плохим парнем» киноотрасли. Подобно «фильму без пленки», оскаровские награждения были скорее историями с моралью и учетом экономических побед и почти всегда следовали стандартным правилам, по которым отрицательный герой редко завоевывает девушку или, в данном случае, «Оскар». Однако в этом году во всей киноотрасли возникло ощущение, что Скорсезе сделал свой лучший фильм — и он превосходит «Флаги наших отцов». В то время как телевидение взяло на себя жанр криминала и сделало из него собственный нескончаемый источник побед добра над злом, фильм Скорсезе вышел за границы обыденности, чтобы воздействовать на динамику морально-психологического состояния зрителей. А Клинт тем временем сделал еще один фильм о войне. Какими бы хорошими ни были его фильмы (а только немногие консервативные члены Академии думали, что они хороши), в знак уважения к Клинту они номинировали другой его фильм, который никто не видел. Таким образом они гарантировали, что по крайней мере на этот раз Скорсезе сможет выиграть. Другими участниками конкурса на лучший фильм, которые по всем опросам зрителей и экспертов имели мало шансов на победу, являлись «Вавилон» (режиссер Алехандро Гонсалес Иньярриту), «Маленькая мисс Счастье» (Джонатан Дэйтон и Валери Фэрис) и «Королева» (Стивен Фрирз).

Трое из самых влиятельных режиссеров Голливуда — Фрэнсис Форд Коппола, Стивен Спилберг и Джордж Лукас — собрались на сцене, чтобы объявить лауреата премии за лучшую режиссуру. Коппола и Лукас в 1970-е годы стали частью нового, оригинального кинематографического движения в Сан-Франциско, которое помогло изменить восприятие американского кино в период перехода американской киноиндустрии от доминирования студий к росту роли крупных независимых фильмов. Три титана собрались вокруг микрофона и выдали несколько обязательных и предсказуемых, «запатентованных» образцов оскаровской болтовни («Лучше давать, чем получать... хотя когда как»), получая в ответ бесконечные аплодисменты. Затем они наконец как-то ухитрились прочитать имена номинантов на звание лучшего режиссера. Когда Коппола прочитал имя Скорсезе, аудитория разразилась восторженными рукоплесканиями, которые были по крайней мере вдвое громче, чем аплодисменты, адресованные остальным участникам. Когда же он огласил имя Клинта, зрители покорно зааплодировали. Руис, великолепно выглядевшая в своем рубиново-красном платье, с сережками, свисающими, как гигантские блестящие сталактиты, с любовью улыбалась мужу и с энтузиазмом хлопала в ладоши. Клинт, рот которого подергивался, когда он жевал жвачку или закусывал губу, никогда не отводил взгляда и целенаправленно, прямо смотрел на сцену.

Теперь настала очередь Спилберга открывать конверт. Напряжения в зале почти не было. «И "Оскар" присуждается... Мартину Скорсезе!» Скорсезе поднял руки в деланом жесте недоверия, как будто «неожиданно» получил слово на вечеринке, о чем его заранее не предупредили, а затем бросился к сцене и своему свиданию с оскаровской славой. Все встали. Клинт присоединился к овации, но его лицо застыло в улыбке второго призера.

Все встали. Клинт присоединился к овации, но его лицо застыло в улыбке второго призера.

«Отступники» выиграли четыре «Оскара» из пяти, на которые были номинированы в этот вечер, включая премию за лучший фильм, проиграв только награду лучшего актера второго плана (Марк Уолберг). Когда была вручена финальная награда (Грэму Кингу как продюсеру), долгий вечер сошел на нет, как, может быть, пропал и последний в жизни Клинта шанс войти в пантеон обладателей «Оскара» за лучшую мужскую роль. Знаменитости покидали зал и разъезжались на различные вечеринки. Над толпой летали аплодисменты, похожие на безумное хлопанье птичьих крыльев. Клинт и Руис тихо ускользнули домой, незамеченные и не потревоженные ничьим вниманием.

На следующее утро после возвращения в Кармел Клинт позавтракал и по дороге на поле для гольфа начал обдумывать свой очередной фильм.

Следующий фильм Иствуда появился только через два года. Клинту было уже под восемьдесят, и возраст, в конце концов, неизбежно замедлял темп его жизни. Он все больше времени проводил на поле для гольфа, заботился о своих деловых интересах, но все же нашел два проекта, которые захотел сделать: один — в качестве режиссера, еще один — в качестве актера. Это был последний шанс выиграть этот неуловимый «Оскар» за лучшую мужскую роль.

Клинт хотел поработать в качестве режиссера над фильмом «Подмена»*. Картина должна была стать совместным предприятием Imagine Entertainment, Universal и Malpaso, что делало ее первым фильмом Клинта за пятнадцать лет, в котором не участвовала компания Warner Brothers. После двойного провала «Иводзимы» стороны, по-видимому, договорились о паузе, если не о полном разрыве давних партнерских отношений.

В фильме «Подмена» рассказывается о женщине, которая в одиночку борется с коррумпированным отделением полиции Лос-Анджелеса из-за того, что, по ее мнению, власти похитили ее ребенка. Истории мужчин (или женщин), которые в одиночку борются против системы, всегда привлекали Клинта. У данной истории были некоторые свежие, нравившиеся ему ракурсы, и не в последнюю очередь то, что героем оказалась женщина. Ему очень повезло с исполнительницей главной роли в «Малышке на миллион», и он очень хотел вернуться к такой ситуации.

Основанный на реальных событиях сценарий фильма вырос еще в 1970-х годах из телефонного звонка, который поступил телесценаристу и бывшему журналисту Дж. Майклу Стражински. Кто-то сообщил ему, что некие должностные лица собираются распоряжаться несколькими потенциально компрометирующими документами, касающимися слушаний по вопросам социального обеспечения в городском совете. На слушаниях разбиралось заявление Кристин Коллинз об исчезновении ее сына. Заинтригованный Стражински провел небольшое собственное расследование и написал сценарий, основанный на том, что он нашел. К странной истории с Кристиной Коллинз кинематографисты обращались несколько раз, но фильм по ней так и не был снят. Двадцать лет спустя, в 1996 году, после долгой и успешной работы на телевидении Стражински снова обратился к этой истории. Он всего за две недели написал новый сценарий и передал его продюсеру Рону Ховарду. Ховард сценарий прочитал, он ему понравился, так что режиссер выбрал его для ра-

* В западноевропейском фольклоре и верованиях подмены (подменыши) — это феи, тролли, эльфы или другие легендарные существа, которыми тайно заменяют похищенных духами или волшебными существами детей.

боты с Imagine Entertainment, намереваясь спродюсировать и поставить фильм в 2007 году, сразу же после выхода на экраны своего фильма «Код да Винчи». Но потом Ховард решил снять сначала фильм «Фрост против Никсона», а затем приквел к «Коду да Винчи», который назывался «Ангелы и демоны». В силу этого Ховард и его партнер Брайан Грейзер в феврале 2007 года передали «Подмену» Клинту. Тот согласился снять фильм, при условии что «перенастроит» его и сфокусируется на главной героине Коллинз, а не на истории «Фредди Крюгера» и его преступлений.

При этом Клинт не изменил ни единого слова в сценарии Стражински, и уже через несколько недель после первого кастинга был готов снимать фильм. Каждая свободная голливудская актриса старше тридцати лет начала готовиться к роли, безоговорочно гарантирующей «Оскара», но Клинт выбрал Анджелину Джоли, потому что, как он позже заметил, ее лицо идеально подходило для исторических фильмов (как это было с Суэнк в фильме «Малышка на миллион»).

Съемки начались 15 октября 2007 года и проходили на натуре в Лос-Анджелесе и его окрестностях. Основная работа была завершена всего за тридцать дней. Атмосфера на площадке была расслабленной. Клинт полностью и безоговорочно контролировал в фильме все и мог легко управлять актерами даже в самые напряженные моменты. Анджелина Джоли вспоминает, каково это было — работать с Клинтом:

> «Мой персонаж, Кристин Коллинз, испытала много боли и лишений, она всеми силами боролась за свою судьбу, став для меня настоящей героиней, и я очень хотела рассказать о ней людям. К счастью, рядом со мной был Клинт, с которым было хорошо работать, потому что это режиссер, всегда поддерживающий актеров, но очень экономно расходующий их эмоции. Он не вынимал из меня душу и помог мне пройти через все очень сложные эмоциональные сцены».

Через шесть месяцев, 20 мая 2008 года, Клинт дебютировал с этим фильмом в Каннах, где его приняли с большим энтузиазмом. Дистрибьютор картины компания Universal запланировала выпуск этой значимой для всех ленты на осень 2008 года. Еще до предварительного просмотра фильма весной во Франции Клинт «перезарядил свое оружие» и начал работу над следующим фильмом, где снова стал перед камерой.

Как и все остальное в Голливуде, графики съемок зависят от миллиона разных факторов, каждый из которых может вызывать задержки, иногда бесконечные. Еще до того, как к нему пришла «Подмена», Клинт фактически начал подготовку к производству другого фильма — «Человеческий фактор», биографии Нельсона Манделы, но его по каким-то причинам пришлось отложить на год. Пройдя через производство «Подмены» и учитывая, что съемки фильма «Человеческий фактор» все еще задерживаются, Клинт стал искать другой проект. Тут на его пути оказался «Гран Торино», и он решил, что это будет тот фильм, который вернет ему славу актера.

Оригинальный сценарий этой картины написал популярный телевизионный актер, а впоследствии сценарист и продюсер Ник Шенк. «Гран Торино» — это была его первая попытка такого рода. Фактически он написал сценарий много раньше, основываясь на своем опыте работы в сборочном цехе завода Ford в Миннесоте. Там судьба свела его с несколькими ветеранами Корейской войны, которые вернулись с действительной службы переполненными предрассудками и гневом по отношению ко всем азиатам. Работая и живя в Миннесоте, Шенк открыл для себя существование народа хмонг, этнической группы родом из горных областей Китая. Многие из представителей этого народа перебрались в Лаос и в ходе Вьетнамской войны сражались на стороне американцев во время так называемого секретного вторжения, направленного против лаосских левых сил (Патет Лао). После того как американцы в 1974 году ушли из Вьетнама, многие представители народа хмонг оказались в лагерях коммунистического режима, в то время как другие переехали в США и образовали общины в разных городах страны.

Шенк (и Дэйв Йоханнсон, знакомый его брата) написали сценарий, в котором одинокий американский ветеран Корейской войны выступает против хмонгов, поселившихся в его районе. Сначала он со злобой и предвзятостью относится к хмонгам, видя в них копии северокорейцев и китайцев, с которыми он сражался во время войны, но постепенно начинает больше узнавать об их культуре, помогает спасти соседскую дочь от жестокого насилия со стороны уличной банды, а ее брату — противостоять вербовке в ту же банду. В конце концов старый седой ветеран приносит себя в жертву, чтобы спасти молодого человека из общины хмонгов от расправы. Финальная сцена, выполненная в стилистике «христианин спасает "дикарей"», изобилует изображениями распятия и другими важными и драматичными символами. Впрочем, как узнал Шенк еще до привлечения Клинта, все студии посчитали фильм совершенно непригодным для продажи.

Основным возражением был возраст главного героя – польско-американского ветерана войны в Корее Уолта Ковальски. Представители киноиндустрии, в которой бал правит молодежь (это не только режиссеры, но и зрители, для которых они делают свои фильмы), почувствовали, что такая история не найдет зрителя: китайцы не сильно влияли на выручку американских кинотеатров, а пожилые люди редко ходили в кино.

Получив несколько отказов подряд, Шенк отправил свой сценарий продюсеру Warner Brothers Биллу Герберу, который передал его Клинту, зная, что он активно ищет проект для замены «Человеческого фактора». В Уолте Ковальски (его имя перекликалось с именем Стэнли Ковальски, героя знаменитой пьесы Теннесси Уильямса «Трамвай "Желание"») Клинт нашел еще одного упорно сопротивляющегося героя прежнего времени, который не боится применять силу против тех, кого он считает своими врагами, и защищать тех, кого он считает своими друзьями. Во многих отношениях Ковальски был сплавом Человека без имени, Грязного Гарри и Уильяма Манни. Он постарел* и стал циником, но хочет и сможет сражаться, когда в этом возникнет необходимость.

Когда в Warner Brothers наконец дали фильму зеленый свет, съемки начались в Мичигане, где проживали хмонги и где можно было воспользоваться налоговыми льготами. Клинт уложился со съемкой в свои стандартные тридцать дней, и «Гран Торино» вышел на экраны кинотеатров 12 декабря, всего через два месяца после выхода «Подмены». Сначала он был выпущен ограниченным тиражом, чтобы иметь возможность претендовать на участие в оскаровских гонках 2008 года; на широкий экран фильм вышел в январе 2009 года. Подобная схема выпуска фильма, которая называется «платформинг»,

* Возраст сказался и на Клинте. Из-за хронических проблем с позвоночником его рост с шести футов четырех дюймов (193 см) уменьшился до шести футов (183 см).

обычно используется для создания слухов вокруг фильмов, которые не рассчитывают на немедленное и очевидное обращение к большой аудитории. В данном случае «платформинг» сопровождался заявлением, которое просочилось в прессу и хлынуло в интернет. В нем Клинт якобы сказал, что это его прощальное выступление как актера*. Сказал он это или нет (а позже он утверждал, что именно так не говорил), но причину возникновения такого заявления нетрудно было понять: даже если этот фильм не станет финальным, почти наверняка это последний шанс выиграть «Оскар» за лучшую мужскую роль — и сделать это очень драматично**.

«Гран Торино» получил шквал восторженных отзывов — лучших за время его карьеры. Газета New York Times заявила, что «Клинт Иствуд запустил в кинотеатры еще один шедевр и показал всем, как это делается». Wall Street Journal назвал работу Клинта в фильме «ролью на всю жизнь», Los Angeles Times — «фильмом, на который пойдет умный зритель». Эндрю Саррис из New York Observer заявил: «Клинт "сделал мой день" своим стареющим ангелом-мстителем... Его карьера режиссера и актера достигла пика при создании образа фанатика, искупляющего свои грехи. Он выписан с такой человечностью и яркостью, что я исчерпал свой запас прилагательных в превосходной степени... Результатом стало действительно новаторское кино, которое стоит посмотреть хотя бы для того, чтобы получить эмоциональный удар сродни удару молнии». Десятки других рецензий были полны такого же восторга.

---

* «Клинт Иствуд, более 50 лет игравший на экране сильных и немногословных героев, покончил с актерской профессией. Иствуд (78 лет) говорит, что не планирует больше становиться перед камерой после "Гран Торино" — фильма, который он снял и в котором снялся. "Мне, наверное, придется так поступить в том, что касается актерской игры, — сказал британской Sunday Express лауреат премии Киноакадемии. — Но у меня нет планов больше не снимать фильмы". (Кэти Берк, публикации на различных новостных лентах, 15 декабря 2008 г.)

** В интервью газете New York Times, посвященном продвижению фильма «Гран Торино», Брюс Хэдлэм спросил Клинта об информации, постоянно распространяющейся в интернете и через информационные агентства, о том, что его роль в этом фильме станет последней. Ответ Клинта был следующим: «Кто-то спросил меня, что я буду делать дальше, и я сказал, что не знаю, сколько может быть ролей для 78-летних парней. Конечно, нет ничего плохого в том, чтобы прийти и сыграть дворецкого. Но когда нет препятствий, которые нужно преодолевать, я бы предпочел просто оставаться с другой стороны камеры». (New York Times, 14 декабря 2008 г.)

Зрители тоже откликнулись на фильм — именно он, а не «Подмена», стал настоящим хитом новогоднего сезона. Еще на стадии предварительного показа кассовые сборы росли каждую неделю, а массовый прокат быстро довел их до 100 миллионов долларов.

В начале января были объявлены номинанты на «Оскар». К удивлению многих и потрясению некоторых наблюдателей, оба фильма Клинта были фактически проигнорированы. Анджелина Джоли была выдвинута на премию за лучшую женскую роль в «Подмене», а Том Стерн — за лучшую операторскую работу. Но Клинт не получил никаких номинаций ни за эту работу, ни, что еще более возмутительно, за свою роль в «Гран Торино». Сам фильм, как и «Подмена», был исключен из состязания на звание лучшего. Туда попали только «Чтец» Стивена Долдри, «Загадочная история Бенджамина Баттона» Дэвида Финчера, «Миллионер из трущоб» Дэнни Бойла, «Фрост против Никсона» Рона Ховарда и «Харви Милк» Гаса Ван Сента.

Анджелина Джоли была выдвинута на премию за лучшую женскую роль в «Подмене», а Том Стерн — за лучшую операторскую работу. Но Клинт не получил никаких номинаций ни за эту работу, ни, что еще более возмутительно, за свою роль в «Гран Торино».

Ни один из этих фильмов ни по своему резонансу, ни по своему огромному значению для карьеры режиссера не выдерживал никакого сравнения с «Гран Торино» Клинта*. На вечеринках и в интернет-дебатах это событие сразу стало новостью № 1. Говорили, что Академия стала слишком старой; что Академия погрязла в невежестве; что Клинт прошел фазу «нравится всем» и вернулся к созданию фильмов, которые нравятся «только» зрителям; что никто не пошел смотреть фильм о китайцах; что Клинт стал слишком старомодным; что Клинт стал слишком стар; что фильм своим настроением был направлен против Обамы и связанным с ним духовным подъемом, что фильм оказался слишком негативным и предвзятым.

И снова пошел по Голливуду тихий шепоток, который сопровождал Клинта всю его карьеру — как печально известная шекспировская «по-

---

* Номинантами на звание лучшего режиссера стали Долдри, Финчер, Бойл, Ховард и Ван Сент. Номинантами на лучшую мужскую роль — Брэд Питт («Загадочная история Бенджамина Баттона»), Ричард Дженкинс («Посетитель» Тома Маккарти), Шон Пенн («Харви Милк»), Фрэнк Ланджелла («Фрост против Никсона») и Микки Рурк («Рестлер» Даррена Аронофски).

весть, рассказанная дураком, где много и шума и страстей, но смысла нет»*. Он знал, что все это было частью игры, и такие уколы никогда не могли повредить его очень жесткую, хотя и не всегда толстую кожу. Он мог позволить себе не обращать на это внимания. У Роберта Фроста, одного из любимых поэтов Клинта, в знаменитом стихотворении «Остановившись на опушке в снежных сумерках»** есть такие строки:

Лес чуден, темен и глубок.
Но должен я вернуться в срок.
И до ночлега путь далек,
И до ночлега путь далек.

Вот и Клинт чувствовал, что его путь до ночлега далек. У него в голове, словно шарики в руках жонглера, кружилось с полдюжины новых проектов. Фильм о Нельсоне Манделе с приятелем Морганом Фриманом в главной роли. Биографический фильм о Ниле Армстронге, первом человеке, ступившем на Луну (предварительный вариант названия — «Первый»). Фильм для компании DreamWorks под названием «Потустороннее». Документальный фильм о джазмене Дэйве Брубеке. Еще один фильм о Тони Беннетте... Ходили даже разговоры об еще одном сиквеле «Грязного Гарри». Он в ответ на это смеялся: «Да вы что?! "Грязный Гарри — 6"? Нет, Гарри на пенсии. Он стоит в ручье, ловит рыбу на мушку... Ему надоело быть важной птицей. И тут — бабах! Или: Гарри ушел на пенсию, но продолжает ловить плохих парней с помощью своих ходунков? Допустим, у него таверна. И тут входят эти парни, которые никогда не платят по счетам, а Гарри опускает руку под стойку бара и говорит: "Эй, ребята, следущий выстрел за мной"».

Дина регулярно организовывает на выходных огромные пикники для всех Иствудов. Да, она выполнила эту труднейшую задачу по объединению всего клана Иствудов, всех матерей, сыновей, дочерей, даже некоторых бывших подруг.

В то время как карьера Клинта оставалась в тумане неопределенности, его личная жизнь как-то успокоилась. Дина регулярно организовывает на выходных огромные пикники для всех Иствудов. Да,

* Слова из «Макбета» У. Шекспира в переводе М. Лозинского *(прим. пер.)*.

** Перевод Г. Кружкова *(прим. пер.)*.

она выполнила эту труднейшую задачу по объединению всего клана Иствудов, всех матерей, сыновей, дочерей, даже некоторых бывших подруг, не считая пары непрощенных и непростивших. У Клинта часто бывает даже Мэгги, которая живет в том же районе и остается его деловым партнером. Оба согласны, что теперь, когда они разошлись, им живется намного лучше, чем во времена их брака. Сегодня ранчо Иствуда производит впечатление огромной усадьбы, как Хайаннис-Порт Кеннеди, или Кеннебанкпорт Бушей, или даже ранчо Бика Бенедикта в Техасе, показанное в эпическом фильме Джорджа Стивенса 1956 года «Гигант». Фильм вышел уже после того, как его звезда — Джеймс Дин — погибла в автокатастрофе. Первый фильм с Клинтом вышел в том же году, когда погиб Дин. С тех пор появилось много фильмов и кинозвезд, однако Клинт по-прежнему остается звездой — человеком сильным, желающим и способным играть в свою игру. Он не спешит добираться до того леса, что «чуден, темен и глубок».

Ночлег не так уж и далек, но немного времени до него еще осталось.

Источники

Исследовательские организации

Margaret Herrick Library of the Academy of Motion Picture Arts and Sciences, Beverly Hills, California

New York Public Library, New York City

New York Public Library for the Performing Arts, New Yark City

Los Angeles County Court, public records, Los Angeles

British Film Institute

Cinémathèque, Paris, France

Library of the Los Angeles Times (librarian Scott Wilson)

Библиография

Albert, James. Pay Dirt: Divorces of the Rich and Famous. California: Diane Publishing, 1989.

Bach, Steven. Final Cut: Dreams and Disaster in the Making of Heaven's Gate. New York: William Morrow, 1985.

Bingham, Dennis. Acting Male: Masculinities in the Films of James Stewart, Jack Nicholson and Clint Eastwood. New Brunswick, N.J.: Rutgers University Press, 1994.

Biskind, Peter. Easy Riders, Raging Bulls. New York: Simon & Schuster, 1998.

Bragg, Melvyn. Richard Burton: A Life. Boston: Little, Brown, 1988.

Clinch, Minty. Clint Eastwood. London: Coronet Books, 1995.

Duncan, Paul, ed. Movie Icons: Clint Eastwood. Los Angeles: Taschen, 2006.

Eliot, Marc. Burt! New York: Dell, 1983.

Engel, Leonard, ed. Clint Eastwood: Actor and Director. Salt Lake City: University of Utah Press, 2007.

Frayling, Christopher. Clint Eastwood. London: Virgin, 1992.

Haskell, Molly. Holding My Own in No Man's Land. New Yark: Oxford University Press, 1997.

Kaminsky, Stuart M. Clint Eastwood. New York: New American Library, 1974.

Kapsis, Robert E., and Kathie Coblentz, eds. Clint Eastwood Interviews. Jackson: University Press of Mississippi, 1999.

Kinn, Gail, and Jim Piazza. The Academy Awards. New York: Black Dog and Leventhal, 2002.

Knapp, Laurence F. Directed by Clint Eastwood. Jefferson, N.C.: McFarland, 1996.

Locke, Sondra. The Good, The Bad & The Very Ugly. New York: William Morrow, 1997.

McGilligan, Patrick. Clint: The Life and Legend. New York: St. Martin's Press, 1999.

Nichols, Peter M., ed. The New York Times Guide to the 1,000 Best Movies Ever Made. New York: St. Martin's Press, 2004.

Randall, Stephen, ed., and the editors of Playboy magazine. The Playboy Interviews: The Directors. Milwaukee, Ore.: M Press, 2006.

Reynolds, Burt. My Life. New York: Hyperion, 1994.

Richards, David. Played Out: The Jean Seberg Story. New York: Random House, 1981.

Rickles, Don. Rickles' Book. New York: Simon & Schuster, 2007.

Rose, Frank. The Agency: William Morris and the Hidden History of Show Business. New York: HarperCollins, 1995.

Sarris, Andrew. The American Cinema. New York: E. P. Dutton, 1968. –. Confessions of a Cultist: On the Cinema, 1955–1969. New York: Simon & Schuster, 1970.

Schickel, Richard. Clint Eastwood: A Biography. New York: Random House, 1996.

Siegel, Don. A Siegel Film: An Autobiography. London: Faber and Faber, 1993.

Thompson, Douglas. Clint Eastwood: Billion Dollar Man. London: John Blake, 2005.

Verlhac, Pierre-Henri, ed. Clint Eastwood: A Life in Pictures. San Francisco: Chronicle Books, 2008.

Wallach, Eli. The Good, the Bad, and Me. New York: Harcourt, 2005.

Wiley, Mason, and Damien Bona. Inside Oscar: The Unofficial History of the Academy Awards. New York: Ballantine Books, 1986.

Zmijewsky, Boris, and Lee Pfeiffer. The Films of Clint Eastwood. New York: Citadel Press, 1993.

Примечания

Эпиграфы и введение

ix «Вы идете на фильм Иствуда...»: Molly Haskell, Playgirl, November 1985.

ix «Клинт Иствуд – это высокий...»: James Wolcott, Vanity Fair, July 1985.

ix «Иствуд обладает...»: Robert Mazzocco, «The Supply-Side Star», New York Review of Books, April 1, 1982.

ix «Люди могут быть знакомы...»: Quoted in John Love, «Clint Eastwood at 50», San Antonio Light, November 2, 1980.

ix «В Иствуде есть что-то...»: Quoted in Haskell, Playgirl.

ix «Я актер, который играет роли...»: Quoted in Newsweek, July 22, 1985.

1 «Я вырос на просмотре фильмов...»: Interview by Charlie Rose, PBS, October 8, 2003.

Глава 1

11 «Мой отец...»: цит. по собранию публикаций Дика Клейнера, известного голливудского публициста, Margaret Herrick Library.

14 «Ну, это были тридцатые годы...»: Interview by David Thomson, Film Comment 20, no. 5, September-October 1984.

14 «Мой отец хорошо относился к женщинам...»: Interview by Bernard Weinraub, Playboy, March 1997. Это было второе интервью Клинта этому журналу.

15 «Я не могу вспомнить...»: Quoted in Wayne Warga, Washington Post, July 8, 1969.

16 «Я очень хорошо помню Гертруду Фалк...»: Zmijewsky and Pfeiffer, Films, 9.

16 «Кем-то вроде школьного дурачка...»: Thompson, Billion Dollar Man, 19.

16 «Когда на вечеринке я садился за пианино...»: Ibid., 20.

17 «Я солгал о своем возрасте...»: Weinraub interview, Playboy.

18 «Я никогда не видел музыканта...»: Quoted in Schickel, Eastwood, 40.

18 «Просто плыл по течению»: Quoted in Frank Thistle, «Filmland's Most Famous Gunslinger», Hollywood Studio, February 1973.

Глава 2

21 «В юности я был бродягой...»: Quoted in Frank Thistle, «Filmland's Most Famous Gunslinger», Hollywood Studio, February 1973.

21 «Вы можете выкопать...»: Quoted in Dick Lochte, Los Angeles Free Press, April 20, 1973.

25 «Одним из побочных направлений моей работы...»: Interview by Michel Ciment, «Entretien avec Clint Eastwood», Positif 31 (May 1990).

27 От него забеременела одна местная девушка: «Клинт оставил женщине деньги и уехал в Лос-Анджелес», — писал МакГиллиган. См.: McGilligan, Life and Legend, 54. Макгиллигановская версия появилась в журнале Valley Daily News в июле 1993 г. Иствуд никогда не подтверждал правдивость этого сообщения.

Глава 3

29 «У меня было предчувствие...»: Quoted in Dick Kleiner column, Margaret Herrick Library.

32 Встреча Любина с Клинтом: Clint Eastwood interview by Arthur Knight, Playboy, February 1974. Клинт дал второе интервью этому журналу в марте 1997 года. Его взял Бернард Вайнрауб: Crawdaddy, April 1978.

33 «Мне показалось, что я выглядел...»: Knight interview, Playboy.

33 Мэми Ван Доррен: «[Клинт] всегда был строг и прям: он всегда знал самый прямой путь в мою гримерку», quoted in «Chatter», People, May 26, 1986.

33 «Первый год брака был ужасным...»: Quoted in Clinch, Eastwood (Иствуд), 29.

34 «Он такой ковбой, настоящий ковбой XX века...»: Maggie Eastwood, quoted in Tim Chadwick, «We Don't Believe in Togetherness», Screen Stars, July 1971.

36 «Тогда снимали много всяких дешевок...»: Quoted in Ann Guerin, Show, February 1970.

37 «Не волнуйся...»: Burt Reynolds, quoted in Eliot, Burt!, 42.

41 «Самым отвратительным вестерном...»: Quoted in Carrie Rickey, Fame, November 1988.

Глава 4

47 «Однажды я был назначен режиссером...»: Quoted in Bridget Byrne, «Eastwood's Round 'Em Up, Move 'Em Out Film Making Style», Los Angeles Herald-Examiner, June 24, 1973.

52 «Понимание особой открытости...»: Interview by Arthur Knight, Playboy, February 1974.

54 См.: McGilligan, Life and Legend, 105. Патрик МакГиллиган цитирует «неназванные источники».

56 Пиар-тур по Японии. Каждый раз, когда японские репортеры задавали вопрос о Мэгги, Клинт говорил, что она не захотела ехать. Однако в интервью журналу Photoplay в 1961 году, озаглавленном «Клинт Иствуд: голливудский одиночка», он, судя по цитате, сказал: «Я просто не захотел ее брать. Мне казалось, лучше поехать самому».

58 Мэгги никогда ничего не говорила на этот счет и не жаловалась. Роксанна Танис также никогда публично не обсуждала свои отношения с Клинтом. Но сам Клинт рассказывал об уникальности своего брака. См.: Playboy, 1974 и Tim Chadwick, «We Don't Believe in Togetherness», Screen Stars, July 1971. В редком для себя интервью, пишет Чэдвик, Клинт отметил, что он и Мэгги ухитрились сохранять свой брак живым все эти годы только потому, что большую часть времени держали дистанцию. Они были вместе, находясь на отдалении. По словам Мэгги, «Клинт – определенно одиночка, он от всего отгораживается». А Клинт говорил: «Мы не сторонники теории полного единения».

59 «Я знал, что я не ковбой...»: Interview by Bernard Weinraub, Playboy, March 1997.

60 «Серджо Леоне снял...»: Ibid.

Глава 5

61 «Что больше всего меня поразило...»: Sergio Leone, quoted in Duncan, Icons, 26. Без даты.

65 Британский критик и историк кино Кристофер Фрайлинг: See The BFI [British Film Institute] Companion to the Western (Deutsch, 1988). Фрайлинг говорит, что Леоне прослеживает сюжет в ретроспективе вплоть до Хэмметта. В Spaghetti Westerns (1988) Фрайлинг цитирует Леоне, который говорит: «"Телохранитель" Акиры Куросавы был вдохновлен американскими сериалами нуар, так что я просто снова вернул эти истории домой».

66 «Мы снимали несколько масштабных сцен прогона скота...»: Quoted in Patrick McGilligan, Focus on Film 25 (Summer-Fall 1976).

66 «В конце концов я прямо спросил Эрика Флеминга...»: Interview by Bernard Weinraub, Playboy, March 1997.

68 «Американец бы побоялся приближаться к вестерну...»: Ibid. Слова Клинта об ограничениях относятся к Кодексу Хейса. Кодекс запрещал прямое изображение сцены убийства: «Сцены убийств нужно снимать таким образом, чтобы они не напоминали сцены из обычной жизни; жестокие убийства нельзя показывать в под-

робностях. "Месть в наше время" не должна иметь оправдания». Снятое было явным описанием убийства. Более приемлемым являлось библейское изображение убийства.

70 «Каждый раз, когда они хотели изменить формат...»: Quoted in Dick Lochte, Los Angeles Free Press, April 20, 1973.

74 «А почему я должен радоваться?»: Interview by Hal Humphrey, Los Angeles Times, September 16, 1965.

Глава 6

77 «Я уже вернулся домой...»: Quoted in Thompson, Billion Dollar Man, 67.

80 «Истории, рассказанные в пяти эпизодах фильма, не составляли единое целое»: Quoted in Tim Cahill, Rolling Stone, July 4, 1983.

81 Любовная история с Катрин Денёв: McGilligan, Life and Legend, 151.

81 «Если так пойдет дальше...»: Ibid., 152. Источник, который цитирует МакГиллиган, остается неясным.

82 «Это будут мои последние спагетти-вестерны...»: Клинт, цит. по: Wallach in The Good, the Bad, and Me.

84 Критики не стали терять время: Босли Краузер написал о трилогии в ноябре 1966 года, еще до ее выхода в Америке, в аналитической статье для New York Times. В отношении ленты «За пригоршню долларов» он был более позитивен. Правда, его энтузиазм несколько поуменьшился, когда среди критиков стали преобладать отрицательные оценки. В связи с этим в своем официальном ежедневном обзоре Краузер, опасаясь идти против течения и потерять славу актуального критика, несколько «приглушил» свое мнение. Джудит Крист фактически сказала, что картине «не хватало тех удовольствий, которые мы получаем от совершенно ужасного фильма».

85 «Когда [Леоне] разговаривал со мной о том...»: Quoted in Thompson, Billion Dollar Man.

87 «Пережженный, исковерканный и потрескавшийся...»: New York Times, January 25, 1968.

88 «В основном остается враждебной...»: Эндрю Саррис, «The Spaghetti Westerns», Village Voice, September 19 and 26, 1968.

89 «У меня есть в собственности участок...»: Interview by Arthur Knight (Артур Найт), Playboy, February 1974.

Глава 7

91 «Я думаю, что от Дона Сигела я узнал...»: Quoted in Duncan, Icons, 134.

94 «Завершает любовный треугольник...»: Тед Пост, quoted in McGilligan, Life and Legend, 162; атрибуция отсутствует.

96 «Я подписал контракт с Universal...»: Introduction to Siegel, Siegel Film, ix.
96 «Один из двух-трех лучших фильмов категории В...»: Ibid.
98 «Я многому научился...»: Quoted in McGilligan, Focus on Film 25, summer-fall 1976.
98 «Мне помнится, что у нас»: Siegel, Siegel Film, 304.
99 «Клинт и его приятели...»: Jill Banner, quoted in Earl Leaf, «The Way They Were», Rona Barrett's Hollywood, circa 1972.
101 Привычки курильщика Бёртона: Бёртон обсуждал свои пристрастия к сигаретам и выпивке в интервью с Амброузом Хероном на британском телевидении в 1977 г. (Подробности отсутствуют.)
101 «Клинт и Ричард Бёртон были такими разными...»: Ingrid Pitt, interview by Rusty White, Einsiders.com, June 1, 2002.
102 «Элизабет Тейлор передала мне этот сценарий...»: Quoted in Kaminsky, Clint Eastwood, chap. 7.
103 «Когда берут на слабо»: об этой шутке говорится в разных источниках, в том числе в Bragg, Burton, 196.
104 «Мы не верим в единение...»: Maggie Eastwood and Clint Eastwood, respectively, quoted in Tim Chadwick, «We Don't Believe in Togetherness», Screen Stars, July 1971.
106 «И они сразу же начали роман»: о романе Иствуда и Сиберг упоминает множество источников, наиболее подробно — МакГиллиган, Ричардс и Шикел.
107 «Клинт бросил Сиберг»: в источнике (Richards, Played Out) цитируются высказывания нескольких друзей Сиберг, которые показывают, какое разочарование испытывала Сиберг после того, как их роман закончился. В своем интервью французской газете Сиберг упоминает о своем романе с человеком, который «был полной противоположностью» ее мужа, «героем бродячей жизни». Как она говорит, «всегда испытываешь шок, когда обнаруживаешь, что люди оказываются неискренними». Шикел в своей книге утверждает, что эмоциональная и профессиональная карьера актрисы пошла под уклон во многом из-за ее неудачного романа с Иствудом на фоне истории с ФБР.
107 «Отдельные благоприятные рецензии...»: «Золото Калифорнии» — это большой, буйный, шумный вестерн о золотой лихорадке в Калифорнии», — сообщалось в New York Daily News. «Ему предстоит тяжелый бой за то, чтобы стать хитом кассовых сборов», — утверждалось в Variety. «Слегка перепродюсированный и немного диковинный, но довольно интересный фильм», — говорилось в Women's Wear Daily. «Симпатичный фильм», — отмечал Винсент Кэнби в New York Times. «Приятная и красивая игра», — писал Чарльз Чамплин о Клинте в Los

Angeles Times. Среди самых резких критиков фильма была Полин Кейл, которая в издании New Yorker написала: «[Клинт] вообще почти свел фильм на нет. Он срежиссировал его каким-то совершенно неинтересным способом; это не управление актерами, которое не позволяет человеку что-то сказать, это такой контроль, который вообще не дает никому ничего сказать... Кажется, этот фильм наконец-то сломал хребет американской киноиндустрии».

Глава 8

109 «Я считаю, что Дон Сигел...»: Quoted in Kaminsky, Clint Eastwood.

113 «Не было никаких сомнений в том...»: Siegel, Siegel Film, 365.

114 «Мне кажется, [фильмы Леоне] изменили сам стиль, сам подход к вестернам...»: Quoted in Frayling, Clint Eastwood, 61–67.

117 «Я работал с Клинтом Иствудом над фильмом «Герои Келли»...»: Rickles, Rickles' Book, 141–142.

117 «Изначально это был очень хороший антимилитаристский сценарий...»: Quoted in Michael Henry, «Entretien avec Clint Eastwood», Positif 287 (January 1985).

118 «Почему я должен...»: Quoted in McGilligan, Life and Legend, 185.

120 «Как еще один спагетти-вестерн...»: James Bacon, Los Angeles Herald-Examiner, October 14, 1971.

121 «До этого выход фильмов Иствуда...»: Siegel, Siegel Film, 356.

121 «Дон Сигел говорил мне...»: Quoted in Kaminsky, Clint Eastwood. «[Студия] пыталась продавать его...»: Quoted in Judy Fayard, «Just About Everybody», Personalities. (Другие источники информации остались неизвестными.)

Глава 9

123 «После семнадцати лет работы...»: Quoted in Rex Reed, «Calendar», Los Angeles Times, April 1971, 50, 62.

125 «Мой отец умер...»: Quoted in Cal Fussman, Esquire, January 2009.

126 «Это был просто идеальный маленький проект...»: Quoted in «Clint Eastwood», The Directors: Master Collection, AFI (American Film Institute).

127 «Я начал интересоваться режиссурой...»: Ibid.

128 «Я лежал в постели...»: Quoted in Peter Biskind, Premiere, April 1993.

128 «Талисманом удачи...»: Siegel, Siegel Film, 494.

128 «Я был совершенно ошеломлен...»: Quoted in James Bacon, «Entertainment», Los Angeles Herald-Examiner, May 15, 1972. Примечание также основано на этом источнике.

130 «С этим фильмом только одна проблема...»: John Cassavetes, quoted in Duncan, Icons, 82. Клинт повторил этот рассказ в AFI Directors series.

131 «Я путешествовал по всему миру...»: Quoted in Tom Cavanaugh, Mainliner, September 1971.

131 «Беспорядочным романом»: Biskind, Easy Riders, 234.

131 «В Голливуде...»: Ibid.

132 «Мистеров Совершенство – миллионы...»: Quoted in Tim Chadwick, «We Don't Believe in Togetherness», Screen Stars, July 1971.

132 «Клинт живет двойной жизнью...»: Earl Leaf, «The Way They Were», Rona Barrett's Hollywood, circa 1972.

135 «Погоня Гарри за Скорпионом...»: Knapp, Directed, 43. Кнапп подробно описывает аспект: «Гарри предпринимает отчаянный крестовый поход, чтобы избавить Сан-Франциско от безумного убийцы только для того, чтобы обнаружить, что он отчужден от самого себя и людей, которых якобы поклялся защищать» (37).

136 «Я был одним из тех, кто привлек к делу...»: Quoted in Patrick McGilligan, Focus on Film 25 (Summer-Fall 1976).

136 «Утомительным и вредным»: Quoted in Joyce Haber, Los Angeles Times, May 3, 1972.

136 «Режиссура – это тяжелая работа...»: Quoted by the Associated Press, August 15, 1972.

138 История с жетоном: Siegel, Siegel Film, 366, 375.

139 «Фильм... сделал тему фундаментальной борьбы между добром и злом...»: рецензия Полин Кейл «Грязный Гарри» появилась 1 января 1972 года в издании The New Yorker.

Глава 10

141 «Сейчас мы живем...»: Quoted in Cal Fussman, Esquire, January 2009.

144 «Больше похожа на новый кондоминиум...»: Richard Thompson and Tim Hunter, «Clint Eastwood, AUTEUR», Film Comment 14, no. 1 (January-February 1978).

148 «Это был маленький фильм...»: Quoted in Patrick McGilligan, Focus on Film 25 (Summer-Fall 1976).

153 «Я такой же человек...»: Quoted in Clinch, Eastwood, 66.

154 «Ленни Хиршан взял сценарий фильма...»: Interview by Charlie Rose, PBS, October 8, 2003.

155 «Должен признаться...»: Клинт, в статье, якобы написанной собственноручно, Action, March 4, 1973.

155 О недовольстве и гневе пишут МакГиллиган (Life and Legend) и Бах (Final Cut). Клятву Клинта никогда не работать на UA приводит Стивен Бах.

Глава 11

157 «Когда я начала сниматься в фильме...»: Sondra Locke, quoted in Marcia Borie, Hollywood Reporter, July 2, 1976.

161 «Это были очень сложные съемки...»: Quoted in Michael Henry, «Entretien avec Clint Eastwood», Positif 287 (January 1985).

162 «Единственный раз, когда [Клинт]...»: James Bacon, «Clint's Cliff Hanger», Los AngelesHerald-Examiner, October 22, 1974.

162 Hog's Breath Inn: отдельные детали описания взяты из Phyllis Jervey, «Hog's Breath Inn Opens Without Fanfare», Pine Cone [Carmel-by-the-Sea], без даты, 1970-е гг.

163 «Я ничего не могу с этим поделать»: Maggie Eastwood, quoted in Peter J. Oppenheimer, «Action Hero Clint Eastwood: I'm Just Doing What I Dreamed of as a Kid», Family Weekly, December 29, 1974.

163 «Романтика-Казанову, заглянувшего в паб»: Paul Lippman, quoted in Thompson, Billion Dollar Man, 89; (без даты). Ответ Клинта тоже приводит Липпман, и тоже без даты.

165 «Ну, чем ты занималась...»: Locke Very Ugly, 138.

165 «Худшее, что кто-либо когда-либо со мной проделывал»: Philip Kaufman, quoted in McGilligan, Life and Legend, 261.

168 «То, что говорит Кейл...»: Dr. Ronald Lowell, quoted in Mary Murphy, «Clint and Kael», Los Angeles Times, April 12, 1976.

168 «В моей голове сейчас не появляется ничего нового...»: Quoted in Catherine Nixon Cooke, «The Mysterious Clint Eastwood», Coronet (February 1975).

Глава 12

169 «Люди думали...»: Quoted in Larry Cole, «Clint's Not Cute When He's Angry», Village Voice, May 24, 1976.

172 Причина была проста. Джеймс Фарго вспоминал: «Он даже в Сан-Франциско не часто бывал — в основном потому, что у него начался роман с Сондрой». Quoted in McGilligan, Life and Legend, 275–276; атрибутика записи остается неясной.

175 «Клинт вставил такие сцены»: «[Сценарий] был очень хорош. Переписывания требовались минимальные, но многое пришлось выбросить. Это я сделал сам», — говорил Клинт в интервью Ричарду Томпсону и Тиму Хантеру. См.: «Clint Eastwood, AUTEUR», Film Comment 14, no. 1 (January-February 1978).

176 Публикация в журнале People, February 13, 1978.

179 «В сегодняшних условиях...»: Richard Schickel, Time, January 9, 1978.

179 «В современном обществе...»: William Hare, Hollywood Studio (February 1978).
181 «Был известен давным-давно»: Quoted in Charles Champlin, Los Angeles Times, January 18, 1981.
183 «Это нам навсегда...»: McGilligan, Life and Legend, 303.

Глава 13

187 «Мне советовали...»: Quoted in Iain Blair, Film and Video 14, no. 3 (March 1977).
191 «Я не знаю»: см.: «Clint Eastwood Talks About Clint Eastwood as He Stars in Escape from Alcatraz Film», unidentified interview, probably from Universal Pictures, circa 1979, Margaret Herrick Library.
192 «В [1978 году]...»: Locke, Very Ugly, 162–63.
194 «Когда мне Дэннис Хакин прислал сценарий...»: Quoted in Michael Henry, «Entretien avec Clint Eastwood», Positif 287 (January 1985).

Глава 14

197 «Снимая вестерн...»: Inside the Actors Studio, October 5, 2003.
199 «Иствуд – живое доказательство того...»: Norman Mailer, in Parade, October 23, 1983.
199 «Клинт Иствуд снял "Бронко Билли"...»: Robert Daley, quoted in Army Archerd, Variety, November 12, 1979.
200 «Мы все сделали правильно...»: Quoted in Variety, July 28, 1980.
201 «Ходят слухи...»: Us, October 14, 1980.
202 «Мы встречаемся так часто...»: Henry Wynberg, quoted in Ansi Vallens, «Playboy Who Won Liz Taylor on Rebound Finds New Love – Eastwood's Wife», Us, October 21, 1980.
204 «Он редко признавал за собой...»: Locke, Very Ugly, 186.
206 «Это была дань уважения...»: Quoted in AFI Directors series.
206 «Естественно, я поговорила об этом с Клинтом...»: Locke, Very Ugly, 184.
207 «Когда ты приставляешь пистолет...»: Inside the Actors Studio, October 5, 2003.
207 «Это было удивительно...»: AFI Directors series.

Глава 15

209 «Вплоть до фильма "Петля"...»: Bingham, Acting Male, 186.
211 Меган Роуз: подробности ее романа с Клинтом взяты из интервью, которые она давала МакГиллигану (см.: Life and Legend), и из рассказов некоторых друзей, которые знали обоих участников.
214 Эдвардс спросил ее...: Детали этой истории см.: Locke, Very Ugly, 189–190.

214 «Но прежде чем я об этом узнала...»: Sondra Locke, quoted in Reynolds, My Life, 3.

217 Сондра Локк: «Я начала обдумывать идею стать режиссером и сказала об этом Клинту. "Это прекрасная мысль", — быстро ответил он». Locke, Very Ugly, 191.

Глава 16

219 «Я всегда считал себя...»: Quoted in Newsweek, July 22, 1985.

222 «Возможно, во времена...»: Quoted in John Vinocur, «Clint Eastwood, Seriously», New York Times Magazine, February 24, 1985.

222 «Персона Иствуда...»: Ibid.

222 «Клинт Иствуд — это художник...»: Ibid.

224 «Я с удовольствием поехал туда...»: Inside the Actors Studio, October 5, 2003.

225 «Clint Eastwood, depuis 15 ans»: из статьи французского автора Philippe Labro; журнал, в котором появилась эта фраза, в источнике не называется.

227 «Мне не нужно...»: Quoted in Pine Cone (weekly newspaper of Carmel), February 5, 1986.

227 «Приехав на участок в помятом желтом кабриолете Volkswagen...»: Associated Press, April 9, 1986.

230 «"Перевал разбитых сердец" — это рассказ о том...»: Quoted in Milan Pavlovic, «Kein Popcorn-Film [Not a Popcorn Movie]», Steadycam 10 (Fall 1988).

232 «Я знала Фритца с тех пор...»: Locke, Very Ugly, 214–15.

Глава 17

233 «Я был на джазовом концерте...»: Inside the Actors Studio, October 5, 2003.

236 «Вот во что превратилась моя жизнь...»: Locke, Very Ugly, 217.

238 Приходилось целых 18 процентов: оценка того, сколько стоил Клинт Warner Brothers, сделана на основе данных, помещенных в материалах Margaret Herrick Library и книги Томпсона Billion Dollar Man.

240 «Я бы никогда не смог пройти тест...»: Quoted in Los Angeles Times, December 9, 1995.

241 Дерк Пирсон и Сэнди Шоу: голливудские инсайдеры повторяют давно обросшую бородой теорию о некоем актере, история болезни которого записана в книге под названием Life Extension, бестселлере, предлагающем «научный подход» к замедлению старения. «Хотя актера в этой книге зовут "мистер Смит", но, очевидно, речь идет о Клинте Иствуде», — объясняет один знакомый кинозвезды. «Он друг Мерва Гриффина, в доме которого, по сло-

вам авторов, они встретили этого Смита, и, как и Смиту, ему было 50 лет, когда писалась эта книга, и у него была аллергия на конский волос». Кроме того, авторы этой книги Дерк Пирсон и Сэнди Шоу были консультантами последнего фильма Иствуда Firefox («Огненный лис») и сотрудничали с актером в создании нового «биомедицинского» триллера. Так что же, Иствуд и Смит — это одно и то же лицо? «Эта информация не раскрывается», — говорит менеджер актера... Кстати, история лечения включает в себя принятие витаминов и лекарств по «формуле продления жизни», которые не только улучшили кожу, волосы и речь актера, но и позволили ему кататься на лошади. (New York, September 27, 1982.)
Клинту никогда не нравилась верховая езда, поэтому в вестернах его редко можно увидеть верхом на лошади крупным планом.
В прошлом году Клинт Иствуд признался, что за псевдонимом «мистер Смит» действительно скрывается он. И это он упоминается как «профессиональная кинозвезда, человек, который увеличил выносливость и бодрость и улучшил загар» в разошедшемся в полутора миллионах экземпляров бестселлере «Продление жизни: практический научный подход», авторы — Дерк Пирсон и Сэнди Шоу. А о чем не сказал актер — так это о том, что, следуя плану оздоровления Пирсона/Шоу, он выбрал для себя наименее ортодоксальный сценарий, который называется Sacrilege («Кощунство»). (Esquire, июль 1985 г.)

Глава 18

243 «Есть только один способ вступить в счастливый брак»: Brainyquote.com.

246 «Ну, я же развелся с Мэгги...»: о конфронтации между Клинтом и Локк по вопросу о женитьбе см.: Locke, Very Ugly, 231.

247 «Неожиданно он решал, что я с ним куда-то должна поехать...»: Ibid., 230.

251 Детали показаний взяты из книг: Schickel, Eastwood и McGilligan, Life and Legend, а также из документов открытого доступа. Большинство документов судебных процессов остаются закрытыми, но некоторые детали показаний приведены в книге Locke, Very Ugly.

253 «Я познакомился с человеком по имени...»: Interview by Charlie Rose, PBS, October 8, 2003.

Глава 19

259 «"Непрощенный" завершает траекторию...»: Brett Westbrook, quoted in Engel, Actor and Director, 43.

261 Warner Brothers вообще не занималась продвижением фильма: Locke, Very Ugly, 292.

261 «Вопрос в том, кем она хочет стать...»: Ibid., 293.
262 «Я ничего тебе не должен»: Ibid.
263 «Почему вестерн?..»: Quoted in Thierry Jousse and Camille Nevers, «Entretien avec Clint Eastwood», Cahiers du cinéma 460 (October 1992).
264 «Я начал его переписывать...»: AFI Directors series.
271 «Устал»: Quoted in Schickel, Eastwood, 469.

Глава 20

273 «Мои чувства...»: свидетельство в зале суда по гражданскому иску 1996 года, возбужденному против него Сондрой Локк, Бербанк.
277 «Я не понимаю, что происходит...»: Locke, Very Ugly, 324.
278 Лэнс Янг: Locke, Very Ugly, 325. Источник остался анонимным.
278 «У нас нет никакого интереса...»: заявления Терри Семела и Боба Дэйли приведены там же.
284 «Наверное, я единственный, кто находит странным...»: Interview by Bernard Weinraub, Playboy, March 1997.

Глава 21

287 «Когда я начинаю втягиваться в работу...»: Interview by Charlie Rose, PBS, October 8, 2003.
289 Дина Руис: сведения о Дине Руис взяты из San Francisco Chronicle, April 9, 1996.
292 «У нас было три или четыре версии сценария...»: AFI Directors series.
293 Фишер безуспешно давила на Клинта: «Фишер, видимо, хотела сыграть ту роль, которую сыграла Мерил». Playboy: «Was that an issue?». Clint: «Enough said». Interview by Bernard Weinraub, Playboy, March 1997.
293 «Причина, по которой он может...»: Streep, ibid.
295 «Раньше я снимал несколько сложных историй»: Dina Ruiz, quoted in Thompson, Billion Dollar Man, 229.
295 «Я не думаю об этом...»: Weinraub interview, Playboy, March 1997.
295 «Она почувствовала небольшую тошноту...»: Interview by Gail Sheehy, Parade, December 7, 2008.
296 «В "Абсолютной власти" мне понравился сюжет...»: Quoted in Blair, Film and Video 14, no. 3, March 1997.
298 «Из-за героев, которые интересны только потому...»: Quoted in Pascal Merigeau, «Eastwood en son Carmel», Nouvel Observateur, March 1998.

Глава 22

301 «Дина держит меня в тонусе...»: Thompson, Billion Dollar Man, 9.
303 «Отряд чудаков»: источник пожелал остаться анонимным.

304 «На этом конкретном этапе...»: Quoted in Thompson, Billion Dollar Man, 236.
305 «Я хотел бы отказаться от работы актера...»: Quoted in Daily Telegraph (London), December 22, 2002.
305 «Я знал о Деннисе Лихейне...»: Quoted in Engel, Actor and Director, 218.
306 «Впитывает в себя прошлое...»: Ibid.
306 «За его резкость»: Rose interview, PBS.
307 «Я думаю, что самое большое число дублей...»: Sean Penn quoted in Mark Binelli, Rolling Stone, February 19, 2009.

Глава 23

315 «Когда я начинал работать...»: Interview by Charlie Rose, PBS, October 8, 2003.
319 «Я столкнулся со Стивеном...»: Starpulse.com, July 23, 2008.
319 «Я начал задаваться вопросом...»: Ibid.
320 «Между двумя фильмами...»: интервью Меган Роуз, PBS, October 8, 2003.
321 «Амбициозный сценарий...»: Rolling Stone, October 16, 2006.
322 «Ни одного афроамериканского персонажа...»: о враждебном интервью см. подробное интервью, которое Клинт дал Джеффу Доусону. Оно появилось в лондонской газете Guardian 6 июня 2008 года в рамках рекламной кампании перед выходом всех пяти серий «Грязного Гарри» на DVD; Foxnews.com, June 6, 2008. См. также: Nick Allen, «Clint Eastwood and Spike Lee Row Over Black Actors», Telegraph, June 9, 2008. Дополнительная информация, в том числе о миротворческой роли Спилберга, взята из: Access Hollywood, NBC-Universal Inc., 2009.
322 «Что касается фильма "Флаги наших отцов"»: Guardian.
327 «Тот согласился снять фильм при условии...»: Todd Longwell, «United for 'Changeling'», Hollywood Reporter, November 20, 2008.
327 «Мой персонаж...»: Angelina Jolie, quoted in «The Road to Gold: An Academy Award Preview», TV, syndicated, February 21, 2009.
331 «"Грязный Гарри — 6"?»: Клинт в шутку предложил снять шестой фильм по случаю выхода пяти предыдущих фильмов о Грязном Гарри в виде бокс-сета из пяти DVD-дисков в 2008 году. Geoff Boucher, Los Angeles Times, June 1, 2008.
332 «Оба согласны, что теперь, когда они разошлись...»: interview by Bernard Weinraub, Playboy, March 1997.

КЛИНТ ИСТВУД:

полная фильмография, включая телефильмы

Все произведения даны с датами выпуска; все телепередачи – с датами первых показов. Упоминания в титрах Клинта как продюсера даются индивидуально, в зависимости от обстоятельств. В список также включены музыкальные записи Клинта и перечень его наград.

ХУДОЖЕСТВЕННЫЕ ФИЛЬМЫ

Актер

«Месть Твари» (Revenge of the Creature), 1955. Universal-International Pictures. Продюсер: Уильям Алланд. Режиссер: Джек Арнольд. Сценарий: Мартин Беркли, по рассказу Уильяма Алланда. В ролях: Джон Агар, Лори Нельсон, Джон Бромфилд, Клинт Иствуд (в титрах не значится).

«Френсис на флоте» (Francis in the Navy), 1955. Universal-International Pictures. Продюсер: Стэнли Рубин. Режиссер: Артур Любин. Сценарий: Девери Фриман, по рассказу Девери Фримана, персонажи Дэвида Стерна. В ролях: Дональд О'Коннор, Марта Хайер, Ричард Эрдман, Мартин Милнер, Дэвид Дженссен, Пол Бёрк, Клинт Иствуд (первое упоминание Иствуда в титрах).

«Леди Годива из Ковентри» (Lady Godiva, aka Lady Godiva of Coventry, aka 21st Century Lady Godiva), 1955. Universal-International Pictures. Продюсер: Роберт Артур. Режиссер: Артур Любин. Сценарий: Оскар Бродни и Гарри Рускин, по рассказу Оскара Бродни. В ролях: Морин О'Хара, Джордж Нэдер, Виктор МакЛаген, Грант Уизерс, Рекс Ризон, Эдвард Франц, Лэсли Брэдли, Артур Шилдс, Клинт Иствуд (в титрах не значится).

«Тарантул» (Tarantula), 1955. Universal-International Pictures. Продюсер: Уильям Алланд. Режиссер: Джек Арнольд. Сценарий: Роберт Фреско и Мартин Беркли, по рассказу Джека Арнольда и Роберта Фреско. В ролях: Джон Агар, Мара Кордэй, Лео Кэррол, Нестор Паива, Росс Эллиотт, Эдвин Рэнд, Рэймонд Бэйли, Клинт Иствуд (в титрах не значится).

«Вдали от всех кораблей» (Away All Boats), 1956. Universal-International Pictures. Продюсер: Ховард Кристи. Режиссер: Джозеф Певни. Сценарий: Тэд Шердеман, по роману Кеннета М. Додсон. В ролях: Джефф Чандлер, Джордж Нэдер, Джули Адамс, Кейт Эндес, Ричард Бун, Клинт Иствуд (в титрах не значится).

«Никогда не прощайся» (Never Say Goodbye), 1956. Universal-International Pictures. Продюсер: Альберт Коэн. Режиссер: Джерри Хоппер. Сценарий: Чарльз Хоффман на основе более раннего сценария Брюса Маннинга, Джона Клорера и Леонарда Ли, основанного на пьесе Come prima, meglio di prima Луиджи Пиранделло. В ролях: Рок Хадсон, Джордж Сандерс, Рэй Коллинз, Дэвид Дженссен, Шелли Фабарес, Клинт Иствуд (в титрах не значится).

«Первая женщина-коммивояжер» (The First Traveling Saleslady), 1956. RKO Pictures. Продюсер: Артур Любин. Режиссер: Артур Любин. Сценарий: Девери Фриман и Стивен Лонгстрит. В ролях: Джинджер Роджерс, Бэрри Нельсон, Кэрол Чэннинг, Джеймс Арнесс, Клинт Иствуд.

«Звезда в пыли» (Star in the Dust), 1956. Universal-International Pictures. Продюсер: Альберт Загсмит. Режиссер: Чарльз Хаас. Сценарий: Оскар Бродни, по роману Ли Лейтона. В ролях: Джон Агар, Мэми Ван Доррен, Ричард Бун, Лейф Эриксон, Колин Грэй, Джеймс Глисон, Клинт Иствуд (в титрах не значится).

«Японская авантюра» (Escapade in Japan), 1957. RKO Pictures. Продюсер: Артур Любин. Режиссер: Артур Любин. Сценарий: Уинстон Миллер. В ролях: Тереза Райт, Кэмерон Митчелл, Джон Провост, Роджер Накагава, Клинт Иствуд (в титрах не значится).

«Эскадрилья "Лафайет"» (Lafayette Escadrille), 1958. Warner Brothers. Продюсер: Уильям Уэллман. Режиссер: Уильям Уэллман. Сценарий: Альберт Сидни Флайшмен, по рассказу Уильяма Уэллмана. В ролях: Таб Хантер, Эчика Шуро, Марсель Далио, Дэвид Дженссен, Джоди МакКри, Уильям Уэллман мл., Клинт Иствуд.

«Засада на перевале Симаррон» (Ambush at Cimarron Pass), 1958. Производство: Regal Production. Прокат: 20th Century-Fox. Продюсер: Херберт Е. Мендельсон. Режиссер: Джоди Коуплан. Сценарий: Ричард Дж. Тейлор и Джон К. Батлер, по рассказам Роберта А. Рида и Роберта Э. Вудса. В ролях: Скотт Брейди, Марджиа Дин, Бэйнес Баррон, Уильям Вон, Кен Майер, Джон Дамлер, Кит Ричардс, Клинт

Иствуд, Джон Меррик, Фрэнк Герстл, Дирк Лондон, Ирвинг Бэйкон, Десмонд Слэттери.

«За пригоршню долларов» (Fistful of Dollars aka A Fistful of Dollars; Per un pugno di dollari) 1964. Выпущен United Artists. Продюсеры: Гарри Коломбо и Джорджо Папи. Режиссер: Серджо Леоне. Сценарий: Серджо Леоне и Дуччо Тессари, адаптация фильма Yojimbo («Телохранитель»), реж. Акира Куросава. В ролях: Клинт Иствуд, Марианна Кох, Джонни Уэллс, Вольфганг Лукши, Зигхардт Рупп, Антонио Прието, Хосе Кальво, Маргарита Лосано, Даниэль Мартин.

«На несколько долларов больше» (For a Few Dollars More; Per qualche dollaro in più), 1965. Выпущен United Artists. Продюсер: Альберто Гримальди. Режиссер: Серджо Леоне. Сценарий: Лучиано Винченцони и Серджо Леоне, по рассказу Фульвио Морселла и Серджо Леоне. В ролях: Клинт Иствуд, Ли Ван Клиф, Джан Мария Волонте, Розмари Декстер, Мара Круп, Клаус Кински, Марио Брега, Альдо Самбрель.

«Хороший, плохой, злой» (The Good, the Bad and the Ugly; Il buono, il brutto, il cattivo), 1966, Италия; 1967, прокат в США, United Artists. Продюсер: Альберто Гримальди. Режиссер: Серджо Леоне. Сценарий: Адженоре Инкроччи, Фурио Скарпелли, Лучиано Винченцони, Серджо Леоне, по рассказу Лучиано Винченцони и Серджо Леоне. В ролях: Клинт Иствуд, Илай Уоллак, Ли Ван Клиф, Альдо Джуффре, Марио Брега, Луиджи Пистилли, Рада Рассимов, Энцо Петито.

«Ведьмы» (The Witches; Lestreghe), 1967. Прокат United Artists в Европе и Lopert Pictures Productions в США (дубляж). Прокат – различные компании со всего мира. Продюсер: Дино Де Лаурентис. Режиссер: Лукино Висконти («Ведьма, сожженная заживо»); Мауро Болоньини («Чувство гражданского долга»); Пьер Паоло Пазолини («Земля, увиденная с Луны»), Франко Росси («Сицилианка»), Витторио Де Сика («Самый обычный вечер»). Сценарий: «Ведьма, сожженная заживо» – сюжет и сценарий Джузеппе Патрони Гриффи; «Чувство гражданского долга» – сюжет и сценарий Бернардино Дзаппони; «Земля, увиденная с Луны» – сценарий Пьера Паоло Пазолини; «Сицилианка» – сценарий Франко Росси и Луиджи Маньи; «Самый обычный вечер» – сценарий Чезаре Дзаваттини, Фабио Карпи, Энцо Муции. В ролях: Сильвана Мангано, Альберто Сорди, Нинетто Даволи, Пьетро Торризи, Клинт Иствуд, при участиии Армандо Боттин, Джанни Гори.

«Вздерни их повыше» (Hang 'Em High), 1968. Продюсер: Леонард Фриман. Производство: Леонард Фриман и Malpaso Company, прокат – United Artists. Режиссер: Тед Пост. Сценарий: Леонард Фриман и Мэл Голдберг. В ролях: Клинт Иствуд, Ингер Стивенс, Эд Бегли, Пэт

Хингл, Арлин Голонка, Джеймс МакАртур, Рут Уайт, Бен Джонсон, Брюс Дерн, Деннис Хоппер, Алан Хейл мл.

«Блеф Кугана» (Coogan's Bluff), 1968. Прокат: Universal. Продюсер: Дон Сигел. Режиссер: Дон Сигел. Сценарий: Герман Миллер, Дин Райснер, Ховард Родман, по рассказу Германа Миллера. В ролях: Клинт Иствуд, Ли Джей Кобб, Сьюзэн Кларк, Тиша Стерлинг, Дон Страуд, Бетти Филд, Том Талли, Мелоди Джонсон, Джеймс Эдвардс, Руди Диас, Дэвид Дойл, Луис Зорик, Джеймс Гэвин.

«Там, где гнездятся орлы» (Where Eagles Dare), 1968. Фильм Джерри Гершвина – Эллиотта Кастнера, выпущен MGM. Продюсер: Эллиотт Кастнер. Режиссер: Брайан Дж. Хаттон. Сюжет и сценарий: Алистер МакЛин, по роману Алистера МакЛина. В ролях: Ричард Бёртон, Клинт Иствуд, Мэри Юр, Майкл Хордерн, Патрик Уаймарк, Роберт Битти, Антон Диффринг, Дональд Хьюстон, Ферди Мэйн, Нил МакКарти, Питер Бэкворт, Уильям Скуайр, Брук Уильямс, Ингрид Питт.

«Золото Калифорнии» (Paint Your Wagon), 1969. Дистрибьюция – Paramount Pictures. Продюсер: Алан Джей Лёрнер. Режиссер: Джошуа Логан. Сценарий и стихи: Алан Джей Лёрнер, адаптация оригинала Алана Джея Лёрнера. Постановка на Бродвее Пэдди Чайефски. В ролях: Ли Марвин, Клинт Иствуд, Джин Сиберг, Харви Преснелл, Рей Уолстон, Том Лигон, Алан Декстер, Уильям О'Коннелл, Бен Бэйкер, Алан Бакстер, Пола Трумен, Роберт Истон, Джеффри Норман, Х. Б. Хэггерти, Терри Дженкинс, Карл Брак, Джон Митчум, Сью Кэйси, Эдди Литтл Скай, Харви Парри, Х. В. Джим, Уильям Мимс, Рой Дженсен, Пэт Хоули.

«Два мула для сестры Сары» (Two Mules for Sister Sara), 1970. Прокат: Universal. Продюсеры: Мартин Рэкин, Кэрол Кейс, Malpaso Company. Режиссер: Дон Сигел. Сценарий: Альберт Мальц, по рассказу Бадда Боттичера. В ролях: Клинт Иствуд, Ширли МакЛейн, Мануэль Фабрегас, Альберто Морин, Армандо Сильвестре, Джон Келли, Энрике Лусеро, Дэвид Эстуардо, Ада Карраско, Панчо Кордова.

«Герои Келли» (Kelly's Heroes), 1970. Прокат: MGM. Продюсеры: Сидни Бекман, Гэбриел Кацка, Харольд Лоб (в титрах не значится). Режиссер: Брайан Дж. Хаттон. Сценарий: Трой Кеннеди-Мартин. В ролях: Клинт Иствуд, Телли Савалас, Дон Риклз, Кэррол О'Коннор, Дональд Сазерленд, Гэвин МакЛауд, Джордж Савалас, Хэл Бакли, Дэвид Херст, Джон Хеллер.

«Обманутый» (The Beguiled), 1971. Прокат: Universal. Продюсер: Дон Сигел. Режиссер: Дон Сигел. Сценарий: Джон Б. Шерри и Краймс Грайс, по роману Томаса Куллинана. В ролях: Клинт Иствуд, Джеральдин Пейдж, Элизабет Хартман, Джоанн Харрис, Дарлин Карр, Мэй Мерсер, Памелин Фердин, Мелоди Томас, Пегги Дриер, Патриша Мэттик.

«Грязный Гарри» (Dirty Harry), 1971. Прокат: Warner Brothers-Seven Arts. Продюсер: Дон Сигел. Режиссер: Дон Сигел. Сценарий: Хэрри Джулиан Финк, Р. М. Финк и Дин Райснер, по рассказу Хэрри Джулиана Финка и Р. М. Финк. В ролях: Клинт Иствуд, Гарри Гуардино, Рени Сантони, Джон Вернон, Энди Робинсон, Джон Ларч, Джон Митчум, Мэй Мерсер, Лин Эджингтон, Рут Кобарт, Вудроу Парфри, Йозеф Зоммер, Уильям Пэтерсон, Джеймс Нолан, Морис Аргент, Джо Де Винтер, Крэйг Келли.

«Джо Кидд» (Joe Kidd), 1972. Прокат: Universal Pictures/Malpaso. Продюсер: Сидни Бекман. Режиссер: Джон Стёрджес. Сценарий: Элмор Леонард. В ролях: Клинт Иствуд, Роберт Дювалл, Джон Сэксон, Дон Страуд, Стелла Гарсиа, Джеймс Вейнрайт, Пол Косло, Грегори Уэлкотт, Линн Марта.

«Высшая сила» (Magnum Force), 1973. Прокат: Warner Brothers. Продюсер: Боб Дэйли. Режиссер: Тед Пост. Сценарий: Джон Милиус, Майкл Чимино, по рассказу Джона Милиуса, оригинальный материал Хэрри Джулиана Финка и Р. М. Финк. В ролях: Клинт Иствуд, Хэл Холбрук, Фелтон Перри, Митч Райан, Дэвид Соул, Тим Мэтисон, Роберт Урих, Кристин Уайт, Аделе Йошиока.

«Громобой и Быстроножка» (Thunderbolt and Lightfoot), 1974. Malpaso Company. Прокат: United Artists. Продюсер: Боб Дэйли. Режиссер: Майкл Чимино. Сценарий: Майкл Чимино. В ролях: Клинт Иствуд, Джефф Бриджес, Джеффри Льюис, Кэтрин Бах, Гэри Бьюзи, Джордж Кеннеди, Джек Додсон, Юджин Элман, Бертон Гиллиам, Рой Дженсон, Клаудия Леннир, Билл МакКинни, Вик Тейбэк.

«Подкрепление» (The Enforcer), 1976. Прокат: Warner Brothers. Продюсер: Боб Дэйли. Режиссер: Джеймс Фарго. Сценарий: Стёрлинг Силлифант, Дин Райснер, на основе персонажей, созданных Хэрри Джулианом Финком и Р. М. Финк. В ролях: Клинт Иствуд, Тайн Дейли, Гарри Гуардино, Брэдфорд Диллман, Джон Митчем, ДеВерен Букуолтер, Джон Кроуфорд.

«Как ни крути – проиграешь» (Every Which Way but Loose), 1978. A Malpaso Production. Прокат: Warner Brothers. Продюсер: Боб Дэйли. Режиссер: Джеймс Фарго. Сценарий: Джереми Джо Кронсберг. В ролях: Клинт Иствуд, Сондра Локк, Джеффри Льюис, Беверли Д'Анджело, Рут Гордон, Уолтер Барнс, Джордж Чандлер, Рой Дженсон, Джеймс МакИчин, Билл МакКинни.

«Побег из Алькатраса» (Escape from Alcatraz), 1979. Прокат: Paramount. Продюсер: Дон Сигел. Режиссер: Дон Сигел. Сценарий: Ричард Таггл, по книге Дж. Кэмпбелла Брюса. В ролях: Клинт Иствуд, Патрик МакГуэн, Робертс Блоссом, Джек Тибо, Фред Уорд, Пол Бенджамин, Ларри Хэнкин, Брюс М. Фишер, Фрэнк Ронцио.

«Как только сможешь» (Any Which Way You Can), 1980. A Malpaso Production. Прокат: Warner Brothers. Продюсер: Фритц Мэйнс. Режиссер: Бадди Ван Хорн. Сценарий: Стэнфорд Шерман, на основе персонажей, созданных Джереми Джо Кронсбергом. В ролях: Клинт Иствуд, Сондра Локк, Рут Гордон, Джеффри Льюис, Уильям Смит.

«Петля» (Tightrope), 1984. A Malpaso Production. Прокат: Warner Brothers. Продюсеры: Клинт Иствуд, Фритц Мэйнс. Режиссер: Ричард Таггл. Сценарий: Ричард Таггл. В ролях: Клинт Иствуд, Женевьев Бюжо, Дэн Хедайя, Элисон Иствуд, Дженнифер Бек, Марко Ст. Джон.

«Заваруха в городе» (City Heat), 1984. A Malpaso/Deliverance Production. Прокат: Warner Brothers. Продюсер: Фритц Мэйнс. Режиссер: Ричард Бенджамин. Сценарий: Сэм Браун и Джозеф Стинсон. Сюжет: Сэм Браун. В ролях: Клинт Иствуд, Бёрт Рейнольдс, Джейн Александер, Мэдлин Кан, Рип Торн, Ирена Кара, Ричард Раундтри, Тони Ло Бьянко.

«Смертельный список» (The Dead Pool), 1988. A Malpaso Production. Прокат: Warner Brothers. Продюсер: Дэвид Валдес. Режиссер: Бадди Ван Хорн. Сценарий: Стив Шэрон. Сюжет: Стив Шэрон, Дерк Пирсон, Сэнди Шоу. На основе персонажей, которые создали Хэрри Джулиан Финк и Р. М. Финк. В ролях: Клинт Иствуд, Патриша Кларксон, Лиам Нисон, Ивэн Ким, Дэвид Хант, Майкл Карри, Майкл Гудвин, Джим Керри.

«Розовый кадиллак» (Pink Cadillac), 1989. A Malpaso Production. Прокат: Warner Brothers. Продюсер: Дэвид Валдес. Режиссер: Бадди Ван Хорн. Сценарий: Джон Эскоу. В ролях: Клинт Иствуд, Бернадетт Питерс, Тимоти Кархарт, Тиффани Гэйл Робинсон, Анджела Луиз Робинсон, Джон Деннис Джонстон, Майкл Де Барр, Джимми Ф. Скэггз, Билл Моусли, Майкл Чэмпион, Уильям Хикки, Джеффри Льюис, Билл МакКинни.

«На линии огня» (In the Line of Fire), 1993. A Castle Rock Entertainment Production в сотрудничестве с Apple/Rose Films. Прокат: Columbia Pictures. Продюсеры: Джефф Эппл, Боб Розенталь. Режиссер: Вольфганг Петерсен. Сценарий: Джеф Магуайр. В ролях: Клинт Иствуд, Джон Малкович, Рене Руссо, Дилан МакДермотт, Гэри Коул, Фред Долтон Томпсон, Джон Махони.

Актер и режиссер

«Сыграй мне перед смертью» (Play Misty for Me), 1971. A Malpaso Production. Прокат: Universal. Продюсер: Боб Дэйли. Режиссер: Клинт Иствуд. Сценарий: Джо Хеймс и Дин Райснер. В ролях: Клинт Иствуд, Джессика Уолтер, Донна Миллс, Джон Ларч, Клариса Тейлор, Ирен Херви, Джек Джинг, Джеймс МакИчин, Дон Сигел, Дьюк Эвертс.

«Наездник с высоких равнин» (High Plains Drifter), 1973. A Malpaso Production. Прокат: Universal. Продюсер: Боб Дэйли. Режиссер: Клинт

Иствуд. Сценарий: Эрнест Тайдиман и Дин Райснер (в титрах не значится). В ролях: Клинт Иствуд, Верна Блум, Марианна Хилл, Митчелл Райан, Джек Джинг, Стефан Гираш, Тед Хартли, Билли Кертис, Джеффри Льюис, Скотт Уокер, Уолтер Барнс.

«Санкция на пике Эйгера» (The Eiger Sanction), 1975. Прокат: Universal. Продюсеры: Боб Дэйли, Дэррил Ф. Занук, Дэвид Браун. Режиссер: Клинт Иствуд. Сценарий: Хэл Дреснер, Уоррен Мерфи, Род Уитакер, по роману Рода Уитакера, писавшего под псевдонимом Треваньян. В ролях: Клинт Иствуд, Джордж Кеннеди, Вонетта МакГи, Джек Кэссиди, Хайди Брюль, Тэйер Дэвид, Райнер Шёне, Михаэль Гримм, Жан-Пьер Бернар, Бренда Венус, Грегори Уэлкотт.

«Джоси Уэйлс — человек вне закона» (The Outlaw Josey Wales), 1976. Прокат: Warner Brothers. Продюсер: Боб Дэйли. Режиссер: Клинт Иствуд. Сценарий: Фил Кауфман и Соня Чернус, на основе романа Форреста Картера «Ушедшие в Техас». В ролях: Клинт Иствуд, вождь Дэн Джордж, Сондра Локк, Билл МакКинни, Джон Вернон, Пола Трумен, Сэм Боттомс, Джеральдин Кимс, Вудроу Парфри, Джойс Джеймисон, Шеб Вули, Мэтт Кларк, Джон Веррос, Уилл Сэмпсон, Уильям О'Коннелл, Джон Квэйд.

«Сквозь строй» (The Gauntlet), 1977. Прокат: Warner Brothers. Продюсер: Боб Дэйли. Режиссер: Клинт Иствуд. Сценарий: Майкл Батлер и Деннис Шрайак. В ролях: Клинт Иствуд, Сондра Локк, Пэт Хингл, Уильям Принц, Билл МакКинни, Майкл Кавана.

«Бронко Билли» (Bronco Billy), 1980. Прокат: Warner Brothers в сотрудничестве с Second Street Films. Продюсеры: Дэннис Хакин, Нил Доброфски. Режиссер: Клинт Иствуд. Сценарий: Дэннис Хакин. В ролях: Клинт Иствуд, Сондра Локк, Джеффри Льюис, Скэтмэн Крозерс, Билл МакКинни, Сэм Боттомс, Дэн Вадис, Сьерра Пешёр, Уолтер Барнс, Вудроу Парфри, Беверли МакКинси, Дуглас МакГрат, Хэнк Уорден, Уильям Принц.

«Огненный лис» (Firefox), 1982. Прокат: Warner Brothers. Продюсер: Клинт Иствуд. Режиссер: Клинт Иствуд. Сценарий: Алекс Ласкер и Уильям Уэллман, по роману Крейга Томаса. В ролях: Клинт Иствуд, Фредди Джонс, Дэвид Хаффман, Уоррен Кларк, Рональд Лейси, Кеннет Колли.

«Поющий по кабакам» (Honkytonk Man), 1982. A Malpaso Production. Прокат: Warner Brothers. Продюсер: Клинт Иствуд. Режиссер: Клинт Иствуд. Сценарий: Клэнси Карлайл, по роману Клэнси Карлайла «Поющий по кабакам». В ролях: Клинт Иствуд, Кайл Иствуд, Джон МакИнтайр, Алекса Кенин, Верна Блум, Мэтт Кларк, Бэрри Корбин, Джерри Хардин.

«Внезапный удар» (Sudden Impact), 1983. A Malpaso Production. Прокат: Warner Brothers. Продюсер: Клинт Иствуд. Режиссер: Клинт Иствуд. Сценарий: Джозеф Стинсон. Сюжет: Эрл Смит и Чарльз Б. Пирс, на основе персонажей, которых создали Хэрри Джулиан Финк и Р. М. Финк. В ролях: Клинт Иствуд, Сондра Локк, Пэт Хингл, Брэдфорд Диллман, Пол Дрейк, Одри Дж. Нинан, Джек Тибо, Майкл Карри, Альберт Попвелл.

«Бледный всадник» (Pale Rider), 1985. A Malpaso Production. Прокат: Warner Brothers. Продюсер: Клинт Иствуд. Режиссер: Клинт Иствуд. Сценарий: Майкл Батлер и Деннис Шрайак. В ролях: Клинт Иствуд, Майкл Мориарти, Кэрри Снодгресс, Крис Пенн, Ричард Дайсарт, Сидни Пенни, Ричард Кил, Дуглас МакГрат, Джон Рассел.

«Перевал разбитых сердец» (Heartbreak Ridge), 1986. A Malpaso Production. Прокат: Warner Brothers. Продюсер: Клинт Иствуд. Режиссер: Клинт Иствуд. Сценарий: Джеймс Карабацос. В ролях: Клинт Иствуд, Марша Мейсон, Эверет МакГилл, Моузес Ганн, Айлин Хекарт, Бо Свенсон, Бойд Гейнс, Марио Ван Пиблз, Арлен Дин Снайдер, Винсент Ирисарри, Рамон Франко, Том Виллард, Родни Хилл, Питер Кох, Ричард Венчур.

«Белый охотник, черное сердце» (White Hunter Black Heart), 1990. Производство: Malpaso/Rastar. Прокат: Warner Brothers. Продюсер: Клинт Иствуд. Режиссер: Клинт Иствуд. Сценарий: Питер Виртел, Джеймс Бриджес, Берт Кеннеди, по роману Питера Виртела. В ролях: Клинт Иствуд, Джефф Фэйи, Джордж Дзундза, Мариза Беренсон, Алан Армстронг, Ричард Вэнстоун, Шарлотта Корнвэлл, Кэтрин Нилсон, Эдвард Тудор-Поул, Ричард Уорвик, Бой Матиас Чума.

«Новичок» (The Rookie), 1990. A Malpaso Production. Прокат: Warner Brothers. Продюсеры: Ховард Казанян, Стивен Сиберт, Дэвид Валдес. Режиссер: Клинт Иствуд. Сценарий: Боаз Якин и Скотт Шпигель. В ролях: Клинт Иствуд, Чарли Шин, Рауль Хулиа, Соня Брага, Том Скеррит, Лара Флинн Бойл, Пепе Серна, Марко Родригес.

«Непрощенный» (Unforgiven), 1992. A Malpaso Production. Прокат: Warner Brothers. Продюсер: Клинт Иствуд. Режиссер: Клинт Иствуд. Сценарий: Дэвид Уэбб Пиплз. В ролях: Клинт Иствуд, Джин Хэкмен, Морган Фриман, Ричард Харрис, Джеймс Вулветт, Сол Рубинек, Фрэнсис Фишер, Анна Томсон.

«Совершенный мир» (A Perfect World), 1993. A Malpaso Production. Прокат: Warner Brothers. Продюсеры: Клинт Иствуд, Марк Джонсон, Дэвид Валдес. Сценарий: Джон Ли Хэнкок. В ролях: Клинт Иствуд, Кевин Костнер, Лора Дерн, Т. Дж. Лоузер, Лео Бёрместер, Кит Шарабайка, Уэйн Дихарт, Пол Хьюит, Брэдли Уитфорд, Рэй МакКиннон, Дженнифер Гриффин, Лесли Флауэрс, Белинда Флауэрс, Дэррил Кокс, Джей Уитикер, Тейлор Сюзанна МакБрайд, Кристофер Рейган Эммонс, Марк Фогс, Джон М. Джексон, Конни Купер, Джордж Оррисон.

«Мосты округа Мэдисон» (The Bridges of Madison County), 1995. A Malpaso/Amblin Production. Прокат: Warner Brothers. Продюсеры:

Клинт Иствуд, Кэтлин Кеннеди. Режиссер: Клинт Иствуд. Сценарий: Ричард ЛаГравенес, по мотивам романа Роберта Джеймса Уоллера. В ролях: Клинт Иствуд, Мэрил Стрип, Энни Корли, Виктор Слезак, Джим Хейни, Сара Кэтрин Шмитт, Кристофер Крун, Филлис Лайонс, Дебра Монк, Ричард Лейдж, Мишель Бенес, Элисон Вьегерт, Брэндон Бобст, Перл Фэсслер, Р. Е. Стик Фэсслер, Таня Мишлер, Билли МакНэбб, Арт Бриси, Лана Шваб, Ларри Лури, Джеймс Риверз.

«Абсолютная власть» (Absolute Power), 1997. Castle Rock Entertainment / Malpaso. Продюсеры: Клинт Иствуд, Карен Шпигель. Режиссер: Клинт Иствуд. Сценарий: Уильям Голдман, по мотивам романа Дэвида Бальдаччи. В ролях: Клинт Иствуд, Джин Хэкмен, Эд Харрис, Лора Линни, Скотт Гленн, Деннис Хейсбёрт, Джуди Дэвис, Э. Г. Маршалл.

«Настоящее преступление» (True Crime), 1999. Malpaso – Zanuck Productions. Продюсеры: Клинт Иствуд, Том Рукер, Лили Фини Занук, Ричард Д. Занук. Режиссер: Клинт Иствуд. Сценарий: Ларри Гросс, Пол Брикман, Стивен Шифф, по мотивам романа Эндрю Клэвана. В ролях: Клинт Иствуд, Исайя Вашингтон, Лиза Гэй Хэмилтон, Джеймс Вудс, Дэнис Лири, Бернард Хилл, Дайан Венора, Майкл МакКин, Майкл Джитер, Мэри МакКормак, Хэтти Уинстон, Пенни Бай Бриджес, Франческа Фишер-Иствуд, Джон Финн, Лайла Робинс, Сидни Тамиа Пуатье, Эрик Кинг, Грэм Беккел, Фрэнсис Фишер, Марисса Рибизи, Кристин Эберсоул, Энтони Цербе, Нэнси Джиллз, Том МакГоун, Уильям Уиндом, Дон Уэст, Люси Лью, Дина Иствуд, Лесли Гриффит, Дэннис Ричмонд, Фрэнк Соммервиль, Дэн Грин.

«Космические ковбои» (Space Cowboys), 2000. A Malpaso Production. Продюсеры: Клинт Иствуд, Эндрю Лазар, Том Рукер. Режиссер: Клинт Иствуд. Сценарий: Кен Кауфман и Ховард Клауснер. В ролях: Клинт Иствуд, Томми Ли Джонс, Дональд Сазерленд, Джеймс Гарнер, Джеймс Кромуэлл, Марша Гей Харден, Уильям Дивэйн, Лорен Дин, Кортни Б. Вэнс, Раде Шербеджия, Барбара Бэбкок, Блэр Браун, Джей Лено, Нилс Аллен Стюарт.

«Кровавая работа» (Blood Work), 2002. A Malpaso Production. Продюсер: Клинт Иствуд. Режиссер: Клинт Иствуд. Сценарий: Брайан Хелгеленд, по роману Майкла Коннелли. В ролях: Клинт Иствуд, Джефф Дэниелс, Анжелика Хьюстон, Ванда Де Хесус, Тина Лиффорд, Пол Родригес, Дилан Уолш.

«Малышка на миллион» (Million Dollar Baby), 2004. A Malpaso / Albert S. Ruddy / Epsilon Motion Pictures Production. Прокат: Warner Brothers. Продюсеры: Клинт Иствуд, Пол Хаггис, Роберт Мореско, Том Розенберг, Альберт Радди. Режиссер: Клинт Иствуд. Сценарий: Пол Хаггис, по рассказам Ф. Кс. Тула (Роуп Бёрнс). В ролях: Клинт Иствуд, Хилари Суэнк, Морган Фриман, Джей Барушель, Майк Колтер,

Люсия Рижкер, Брайан Ф. О'Бирн, Энтони Маки, Марго Мартиндейл, Рики Линдхоум, Майкл Пенья.

«Гран Торино» (Gran Torino), 2008. A Malpaso Production. Продюсеры: Клинт Иствуд, Билл Гербер, Роберт Лоренц. Прокат: Matten Productions в сотрудничестве с Double Nickel Entertainment, Gerber Pictures, Malpaso Productions, Media Magik Entertainment, Village Roadshow Pictures, Warner Brothers. Режиссер: Клинт Иствуд. Сценарий: Ник Шенк, по рассказу Ника Шенка и Дэйва Йохансона. В ролях: Клинт Иствуд, Кристофер Карли, Би Ванг, Эни Хи, Брайан Хейли, Джеральдин Хьюз, Дрима Уокер, Брайан Хау, Джон Кэрролл Линч, Уильям Хилл, Брук Чиа Тхао, Чи Тао, Чоа Ке.

Только режиссер

«Бризи» (Breezy), 1973. Прокат: Universal. Продюсер: Боб Дэйли. Режиссер: Клинт Иствуд. Сценарий: Джо Хеймс. В ролях: Уильям Холден, Кэй Ленц, Роджер С. Кармел, Марж Дюсэй, Джоан Хотчкис, Джэми Смит-Джексон, Норман Бартолд, Линн Борден, Шелли Моррисон, Дэннис Оливери, Юджин Питерсон.

«Птица» (Bird), 1988. A Malpaso Production. Прокат: Warner Brothers. Продюсер: Клинт Иствуд. Режиссер: Клинт Иствуд. Сценарий: Джоэль Олиански. В ролях: Форест Уитакер, Дайан Венора, Майкл Зелникер, Сэмюэл Э. Райт, Кит Дэвид, Майкл МакГуайр, Джеймс Хэнди, Дэймон Уитакер, Морган Наглер, Арлен Дин Снайдер.

«Полночь в саду добра и зла» (Midnight in the Garden of Good and Evil), 1997. A Malpaso Production. Прокат: Warner Brothers. Продюсеры: Клинт Иствуд, Арнольд Стифел. Режиссер: Клинт Иствуд. Сценарий: Джон Ли Хэнкок, по мотивам романа Джона Берендта. В ролях: Кевин Спейси, Джон Кьюсак, Элисон Иствуд, Ирма П. Холл, Пол Хипп, Дороти Лоудон, Энн Хейни, Ким Хантер, Джеффри Льюис, Ричард Херд, Леон Риппи, Боб Гантон, Майкл О'Хаган, Гари Энтони Уильямс.

«Таинственная река» (Mystic River), 2003. A Malpaso Production в сотрудничестве с NPV Entertainment. Прокат: Warner Brothers. Продюсеры: Клинт Иствуд, Роберт Лоренц, Джуди Хойт. Режиссер: Клинт Иствуд. Сценарий: Брайан Хелгеленд, по мотивам романа Денниса Лихейна. В ролях: Шон Пенн, Тим Роббинс, Кевин Бэйкон, Лоренс Фишбёрн, Марша Гей Харден, Лора Линни, Кевин Чэпмен, Том Гайри, Эмми Россам.

«Флаги наших отцов» (Flags of Our Fathers), 2006. A Malpaso Production в сотрудничестве с Warner Brothers, Amblin Entertainment, DreamWorks SKG. Продюсер: Клинт Иствуд. Режиссер: Клинт Иствуд. Сценарий: Уильям Бройлес мл., Пол Хаггис. Сюжет: Джеймс Брэдли, Рон Пауэрс. В ролях: Райан Филипп, Джесси Брэдфорд, Адам Бич,

Джон Бенжамин Хикки, Джон Слэттери, Барри Пеппер, Джейми Белл, Пол Уокер, Роберт Патрик, Нил МакДонаф, Мелани Лински, Том МакКарти, Кристофер Бауэр, Джудит Айви, Мира Терли, Джозеф Кросс, Бенджамин Уокер, Скотт Иствуд, Харви Преснелл, Джордж Хирн, Алессандро Мастробуоно, Старк Сэндс, Джордж Гриззард, Лен Кариу, Кристофер Карри, Бабба Льюис, Бет Грант, Конни Рэй, Энн Дауд, Мэри Бет Пейл, Дэвид Патрик Келли, Гордон Клэпп.

«Письма с Иводзимы» (Letters from Iwo Jima), 2006. A Malpaso Production в сотрудничестве с Warner Brothers, Amblin Entertainment, DreamWorks SKG. Продюсеры: Клинт Иствуд, Роберт Лоренц, Тим Мур, Стивен Спилберг. Режиссер: Клинт Иствуд. Сценарий: Айрис Ямасита. Сюжет: Айрис Ямасита, Пол Хаггис. В ролях: Кэн Ватанабэ, Кадзунари Ниномия, Цуёси Ихара, Рё Касэ, Сидо Накамура, Хироси Ватанабэ, Такуми Бандо, Юки Мацудзаки, Такаси Ямагути, Эйдзиро Одзаки, Наэ, Нобумаса Сакагами, Люк Эбрел, Сонни Саито, Стив Санта Секиёси, Хио Абэ, Тосия Агата, Ёси Исии, Тоси Тода, Кен Кэнсэй, Икума Андо, Акико Сима, Масаси Нагадои, Марк Мозес, Роксанна Харт, Ёсио Иидзука, Мицу, Такудзи Курамото, Кодзи Вада.

«Подмена» (Changeling), 2008. Malpaso Production в сотрудничестве с Imagine Entertainment. Продюсеры: Клинт Иствуд, Брайан Грейзер, Рон Ховард, Роберт Лоренц. Режиссер: Клинт Иствуд. Сценарий: Дж. Майкл Стражински. В ролях: Анджелина Джоли, Гэттлин Гриффит, Мишель Ганн, Жан Деверо, Майкл Келли, Эрика Грант, Антония Беннетт, Керри Рэндлс, Фрэнк Вуд, Морган Иствуд, Мэдисон Ходжес, Джон Малкович, Колм Фиор, Девон Конти, Дж. П. Бамстед.

«Человеческий фактор» (The Human Factor), 2009. A Malpaso Production. Продюсеры: Клинт Иствуд, Морган Фриман, Роберт Лоренц, Лори МакКрири, Мэйс Нойфельд. Режиссер: Клинт Иствуд. Сценарий: Энтони Пекэм, по книгам Джона Карлина Playing the Enemy: Nelson Mandela и Game That Made a Nation. В ролях: Мэтт Дэймон, Морган Фриман.

Только продюсер

«Счастливые звезды над Генриеттой» (The Stars Fell on Henrietta), 1995. A Malpaso Production. Прокат: Warner Brothers. Продюсеры: Клинт Иствуд, Дэвид Валдес. Режиссер: Джеймс Кич. Сценарий: Филип Рэйлзбэк. В ролях: Роберт Дювалл, Айдан Куинн, Фрэнсис Фишер, Брайан Деннехи.

НА ТЕЛЕВИДЕНИИ

«Аллен в киномире» (Allen in Movieland), 1955. Разовая специальная программа, посвященная рекламе Стива Аллена в роли Бенни Гудмана в будущем фильме «История Бенни Гудмана» (1956), который снимал Валентайн Дейвис. В этом телешоу Клинт играл дворника. У его персонажа не было имени, он не упоминался в титрах.

«Дорожный патруль» (Highway Patrol), 1956. Эпизод «Мотоциклист А» (Motorcycle A).

«Дни в Долине Смерти» (Death Valley Days), 1956, ведущий — Рональд Рейган. Клинт ненадолго появляется в шести эпизодах.

«Вест-пойнтская история» (West Point Story), 1957. Клинт появляется в одном эпизоде этого сериала, который также называется «Вест-пойнтская история».

«Бортовой журнал» (Navy Log), 1958. Клинт появляется в роли Бёрнса в эпизоде этого сериала, который называется «Одинокий страж» (The Lonely Watch).

«Мэверик» (Maverick), Клинт появляется в одном эпизоде сериала Джеймса Гарнера. Эпизод называется «Дуэль на закате» (Duel at Sundown), его героя зовут Ред Хардиган.

«Сыромятная плеть» (Rawhide), 1959—1965. Клинт снялся во всех 217 эпизодах сериала в роли Роуди Йейтса.

«Мистер Эд» (Mr. Ed), 1962. Клинт играет самого себя в эпизоде «Клинт Иствуд встречается с мистером Эдом».

«Удивительные истории» (Amazing Stories), 1985. Клинт поставил один эпизод, «Ванесса в саду» (Vanessa in the Garden), автором сценария и исполнительным продюсером которого был Стивен Спилберг. Производство для ТВ: An Amblin Entertainment Production. В ролях: Сондра Локк, Харви Кейтель, Бо Бриджес.

«Блюз» (The Blues), 2003. В документальном телесериале о блюзе, созданном Мартином Скорсезе и еще несколькими продюсерами, Клинт поставил один эпизод, который называется «Piano Blues».

АУДИОЗАПИСИ

Альбомы

1963 «Rawhide's Clint Eastwood Sings Cowboy Favorites» («Клинт Иствуд поет любимые ковбойские песни из сериала "Сыромятная плеть"»)

Синглы

1961 «Unknown Girl»
1962 «Rowdy»
1962 «For You, For Me, For Evermore»
1980 «Bar Room Buddies» (с Мерлом Хаггардом), саундтрек к фильму «Бронко Билли»
1980 «Beers to You» (с Рэем Чарльзом)
1981 «Cowboy in a Three Piece Suit»
1984 «Make My Day» (с Т. Дж. Шеппардом), альбом «Slow Burn»
2009 «Gran Torino» (в роли Уолта Ковальски, с Джэми Каллам)

Клинт также написал музыку к кинофильму Джеймса С. Страуза «Грейс больше нет с нами» (Grace Is Gone, 2007) и оригинальные композиции для фортепиано к фильму «На линии огня» (In the Line of Fire).

ПРЕМИИ И НОМИНАЦИИ АМЕРИКАНСКОЙ КИНОАКАДЕМИИ

(Награды выделены полужирным шрифтом)

1992 – Лучший фильм – «Непрощенный»

1992 – Лучший режиссер – «Непрощенный»

1992 – Премия за лучшую мужскую роль – «Непрощенный»

1995 – Награда имени Ирвинга Тальберга за выдающийся продюсерский вклад в развитие кинопроизводства

2003 – Лучший фильм – «Таинственная река»

2003 – Лучший режиссер – «Таинственная река»

2004 – Лучший фильм – «Малышка на миллион»

2004 – Лучший режиссер – «Малышка на миллион»

2004 – Премия за лучшую мужскую роль – «Малышка на миллион»

2006 – Лучший фильм – «Письма с Иводзимы»

2006 – Лучший режиссер – «Письма с Иводзимы»

ДРУГИЕ ЗНАЧИТЕЛЬНЫЕ НАГРАДЫ

Почетная награда Центра Джона Кеннеди, 2000.

Почетная ученая степень Тихоокеанского университета США, 2006.

Номинация на премию «Грэмми» за лучший саундтрек к кинофильму, телефильму или другому визуальному представлению – фильм «Малышка на миллион», 2006.

Гуманитарная премия Американской ассоциации кинокомпаний за фильмы «Флаги наших отцов» и «Письма с Иводзимы», 2006.

Отмечен в Калифорнийском Зале славы (находится в Калифорнийском музее истории, женщин и искусства) по инициативе губернатора Калифорнии Арнольда Шварценеггера, 2006.

Орден Почетного легиона, высший гражданский знак отличия, почета и официального признания особых заслуг во Франции, 2007.

Почетная степень имени Джека Валенти от Университета Южной Калифорнии, 2007.

Почетная степень доктора музыки от Музыкального колледжа Беркли, вручена на Джазовом фестивале в Монтерее, 2007.

Премия лучшему актеру от Национального совета кинокритиков США за фильм «Гран Торино», 2008.

Примечания автора и благодарности

Эта биография продолжает мои ревизионистские исследования того, что является величайшей и наиболее оригинальной формой выражения Америки, а именно голливудского кино. Возникшее как новаторская форма недорогого развлечения, оно превратилось в индустрию с оборотами в миллиарды долларов и даже вошло в пантеон искусств XX века. Я изучаю жизнь тех, кто снимается в фильмах. Я считаю этих людей наиболее интересными, влиятельными и принципиально ответственными за формирование той среды, в которой они преуспевают. В своей работе я постоянно вспоминаю о точке зрения Молли Хэскелл, которая считала, что существует великое множество способов рассказать о кино. Я тоже так думаю.

Как представитель послевоенного поколения, я вырос в эпоху медиареволюции, которая началась с кино, черно-белого телевидения и, конечно же, рок-н-ролла. Я вырос на улицах Нью-Йорка, мое детство прошло в Западном Бронксе, в пестрой смеси населения, состоявшей из представителей рабочего среднего класса. Из развлечений для меня и моих друзей были доступны телевидение, музыка по радио и граммофонные пластинки-«сорокапятки». Все мои ровесники с раннего детства знали, кто такие Супермен, Хауди Дуди, «Банда Энди» — и, наконец, кто такой величайший, чистейший, благороднейший из всех ковбоев — Одинокий рейнджер. Мы распевали песни, которые услышали по радио (оно работало тогда на средних волнах). Мы собирались на перекрестках, чтобы разучить несколько гитарных аккордов или научиться стучать по барабанам бонго, как Марлон Брандо. И конечно же, у наших родителей был Фрэнк Синатра, а у нас — Элвис.

Я рано пришел к кино как к развлечению и относительно поздно — как к искусству. Произошло это по двум причинам. Во-первых, для того, чтобы попасть в кинотеатр, приходилось платить, а у меня тогда редко бывали свободные средства. Во-вторых, когда утром в субботу у меня в кармане обнаруживалась мелкая монета, то с ней нужно было тащиться далеко-далеко, в кинотеатры Loew's Paradise или RKO Fordham — именно там беспрерывно крутили мультфильмы, фантастику или фильмы ужасов. Наконец, нам очень не нравились толстые, пожилые и злые тетки-билетерши: они заставляли детей садиться с краю и смотреть на перекошенный экран, а ровно в три часа дня выгоняли всех из зала, чтобы освободить место для взрослых. Хорошо хоть TV и радио были тогда бесплатными...

Я хорошо помню свой первый фильм. Когда я был еще совсем маленьким, родители взяли меня в кино на картину Фреда Циннемана «Ровно в полдень» (они не доверяли няне). Но только во времена учебы в колледже я обнаружил всю эмоциональную глубину этого фильма — и кино в целом. Это произошло благодаря двум встречам, которые пробудили мои чувства, перевернули мое мышление и в итоге изменили всю мою жизнь.

...Я был тогда старшекурсником отделения драмы Высшей школы исполнительских искусств — щуплым тинейджером в синих джинсах. И молодым актером, который свято верил в систему Станиславского и решил посвятить всю свою жизнь служению Театру. Тогда я очень мало знал о том, что это такое — Театр: даже первое «живое» шоу на Бродвее я увидел уже в достаточно зрелом возрасте. А в те времена в нашей Высшей школе одного разговора о желании попасть на телевидение или в кино было почти достаточно, чтобы тебя отчислили «за отсутствие серьезного подхода к искусству». Для преподавателей исполнительских искусств, которых (преподавателей) я очень любил (и до сих пор люблю) и которым я доверил большую часть своего развития в подростковом возрасте, фильмы повествовали лишь о фальшивой славе и о власти грязных денег. Например, никто и никогда не обсуждал произведения Альфреда Хичкока, которого я уже тогда считал величайшим режиссером в мире. Вместо этого нас обучали искусству эмоциональной памяти как части системы, которую дал миру Станиславский. Какая там эмоциональная память? Что может вспомнить человек в возрасте двенадцати лет?

Несколько лет спустя, уже после успешного дебюта в качестве актера на театральной сцене и на телевидении, я поступил в Городской колледж Нью-Йорка (основной и старейший колледж Городского университета Нью-Йорка) для обучения в бакалавриате. Там я участвовал в обычном наборе студенческих постановок — Софокл, Чехов, Шекспир, Миллер, Уильямс. В одном из семестров я остановился на курсе по выбору, который был посвящен кино. Занятия вел Герман Вайнберг, автор книги о режиссере Джозефе фон Штернберге, о котором я никогда не слышал. Курс Вайнберга назывался «Штернберг и Дитрих». Каждую неделю мы рассматривали один из примеров легендарного сотрудничества между режиссером и звездой. Скоро я обнаружил, что с нетерпением жду этих занятий — больше, чем занятий любого другого курса. Так в темной аудитории Городского колледжа на Конвент-авеню я в первый раз почувствовал всю мощь магической мерцающей лампы.

Впервые фильм стал для меня чем-то большим, чем поверхностный опыт. Я был очарован «присутствием» Штернберга в каждом фильме — хотя ни в одном из них он никогда не появлялся на экране. Просмотр всех восьми фильмов, которые показывали историю карьеры Штернберга и Дитрих, дал мне невероятный запас энергии.

В 1969 году, через год после того, как я окончил Городской колледж Нью-Йорка, я отправился на летние гастроли и тогда же влюбился в красивую молодую актрису.

Когда мы вернулись в Нью-Йорк, то переехали в маленькую квартирку в районе Гринвич-Виллидж, чтобы она могла продолжить учебу в колледже.

А училась она на театральном отделении довольно радикальной (тогда) Школы искусств Нью-Йоркского университета. Как студентка этого отделения она была должна пройти вечерний курс киносъемок, который вел (тогда) относительно молодой и почти неизвестный Эндрю Саррис. Однажды после занятий она пришла домой очень оживленной и сказала мне, что если я действительно хочу стать актером, то мне следует пойти и послушать, что этот человек говорит о кино. Я был настроен несколько скептически, поскольку пребывал в уверенности, что знаю все и обо всем (включая любовь), но согласился зайти на одно занятие — скорее для того, чтобы ее успокоить, чем из-за реального желания услышать, как кто-то еще будет читать мне лекцию о кино, о котором, как я верил, я уже знаю все, что мне нужно знать. Но в тот вечер, во вторник, на углу Одиннадцатой улицы и Второй авеню, в забитой студентами маленькой аудитории, с доской, проектором и раскатывающимся из трубочки экраном, моя голова совершенно пошла кругом, когда Саррис с большой страстью стал рассказывать о своей новой спорной методологии кинокритики, которая называлась теорией авторского кино.

Словно атомная бомба взорвалась в моем мозгу, когда он заговорил о том, что кино — это не театр, записанный на пленку, не драматизированный роман, не разыгранная в лицах историческая реконструкция, не ожившие картины, но свое, особое искусство. Это было невидимое искусство или, как он выразился, «невизуальная среда». Это означало, что личность художника — в данном случае режиссера — не была видимой, а материализовалась в силе и стиле его режиссуры. Он говорил, что картину нужно рассматривать саму по себе, и по этой причине то, о чем фильм, куда менее важно, чем то, как рассказывается эта история, а содержание этой истории гораздо менее захватывает, чем стилистический контекст. По этой причине те американские фильмы, которые критика обычно относила к нижней части киномассива, нужно переоценить и найти им новое место. При этом теория авторского кино в его словах представала критической оценкой, а не художественным приемом — ни один режиссер никогда не мог и мечтать о том, чтобы стать подлинным автором фильма.

Слова Сарриса потрясли мою творческую душу. Он открыл мне глаза на то, что было великолепно не только на экране, но и за его пределами. Он был красноречивым, красивым, проницательным, страстным и глубокомысленным, он вдохновлял меня, как любая песня Боба Дилана, Фила Оукса, Дэвида Блу, Джоан Баэз или любого другого фолк-кумира моего подросткового возраста. В тот вечер я впервые осознал, что есть кино на самом деле, и оценил силу этого искусства. На стадии перехода от анализа работ других авторов к написанию своих собственных Эндрю Саррис попал в число тех людей, которые оказали на меня самое большое влияние. (Пять лет спустя, когда Саррис оказался моим профессором в Школе искусств Колумбийского университета, мы не только образовали пару наставник — ученик, но и стали хорошими друзьями.)

Я все еще слушал лекции Сарриса в Нью-Йоркском университете (а теперь я их добросовестно посещал каждую неделю), когда ко мне прибежал мой друг по колледжу Джо Шнайвайс. Его очень взволновал фильм, который он посмотрел на выходных. Это была лента «За пригоршню долларов». Джо буквально за рукав пальто потянул меня туда, где показывали этот фильм, чтобы я смог увидеть его сам.

Я посмотрел этот фильм, и он мне очень понравился. Джо был прав: эта картина была не похожа ни на что из того, что я видел в кино раньше. Ее герой, Человек без имени, сыгранный Клинтом Иствудом, был первым крутым парнем, которого я видел на большом экране и который был похож на настоящих крутых парней, знакомых мне по Бронксу. Он не был чопорным, он не читал стихов, не скакал на белом коне, словно рыцарь в сияющих доспехах, и ему было все равно, кого (или как) он убил. Он мог сражаться и ездить верхом; он был большим, сильным и абсолютно правдоподобным. Как этого достигли в фильме? Для меня это было непостижимо. Его характер был новым, другим и оригинальным, его лицо я не мог забыть. Я еще не понимал, как он и Серджо Леоне это сделали, но, несомненно, почувствовал интуитивную связь, установившуюся как с персонажем, так и с актером, который его сыграл. Со времени появления Джеймса Дина в фильме Джорджа Стивенса «Гигант» (1956) ни один из актеров на экране и персонажей, которых они играли, не рассказал мне так много обо мне самом.

Вскоре после этого я прочитал эссе Сарриса «Спагетти-вестерны», в котором он объяснил мне, кто такие Серджо Леоне и Клинт Иствуд. Как обычно, Саррис обошел всех на повороте. В то время как остальная часть мира кинокритиков презирала этот и большинство других жанровых фильмов (а также актеров, которые в них играли) и отмечала только то, что они уступают стандартному голливудскому «продукту», Саррис смог увидеть их такими, какими они были на самом деле. Он дал новую оценку и этим кинодеятелям, и людям, которые на них повлияли, включая Хичкока, Уэллса, Чаплина, Форда, Хоукса, Уолша, Капру и всех остальных, кто в конечном итоге не только получил признание, но и вошел в пантеон американских фильмов и их режиссеров.

Я считаю, что Клинт Иствуд как режиссер (а также как актер) законно является именно Автором, полноправным автором своих фильмов. Его личность отражена в его персонажах и в самих лентах, она осталась в них, как подпись, навечно запечатленная на листе бумаги. Именно поэтому эти фильмы достойны изучения, а жизнь Клинта — написания биографии. Вот почему я решил написать о его работе и о его жизни.

Мне кажется, писать о живущих рядом с тобой людях — это всегда сталкиваться с проблемами. С одной стороны, их история еще не закончилась. Но второй и более сложный вопрос — это соавторство. На мой взгляд, «одобренные» биографии (а я сам несколько таких написал) действительно являются совместными работами и должны так и называться — например, я подобным образом сотрудничал с Барри Уайтом, Донной Саммер, Джеймсом Брауном и другими звездами. Но опасность сотрудничества заключается в том, что автор может отказаться от редактирования ради предоставления так называемой внутренней информации (чаще всего это оказывается истина, но представленная в самом выгодном свете). Из работы уходят упоминания о всех недостатках, недобрые суждения и злобные отклики, и в результате получается детальный портрет размером восемь на десять дюймов*, обработанный фотошопом. При написании этой книги я решил не входить в контакт с Клинтом Иствудом из-за его известного отвращения ко вниманию публики; вместо этого я решил

* 20,32 на 25,4 см *(прим. ред.)*.

написать книгу, так сказать, с объективного расстояния. Как кинокритик и исследователь, изучающий историю кино, я всегда пытался писать о режиссерах через «двойные линзы» их жизни и работы, чтобы понять, как одна из них помогает создавать другую.

Когда герой повествования не просто жив, но и влиятелен в своей области, заставить людей говорить о нем или о ней под запись практически невозможно. Голливуд — это место, которое управляется страхом более, чем любым другим чувством. Я сам жил и работал там много лет и достаточно написал об индустрии кино, у меня в этой отрасли немало надежных контактов. У этой книги есть несколько десятков первоисточников — людей, которые говорили со мной в ходе ее написания. Однако поскольку многие из них просили не называть своих имен, я решил не упоминать никого из них. В тех немногих местах, где это будет заметно по конструкциям типа «источники сообщают», «по словам одного из участников» и т. п., я, к сожалению, не могу быть более откровенным, потому что должен уважать желания этих людей (некоторых) и их честность (всех). Я считаю, что мою точку зрения всегда может подтвердить достаточное количество вторичных источников. И я рассказываю свою историю так, как, по-моему, ее и нужно рассказывать.

Чтобы сохранить непрерывность изложения, я использовал в качестве путеводных нитей две другие биографии Иствуда. Обе они были впервые опубликованы как минимум десять лет тому назад, и поэтому в них не отражено лучшее и, я думаю, самое интересное десятилетие жизни Клинта Иствуда. Биография Иствуда, написанная Ричардом Шикелом в 1996 году, сталкивается с попытками представить его одновременно и инсайдером, и аутсайдером. В результате его книга становится безнадежно агиографичной, «житийной» (и я далеко не единственный, кто так считает). По словам Стефани Захарек, «Шикел слишком безжалостно бьет по своей собственной увлеченности — и, в частности, его поддержка Иствуда иногда приближается к фетишизации»*. Слишком многое в работе Шикела страдает от проблемы пересечений: он хочет и оставаться в теме, и одновременно быть ее критиком. Мы с ним часто писали на близкие темы — так, оба создали биографии Уолта Диснея, и там тоже наши подходы и наши результаты оказались на удивление разными.

Что касается книги Патрика МакГиллигана, которая должна была стать серьезной биографией, она, к сожалению, превратилась

---

* Stephanie Zacharek, reviewing You Must Remember This: The Warner Bros. Story (Schickel with George Perry, with an introduction by Clint) in the New York Times Book Review of December 7, 2008.

в произведение автора, принадлежащего к инсайдерской школе «попаданцев» (от слов «попался», «не уйдешь»). Эта книга воспринимается как атака на Шикела и по ходу изложения становится все более циничной и озлобленной, с указанием на многие критические упущения Шикела (таковыми, впрочем, нередко являются и другие биографические и критические работы МакГиллигана; я сам в прошлом столкнулся с этим обстоятельством, став «жертвой» его биографии Диснея). Таким образом, его ошибки и его объективность являются разными сторонами одной медали. При этом ни книга Шикела, ни книга МакГиллигана не имеют никакого отношения собственно к кино — их можно было бы написать о писателе, художнике или поэте. Тем не менее я нашел в обеих книгах и нечто полезное, информативное, особенно в том, что касается хронологии событий.

Для написания моей книги были также полезны воспоминания Сондры Локк, хотя в них мало примечаний, нет указателей и списка источников — и, естественно, они чрезвычайно субъективны. Тем не менее их чтение указало мне на несколько полезных направлений, особенно в прослеживании юридических документов и судебных решений.

Для меня также было важно посмотреть фильмы Клинта Иствуда. Наличие DVD, видеозаписей, обращение к кабельным каналам и другим источникам в итоге позволили мне увидеть практически все фильмы Клинта Иствуда. Я благодарю всех, кто помог мне их найти.

А теперь я хочу поблагодарить за помощь и руководство следующих коллег: Мэри Стифватер, мою замечательную временную помощницу и исследователя; хорошего парня и профессионального исследователя Дэвида Хервитца; моего верного редактора Джулию Пасторе; моего издателя Шэйе Арехарт; моего агента Алана Невинса; моего фотографа и мастера на все руки Сяолэй У; наконец, всех сотрудников Harmony Books, кто был занят в издании и продвижении этой книги.

Дорогие мои читатели! Я благодарю вас всех и желаю вам всего наилучшего. Знаю, что мы обязательно встретимся снова — надо только пройти чуть дальше по жизненному пути.

Содержание